클라크 애슈턴 스미스 걸작선

CLARK ASHTON SMITH

러브크래프트 전집 특별판

CLARK ASHTON SMITH

클라크
애슈턴 스미스
걸작선

러브크래프트 전집 특별판

클라크 애슈턴 스미스 | 정진영 옮김

황금가지

* 인명 및 지명, 기타 명칭은 한글 맞춤법 통일안 및 외래어 표기 규정을 따랐습니다.
* 본문에 사용한 부호 및 기호의 뜻은 다음과 같습니다.

- 전집, 단행본 : 『』
- 신문, 잡지 : 《》
- 개별 작품, 단편, 영화 : 「」

* 본문 중 괄호 처진 작은 숫자는 개념이나 단어를 이해하기 위한 역자 주석 번호입니다. 각 단편의 끝에 주석이 있습니다.

클라크 애슈턴 스미스의 생애와 문학

생애

20세기 초반 펄프 잡지의 전성기를 이끌었던 《위어드 테일스》. 이 잡지의 전성기를 이끈 3인방이 러브크래프트, 로버트 E. 하워드 그리고 클라크 애슈턴 스미스다. 공포 문학의 거장 러브크래프트와 야만인 코난의 창시자 하워드에 비해 스미스는 국내에 생소한 작가다. 러브크래프트와 하워드의 명성에 가려 저평가된 것이다. 세 작가는 죽기 전까지 서로 활발히 편지를 주고받는 글벗이었고 신기하리만큼 공통점이 많았으나, 정작 얼굴을 맞대고 만난 적이 없을 뿐만 아니라 사는 지역도 서로 꽤 멀었다. 러브크래프트는 뉴잉글랜드의 프로비던스(1890~1937), 하워드는 텍사스의 크로스 플레인스(1903~1936)였다.

클라크 애슈턴 스미스는 캘리포니아 롱밸리의 오번에서 1893년 1월 13일에 태어났다. 시에라 네바다 산맥의 기슭에 있는 오번은 한때 골드러시로 북적였던 금광의 중심지였다. 제철업자였던 스미스의 조부가 자수성가하여 큰돈을 모았으나, 부친인 타이멕스가 도박과 여행으로 재산을 탕진했다고 한다. 영국 태생이었던 아버지는 세계 여행을 하다가 오번에 정착했고, 미국 중서부 출신의 어머니 메리 프랜시스(패니) 게이로드는 가족과 함께 롱밸리로 이주해 왔다. 두 사람은 1891년에 결혼을 한 이후, 게이로드 가의 농장에서 살았다. 외동아들이었던 스미스는 네 살 때 성홍열을 크게 앓는 바람에 차후 몇 년 동안 그 후유증으로 병약하게 지내야 했다. 타이멕스는 호텔에서 야간 경비원으로 일하면서 모은 돈으로 1902년 무렵에 볼더 리지 정상에 있는 산림지를 사들였다. 그리고 이곳에 손수 우물을 파고 방 네 개짜리 단층집을 짓기 시작하여 5년 만에 완성했다. 세 식구는 1907년에 드디어 새집으로 이사한다.

스미스가 창작을 하기 시작한 것은 11살 때, 처음에는 주로 동화를 쓰다가 나중에는 『아라비안나이트』를 모방한 모험 소설을 쓰기도 하였다. 14살 때 쓴 모험 단편 「검은 다이아몬드 *The Black Diamonds*」는 한동안 유실되었다가 2002년에 발견되어 출간되었다. 중세를 배경으로 한 「검은 다이아몬드」는 『아라비안나이트』와 흡사한 반면, 10대에 쓴 또 다른 소설 「자간의 검 *The Sword of Zagan*」(2004)은 그림 형제의 동화와 에드거 앨런 포의 작품과 유사하다. 그 밖에도 윌리엄 벡포드의 『바텍』 역시 스미스의 초기 글쓰기에 영향을 주었다. 그러나 13세부터 시를 쓰기 시작하면서 소설보다는 시의 묘미에 빠져들었다. 특히 14세 무렵 캘리포니아 낭만주의 시풍에 우주적인 전망을 도입한 조지 스털링의 시를 발견한 것은 스미스의 창작 활동에서 큰 전기가 된다.

스미스의 정규 교육은 그래머스쿨에서 끝났다. 일찍이 오번 고등학교에 지원하여 입학 허가를 받았으나, 부모님의 허락하에 독학을 하기로 마음을 바꾸었다. 이것은 병약한 체질과 대인기피증 같은 심리적인 문제 때문이었다고 알려져 있다. 엄청난 독서광이었고 학교를 떠난 후에도 결심대로 독학을 게을리하지 않았다. 『로빈슨 크루소』, 『걸리버 여행기』를 시작으로 안데르센 동화, 『아라비안나이트』, 에드거 앨런 포를 어린 시절부터 읽었다. 웹스터 사전(혹은 옥스퍼드 사전)을 통째로 달달 외울 정도로 읽으면서 단어의 뜻뿐만 아니라 고대어로부터 파생어 등 어원까지 철저하게 확인했다. 여기에 브리태니커 백과사전을 두 번 이상 정독하였고, 비범한 기억력으로 사전을 거의 암기하고 있었다. 덕분에 독자들은 스미스의 작품을 읽으면서 사전을 찾아보게 되었다. 나중에는 프랑스어와 스페인어를 독학으로 읽고 쓸 수 있게 되었다.

스미스는 1910년 17세 때 《오버랜드 먼슬리》를 통하여 두 편의 단편 소설을 발표했다. 1868년 샌프란시스코에 설립된 《오버랜드 먼슬리》는 많은 캘리포니아 작가들 이를테면 아이너 쿨브리스, 브렛 하트, 찰스 스터다드의 활동 무대였고, 앰브로스 비어스와 잭 런던이 등단한 지면이었다. 스미스는 이듬해인 1911년과 1912년에 각각 한 편씩 보스턴의 문학지인 (색다른 이야기를 특화하여 출간하는) 《블랙캣》에 단편 소설을 발표한다. 그러나 이것은 스미스가 시인으로 화려한 스포트라이트를 받기에 앞서 간단한 전초전이었다.

젊은 작가 스미스에게 창작의 중요 동인은 시였다. 1911년에서 1926년까지 10년 넘게 스미스는 시에 집중한다. 몇 편의 시가 《오번 저널》을 비롯한 지역 잡지에 발표되었고, 이를 계기로 여성 클럽의 시 낭독회에 초대를 받는다. 이곳에서 오번 고등학교에서 영어를 가르치던 에밀리 J. 해밀턴을 만나는데, 에밀리는 스미스가 스털링을 우상처럼 여기는 것을 알고 시를 보내보라고 권유한다. 그리고 면식이 있었던 스털링에게 직접 스미스를 소개하는 편지도 보내준다. 이 무렵 스털링은 비어스, 브렛 하트, 조아퀸 밀러, 에드윈 마크햄, 잭 런던, 거투르드 애서턴 등의 기라성 같은 문인들과 어깨를 나란히 하고 있었다. 스털링은 스미스의 시에서 18세라는 나이를 의심케 하는 원숙미를 발견하고 '진정한 천재'라고 찬사를 보낸다. 그리고 한 잡지와의 인터뷰에서 스미스의 시를 소개하는 한편, 자신의 멘토였던 비어스에게도 보여준다. 비어스는 스미스의 시에 대해서 "아주 인상적인 시어들이 많고, 장중하고 힘차게 큰 주제를 다룬다."라고 역시 높이 평가한다. 스털링은 스미스와 비어스의 만남을 주선했으나, 이 약속은 비어스의 건망증으로 이루어지지 않았다고 한다.

스털링은 형편이 여의치 않은 스미스에게 차비를 보내 카멜에 있는 자신의 방갈로로 초대하여 한 달간 함께 지내면서 보들레르의 시를 소개해 준다. 스미스가 은퇴한 외교관 보트웰 던래프의 주선으로 《샌프란시스코》와 인터뷰를 한 뒤, 스미스의 시가 언론에 소개되기 시작했다. 이어서 '시에라 산맥의 천재 소년', '퍼시픽 코스트의 키츠'라는 찬사를 얻는다. 던래프는 또한 스털링의 담당 출판업자인 A.M. 로버트슨을 소개함으로써 스미스의 시집 출간의 물꼬를 튼다. 스털링은 스미스에게 시와 시집 선별 작업에 대해 조언을 아끼지 않는다. 그 결과 1912년 11월, 19세 때 스미스의 첫 시집 『별을 밟는 자 The Star-Treader and Other Poems』가 출간되었다. 1912년 비어스는 《웨스턴》에 평소처럼 신랄한 비평을 쓰면서 이례적으로 스미스에 대해서는 아주 장래가 촉망되는 시인이라고 평한 뒤, 너무 이른 명성과 과찬이 독이 될지 모르고 과찬에 상응하는 과장된 혹평에 시달릴지 모르겠다고 했다. 이 위대한 비평가의 예언은 틀리지 않았다.

스미스의 첫 시집은 극단적인 찬사와 혹평을 동시에 받는다. 우주의 무한성과 인간의 하찮음을 주제로 한 이 시집은 미국과 영국의 평론가들로부터 주목과 호평을 받았다. 《뉴욕 이브닝포스트》는 가장 아름다운 영시의 후보작으로 스미스의 「네로Nero」를 추천하기도 했다. 소설가 조지 워크는 스미스를 '셰익스피어, 키츠, 셸리의 전통에서 가장 위대한 미국 시인'이라고 찬사를 보냈다. 그러나 일각에서는 '불길하고', '송장을 파먹는 구울' 같다고 신랄하게 말하는 이도 있었다. 비어스는 "스미스가 반응의 사자 무리 속에 내던져져 안타깝다."라고 말하면서 스털링과 함께 스미스를 옹호하였다. 『별을 밟는 자』는 1000부 넘게 팔리면서 무명 시인의 시집치고는 괜찮은 판매고를 올렸다.

스미스는 갑작스러운 명성에 적응하지 못하였다. 또한 보헤미안 클럽이나 샌프란시스코 문학인들의 모임도 불편해하였다. 잭 런던이 초대했을 때나 스털링이 카멜로 다시 초대했을 때 모두 거절했는데, 차비가 없어서라는 표면적인 이유 외에 수줍은 성격도 한몫했다. 스미스의 친구였던 할 루빈은 "베이(만)에서 지낸 것이 스미스를 정신적으로 탈진시켰다."면서 "스미스는 카멜의 차가운 바다 안개로 인해 결핵에 걸릴까 봐 두려워했다."라고 말하기도 했다. 스미스의 염려는 단순한 신경성 이상이었던 것 같다. 이 시기에 관절통과 소화 장애 그리고 말라리아 증상까지 겪은 것도 질병의 심각성을 입증한다. 마을 의사는 결핵 초기로 봤으나, 증상이 모호하여 결핵으로 확진하진 않았다. 물론 정신적인 요인도 크게 작용했으니, 우울증과 신경병이 나타났기 때문이다. 보다 못한 스털링이 요양원을 알선해 주었으나, 스미스가 거절했다. 스미스는 루빈에게 보낸 편지에서 "어린 시절 이후로 악몽에 시달렸다. 지금은 죽음에 사로잡혀 있다."라고 쓰고 있다.

어쨌거나 갑작스러운 명성에 대한 부적응과 건강 악화로 스미스의 창작 활동은 주춤한다. 스미스는 1912년에서 1913년 사이에《커런트 리터러처》와《커런트 오피니언》에 몇 편의 시를 발표하는 데 그친다. 루빈의 말에서도 드러나듯, 스미스는 첫 시집 이후로 심각한 '창작열의 부족'에 시달렸고, 저명한 캘리포니아 북클럽에서 1918년에 적은 분량의 『송시와 소네트 Odes and Sonnets』(스털링이 권두언을 쓴)를 출간하기까지 6년 동안 15편의 시를 쓰는 데 그쳤다. 그럼에도 이때 간헐적으로 쓴 시들은 최고의 걸작에 속한다. 시인 마크햄은 스미스에게 보낸 편지에서 '진정한 천재의 광휘'를 보았다고 적었다. 마크햄은 나중에 스미스를 '가장 위대한 미국 시인'이라고 칭송할 정도였다. 한편 스털링은 『송시와 소네트』 권두언에서 "클라크 애슈턴 스미스는 단연코 살아 있는 시인 중에서 가장 뛰어나다. (중략) 셰익스피어, 키츠, 셸리의 위대한 전통을 잇고 (중략) 그러나 부끄럽게도 우리는 그를 완전히 무시하고 거의 무명으로 남겨놓고 있다."라고 썼다.

『송시와 소네트』의 출간 이후에도 최고의 찬사가 쏟아졌으나, 스미스는 정작 『흑단과 수정 Ebony and Crystal』(1922)과 『백단향 Sandalwood』(1925) 두 시집을 자비로 출판해야 했다. 그나마《오번 저널》에서 출간한 이 시집들은 인쇄의 실수가 많아 스미스가 한 권씩 철자를 수정하는 고역을 겪었다. 유통 또한 여의치 않아서 스미스는 판매한 시집보다 더 많은 분량을 주변에 무료로 나누어주거나 염가로 처분해야 했다. 29편의 산문시와 85편의 시 그리고 또 한 번 스털링의 권두언이 포함된 『흑단과 수정』에는 1920년에 쓴 스미스의 가장 유명한, 무운 시 형태의 장시 「해시시 마약쟁이 혹은 악의 계시 The Hashish Eater, or The Apocalypse of Evil」가 포함되어 있다. 러브크래프트는 1923년에 이 시집을 읽고 '영어권 문학에서 가장 위대한 상상력의 상찬'이라고 극찬하면서 스미스에게 먼저 편지를 씀으로써 오랜 문우 관계의 물꼬를 텄다. 두 사람은 서로의 창조물(가상의 책, 공간, 신)을 각자의 작품에 차용하는데, 스미스는 러브크래프트의 주제를 자신만의 색채로 활용 발전시킴으로써 '클라크 애슈턴 신화(Clark Ashton Smythos)'라는 새 지평을 열었다. 이 무렵, 스미스는 나중에 러브크래프트의 서신 그룹에 속하게 될 문학인들과 교류를 시작한다.

한편, 스미스의 가족은 늘 가난했다. 스미스는 여력이 될 때마다 농장을 돌면서 과일을 따거나 포장하는 일, 나무를 자르거나 시멘트 작업, 우물 파기, 비료 주기 등의 일을 하였다. 어머니 패니는 여름에는 딸기를 따서 팔고 오번의 가가호호를 방문하는 잡지 구독 권유원으로 일하며 생계를 도왔다. 그래서 패니는 인근에서 '잡지 아줌마'로 통했다. 타이멕스는 자신의 경작지를 일구었으나 그리 좋은 결실을 거두진 못했고, 금광을 캐기도 했으나 이 역시 별 성과가 없었다. 이 무렵에 스미스는 아버지의 양계업을 돕기 위하여 스털링에게 돈을 빌려달라고 부탁하기도 했으나, 스털링이 도와주지는 못하였다. 대신에 스털링은 스미스의 시를 아끼는 후원자들을 모아 적으나마 다달이 스미스에게 후원금을 보내도록 주선해 주었다.

1923년부터 1926년까지 스미스는 《오번 저널》에 주로 단시와 풍자시를 중심으로 칼럼을 기고하는 동시에 종종 야간 편집원으로 일한다. 이 무렵에 스미스가 다시금 소설로 눈을 돌리게 되는 여러 계기가 있었다. 무엇보다 수입이 시를 쓰는 것보다 좋다는 것이 큰 이유였다. 1920년대 초, 「노련한 연인 *The Expert Lover*」, 「바람둥이 *The Flirt*」 같은 제목의 로맨스 소설을 쓰기 시작하는데 대부분은 완성되지 않았다. 그중에서 두 편은 《스내피 스토리스》와 《텐스토리북》에 실리기도 했지만, 미래의 독자들에겐 다행스럽게 스미스는 판타지 쪽으로 방향을 선회한다.

1925년에 「욘도의 흉물들」이 완성되었고, 이듬해인 1926년 봄에 《오버랜드 먼슬리》에 실렸다. 1923년부터 스미스와 활발하게 서신 왕래를 하면서 창작에도 서로 영향을 주고받았던 러브크래프트가 새로 창간한《위어드 테일스》에 소설을 발표할 것을 자주 권한다. 그래서 스미스는《위어드 테일스》에 세 편의 산문시(1926년 8월 호에 수록)와 한 편의 단편 「아홉 번째 해골 *The Ninth Skeleton*」(동년 9월 호 수록)을 보낸다.

지인들의 권유와 경제적인 이유 외에도 스미스가 시에서 단편 소설로 선회한 또 다른 계기가 있었는데, 이는 스미스의 삶에도 중대한 영향을 미쳤던 것으로 보인다. 그의 멘토이자 우상이었던 스털링이 1926년 한여름에 자살한 사건이었다. 스미스는 커다란 상실감에 젖어 스털링에 대한 존경과 애도를 담은 글을《오버랜드 먼슬리》에 기고한다.

1929년 경제 대공황이 시작되고 나이 든 양친의 건강이 나빠지는 동안, 스미스는 단편 창작에 매진한다. 러브크래프트처럼 스미스 또한 병마의 그림자가 드리웠던 유년기의 악몽을 작품에 투영시킨다. 1929년에서 1937년까지는 스미스가 가장 활발하게 소설을 창작한 시기다. 거의 한 달에 한 편꼴로 100편가량의 단편과 중편을 완성했다. 그중에서 절반가량이 지속적으로《위어드 테일스》에 발표되었다. 특히 1930년에서 1934년 사이는 러브크래프트와 로버트 E. 하워드와 더불어《위어드 테일스》의 전설적인 3인방 시대를 구가하였다. 스미스는《위어드 테일스》외에도《원더 스토리스》,《어메이징 스토리스》등에도 속속 작품을 발표하면서 1933년에는 여섯 편을 수록한 단편집 『이중 그림자』를 자비로 출판한다. 같은 해에 로버트 E. 하워드와도 서신 왕래를 시작한다. 편지를 주고받은 글벗 중에서 E. 호프만 프라이스(러브크래프트와 「실버 키의 관문을 지나서」를 공동 창작한)만이 이 세 사람을 직접 만난 유일한 작가다.

1930년대는 스미스가 작가로서 전성기를 누렸으나, 동시에 비극적인 사건들이 연속된 불운의 시기이기도 했다. 스미스의 문우였던 시인 베이첼 린지가 1931년 세상을 떠났고, 스미스의 양친은 급격히 건강이 나빠졌다. 그 결과 1933년에는 한동안 소설 창작을 중단해야 했다. 얼마 후인 1935년에 어머니 패니가 세상을 떠난 데 이어, 1936년에는 로버트 E. 하워드가 권총으로 자살한다. 게다가 1937년에는 러브크래프트가 숨을 거둔다. 그리고 같은 해 12월엔 아버지마저 세상을 떠나고 만다. 44세의 스미스는 잇따른 비보로 좌절과 무력감에 빠진 채 사실상 소설 집필을 중단한다. 결과적으로 3인방 중에 두 명의 죽음과 스미스의 침체와 더불어《위어드 테일스》의 황금기도 끝나간다. 이후 25년의 여생 동안 (1937년~1961년까지) 이전의 왕성했던 창작 활동과 상반되게 10여 편의 소설을 쓰는 데 그친다.

물론 스미스가 인생 중반기 이후를 무익하게 허비한 것은 아니었다. 그는 다시금 시로 관심을 돌리는 한편, 회화와 드로잉, 조각 같은 또 다른 창작 활동에 몰입한다. 이 시기에 프리츠 리버, 라 호프만, 프랜시스 레이니 등 많은 작가가 그의 오두막을 방문하곤 했다. 스미스는 러브크래프트 소설 한 편에 삽화를 그리기도 했고, 자신의 작품 네 편에 드로잉 작업을 직접 했다. 스미스의 회화와 드로잉, 조각 작품 들은 샌프란시스코와 새크라멘토, 로스앤젤레스, 뉴욕의 갤러리에 전시되었고, 그 중에서 상당수는 비록 비싼 가격은 아니지만 팔리기도 했다. 팔리지 않은 작품들은 지인들에게 주거나 편지 친구들에게 선물했는데, 러브크래프트는 특히 스미스의 조각 작품에서 강한 흥미와 영감을 얻었다. 1973년에 데니스 리카드가 스미스의 회화와 드로잉, 조각 들을 모아 『클라크 애슈턴 스미스의 환상 예술』이라는 제목으로 펴냈다.

스미스가 실질적으로 소설을 중단한 시기에도 그의 작품은 계속 출간되어 주목을 받았다. 예전에 완성해 둔 단편들이 계속해서 《위어드 테일스》를 비롯한 여러 잡지에 소개되었고, 1942년에는 러브크래프트 전문 출판사로 오거스트 덜레스가 설립한 아컴 출판사에서 스미스의 단편집 『시공으로부터 Out of Space and Time』를 출간했다. 아컴 출판사는 이후에도 스미스의 단편집 『잃어버린 세계 Lost Worlds』(1944), 『천재 로샤이 Genius Loci and Other Tales』(1948)에 이어 시집 『암흑성 The Dark Chateau』(1951)과 『마법과 마약 Spells and Philtres』(1958)에 이어, 1971년에는 스미스의 시를 집대성해 출간한다.

스미스는 담배를 많이 피웠고, 술(주로 집에서 만든 포도주)도 웬만큼 마셨지만, 시에 종종 등장하는 해시시 같은 마약에는 손을 대지 않았다. '위대한 낭만주의의 마지막 시인'답게 1909년에서 1930년까지 많은 여성과 염문을 뿌리며 로맨틱한 삶을 보냈다. 그중에는 오랜 시간 특별한 관계를 유지했으나 1950년대 초반에 좋지 않게 끝난 여성도 있다고 한다. 어찌 됐든, 스미스가 결혼한 것은 61세에 이르러서였다. 1954년 11월, 그는 캐롤린 존스 도먼과 결혼하여 퍼시픽 그로브 인근의 아내 집으로 이주한다. 스미스는 초혼, 캐롤린은 이미 세 자녀를 둔 재혼이었다. 이후 수년 동안 스미스는 인디언 리지에 있는 집과 퍼시픽 그로브의 아내 집을 오가며 생활한다.

이 무렵까지 스미스는 유산으로 받은 땅을 거의 팔지 않았다. 오번의 부동산 개발업자 한 명이 이 땅을 사들이고 싶어 여러 방법을 동원했지만, 스미스는 요지부동이었다. 사실 부모님과 땅에 대한 스미스의 변함 없는 사랑과 애착은 오해를 불러오기에 충분한 일화를 남기고 있다. 스미스는 부모님의 유골을 오번 오두막에 보관했는데, 나중에 자신의 유골과 섞어 가족의 땅에 뿌려지기를 소망했기 때문이었다. 그런데 결혼 후 두 집을 오가면서 생활하는 바람에 오두막을 제대로 관리하지 못했고, 오두막이 비어 있는 동안 도둑이 들고 기물 파손이 일어나기도 했다. 이 과정에서 부모님의 유골까지 엎질러져서 스미스는 큰 충격을 받았다고 한다. 게다가 공교롭게도 오두막에 화재까지 일어나, 스미스는 결국 땅을 모두 팔아버리고 만다. 스미스는 일련의 사건을 거치면서 오두막 화재를 땅을 노린 고의 방화라고 의심했으나, 확실한 결론은 나지 않았다. 아무튼, 이 의심쩍은 방화로 환멸을 느낀 스미스는 집터까지 모두 처분한 뒤, 퍼시픽 그로브로 이주해 버린다.

결혼 후에는 거의 글을 쓰지 않았다. 퍼시픽 그로브에서 정원사로 일했고, 해안 산책로 근처에서 쇼핑과 산책으로 대부분의 여가를 보냈다. 1950년대에 들어서서 스미스의 건강이 나빠지기 시작했다. 1940년대 말에 이미 심각한 눈병을 겪은 후였다. 1953년에 시작된 심장 발작이 1961년에 여러 차례 반복되면서 말투가 어눌해지기도 했다. 덜레스의 채근에도 그는 더 이상 소설을 쓰지 않았다. 1961년 8월 잠을 자는 도중에 향년 68세로 숨졌다. 일이 년 후에 그의 유골은 오번으로 옮겨져, 가족의 집터 서쪽에 서 있는 떡갈나무 밑에 묻혔다. 그리고 나중에 오두막에서 가장 가까운 거리에 '스미스 시인의 길'이라는 명칭이 붙었고, 이 거리에서 가까운 또 다른 길은 '스미스 골목'으로 불리게 되었다. 그리고 스미스 탄생 100주년이 되던 1993년에는 오번 시 의회에서 1월 10일부터 16일까지를 '클라크 애슈턴 스미스 주간'으로 정하기도 했다. 스미스가 남긴 단편은 100여 편, 시는 700편 정도로 추산된다.

문학 세계

　스미스의 문학을 말할 때 독창적인 스타일이라는 수식어가 눈에 띄게 많다. 다른 작가와 관련성을 찾기 힘든, 독특하고도 분류하기 힘든 문학 세계 때문이다. 러브크래프트, 로버트 E. 하워드와 더불어 《위어드 테일스》의 핵심 작가로 거론되면서도 두 작가에 비해 광범위한 독차층을 형성하지 못한 이유를 지나친 독창성에서 찾기도 한다. 레이 브래드버리의 다음과 같은 말에 새삼 공감이 가는 것도 이 때문이다. "스미스는 언제나 내게 특별한 취향을 주는 특별한 작가인 것 같다. 모든 작가는 어떤 면에서 특별한데, 그 이상으로 특별한 작가는 저주를 받거나 잊힌다."

　그럼에도 스미스의 작품에서 스쳐 가는 작가들이 있다. 에드거 앨런 포, 스털링, 비어스, 로버트 W. 체임버스, 라프카디오 헌, 테오필 고티에, 귀스타브 플로베르, 아서 매컨, 조리스-카를 위스망스, 러브크래프트, 로버트 E. 하워드 등등. 그러나 실상 그의 작품 속에서 스치는 자취가 아니라 결정적인 영향을 준 작가를 찾기는 쉽지 않다. 시적인 문체와 분위기를 로드 던세이니의 깊은 영향으로 보는 견해도 있으나(스프레이그 디 캠프), 반론도 만만찮다(도널드 시드니-프라이어). 특히 러브크래프트와 관련하여 일각에서는 스미스의 작품을 여전히 크툴루 신화의 아류작 혹은 부록으로 보는 견해가 있다. 그러나 이것은 스미스에 대한 오해이자 지나친 저평가다. 러브크래프트가 종종 자신의 작품에서 스미스를 언급하며 '클라카쉬-톤'이라는 이집트식 별명을 붙인 것은 익살스럽기도 하지만 동료 작가에 대한 존중의 의미도 담겨 있다. 러브크래프트와 서로 창조물을 차용하여 작품에 사용한 것도 일방적인 영향 관계가 아니라 상호 교감에 가깝다.

다른 작가나 특정 유파와 연결 고리가 없다는 고립성이 스미스를 제대로 평가하는 걸 더디게 만드는지 모른다(프리츠 리버). 그런데 영향을 거의 받지 않았던 스미스가 역으로 다른 작가들에 끼친 영향력은 깊고도 넓다. 프랭크 벨내프 롱, 린 카터, 레이 브래드버리, 할란 엘리슨, 프리츠 리버 등이 그렇다.

스미스의 작품이 기반을 둔 위어드 픽션(Weird Fiction)은 장르의 경계 혹은 혼합을 특징으로 한다. (이런 경향은 1980년대 이후 등장한 일군의 '뉴 위어드 픽션(New Weird Fiction)'에서 더욱 분명해진다.) 유령과 마카브르(Macabre, 죽음과 시체에 대한 묘사를 일컫는 용어로 섬뜩하고 소름 끼치는 주제)까지 포함하면서 초자연, 호러, SF, 판타지를 혼합한다. '(에드거 앨런) 포 이래로 시체를 가장 사랑한 작가'라고 불릴 정도로 스미스의 작품은 죽음과 부패, 기형의 이미지 등등 마카브르가 가득하다.

그러나 위어드 픽션의 원조 격인 러브크래프트와 비교하더라도 스미스의 장르적 특징은 좀 더 미묘하고 복잡하다. 스미스는 전통적인 위어드 픽션에 속하는 「욘도의 흉물들」로 본격적인 창작을 시작한 이래, 장르를 혼합하여 쉽게 분류하기 힘든, 독특한 결과물을 양산해 낸다. 여기에 화려하고 시적인 문체와 독특하고도 광범위한 어휘가 '스미스식 스타일(Smithian Style)'을 형성한다. 언어 자체와 가상공간을 중시하다 보니, 플롯과 인물의 역할은 상대적으로 축소된다. 이러한 특징은 스미스의 작품을 찬사와 혹평이라는 양극단에 가져다 놓는다. 코스믹 비전(우주적 전망)은 러브크래프트보다 덜하지만 독창적인 상상력과 문체를 통하여 공포 자체만큼은 더 인간적이고 더 강렬하다는 평을 얻었다. 그러나 아이작 아시모프가 스미스의 소설에서 'veritas(진리)'라는 단어를 접하고 두 번 다시 읽지 않았다는 일화는 스미스에 대한 부정적인 반응을 대변하는 것 같다.

100여 편으로 알려진 스미스의 단편 소설은 가상공간에 따라 각각의 연작으로 나눌 수 있다. 하이퍼보리아(원시), 아베르와뉴(중세), 조티크(미래), 포세이도니스(고대), 지카프(외계), 화성 등이 스미스의 작품 무대가 되는 주요 공간인데, 이 작품집에서는 편의상 크게 세 개의 연작(하이퍼보리아, 아베르와뉴, 조티크)으로 나누고, 그 밖에 포세이도니스와 지카프 그리고 화성을 하나의 기타 연작으로 묶었다. 각 연작에 대한 개괄적인 소개는 해당 작품 앞머리에 넣기로 하였다.

참고자료

http://www.weirdtales.org

: 러브크래프트와 클라크 애슈턴 스미스 등 위어드 픽션과 관련한 국내 사이트.

http://www.eldritchdark.com

: 클라크 애슈턴 스미스에 관련해 방대한 정보를 포함하는 영문 사이트.

http://www.wikipedia.org

: 위키피디아, 클라크 애슈턴 스미스 항목

http://www.alangullette.com/lit/horror.htm

: 초자연적인 공포와 러브크래프트, 클라크 애슈턴 스미스 등의 작가 정보

http://www.blackgate.com/the-fantasy-cycles-of-clark-ashton-smith-

part-i-the-averoigne-chronicles/

: 클라크 애슈턴 스미스의 판타지 연작에 관한 라이언 하비(Ryan Harvey)의 글 네 편.

아베르와뉴 연작

개관: 아베르와뉴는 시대적으로는 중세, 공간적으로는 프랑스 남부에 설정된 가상공간이다. 실제 지명인 오베르뉴에서 유래했다는 의견도 있으나 정확하진 않다.

지리적 특징: 두 도시가 남북으로 절반씩 자리 잡고 있는 형세다. 북부는 대성당과 함께 성벽으로 둘러싸인 비욘, 남부는 시메스가 자리 잡고 있다. 이졸리 강이 아베르와뉴 전역을 관통하고, 큰 도로가 중심부의 울창한 숲을 지나간다. 이곳 아베르와뉴에는 늑대인간, 고블린, 요정, 악마, 뱀파이어 등등 미지의 초자연적인 존재들이 들끓고 있다. 마법은 불법으로 간주되나 곳곳에서 심지어 교회 내부에서도 횡행하고 있다. 극소수의 점성술사와 마술 애호가를 제외하고 다수의 마법사들은 사악한 목적으로 마력(魔力)을 행사한다.

작품: 아베르와뉴 연작에 속하는 작품은 여기에 수록된 「일로르뉴의 거인」과 「두꺼비들의 어머니」 외에 9편을 더해서 총 11편이다. 아베르와뉴 연작만의 특징을 들라면, 종교적 희화화와 1930년대에 용인되기 힘든 에로티시즘(로맨스의 비중이 큰 편)이다. 이 두 가지 특징은 현대라면 또 다른 평가를 낳았겠지만, 당시에는 저평가된 이유로 작용했다. 가상공간 자체가 현세적이고 소재 또한 진부한 면이 있는 것도 호응을 얻지 못한 원인으로 꼽는다. 다른 연작과 비교해 장점이 부족하다는 평가도 받는다.

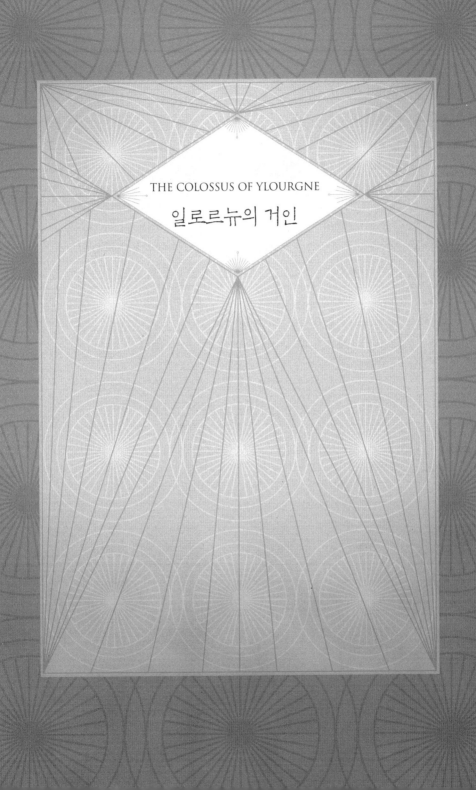

THE COLOSSUS OF YLOURGNE

일로르뉴의 거인

작품 노트

1932년에 완성, 1934년 《위어드 테일스》 6월 호에 실렸다. 해당 호에서 독자 투표로 최고 인기작으로 선정됐다. 스미스는 집필 과정의 초안이나 구상 등을 기록한 자신의 창작 노트인 『검은 책 *Black Book*』에서 이 작품을 「거대한 체현 *The Colossal Incarnation*」이란 제목으로 다음과 같이 구상했다. "한 마법사가 무수한 시체들을 이용하여 만들어낸 어마어마한 거인 (중략) 자신의 죽음이 임박했음을 안 마법사는 자신을 조롱한 도시 전체를 상대로 복수하고자 거대한 몸에 자신의 영혼을 주입하려 한다……." 「일로르뉴의 거인」은 이 원안과 크게 다르지 않게 완성되었다.

단편 위주의 작품 중에서 이례적으로 중편에 속하는 긴 분량이다. 스미스 특유의 음산한 언어와 영웅 판타지의 서사가 결합되면서 아베르와뉴 연작은 물론이고 작품 전체를 통틀어 가장 뛰어난 걸작 중 하나로 꼽힌다. 신화적인 선사시대를 배경으로 검과 마법 판타지(코난으로 대표되는)를 쓰기 시작한 로버트 E. 하워드의 작품과 비교되어 자주 거론된다.

이 작품은 특히 아베르와뉴 연작 전반에서 주요 특징이라 할 수 있는 종교적 풍자 내지 희화화가 정점에 달해 있다. 요컨대, 사악한 마법사가 기독교로 대변되는 성지와 도시를 유린하는 동안, 성직자들은 부질없는 기도에 매달리거나 도망치기에 급급하다. 결국 거인으로 부활한 신성모독의 마법사와 대적할 수 있는 것은 또 다른 금기의 마법이다.

흥미로운 것은 이 작품을 발표한 이듬해인 1935년에 영화사 유니버설 픽처스에서 스미스에게 영화화할 만한 작품을 의뢰한 것이다. 스미스는 「일로르뉴의 거인」과 「검은 곡두」를 제안했고, 《위어드 테일스》 측에 판권 협의도 해두었다. 그러나 유니버설 픽처스의 설립자였던 칼 램리와 그의 아들이 1936년에 영화사의 경영권을 상실하면서 새 경영진의 방침과 어긋난다는 이유로 영화화 계획은 백지화되었다.

1. 마법사의 도주

　악명 높은 연금술사이고 점성가이자 마법사인 나테르가 홀연 자신의 악마와도 같은 제자 열 명과 함께 쥐도 새도 모르게 비욘 마을을 떠났다. 인근의 주민 사이에선 그가 떠난 것을 두고 종교재판의 고문과 장작불을 피해 도망간 것이라는 소문이 자자하였다. 유난히 종교재판의 열기가 강했던 지난 한 해 동안, 나테르보다 악명이 덜한 마법사들까지 이미 화형에 처해졌으니 말이다. 게다가 나테르가 교회의 비난을 샀다는 건 익히 알려져 있었다. 그리하여 나테르가 종적을 감춘 이유를 이상히 여기는 사람은 거의 없었다. 다만, 그가 떠날 때 사용한 이동 수단이라든가 그와 제자들이 향한 목적지에 대해서는 논란이 많았다.

　음산하고 미신적인 온갖 소문들이 파다했다. 행인들은 나테르가 불경하게도 대성당 가까이에 짓고 악마의 호사스럽고 기이한 가구들을 채워 넣은 높고 음울한 저택을 지날 때마다 십자가를 그었다. 이 저택이 소문대로 진짜 방치됐다는 것을 알고 이곳에 침입했던 대담한 2인조 도둑이 전하기를, 나테르의 책과 소지품뿐만 아니라 대부분의 가구까지 주인과 함께 논란의 목적지로 옮겨진 것 같다고 하였다. 도둑들의 얘기는 불경한 미스터리를 더욱 증폭시켰다. 왜냐하면, 누가 봐도 나테르와 열 명의 제자가 짐마차 몇 대분의 가재도구를 싣고 그것도 경비가 삼엄한 도시의 관문을 경비병 몰래 합법적으로 통과하기란 불가능했기 때문이었다.

좀 더 독실하고 종교적인 사람들은 이 마왕 마법사가 박쥐 날개를 지닌 조력자들과 함께 달이 뜨지 않은 야밤을 틈타 도망쳤다고 말하기도 하였다. 성직자들뿐만 아니라 일반 시민들까지 사람처럼 생긴 일단의 무리가 사람이 아닌 것들과 함께 얼룩얼룩한 별들을 타고 날아가는 광경을 보았고, 사악한 구름에 휩싸여 도시의 지붕과 성벽 위를 지나갈 때 이 지옥의 괴물들이 지르는 함성을 들었다고 하였다.

혹자는 이 마법사 일행이 그들만의 악마적인 마법으로 비욘을 떠나 인적 없는 성채로 피신한 것인데, 그 이유는 오래전부터 건강이 나빠진 나테르가 종교재판의 화형과 지옥의 불길 중 하나를 택해야 하는 상황에서 그나마 평화롭고 조용히 죽기를 원하기 때문이라 여겼다. 나테르가 최근에 오십 평생 처음으로 자신의 별점을 친 결과, 때 이른 죽음을 암시하는 불길한 행성들의 결합을 읽었다고 생각하는 이들도 있었다.

나테르와 경쟁 관계에 있는 점성가와 마법사들 사이에선 그가 단지 각양각색의 악마들과 마음껏 교류하기 위하여 세간의 눈을 피해 간 것이라는 설이 여전했다. 그리하여 극상의 사악한 둔갑술을 완벽하게 준비할 가능성도 있다 하였다. 그들의 암시에 따르면, 이 마법은 때가 되면 비욘, 어쩌면 아베르와뉴 전역을 덮칠 것이었다. 그리고 틀림없이 무시무시한 역병의 형태 혹은 대규모 인형술 아니면 제국 전역에 걸친 인쿠비와 수쿠비[1]의 침입으로 나타나리라 하였다.

괴문(怪聞)이 들끓는 가운데 거의 잊혔던 이야기들 상당수가 다시 회자되기도 하고 하룻밤 사이에 새로운 전설들이 만들어졌으니, 그중 상당 부분은 나테르의 비밀스러운 출생과 비욘에 정착하기 이전 6년간의 수상쩍은 방랑에 관한 것이었다. 사람들은 전설적인 멀린[2]처럼 나테르도 악마의 자손이라고, 요컨대 그의 아버지는 복수의 마신(魔神)인 알라스토르[3]이고 어머니는 기형의 난쟁이 마법사라고 수군거렸다. 그리하여 아버지로부터 원한과 악의를, 어머니로부터는 땅딸막하고 볼품없는 체격을 물려받았다고 말이다.

그는 동양의 여러 나라를 두루 여행하면서 이집트나 사라센의 고수들로부터 불경한 마법을 배워 일인자가 되었다. 그가 죽은 지 오래되어 뼈만 남은 시체들을 살려냈다느니, 매장된 시체들을 이용하여, 오로지 운명의 천사에게만 허용된 일을 서슴지 않았다느니 하는 얘기들이 음산한 소문으로 나돌았다. 많은 사람이 저마다 의뭉스러운 일을 도모하고자 그의 조언과 도움을 구했음에도, 그는 결코 사람들 사이에서 인기를 누리진 못했다. 비욘에 온 지 3년이 지났을 때, 한번은, 그의 마법을 둘러싼 흉문 때문에 사람들 앞에서 공개적으로 돌팔매질을 당했고, 그 와중에 정통으로 날아든 돌에 다쳐 평생 발을 절게 되었다. 그는 이때의 모욕을 결코 용서하지 않은 것 같았다. 그리고 반(反)그리스도주의에 극렬한 증오심을 드러내던 성직자들과 대립하기 시작한 것도 이 무렵부터였다고 한다.

흔히 그가 마법으로 저질렀다고 의심받는 악행과 패악 외에도, 그는 오랫동안 젊은이들을 타락시킨 인물로 간주되었다. 왜소한 체격과 기형의 추한 외모에도 불구하고 그는 놀라운 능력과 흡인력을 지니고 있었다. 그로 인해 끝없이 잔악한 죄악으로 빠져들었다는 그의 제자들은 누구보다 전도유망한 청년들이었다. 전반적인 분위기로 볼 때, 그가 종적을 감춘 것은 이 도시에서 골칫거리가 없어진, 그야말로 큰 행운으로 받아들여졌다.

비욘 시민 중에서 작금의 음산한 소문과 섬뜩한 추측에 동참하지 않는 사람이 한 명 있었다. 가스파르 뒤 노르, 법으로 금지된 과학을 연구하는 그는 나테르의 제자로 1년간 지내면서 승급할 수 있을 정도로 상당한 마법을 습득한 후에 조용히 스승의 집에서 나온 인물이었다. 그러나 그는 이미 진기하고 특별한 지식을 많이 습득한 상태였고, 스승의 사악한 힘과 음험한 목적을 상당 부분까지 꿰뚫어 보고 있었다.

가스파르는 마법의 지식과 스승에 대한 통찰 때문에 스승이 떠났다는 소문을 듣고도 침묵을 지켰다. 그렇다고 자신의 지나간 수련 시절을 추억하기에 좋은 기회로 여기지도 않았다. 그저 조붓한 다락방에서 책에 파묻힌 채, 황금빛 살무사들이 아라베스크 무늬로 장식된 틀 속에 있는, 한때 나테르의 소유였던 타원형 작은 거울을 보며 인상을 잔뜩 찌푸리고 있었다.

인상을 찌푸린 것은 이목구비가 또렷한 것은 아니나 그래도 잘생기고 젊은 그 자신의 얼굴 때문은 아니었다. 사실, 이 거울은 보는 이의 외모를 비추는 보통 거울과는 다른 것이었다. 거울 속 깊은 곳에서 잠시 동안, 기이하고 불길한 장면 다시 말해 그 속의 등장인물들은 눈에 익지만 그 장소만은 어디인지 짐작 가지 않는 장면을 보았다. 그가 좀 더 자세히 보려는데, 거울은 마치 연금술의 증기 같은 것으로 가려져, 더는 볼 수 없었다.

거울이 가려진 이유는 딱 하나였다. 나테르가 자신이 노출된 것을 알고서 천리경(千里鏡)을 무력화하는 대항 마법을 구사했기 때문이었다. 이런 생각과 더불어, 나테르의 현재 활동을 잠시나마 훔쳐본 뒤의 불길함이 가스파르를 심란하게 만들었고, 그의 마음속에 서서히 커지는 싸늘한 공포를 심어놓았다. 아직은 확실한 윤곽도 없고, 가늠할 수도 없는 공포…….

2. 망자들의 결집

나테르와 그의 제자들이 비욘을 떠난 것은 1281년 늦은 봄, 달이 뜨지 않는 그믐과 초승 사이였다. 그 후로 꽃이 만발한 들판 위로 또 눈부신 나뭇잎이 펼쳐진 숲 위로 초승달이 차오르다가 유령처럼 은빛으로 이지러졌다. 달이 이지러지자, 사람들은 다른 마법사들과 새로운 미스터리에 대하여 숙덕이기 시작했다.

그러던 어느 초여름, 달이 없는 며칠 밤 동안, 왜소하고 사악한 나테르의 소행보다도 더욱 해괴한 의문의 실종 사건들이 잇따랐다.

어느 날 일찍부터 일을 하기 위하여 비욘 성벽 밖 공동묘지로 향했던 무덤 파는 인부들은 여섯 기의 새 무덤이 열려 있고, 신원미상의 시체들이 사라진 것을 발견하였다. 자세히 살펴본 결과, 도굴범들의 소행이 아니라는 증거가 확실하였다. 무덤에 비스듬히 혹은 똑바로 세워져 있던 관들은 초인적인 힘이 가해진 것처럼 안에서 밖으로 산산이 부서져 있었다. 그리고 덮은 지 얼마 되지 않은 흙은, 마치 시체가 예기치 못한 섬뜩한 방식으로 되살아나서 땅 밖으로 나온 것처럼, 밀려 올라와 있었다.

지옥이 삼켜버리기라도 한 걸까, 시체들은 감쪽같이 사라졌다. 파악된 바로는 목격자도 없었다. 악마의 기운이 강한 시기를 틈타 벌어진 이 사건을 그나마 타당하게 설명할 수 있는 건 하나뿐이었다. 요컨대 악마들이 무덤 속으로 들어가 시체들을 일으켜 데려갔다는 것이었다.

무서운 기세로 유사한 사건들이 잇따르자, 아베르와뉴 전역은 경악과 공포에 휩싸였다. 마치 시체들이 저항할 수 없는 소환 마법에 걸린 것 같았다. 2주간에 걸쳐 밤마다, 비욘을 비롯한 여러 도시와 마을, 작은 부락에 이르기까지 지역마다 부과된 기괴한 할당량을 채우듯 시체들이 사라졌다. 놋쇠 빗장을 채운 묘는 물론이고 일반 납골당, 축성을 받지 못한 비루한 무덤, 교회와 성당의 대리석 지하 납골당에 이르기까지 시체들의 대이동은 멈추지 않고 계속되었다.

이보다 더 흉측한 일은, 방금 염을 끝낸 시체들이 시체 안치대나 관구대에서 벌떡 일어나, 겁에 질린 조문객들을 무시하고 맹렬히 밤의 어둠 속으로 뛰쳐나가서는 자신을 애도했던 사람들 곁으로 다시는 돌아오지 않았다는 것이다.

사라진 시체들은 예외 없이 최근에 사망한 건장한 청년들이었고, 병사(病死)보다는 폭력이나 사고로 죽은 자들이었다. 일부는 악행의 대가로 사형당한 범죄자들이었다. 그 밖에 임무 수행 중에 사망한 군인이나 경관도 있었다. 마상 시합이나 사적인 결투에서 죽은 기사들도 여기에 포함되었다. 그리고 당시에 아베르와뉴에서 노략질을 일삼던 강도 떼에 희생당한 사람들도 많았다. 이런 희생자 중에는 수사, 상인, 귀족, 자유민, 수습기사, 사제 들이 포함되어 있었으나, 어떤 경우에도 인생의 청춘기를 다 살고 간 이는 없었다. 결과적으로 늙고 병약한 상태에서 죽은 자들은 시체를 살려내는 악마들의 표적이 되지 않은 것 같았다.

이 상황은 세계 종말의 다양한 징조로서 퍽 미신적으로 받아들여졌다. 악마가 자신의 군대를 결집하여 전쟁을 준비 중이며, 신성한 시체들을 지옥의 노예로 데려가고 있다는 얘기였다. 아무리 성수를 뿌려도, 또 아무리 강력하고 무시무시한 퇴마 의식을 치러도, 이 악마적인 강탈로부터 보호받지 못한다는 사실이 명백해지면서 사람들의 충격은 더욱 커졌다. 교회는 이 기이한 악과 맞서기엔 무기력했다. 세속의 법과 공권력은 보이지 않는 이 강탈자들을 심문하고 처벌하는 데 속수무책이었다.

광범위하게 확산된 공포 때문에 사라진 시체들을 찾으려는 어떠한 시도도 이루어지지 않았다. 다만, 최근에 이 시체들의 일부를 목격한, 그러니까 혼자 혹은 무리를 지어 아베르와뉴의 거리를 걸어가는 시체들을 본 행인들이 소름 끼치는 목격담을 전하고 있었다. 이런 목격담에 따르면, 시체들은 듣지도 말하지도 못하는, 완전히 무감각한 상태에서 확고부동하게 그것도 무서운 속도로 멀리 예정된 목적지로 향하더라고 했다. 대체적인 방향은 동쪽인 것 같았다. 그러나 과연 시체들이 어디로 갔을지 실제 목적지에 대해 본격적인 추측이 일기 시작한 것은, 수백 구에 이르는 시체의 대이동이 멈춘 후였다.

소문으로 나도는 목적지는 아베르와뉴의 변경에 자리한 반(半)산간 지대, 늑대가 출몰하는 숲 너머에 폐허가 된 일로르뉴 성이었다.

이 거대하고 험준한 일로르뉴 성은 지금은 멸족한, 사악하고 약탈적인 남작 가문에 의해 지어진 것으로, 염소지기들마저 기피하는 장소였다. 허물어져가는 성안 곳곳에 잔인한 영주들의 원혼들이 광포하게 돌아다니고, 안주인들은 죽었으나 죽지 않은 시체라는 소문이 돌았다. 그누구도 절벽에 세워진 이 성의 그림자도 밟으려 하지 않았다. 인근에서 가장 가까운 인가라곤 이 계곡 맞은편으로 1.5킬로미터 이상 떨어져 있는, 작은 시토 수도원 하나였다.

엄격한 수사들은 이 산간 너머의 세상과는 거의 교류를 하지 않았다. 수도원의 높은 정문을 두드리는 방문자도 극소수였다. 그런데, 시체들이 연이어 사라지던 이 끔찍한 여름 동안, 수도원 내부에서 나온 기묘하고도 불안한 얘기들이 아베르와뉴의 구석구석으로 퍼져나갔다.

늦은 봄부터 시토 수도원의 수사들은 창문을 통하여 오래된 폐허의 일로르뉴에서 벌어지는 여러 가지 이상한 현상들을 알아채기 시작했다. 그들은 불빛이 있을 리 없는 곳에서 활활 타오르는 불길을 보았다. 파란색과 심홍색의 기괴한 불길은 부서지고 잡초 무성한 총안 뒤에서 느닷없이 일렁이거나 지그재그 형태의 흉벽 위로 별들을 향해 솟구쳐 올랐다. 그 폐허에서 밤마다 불길과 함께 섬뜩한 소음들이 들려왔다. 지옥의 모루와 망치가 부딪치듯 땡그랑거리는 소리, 거대한 갑옷과 갈고리 철퇴의 울림, 마치 일로르뉴 성이 악마들의 군사 훈련장으로 바뀐 것 같았다. 유황과 살이 타는 듯한 유독한 냄새가 계곡을 건너와 떠돌았다. 심지어 소음이 멎고 불빛이 사라진 한낮에도, 총안 위로 옅은 파란색 증기가 맴돌았다. 수사들은 지하의 존재들이 성을 송두리째 점령한 것이라고 확신했다. 민둥산의 탁 트인 기슭과 절벽 어디를 봐도 성에 접근하는 사람은 아예 없었기 때문이다. 이웃에서 포착되는 악마들의 움직임을 접하자, 수사들은 더욱 열정적으로 더욱 자주 성호를 그었고, 주기도문과 아베 마리아를 전에 비해 더욱 오랫동안 읊조렸다. 그들의 고행과 금욕 또한 배가되었다. 이렇듯 공공연한 악마의 도발이 아니라 그저 누군가 그 성을 점유한 것이라면, 수사들은 상관할 바 아니라고 여기고 신경을 쓰지 않았을 터이다.

수사들은 성을 예의 주시하였다. 그러나 몇 주 동안, 일로르뉴로 들어가거나 거기서 나오는 이가 전혀 없었다. 한밤의 불빛과 소음 그리고 한낮의 증기를 제외하고는 인간이든 악마든 그 성을 점유했다는 증거는 어디에도 없었다. 그러던 어느 날 아침, 수도원의 계단형 채소밭 아래쪽, 즉 골짜기 밑의 당근 밭에서 김을 매던 두 명의 수사가 아베르와뉴의 거대한 숲 방향에서 나타난 일단의 독특한 사람들이 가파르고 균열이 많은 경사면을 올라 일로르뉴 성으로 향하는 광경을 목격하였다.

수사들의 확언에 의하면, 사람들은 몹시 급하게, 뻣뻣하지만 빠른 걸음으로 이동했다고 한다. 그리고 모두가 이상하리만큼 창백한 안색을 띠고서 수의를 입고 있었다. 몇몇 수의는 찢어지고 너덜너덜했다. 그리고 하나같이 여행길의 먼지 아니면 무덤의 흙을 뒤집어써서 지저분한 행색이었다. 그 수가 열을 족히 넘었다. 그리고 얼마 있다가 비슷한 행색을 한 또 다른 무리가 나타났다. 이들은 기막힌 민첩성과 속력으로 산을 오르더니 이내 일로르뉴의 성벽 안으로 사라졌다.

이 무렵까지 무덤과 시체가 강탈당한다는 소식이 시토 수도원에 미치지 않았다. 수도원에 이 소식이 전해진 것은, 수사들이 이미 여러 날 아침마다 악마의 성을 향해 가는 크고 작은 시체의 무리를 목격한 후였다. 수사들은 수도원 밑을 지나간 시체의 수가 수백을 헤아린다고 장담하였다. 게다가 어둠 속에서 그들의 눈에 띄지 않고 성으로 간 수 또한 적지 않았다. 그러나 영락없는 지옥의 구덩이처럼 망자들을 집어삼킨 일로르뉴 성에서 나오는 자는 하나도 보이지 않았다.

공포와 분노가 극에 달했음에도, 수사들은 여전히 행동을 자제하는 것이 낫다고 판단하였다. 그중에서 가장 용감한 수사 일부는 악의 극악무도한 징후들에 넌더리가 난 나머지, 성수와 십자가를 지니고 그 폐허의 성을 찾아가려고 하였다. 그러나 수도원장은 현명하게 그들에게 기다리라 명하였다. 그러는 동안, 한밤의 불길은 더욱 밝게 타올랐고, 소음은 더욱 거세졌다.

이 기다림의 과정에서 작은 수도원 위로 끊임없는 기도 소리가 울려 퍼지는 동안, 끔찍한 사건이 터졌다. 테오필이라는 건장한 수사 한 명이 수도원의 엄한 규율을 어기고 포도주 통에 자주 손을 대고 있었다. 작금의 불길한 사건들에서 비롯된 자신의 경건한 공포심을 달래려 애쓴 결과임이 분명하였다. 어쨌거나, 포도주를 마신 뒤, 그는 불운하게도 낭떠러지를 헤매다가 목이 부러지고 말았다.

수사들이 동료의 죽음과 불성실을 애석해하면서 테오필을 예배당에 안치하고 그의 영혼을 위하여 장례 미사를 올렸다. 그런데 이 장례 미사는 먼동이 트기 전 칠흑 같은 어둠 속에서 수사의 시체가 느닷없이 살아남으로써 중단되었다. 시체는 부러진 목에 머리를 대롱거리는 오싹한 모습으로 쏜살처럼 예배당을 빠져나가더니, 골짜기를 뛰어 내려가, 악마의 불길과 소동이 이는 일로르뉴 성을 향해 갔다.

3. 수사들의 증언

지금까지 말한 사건에 이어서, 악마가 출몰하는 성에 전부터 가보고 싶어 하던 두 명의 수사가 테오필의 시신뿐만 아니라 신성한 무덤에서 강탈된 다른 시신들의 복수를 위해서라면 의당 신도 도와줄 거라면서 다시금 수도원장에게 허락을 구하였다. 수도원장은 기꺼이 호랑이굴에 뛰어들겠다는 이 강건한 수사들의 결기에 감동하여 그 청을 들어주었고, 성수가 든 병과 그것을 뿌리는 솔, 서어나무 — 갑옷 입은 기사의 머리를 박살 내는 용도의 철퇴를 만들 때 쓰는 나무 — 로 만든 커다란 십자가를 가져가라 일렀다. 두 수사의 이름은 베르나르와 스테판, 이들은 아침 한나절에 악마의 요새를 공격하러 용감히 길을 나섰다. 돌출한 표석과 미끄럽고 가파른 비탈 사이를 헤치고 올라가야 하는 힘겨운 등정이었다. 그러나 두 수사는 튼튼했고 민첩했으며 무엇보다 등산에 아주 능하였다. 후텁지근하고 바람도 없는 날이라, 이들의 흰 수사복은 곧 땀으로 흥건해졌다. 그러나 잠시 기도를 하기 위해 멈춰 선 것 말고는 쉼 없이 올라갔다. 늦지도 않고 이르지도 않은 적당한 시간에 성과 가까워진 그들은 세월의 풍파에 갉힌 잿빛의 성벽에서 아직은 점거나 활동의 이렇다 할 증거를 확인하지 못하였다.

한때 성을 둘러쌌던, 깊은 해자는 이미 말라붙어서 무너진 흙과 성벽의 돌조각으로 채워져 있었다. 도개교는 썩어서 사라지고 없었다. 망대의 일부가 해자 속으로 무너져 내리긴 했어도, 일부분은 대충 만든 둑길처럼 남아 있어서 지나갈 수 있는 여지가 있었다. 수사들은 당황하지 않고, 전사들이 무장한 요새를 올라가며 무기를 추어올리듯, 각자의 십자가를 들어 올린 채 망대의 남은 폐허를 기어올라 성의 안마당으로 들어갔다.

성의 내부도 총안처럼 아무렇게나 방치된 것처럼 보였다. 지나치게 크게 자란 쐐기풀, 무성한 수풀과 포석 사이에 뿌리를 내리고 있는 묘목들, 높고 거대한 내성(內城)과 예배당, 그리고 거대한 홀을 포함하는 외성과 내성 사이의 일부 구조물은 수백 년의 황폐화 후에도 중요한 골조들을 유지하고 있었다. 드넓은 뜰의 왼쪽, 커다란 건물의 절벽 쪽 부분에 검은 동굴의 입구처럼 출입구가 빠끔히 열려 있었다. 그리고 이 문간에서 푸르스름한 색의 옅은 증기가 빠져나와, 똬리를 튼 유령처럼 구름 한 점 없는 창공으로 꾸물꾸물 올라갔다.

그 출입구로 다가가던 수사들은 지옥의 암흑 속에서 깜박이는 용의 눈알처럼 문 안에서 반짝이는 시뻘건 불빛을 보았다. 그들은 이곳이야 말로 에레보스[4]의 진지이자 지옥 구덩이로 가는 대기실이라고 확신하였다. 그래도 그들은 용감하게 구마 기도문을 읊으면서, 또 커다란 서어나무 십자가를 높이 치켜들고서 문 안으로 들어갔다.

동굴 같은 문을 지나 안으로 들어가자, 어두운 데다가 그들의 뒤에서 비치는 여름 햇빛에 눈이 부셔 제대로 보이지 않았다. 이윽고 시야가 서서히 어둠에 익숙해지자, 그들 눈앞의 기괴한 광경이 차차 윤곽을 띠더니, 엄청난 공포와 괴기의 실체가 점점 더 강렬해졌다. 그 일부는 애매하면서도 불가사의한 공포감을 주었다. 또 다른 일부는 예고 없이 수사들의 마음에 지울 수 없는 지옥 불을 낙인찍듯이 너무도 선명하게 아로새겨졌다.

수사들은 위층을 뜯어내고 성의 홀과 맞닿은 벽면을 허물어 만든 듯한, 그 자체로 어마어마하게 거대한 공간의 문간에 서 있었다. 방은 끝없는 어둠 속으로 쭉 펼쳐져 있는 것 같았고, 균열을 헤집고 들어온 햇빛이 창살처럼 군데군데 뻗어 있었다. 그러나 햇빛은 이 지옥의 어둠과 비밀을 쫓아내기엔 역부족이었다.

수사들이 나중에 단언한 바에 따르면, 그곳에서 많은 사람과 악마들, 요컨대 음침하고 거대한 악마부터 인간과 거의 분간이 가지 않는 악마에 이르기까지 온갖 악마들이 함께 뒤섞여 움직이고 있었다. 어딘지 눈에 익은 사람들은 연금술에 사용되곤 하는 반사로(反射爐)[5]와 거대한 배 혹은 호리병박 모양의 용기 사이를 분주히 움직이고 있었다.

38

또 어떤 이들은 마법사처럼 증기가 피어오르는 커다란 가마솥 위에 수그리고서 섬뜩한 약물을 제조하느라 여념이 없었다. 반대편 벽에는 돌과 회반죽으로 만든 두 개의 커다란 통이 있었는데, 그 둥그스름한 본체가 사람의 키를 훌쩍 넘어서 베르나르와 스테판으로선 그 안에 무엇이 들어 있는지 볼 수 없었다. 통 하나에선 희끄무레한 빛이, 다른 하나에선 붉은 빛이 나오고 있었다.

그 통 가까이 그러니까 두 개의 통 중간쯤에, 사라센 직물처럼 호화롭고 기이한 무늬의 천으로 만든, 낮은 침상 혹은 가마로 보이는 것이 놓여 있었다. 그 위에서 창백하고 야윈 몰골의 왜소한 사람이 어둠 속으로 기분 나쁜 녹주석처럼 담청색의 으스스한 눈빛을 이글거리고 있었다. 금방이라도 숨이 넘어갈 것처럼 노쇠해 보이는 이 난쟁이는 사람과 사람 비슷한 것 들의 노동을 감독하고 있었다.

수사들의 어리둥절해진 시선에 다른 광경들도 하나둘 들어오기 시작했다. 테오필을 비롯한 몇 구의 시체들이 방 한복판에 놓여 있었고, 그 옆에는 관절을 비틀어 부러뜨린 뼈와 도살자가 잘라낸 듯한 살점들이 무더기로 쌓여 있었다. 사람 하나가 그 뼈들을 집어 들더니, 붉은 불길이 일렁이는 가마솥 안에 집어넣었다. 또 다른 사람은 무색의 액체로 가득한 — 무수한 뱀이 쉭쉭 소리 내듯이 불길한 소리를 내고 있는 — 관 속에 살덩어리를 집어던지고 있었다.

또 어떤 이들은 시체 한 구에서 수의를 벗겨내고 기다란 칼로 난도질하고 있었다. 또 어떤 이들은 저마다 단지를 들고서 투박한 계단을 줄기차게 오르내리며, 거대한 통에 단지 속의 액체 같은 것을 쏟아붓고 있었다.

인간과 악마가 벌이는 이 간악한 짓에 소스라치게 놀라고 크게 격분한 수사들은 당당히 구마 기도문을 외우면서 안으로 달려 들어갔다. 그런데 극악한 마법사와 악마 무리는 수사들의 등장을 모르는 것 같았다.

신성한 분노로 불타던 베르나르와 스테판은 시체를 난도질하고 있던 도살자들에게 온몸으로 부딪칠 기세로 돌진하고 있었다. 그 시체는 악명 높은 무법자로 며칠 전에 경관들과 격투 중에 죽은 자크 루가루(늑대인간)였다. 엄청난 괴력과 교활함과 잔악함으로 유명했던 루가루는 오랫동안 아베르와뉴의 숲과 도로를 공포로 몰아넣었다. 거구의 몸뚱이는 경찰대의 칼에 찔려 내장이 반 이상 빠져나온 상태였다. 뻣뻣한 수염엔 관자놀이에서 입까지 오싹하게 난 상처에서 피가 흘러 새빨갛게 말라붙어 있었다. 그가 참회하지 않고 죽었다고는 하나, 수사들은 그 무기력한 시체가 기독교도의 상상을 뛰어넘는 천인공노한 악행에 이용되는 걸 보고 싶지 않았다.

창백하고 사악한 모습의 난쟁이가 그제야 수사들의 출현을 알아차렸다. 수사들은 가마솥의 불길한 쉭쉭 소리와 사람이나 악마의 고약한 중얼거림을 일거에 제압하면서 날카롭게 울리는 명령조의 고함을 들었다.

수사들은 외국어처럼 또 주문처럼 울려 퍼지는 그 고함의 의미를 알지 못했다. 곧바로, 명령에 따르듯, 두 남자가 불경한 화학 실험을 중단하고는 구리 물동이를 집어 들었고, 베르나르와 스테판의 얼굴을 향해 물동이에 든 정체불명의 악취 나는 액체를 끼얹었다.

그 따가운 액체는 수사들의 시야를 덮고서 수많은 뱀의 독니처럼 그들의 살을 갉았다. 그 독기(毒氣)를 이기지 못한 수사들은 커다란 십자가를 떨어뜨린 채, 둘 다 의식을 잃고 바닥에 쓰러졌다.

곧 정신을 차리고 시력과 다른 감각까지 회복한 수사들은 자신들의 두 손이 묵직한 장선(腸線)으로 묶여 있어서 꼼짝할 수 없었고, 십자가나 성수 뿌리개를 휘두를 수도 없었다.

이 굴욕적인 상황에 처한 수사들을 향하여 일어나라 명령하는 사악한 난쟁이의 목소리가 들려왔다. 그들은 부축해 주려는 손길을 뿌리치고 뒤뚱거리며 어렵게 일어섰다. 앞서 맡았던 독기로 인해 여전히 속이 메슥거렸던 베르나르는 똑바로 서기까지 두 번을 쓰러졌다가 다시 일어서야 했다. 그가 쩔쩔매는 것을 보고 주위로 모여든 마법사들이 추잡하고 야비한 너털웃음을 터뜨렸다.

난쟁이는 서 있는 수사들을 향하여 악마의 종복만이 입에 올릴 수 있는 지독히도 불경한 조롱과 욕설을 퍼부었다. 수사들이 극구 사실이라고 맹세한 증언에 따르면, 실컷 조롱을 끝낸 난쟁이가 이렇게 말하였다.

"네놈들의 개집으로 돌아가라, 이 이알다바오트[6]의 졸개들아. 돌아가 이 말을 전하라. '그들이 여기 올 때는 여럿이나 나갈 때는 하나가 되리라.'"

난쟁이의 오싹한 말에 복종하듯, 곧바로 그의 두 부하 그러니까 거대하고 음산한 야수의 모습을 한 마귀들이 루가루와 테오필 수사의 시신 쪽으로 다가갔다. 이 음험한 마귀 중 하나가 늪지로 가라앉는 증기처럼 루가루의 피범벅이 된 콧구멍으로 조금씩 들어갔고, 얼마 후엔 뿔이 달린 상스러운 이 악마의 머리까지 시야에서 사라져버렸다. 나머지 악귀도 역시 같은 방식으로, 목이 부러져 머리가 어깨까지 기이하게 꺾여 있던 테오필 수사의 콧구멍으로 들어갔다.

마귀들이 각각 빙의를 끝내자, 시체들이 차마 눈뜨고 보기 어려운 몰골로 바닥에서 일어나니, 그중 하나는 넓은 자상에서 쏟아진 창자를 주렁주렁 매달고, 다른 하나는 꺾인 머리를 가슴팍까지 푹 떨어뜨리고 있었다. 이어서 마귀들에 의해 살아난 이 시체들이, 스테판과 베르나르가 떨어뜨린 서어나무 십자가를 집어 들고 곤봉처럼 휘두르며 수사들을 치욕스럽게 성 밖으로 내몰았고, 그동안 난쟁이와 그 수하 마법사들의 크고 광포한 지옥의 웃음소리가 메아리쳤다. 벌거벗은 루가루와 성복을 입은 테오필의 시체가 일로르뉴 성 아래 곳곳이 갈라진 비탈까지 쫓아오며 십자가를 무지막지하게 휘둘렀고, 시토 수사들의 등에는 피멍이 들었다.

두 명의 수사가 속수무책으로 완패한 이후, 일로르뉴 성과 대적하겠다고 나서는 수사가 더는 없었다. 이때부터 수도원은 고행과 금욕을 세 배로 강화하고, 기도를 네 배로 늘렸다. 수사들은 알 수 없는 신의 뜻과 역시나 알 수 없는 악마의 계략이 드러나기를 기다리는 한편, 크게 상처받은 신앙심을 지켜나갔다.

그 무렵 수도원에 들렀던 염소지기들의 입을 통하여, 스테판과 베르나르 수사의 이야기가 아베르와뉴 전역에 퍼짐으로써, 가뜩이나 시체들의 대규모 실종으로 야기돼 온 세간의 흉흉한 불안감이 더욱 증폭되었다. 그 누구도 그 으스스한 성에서 무슨 일이 벌어지고 있는지 또 수많은 시체가 어떻게 되었는지 알지 못하였다. 두 수사의 이야기가 시체들의 운명에 섬뜩한 단서를 던져준 셈이지만, 그럼에도 결론이 없는 논란만 가열되었다. 게다가 난쟁이가 전했다는 경고의 의미를 두고도 의견이 분분하였다.

그러나 모두가 직감하고 있는 것이 있으니, 그 폐허의 성벽 안에서 거대한 위협, 음산한 지옥의 마법이 준비되고 있음이었다. 빈사상태의 악독한 난쟁이는 으레 사라진 마법사 나테르와 동일시되었다. 그리고 난쟁이의 부하들은 나테르의 제자들로 간주되었다.

4. 전면에 등장한 가스파르 뒤 노르

연금술사이자 마법사이고 나테르의 옛 제자인 가스파르 뒤 노르가 다락방에서 홀로 살무사 장식으로 에워싸인 거울을 거듭 들여다보았으나 번번이 헛수고였다. 거울은 악마의 증류기나 유독한 마법의 화로에서 나오는 증기에 가려져 시종일관 흐릿하고 모호하였다. 며칠 밤을 지켜보느라 초췌해진 가스파르는 그러나 그 자신보다 나테르가 훨씬 더 경계를 늦추지 않고 있음을 알고 있었다.

별들의 전체적인 배치를 초조하게 예의 주시해 온 가스파르는 아베르와뉴에 임박한 거대한 악의 전조를 읽었다. 그러나 그 실체는 명확하지 않았다.

한편, 시체들의 섬뜩한 소생과 이동은 계속되고 있었다. 아베르와뉴의 모든 시민은 이 극악한 범죄에 몸서리쳤다. 고대 멤피스 역병의 영원한 밤처럼 공포가 도처에 자리를 잡았다. 사람들은 큰 소리로 말할 엄두도 내지 못한 채, 서로 쉬쉬하면서 새로운 흉사(凶事)에 관한 소식들을 주고받았다. 다른 사람들처럼 가스파르에게도 속삭임들이 들려왔다. 공포가 갑자기 멈춘 것 같던 초여름, 이번에는 시토 수도사들의 오싹한 이야기가 전해졌고, 이 또한 가스파르의 귀에 닿았다.

오랫동안 당혹스럽게 지켜봐온 가스파르는 드디어 찾고자 하는 것을 어렴풋이 알아냈다. 최소한, 도망친 마법사와 그 제자들의 은거지가 밝혀졌고, 실종된 시체들의 목적지 또한 알려진 셈이었다. 그러나 여전히, 천리안을 지닌 가스파르마저도 아리송한 수수께끼가 남아 있었다. 나테르가 멀리 떨어진 소굴에서 꾸미고 있는, 가증스러운 음모와 지옥처럼 음산한 마법의 정확한 실체, 그게 문제였다. 가스파르는 하나만은 확신하고 있었다. 요컨대, 죽음을 앞둔 그 괴팍한 난쟁이 마법사가 자신이 살 날이 얼마 남지 않았다는 점을 잘 아는 데다 아베르와뉴 시민을 향한 끝없는 증오심을 지녔다는 점에서, 전례 없이 극악무도한 마법을 준비하고 있으리란 것이었다.

가스파르는 나테르의 기질을 알고 또 무궁무진한 신비학에 능통했으며 난쟁이가 보유한 지옥 구덩이처럼 깊디깊은 마법의 원천까지 꿰뚫고 있었으나, 지금 준비 중인 흉계에 대해서만큼은 그저 애매하고 그럴듯한 추측밖에는 할 수 없었다. 그러나 시간이 지날수록, 가스파르는 점점 더 강해지는 중압감과 세상의 어두운 끝자락에서 기어드는 기괴한 위협의 징조를 느꼈다. 불안감을 떨칠 수 없었다. 그는 결국 그것이 얼마나 위험한가를 알면서도 일로르뉴 성 가까이 은밀히 접근해 보기로 결심하였다.

가스파르는 유복한 집안에서 태어났으나 당시에는 궁핍한 처지에 있었다. 그가 부친의 반대를 무릅쓰고 미심쩍은 과학에 몰두하기 때문이었다. 유일한 수입이라고는 어머니와 누이가 아버지 몰래 보내주는 몇 푼이 전부였다. 그 정도로도 간단한 끼니와 월세를 해결하고, 책 몇 권과 실험 도구와 화학약품을 살 순 있었다. 그러나 65킬로미터의 여정을 위해 말은 고사하고 변변한 망아지 한 마리 사기도 버거웠다.

그래도 굴하지 않고 가스파르는 단도 한 개와 작은 식량 주머니만 챙겨서 도보로 길을 떠났다. 보름달이 뜨는 밤중에 일로르뉴에 도착하게끔 속도를 조절했다. 여정의 대부분은 비욘 성벽의 동쪽부터 검은 원호의 형태로 아베르와뉴를 관통하여 일로르뉴 성 바로 아래 험준한 계곡의 초입까지 뻗어 있는, 크고 음침한 숲을 지나는 것이었다. 수 킬로미터를 걸어가자, 소나무와 떡갈나무와 낙엽송으로 이루어진 거대한 숲이 끝났다. 여기서부터 이졸리 강을 따라 사람들이 많이 사는, 탁 트인 평원을 지나갔다. 그리고 포근한 여름밤을 보낸 곳이 어느 작은 마을에서 가까운 너도밤나무 아래였는데, 소문에 의하면 강도 떼와 늑대 무리가 있다는 ─ 그보다 무서운 야수들도 있다는 ─ 그 숲에서 개의치 않고 혼자 잠들었다.

이틀째 저녁, 태고의 숲 중에서도 가장 울창하고 오래된 지역을 지나고 나자, 목적지로 향하는 가파르고 험준한 계곡이 나타났다. 이 계곡은 한때 이졸리 강의 수원(水源)이었으나, 지금은 작은 개울로 줄어들어 있었다. 일몰과 월출 사이의 갈색 어스름 속에서 가스파르는 시토 수도원의 불빛을 쳐다보았다. 그리고 그 맞은편, 금단의 가파른 절벽에 폐허의 일로르뉴 요새가 음산하고 험악하게 서 있었고, 높은 총안 뒤편에서 창백한 마법의 불길이 일렁이고 있었다. 이 불길 외에는 누군가 성안에 있다는 흔적은 보이지 않았다. 게다가 수사들이 들었다는 불길한 소음들은 그의 귓가엔 들려오지 않았다.

가스파르는 거대한 밤새의 눈알처럼 싯누런 보름달이 떠오르기를 기다렸다가, 검은 계곡 위쪽을 엿보기 시작하였다. 그리고 인근의 지형을 잘 모른다는 점을 감안하여 아주 조심스럽게, 음침한 성으로 접근해 갔다.

아무리 산을 잘 타는 사람이라도, 달빛에 의지해 이 계곡을 오르기는 상당히 벅차고 위험한 일이었다. 가스파르는 몇 번이나 깎아지른 절벽의 바닥으로 제자리걸음을 했다가, 힘겨운 과정을 되밟아가야 했다. 인색한 흙에 뿌리를 박은 왜소한 잡목과 가시나무에 의지해 가까스로 추락을 피한 것도 다반사였다. 찢어진 옷과 긁히고 피나는 두 손으로 드디어 그는 숨을 헐떡이며 바위산 정상 부근, 성벽 바로 아래에 다다랐다.

이곳에서 숨을 고르고 바닥난 체력을 회복하기 위해 잠시 멈추었다. 높다란 내성의 내벽에서 타오르는, 보이지 않는 불길의 희미한 반영이 보였다. 거리와 방향을 가늠할 수 없는, 혼란스러운 소음이 낮게 웅웅거렸다. 소음은 검은 총안에서 밑으로 새어 나오는 것 같다가도, 산속 깊숙한 지하에서 위로 솟구치는 것 같았다.

이 희미하고 불분명한 소음 말고는 쥐 죽은 듯 고요한 밤이었다. 바람마저 이 공포의 성 주변을 피해 가는 것 같았다. 보이지 않는 냉습한 악의 기운이 만물을 뒤덮고 있었다. 창백하게 부푼 달은 마녀와 마법사의 수호 여신처럼 시간보다도 더 오래된 침묵 속에서 허물어져가는 성 위에 독기 머금은 녹색 빛을 비추고 있었다.

가스파르는 망대를 향해 다시 발길을 옮기는 동안, 피로보다도 더 무거운 뭔가가 역겹게 달라붙는 것을 느꼈다. 끝없이 세를 불리면서 대기 중인 악귀들이 보이지 않는 그물처럼 빽빽하게 그를 방해하는 것 같았다. 실체 없는 날개들이 느릿느릿 위협적으로 퍼덕이는 느낌이 얼굴에 묵직하게 전해졌다. 까마득한 지하 납골소와 부패의 동굴에서 솟구치는 공기를 한 모금 들이마신 것도 같았다. 조롱인지 협박인지 모를 들리지 않는 고함이 귓가에 쇄도했고, 불결한 손들이 그를 밀쳐내는 것 같았다. 그러나 그는 돌풍에 맞서 나아가듯 고개를 숙이고 계속 전진하여 부서진 망대에 오른 뒤, 잡초 무성한 안뜰로 들어갔다.

안뜰은 어디를 보나 텅 비어 있었다. 그리고 대부분은 성벽과 작은 탑들의 그림자에 깊숙이 묻혀 있었다. 가까운 어둠 속, 은빛을 띤 총안의 폐허 더미에서 수사들의 말대로 동굴처럼 생긴 입구가 있었다. 그 안쪽에서 붉은 빛이 늪지의 반딧불처럼 창백하고 섬뜩하게 일렁이고 있었다. 그때까지 윙윙거리던 소음이 동굴 입구에서 웅얼거리는 목소리로 들려왔다. 가스파르는 불 켜진 입구 안쪽에서 빠르게 움직이는 거무스름한 형체들을 본 것 같았다.

그는 그림자 속에 몸을 숨기고 폐허 한복판에서 원을 그리듯 뜰을 따라 은밀하게 움직였다. 발각될 것이 두려워 입구 쪽으로 접근할 용기가 나지 않았다. 그래도 그가 판단하기에는, 입구를 지키는 경비가 따로 있지는 않았다.

내성에 도착하자, 벽 상층부에서 희미한 빛이 비스듬히 깜박이고 있었는데, 그 빛은 근접해 있는 긴 건물의 틈 같은 곳에서 새어 나오고 있었다. 지상에서 꽤 높은 위치에 있는 그 틈은 과거에 석조 발코니로 통하는 문이었다. 디딤판이 군데군데 부서진 계단이 벽을 따라 위로 올라가면서 반쯤 부서진 발코니까지 이어졌다. 젊은 가스파르는 그 계단을 올라가면, 들키지 않고 일로르뉴의 내부를 엿볼 수 있겠거니 생각하였다.

계단 일부는 부서져 없어진 데다 계단 전체가 짙은 그림자에 갇혀 있었다. 가스파르는 조심스럽게 발코니를 향해 올라갔고, 한번은 발밑에서 헐거워진 돌조각이 요란한 소리와 함께 마당의 포석으로 떨어지는 바람에 크게 놀라 멈춰 서기도 했다. 다행히 성안의 사람들이 그 소리를 듣지 못한 것 같아서 잠시 후에 다시 계단을 오르기 시작했다.

크고 들쭉날쭉한 입구를 향해 다가가자, 그 틈을 통해서 빛이 위쪽으로 솟구치고 있었다. 발코니의 남은 형태라고는 비좁은 돌출부가 전부였고, 그가 거기에 웅크리고 엿본 것은 참으로 놀랍고도 섬뜩한 광경이었다. 어찌나 아연실색하던지 한참이 지나서야 그 의미를 이해할 수 있을 정도였다.

수사들의 말이 — 그들의 종교적 편견을 감안하더라도 — 전혀 과장이 아니라는 게 분명해졌다. 폐허 더미나 다름없는 내부 전체가 나테르의 작업실 용도로 부서지고 해체되어 있었다. 해체만 해도 열 명의 제자뿐만 아니라 많은 전문가를 동원해야만 가능한 어마어마한 공사였다.

그 거대한 공간에 대형 증류기와 화로의 불빛이 불규칙하게 비치고 있었다. 무엇보다 커다란 돌그릇에서 일렁이는 빛이 기이했다. 높은 위치에서 내려다보고 있음에도, 그 돌그릇들 안에 무엇이 있는지 볼 수가 없었다. 다만, 돌그릇 중 하나의 가장자리에서 백색광이 위로 솟구쳤고, 다른 돌그릇에서는 살구색이 도는 인광이 뿜어져 나오고 있었다.

가스파르는 나테르의 실험 도구와 소환구를 많이 봤고, 흑마술 장비에도 누구보다 익숙했다. 또 비위가 약한 편이 결코 아니었다. 게다가 발아래 구덩이에서 검은 옷을 입은 나테르의 제자들과 나란히 일하고 있는, 무수한 악마의 검은 형체를 보고 그리 겁에 질릴 위인도 아니었다. 그런 가스파르마저도 한복판을 차지하고 있는 초대형 물체를 봤을 때, 심장을 움켜잡는 싸늘한 공포를 느꼈다. 그것은 길이 30미터에 달하는, 이 낡은 성의 홀보다도 더 큰 거구의 인간 해골이었다. 사람과 악마 들이 이 해골의 뼈다귀 오른발에 사람의 살을 입히느라 분주하게 움직이고 있었던 것이다!

이 거대하고 섬뜩한 해골은 흉악한 바퀴살 같은 늑골과 함께 몸통 각 부위까지 완벽하게 마무리되어 있었고, 지옥의 용접이 끝난 후에도 아직 열기가 식지 않은 것처럼 번뜩이고 있었다. 해골은 기괴한 생명력으로 빛과 열기를 발하며, 명멸하는 섬광과 어둠의 살기 어린 흔들림에 맞춰 떨고 있었다. 바닥에 집게발처럼 휘어 있는 거대한 손가락뼈는 금방이라도 무기력한 먹잇감을 움켜쥘 태세였다. 언제까지나 잔인하고 악의적인 냉소를 머금고 있을 입에는 무시무시한 이빨들이 박혀 있었다. 지옥의 우물처럼 깊게 파인 눈구멍, 그 속에서 역겨운 어둠의 형태로 꾸물꾸물 올라오는 정령들의 눈처럼 무수한 빛이 들끓고 있는 것 같았다.

여러 사람이 비참한 지경에 빠져 울부짖는 지옥처럼 눈앞에 펼쳐진 충격적이고도 기가 막힌 환각에 그만 가스파르는 어안이 벙벙해졌다. 나중에 시간이 지났을 때, 그는 어느 것도 분명히 봤다고 확신할 수 없었고, 인간과 그 조수 들이 무슨 일을 어떻게 했는지도 거의 기억해 내지 못하였다. 박쥐처럼 생긴, 어렴풋하고 수상쩍은 괴물체들이 돌그릇 하나와 작업자들 사이를 이리저리 날아다니는 것 같았고, 그동안에도 사람과 악마 들은 마치 조각가처럼 해골의 발에다 진흙 작업을 하듯이 불그스름한 혈장을 바르고 있었다. 가스파르는 시간이 지나서는 확신하지 못했으나 당시에는 음산한 박쥐 괴물체들이 그 혈장 물질을 빨간 돌그릇에서 통으로 퍼내 옮기는 것 같았다. 그러나 괴물체 중에서 어느 것도 다른 돌그릇, 그러니까 금방이라도 꺼질 듯이 창백한 빛이 시시각각 희미해지고 있던 돌그릇에는 접근하지 않았다.

가스파르는 작은 체구의 나테르를 찾아봤으나 그 북적이는 현장에서 쉽사리 눈에 띄지 않았다. 그 역겨운 마법사가 몸속의 불처럼 오랫동안 그를 괴롭혀온 희귀병에 굴복하지 않았다면, 아마도 거대한 해골에 가려진 어딘가에서 침상에 누워 사람과 악마 들의 작업을 지휘하고 있을 터였다.

불안정한 발코니 돌출부에서 얼이 빠져 있던 가스파르는 자신의 등 뒤로 고양이처럼 은밀하게 부서진 계단을 올라오는 발소리를 듣지 못했다. 바로 뒤에서 부서진 계단의 돌조각이 덜컹거리는 소리를 들었을 때는 이미 늦은 후였다. 깜짝 놀라 뒤돌아보는 순간, 곤봉 같은 물체에 맞아 정신을 잃었고, 공격자의 손에 붙잡히어 마당으로 끌려 내려가고 있다는 것조차 깨닫지 못했다.

5. 일로르뉴의 공포

가스파르가 추락했던 까마득한 망각의 어둠 속에서 깨어났을 때, 자신을 노려보고 있는 나테르와 마주하고 있었다. 새까만 액체 같은 나테르의 눈동자에서 돌이킬 수 없는 나락으로 사라져간 별들의 싸늘하고 살기 어린 불꽃이 일렁이고 있었다. 감각의 혼란 때문에 한동안은 자신을 기절로부터 끄집어낸 사악한 자석과도 같은 그 두 개의 눈동자밖에는 볼 수 없었다. 그 눈동자들은 사람이 인식하기에는 너무 크거나 아니면 실체가 없는 얼굴에 박혀 있는 것처럼 혼돈의 암흑 속에서 이글거리고 있었다. 이윽고 조금씩 마법사의 나머지 모습과 섬뜩한 주변 상황이 눈에 들어오기 시작하면서 가스파르는 자신의 처지를 깨닫게 되었다.

가스파르는 욱신거리는 머리를 어루만지려다가 양쪽 손목이 꽁꽁 묶여 있는 걸 알았다. 반쯤 누워 있는 자세로 딱딱하고 가장자리가 날카로운 물체에 기대고 있어서 등이 불편하였다. 알고 보니 그 물체는 성의 바닥에 세워져 있거나 넘어져 있는 폐물 더미 중에서 연금술용 화덕 또는 용광로 같았다. 회분 접시, 알루델(승화 장치), 커다란 호리병박과 공 모양의 증류기들이 걸쇠가 달린 책 더미와 음산한 과학으로 그을 린 가마솥과 화로 따위와 뒤죽박죽 뒤섞여 있었다.

임시 침상 같은 곳에서 칙칙한 금색과 화려한 주홍색 당초 무늬로 이 루어진 사라센풍의 쿠션에 기댄 나테르가 가스파르를 쳐다보고 있었 는데, 쿠션은 물론이고 양탄자와 벽걸이 천을 모아서 만든 임시 침상까 지 그 화려함 때문에 곰팡이와 죽은 균류로 얼룩진 투박한 벽면과 기괴 한 대조를 보이고 있었다. 나테르 주변으로 희미한 불빛과 흉하게 웅크 린 그림자들이 스쳐 갔다. 가스파르의 뒤에서 귀에 거슬리는 윙윙 소리 가 들려왔다. 고개를 돌려보니, 불그레한 돌그릇 하나가 보였고, 그 주 변으로 흡혈 조류들이 이리저리 날아다니고 있었다.

"잘 왔네." 나테르가 말했다.

가스파르가 고통에 찌든 나테르의 모습에서 치명적으로 도진 병마 를 알아채는 동안, 나테르가 다시 말을 이었다.

"가스파르 뒤 노르가 옛 스승을 보러 왔구나!"

나테르의 시든 몸에서 거칠고 위압적인 목소리가 오싹하리만큼 쩌 렁쩌렁 흘러나왔다.

"이렇게 왔으니 말해 주시오." 가스파르가 간결한 표현으로 말했다. "대체 여기서 무슨 일을 꾸미고 있는 겁니까? 그리고 당신이 부리는 가 증스러운 마귀들이 훔쳐 온 시체들을 가지고 무슨 짓을 하는 겁니까?"

빈사 상태의 쇠약한 나테르의 몸이 빈정대는 악령에 씌기라도 한 것 처럼 호사스러운 침상에서 이리저리 흔들렸고, 한 차례의 길고 격한 웃 음소리만 있을 뿐 다른 대꾸는 없었다.

"안색을 보아하니 불치병에 걸린 게 분명하군요." 사악한 웃음이 그 치기를 기다려, 가스파르가 말했다. "그러니 당신의 악행에 대해 속죄하고 신과 화해할 수 있는 시간도 얼마 남지 않았습니다. 물론 그럴 기회가 당신에게 아직 남아 있다면 말입니다. 영혼의 마지막 파멸을 담보로 지금 꾸미고 있는 추잡하고 기괴한 음모가 뭡니까?"

나테르의 왜소한 몸은 또다시 발작적인 악마의 웃음에 사로잡혔다.

"아니다. 아냐. 착한 가스파르야." 나테르가 말했다. "내가 계약을 맺었으니, 그것은 징징대는 겁쟁이들이 천상의 폭군으로부터 선의와 용서를 얻고자 맺은 계약과는 다른 것이다. 결국엔 지옥이 나를 데려갈지도 모르지. 그러나 지옥은 이미 그 대가를 지불했고, 앞으로도 넉넉하고 괜찮은 대가를 지불할 것이야. 나는 별점에 나온 운명에 따라 곧 죽을 것이다. 그러나 사탄의 은혜를 입어 다시 살아나, 아나킴[7]의 강한 근골을 선사받을지니, 그때 가서 아베르와뉴 사람들에게 복수하러 갈 것이다. 그들은 나의 마법적인 지혜를 오랫동안 증오했고 나의 왜소한 체구를 조롱했으니까."

"대체 무슨 망상에 사로잡힌 겁니까?" 젊은 가스파르는 나테르의 쪼그라든 몸을 부풀어 오르게 하는 듯한 인간의 광기와 살기 이상의 뭔가와 그의 눈에 비치는 지옥 빛을 대하고 오싹해져서 물었다.

"망상이 아니라, 참된 일이다. 어쩌면 기적이겠지. 생명 자체가 기적이니까……. 어차피 추하게 썩어 문드러질 시체들을 가지고, 제자와 부하 들이 나의 지시에 따라서 거인의 형태로 만들었으니, 그 골격을 너도 봤을 것이다. 이 몸이 죽으면 내가 충실한 부하들에게 신중하게 가르쳐둔 환생 마법에 따라 내 영혼이 저 거대한 육체로 옮겨 갈 것이다.

가스파르, 내가 기꺼이 너를 위해 보여줄 기적과 심오한 일을 저버리고 그깟 시시하고 경건한 결벽증을 고집하지 않는다면, 그리하여 네가 나와 함께한다면, 이 경이로운 창조에 동참하는 특권을 누릴 것이다.

네가 만약 시건방진 염탐질을 하러 일로르뉴에 조금만 더 일찍 왔더라면, 나는 너의 튼튼한 뼈와 근육을 이용했을 것이다. 내가 사고나 폭력으로 죽은 젊은이들의 뼈와 근육을 이용한 것처럼 말이야. 그러나 그러기엔 늦었구나. 골격이 이미 완성되어 인간의 살을 입히는 일만 남았으니까. 착한 가스파르야, 너를 상대로 해줄 만한 일이 없구나. 방해되지 않도록 너를 안전하게 가둬두는 것 말고는…… 운 좋게도, 이 성 지하에 비밀 감옥이 하나 있다. 지내기엔 음침해도, 일로르뉴의 엄한 군주들이 튼튼하고 깊숙이 만든 것이지."

가스파르는 이 불길하고 황당한 말을 듣고도 아무런 대꾸를 하지 못했다. 공포로 얼어붙은 머릿속으로 뭔가 할 말을 떠올리려 애쓰는데, 불현듯 등 뒤에서 움켜잡는 보이지 않는 손길이 느껴졌다. 그들은 가스파르 모르게 전달된 나테르의 신호를 받고 접근한 것이 분명하였다. 수의처럼 곰팡내 나는 묵직한 천으로 눈이 가려진 뒤, 그는 이상한 기구들 사이로 비틀비틀 끌려갔고, 구불구불 부서지고 비좁은 계단을 내려가니, 썩은 물의 악취와 뱀의 니글니글한 사향 냄새가 콧속을 파고들었다.

다시 돌아올 수 없을, 깊숙한 곳으로 끌려 내려가는 것 같았다. 서서히 악취가 더 심해지고 참기 힘들어졌다. 계단이 끝났다. 문 하나가 녹슨 돌쩌귀에서 철커덕 음산하게 열렸다. 가스파르가 떠밀려 들어간 곳은 바닥이 축축하고 울퉁불퉁했고, 무수한 발길에 닳아 있는 것 같았다.

가스파르는 묵직한 석판이 덜컥거리는 소리를 들었다. 손목의 결박과 눈가리개가 풀린 상태였고, 발치의 질척대는 바닥에 동그랗게 나 있는 구멍이 깜박이는 횃불 아래 보였다. 구멍 옆에는 뚜껑으로 보이는 석판이 놓여 있었다. 그는 자신을 끌고 온 자들이 사람인지 아니면 악마인지 확인하려고 돌아보려다가, 거칠게 붙잡히어 구멍 속으로 처박히고 말았다. 에레보스와도 같은 어둠을 지나, 바닥에 떨어지기까지 한참을 추락한 것 같았다. 기절 직전의 상태로 악취 나는 얕은 웅덩이에 널브러져 있는 동안, 위쪽에서 음산한 덜컥거림과 함께 묵직한 석판이 구멍을 도로 막았다.

6. 일로르뉴의 지하

잠시 후, 가스파르는 웅덩이 물의 냉기 덕분에 정신을 차렸다. 옷이 흠뻑 젖어 있었다. 처음으로 몸을 움직이려는데 끈적끈적하고 악취 나는 웅덩이 물이 입속으로 들어올 뻔했다. 지하 감옥의 어둠 속 어딘가에서 물방울 떨어지는, 단조로운 소리가 계속해서 들려왔다. 비틀거리며 일어서 보니, 다행히 뼈가 상한 곳은 없어서 조심스럽게 주변을 탐색하기 시작했다. 움직이는 동안 더러운 물방울이 머리칼과 얼굴에 떨어졌고, 발이 미끄러져 썩은 물속에서 첨벙거리기도 했다. 쉭쉭 하는, 성난 소리가 사납게 들려오더니 뱀 같은 것들이 그의 발목을 차갑게 스쳐 갔다.

얼마 후에 거친 돌벽이 나타나자, 손가락으로 벽을 짚어가면서 지하 감옥의 넓이를 가늠해 보았다. 형태는 모서리가 없는 원형에 가까웠으나, 그 지름이 얼마나 되는지는 도저히 알 수 없었다. 그렇게 어둠 속에서 헤매다가 벽면에서 물 위로 올라와 있는 잡석 더미를 발견했다. 이 잡석 더미는 비교적 마르고 편안하여 여기에 올라가 앉으니, 성난 파충류들로부터 벗어날 수 있었다. 파충류들은 위험하지 않은 물뱀의 종류로 보였으나, 그 끈적끈적한 비늘이 몸에 닿을 때마다 소름이 끼쳤다.

가스파르는 잡석 더미에 앉아서 지극히 비참하고 절망적인 상황과 앞으로 닥칠 무서운 일들을 생각하며 마음을 다잡았다. 그는 일로르뉴의 극악무도한 비밀, 다시 말해 나테르의 상상을 초월하는 기괴하고도 불경스러운 음모를 간파하였다. 그러나 악마들이 집결한 성채의 깊숙한 지하 묘지, 이 악취 나는 구덩이 속에 갇혀버린 터라, 코앞에 닥친 위험을 세상에 알릴 수조차 없었다.

비욘에서 챙겨 온 식량 주머니는 절반 넘게 비었으나 아직 그의 등에 매달려 있었다. 게다가 주머니를 확인해 본 결과, 괴한들이 그의 단도까지 그대로 놔둔 것을 알고 안심이 되었다. 어둠 속에서 상해 가는 빵 조각을 씹으며, 동시에 귀중한 단도의 칼자루를 손으로 어루만지며 절망뿐인 그곳에서 혹시 모를 탈출구를 찾아보았다.

숨 막히는 침묵 속에서 끈적끈적한 물이 지하의 어느 바다로 더디게 기어가는 동안, 그 암흑의 시간이 얼마나 지났는지 알 길이 없었다. 유일하게 침묵을 깨는 것은 쉼 없이 떨어지는 물방울 소리, 아마도 과거에 이 성의 식수원이었을 지하수 곳곳에서 나오는 물일 터였다. 그러나 물소리는 간간이 수상쩍고 단조로운 소리로 바뀌어, 그의 혼란한 마음에 보이지 않는 악마들의 음산하고 그침 없는 낄낄거림을 암시하곤 하였다. 결국 기진맥진한 그는 괴로운 악몽의 잠속으로 빠져들었다.

잠에서 깼을 때 밤인지 아니면 낮인지 분간이 가지 않았다. 여전히 악취 나는, 빛도 한줄기 어스름도 없는 어둠만이 그 비밀 감옥을 가득 채우고 있었기 때문이다. 그런데 몸에 와 닿는 바람에 몸서리가 쳐졌다. 이 습하고 해로운 바람은 그가 잠든 사이 깨어나 은밀한 삶과 일상을 시작한 지하 세계의 입김 같았다. 그곳에 갇힌 후로 바람이 들어온다는 걸 처음 깨달았다. 멍한 머릿속에 바람이 암시하는 뜻밖의 희망이 떠올랐다. 바람이 들어오는 지하의 틈이나 수로가 있는 게 분명했다. 그렇다면 그 틈은 이 지하 감옥에서 나갈 수 있는 탈출구가 될 확률이 높았다.

그는 일어서서 바람이 불어오는 방향으로 더듬어 나갔다. 발뒤꿈치에 밟힌 뭔가가 부서지는 통에 균형을 잃고 하마터면 그 끈적끈적하고 뱀이 득시글거리는 웅덩이 속에 고꾸라질 뻔했다. 밟힌 것이 무엇인지 확인하고 다시 이동하려는데, 갑자기 위쪽에서 귀에 거슬리는 덜컥거림이 들려왔다. 곧바로 비밀 감옥의 뚜껑문이 열리더니, 그 사이로 흔들리는 누런 불빛이 내려왔다. 눈이 부신 채 올려다보는 동안, 3 내지 3.5미터 높이에서 둥근 구멍 사이로 타오르는 횃불을 든 검은 손 하나가 삐죽이 내려와 있었다. 뒤이어 거친 빵 한 덩이와 포도주병이 담긴 작은 바구니가 줄에 매달려 내려왔다.

가스파르가 빵과 포도주를 집어 들자, 바구니가 도로 올라갔다. 횃불이 사라지고 돌 뚜껑문이 다시 닫히기 전에 그는 최대한 빠르게 감옥 안을 살펴보았다. 짐작한 대로 내부 공간은 원형에 가까웠고, 지름이 4.5미터 정도였다. 발에 밟혔던 것은 사람의 해골로, 절반은 잡석 더미 위에 놓여 있었고 절반은 더러운 물속에 잠겨 있었다. 해골은 오랜 세월 탓에 갈색으로 부패했고, 옷가지는 물곰팡이에 뒤덮여 오래전에 삭아버렸다. 벽면은 수백 년간의 누수 때문에 파이고 골이 생겨서 서서히 침식되고 있는 것 같았다. 맞은편 벽 아래쪽에 예상한 대로 구멍이 나 있었다. 여우 굴보다 그리 크지 않은 그 구멍을 통하여 느린 물살이 흘러들었다. 구멍을 본 가스파르는 가슴이 철렁 내려앉았다. 구멍 쪽의 수심이 보기보다 깊은 건 그렇다 쳐도, 구멍이 사람이 지나가기에 너무

줍았기 때문이다. 불빛이 사라지자, 그는 숨통을 조이는 절망 상태에서 잡석 더미로 되돌아갔다.

빵과 포도주병이 아직 손에 들려 있었다. 멍하니 맥 빠진 허기 속에서 기계적으로 씹고 마셨다. 그러고 나니 힘이 나는 것 같았다. 시큼한 싸구려 포도주가 그의 몸을 덥히고 영감까지 주었다.

포도주병을 비우고 감옥을 가로질러 굴처럼 생긴 낮은 구멍으로 향했다. 유입되는 공기의 흐름이 강해지는 것은 좋은 징조였다. 단도를 빼 들고 구멍을 넓히기 위해 벽에서 침식되어 약해진 지점을 파내기 시작했다. 기분 나쁜 물속에 무릎을 꿇고 앉아야 했다. 벽을 파는 동안, 꿈틀거리는 물뱀들이 무섭게 쉭쉭 소리를 내면서 그의 다리를 지나갔다. 물뱀들이 이 구멍을 통하여 지하 감옥을 들락날락하는 게 분명했다.

벽면이 칼끝에 닿는 족족 쉽게 부서지자, 가스파르는 탈출의 희망으로 지금 처한 상황의 공포와 불편을 잊었다. 그가 벽이 얼마나 두꺼운지 알 리 없었다. 또 구멍 너머에 어떤 용도의 지하 공간이 얼마나 넓게 펼쳐져 있을지도 알지 못했다. 그래도 외부와 연결된 통로가 있으리란 확신이 있었다.

단도로 무작정 벽면의 약한 곳을 골라 파내고, 첨벙거리며 떨어진 파편들을 치우면서 몇 시간 아니 며칠을 보낸 것 같았다. 얼마 후에는 넓혀놓은 구멍 속으로 엎드리고 들어갔고, 이때부터 근면한 두더지처럼 야금야금 구멍을 넓혀가며 전진하였다.

드디어 천만다행으로 칼끝이 허공을 찔렀다. 거치적거리는 돌 찌꺼기들을 손으로 파헤쳤다. 그리고 어둠 속을 기어간 끝에 비탈 같은 바닥을 딛고 똑바로 일어설 수 있었다.

결리고 쥐가 나는 사지를 쭉 뺀 뒤, 아주 조심스럽게 움직였다. 두 손을 뻗으면 동시에 양쪽 벽이 손끝에 닿는, 비좁은 지하실 아니면 터널 같은 곳이었다. 바닥은 밑으로 경사를 이루고 있었다. 수심이 점점 깊어져 무릎까지 찼다가 곧 허리까지 올라왔다. 아마도 과거에 성을 빠져나가는 지하 통로로 사용됐던 곳 같았다. 그리고 무너져 내린 지붕이 물을 둑처럼 막고 있었다.

픽 당황한 가스파르는 해골이 널브러져 있는, 지저분한 비밀 감옥보다 더 나쁜 상황에 빠져든 건 아닐까 걱정이 되기 시작했다. 사방을 둘러싼 어둠 어디에도 빛이라곤 없었고, 공기의 흐름은 더 강해지긴 했으나, 끝없는 지하의 공기처럼 음습하고 쾨쾨했다.

깊어지는 물속으로 주춤주춤 들어가면서 간간이 터널 양쪽 벽을 더듬다가, 오른쪽으로 획 꺾이는 모퉁이를 찾아냈다. 모퉁이를 돌자 나타난 빈터, 알고 보니 그곳은 교차로의 입구여서 그래도 수심이 고른 편이었고 갑자기 깊어지거나 악취 나는 웅덩이로 변하진 않았다. 시험 삼아 이곳저곳을 훑는데 발부리에 위쪽으로 향하는 계단이 닿았다. 얕은 물을 헤치고 이 계단을 올라가자 잠시 후 마른 돌 위에 서게 되었다.

좁고 부서지고 불규칙한 데다 층계참도 없는 이 계단은 일로르뉴의 지하 어딘가를 향해 나선형으로 끝없이 올라가는 것 같았다. 계단은 무덤처럼 갑갑하고 숨이 막혔다. 애초 가스파르가 따라온 기류의 진원지도 계단은 분명 아니었다. 계단이 어디로 향하는지 또 그것이 지하 감옥으로 끌려올 때 내려온 계단인지 확신할 수 없었다. 그래도 계단을 계속 올랐고, 갑갑하고 독기 서린 공기 속에서 숨을 고르느라 한참 만에 멈춰 서곤 했다.

꽤 높은 곳까지 올라갔을 때, 드디어 칠흑 같은 어둠 속에서 정체 모를 희미한 소리가 들려오기 시작했다. 거대한 돌덩어리가 떨어지듯 되풀이되는, 둔탁한 충격음이었다. 극히 불길하고 음산한 소리는 가스파르 주변의 보이지 않는 벽들을 뒤흔드는 것 같았고, 그가 올라선 계단에도 불길한 진동과 함께 떨림을 전해 왔다.

더욱더 신중하게 경계심을 바짝 높이고 올라가는 동안, 이따금 멈춰서서 귀를 기울였다. 계속되는 충격음이 점점 더 요란해지고 불길해져서 마치 바로 위쪽에서 들려오는 것 같았다. 그래서 그는 더 가지 못한 채, 한참을 어두운 계단 위에 웅크리고 있었다. 그런데 어찌 된 영문인지, 불현듯 소리가 멈추더니 긴장과 공포의 정적을 남겨놓았다.

별의별 불길한 추측만 난무할 뿐 정작 또 무슨 일을 당할지는 모른채, 가스파르는 용기를 내어 계단을 다시 오르기 시작했다. 그런데 쥐죽은 듯 고요한 정적 속에서 또다시 소리가 들려왔다. 어렴풋이 울리는 영창 소리라고 할까, 이것은 악마 숭배나 모종의 의식에서 진혼곡의 리듬과 함께 귀에 거슬리는 고음으로 치닫는 악의 찬가 같았다. 그는 소리의 의미를 알아들을 수 있기 한참 전부터 거대한 악마의 심장박동에 따라 높아졌다 낮아졌다 하는, 규칙적인 리듬의 악랄하고 강렬한 울림에 전율을 느끼고 있었다.

구불구불한 나선형의 계단이 백 번째 굽잇길로 돌아설 때였다. 가스파르는 기나긴 암흑을 뚫고 위쪽에서 자신을 향해 비추는 희미한 빛을 보고 깜짝 놀랐다. 지옥의 소리가 격발하듯 더욱 강한 울림으로 들려오는 합창 소리, 가스파르는 그것이 진기하고도 강력한, 요컨대 극도로 사악하고 해로운 목적을 위하여 마법사들이 사용하는 주문임을 알아챘다. 그가 마지막 계단에 올라서자, 일로르뉴의 폐허 한복판에서 자행되는 무시무시한 음모가 눈앞에 펼쳐져 있었다.

조심스레 머리를 들어 살펴보니, 계단이 끝난 곳은 그가 얼마 전에 나테르의 기상천외한 창조물을 목격했던 그 거대한 방의 한쪽 구석이었다. 건물의 내부가 해체된 채로 휜히 드러나 있었고, 이곳에 반달의 기이한 빛이 가득할 뿐만 아니라 꺼져가는 용광로의 붉은 불꽃과 마법의 화로에서 꿈틀거리며 솟구치는 여러 색깔의 불길까지 뒤섞여 있었다.

가스파르는 폐허 한복판을 환히 비추는 달빛을 보고 한순간 어리둥절했다. 잠시 후에 다시 보니, 뜰로 통하는 성의 내벽들이 전부 허물어져 있었다. 이 거대한 구조물의 철거 작업은 틀림없이 마법에 의한 초인적인 노동으로 이루어졌을 터였고, 가스파르가 지하 감옥을 벗어나 위로 올라오는 동안 들려왔던 소리의 진원지였다. 피가 얼어붙는 기분이었고, 성의 내벽을 철거한 목적을 알아차렸을 때에는 소름이 돋았다.

그가 감금된 지 하루가 꼬박 지나고 이틀째 밤으로 접어들었음이 분명했다. 옅은 청옥 빛깔 창공에 달이 높이 떠 있었기 때문이다. 싸늘한 달빛 아래서 거대한 통들은 으스스한 인광을 더는 뿜어내지 않고 있었다. 죽어가는 난쟁이가 기대 있었던 사라센풍의 침상은 이제 화로와 향로에서 피어오르는 증기에 반쯤 가려져 있었고, 마법사의 열 제자는 검붉은 옷을 입고서 사악한 목적을 위하여 섬뜩하고 역겨운 의식을 진행하고 있었다.

가스파르는 지옥에서 벌떡 일어선 유령과 마주치기라도 한 것처럼 성 바닥에 가만히 누워 거대한 잠에 빠져 있는 거인상을 두려움 속에서 바라보았다. 그것은 이제 해골이 아니었다. 팔다리에는 두툼하고 커다란 근육이 붙어 있어서 마치 성경에 나오는 거인들의 사지 같았다. 옆구리는 난공불락의 성벽과도 같았으며, 강대한 가슴의 삼각근은 배의 갑판처럼 넓었다. 두 손은 몇 사람을 순식간에 맷돌처럼 으깨버리고도 남았다. 그런데 쏟아지는 달빛 너머로 보이는 이 거대한 괴물의 옆얼굴은 다름 아닌 난쟁이 악마, 나테르의 그것이었다. 백배는 확대해 놓은, 그러나 무자비한 광기와 악의만은 판박이처럼 똑같은 얼굴!

커다란 가슴이 솟았다가 내려갔다 하는 것 같았다. 마법 의식이 잠시 멈춘 사이, 가스파르는 어마어마한 숨소리를 또렷이 들었다. 거인의 눈은 감겨 있었다. 그러나 눈꺼풀이 커다란 커튼처럼 떨려서 금방이라도 눈을 뜨려는 것 같았다. 손은 바깥으로 뻗어 있었고, 마치 늘어선 시체들처럼 창백하고 푸르스름한 손가락들은 바닥에 놓여 꿈틀거렸다.

견딜 수 없는 공포가 가스파르를 사로잡았다. 그러나 이 공포마저도 그가 빠져나온 악취의 지하 감옥으로 돌아가게 만들진 못했다. 한참을 망설이며 겁에 질려 있던 그는 몰래 구석에서 빠져나와, 성벽 옆에 드리워진 검은 그림자에 몸을 숨기고 이동했다.

그렇게 이동하고 있을 때 뭉실뭉실 피어오른 증기 사이로 언뜻 스치는 것이 있었으니, 침상에 활기 없이 가만히 누워 있는 나테르의 쪼그라든 몸이었다. 난쟁이가 이미 죽었거나 아니면 죽기 직전의 혼수상태에 빠져든 것 같았다. 그때, 무시무시한 주문을 울부짖던 합창 소리가 악마의 승리감에 도취하여 더 고음으로 높아졌다. 증기가 지옥의 구름처럼 소용돌이치면서 이무기의 형태를 띠더니 마법사들을 감쌌고, 동양풍의 침상과 거기 시체처럼 누워 있는 나테르의 모습도 증기에 다시 가려졌다.

무한정한 악의 속박감이 공기를 짓눌렀다. 가스파르는 점점 더 강렬해지는 신성모독의 의식을 통하여 소환되고 탄원된 무시무시한 환생이 임박했음을, 어쩌면 이미 일어났음을 느꼈다. 숨을 쉬던 거인이 잠결에 뒤척이는 사람처럼 몸을 움직인 것 같았다.

잠시 후, 거대하고 압도적인 거한이 느릿느릿 가스파르와 영창 중인 마법사들 사이를 가로막았다. 마법사들은 가스파르를 보지 못했다. 가스파르는 그제야 간신히 용기를 내어 뛰기 시작했고, 추격이나 제지를 받지 않고 뜰에 닿을 수 있었다. 이때부터 뒤도 한 번 돌아보지 않고 마귀에게 쫓기는 먹잇감처럼 일로르뉴 아래의 가파르고 울퉁불퉁한 비탈을 정신없이 달려갔다.

7. 거인의 출현

시체들의 대이동이 중단된 후에도 공포는 만연해 있었다. 광범위한 불안의 그림자와 지옥의 음울한 분위기가 아베르와뉴에 썩은 물처럼 고여 있었다. 하늘엔 이상하고 불길한 징조가 나타났다. 요컨대 화염에 휩싸인 유성들이 동쪽 언덕 너머로 떨어지는 광경이 목격되었다. 그뿐만 아니라, 남쪽에선 혜성 하나가 며칠 밤 동안 자신의 빛으로 별들을 휩쓸다가 사라졌는데, 이 때문에 세간에는 재앙과 역병이 닥치리란 예언이 돌았다. 한낮에는 공기가 후텁지근했고, 푸른 하늘은 희끄무레한 불길처럼 달아올랐다. 멀리 어둠 속에서 천둥 다발이 포위 공격하는 타이탄의 군대처럼 지평선에 번쩍이는 번개의 작살을 내리꽂았다. 마법의 주문이 작용하듯 가축 사이에 역병이 퍼져나갔다. 이런 징조와 불가사의한 조짐들은 가뜩이나 근심 속에서 지옥의 숨겨진 의도와 음모를 두려워하며 하루하루를 불안히 지내온 사람들의 마음을 더욱더 무겁게 짓눌렀다.

그러나 잠복 중인 위협이 실제로 일거에 터져 나오기 전까지, 가스파르 뒤 노르를 제외한 그 어느 누구도 그 실상을 알지 못했다. 볼록 달[8]

아래서 비욘을 향해 정신없이 달려온 가스파르는 혹시나 거인 추격자의 발소리가 들리진 않는지 매순간 전전긍긍하면서도 도시와 마을에 경고를 해봐야 소용없다고 생각했다. 설령 경고한다고 한들, 강탈한 시체들을 재료로 지옥의 힘에 의해 태어나, 아나킴처럼 짓밟힌 세상에 대한 맹렬한 복수심으로 활보하게 될 그 오싹한 괴물을 그 누가 피할 수 있으랴?

가스파르 뒤 노르는 그날 밤을 꼬박 새우고 다음 날 낮까지, 여기저기 찢긴 옷가지엔 지하 감옥의 끈적끈적한 더껑이가 말라붙은 채로 강도 떼와 늑대인간들이 출몰하는 큰 숲을 미친 사람처럼 지나왔다. 달리는 동안, 옹이 지고 거무스름한 나무줄기 사이에서 서녘으로 떨어지는 달이 스쳐 갔다. 그리고 어느덧 새벽이 들쑤시는 화살촉처럼 창백한 빛을 내던지며 덮쳐왔다. 정오에는 달궈진 용광로가 햇빛으로 승화된 것처럼 백색의 폭염이 쏟아졌다. 그래서 너덜거리는 옷에 말라붙었던 더껑이가 그 자신의 땀에 젖어 다시 점액질로 바뀌었다. 그래도 악몽으로 쫓기는 길을 계속 달리고 달리는 동안, 그의 머릿속에선 막연하고 부질없어 보이는 계획이 조금씩 구체화되고 있었다.

한편, 이른 새벽마다 일로르뉴의 회색 성벽을 감시하던 시토 수도회의 몇몇 수사들은 가스파르에 이어 두 번째로 마법사들에 의해 창조된 괴물을 목격하였다. 이들의 설명은 다소 신앙적인 과장에 물들어 있을지도 모르겠다. 그러나 그들은 단언컨대, 말레볼제[9]에서 갑자기 솟구치는 기다란 불길과 새카만 증기를 헤치고 거인이 벌떡 일어섰는데, 부서진 망루가 거인의 허리에도 미치지 못했다 하였다. 거인의 머리가 내성의 가장 높은 지점에 닿았고, 쭉 펼친 오른팔은 먹구름으로 만든 방망이처럼 방금 떠오른 태양을 비스듬히 가리고 있었다. 수사들은 대마

왕이 일로르뉴를 지옥의 출구로 이용하여 모습을 드러낸 것이라 여기고 두려움에 무릎을 꿇었다. 곧이어 천둥과도 같은 악마의 웃음소리가 1.6킬로미터 너비의 계곡을 건너 들려왔다. 거인은 둔덕처럼 쌓여 있는 망대의 폐허를 단 한걸음에 넘더니, 가파르고 울퉁불퉁한 언덕을 내려오기 시작했다.

거인은 비탈에서 비탈을 건너뛰면서 가까이 다가올수록, 아담의 자손들을 향한 분노와 적의로 사무친 마왕의 표정을 고스란히 드러내고 있었다. 헝클어진 머리칼은 등 뒤로 검고 거대한 뱀처럼 출렁거렸다. 알몸은 시체의 피부처럼 검푸르고 창백하고 푸석푸석했다. 그러나 그 살가죽에서 거인의 어마어마한 근육이 부풀고 물결쳤다. 눈동자는 바닥을 알 수 없는 지옥의 불길로 달군, 뚜껑 없는 가마솥처럼 커다랗게 이글거렸다.

거인이 나타났다는 소식이 공포의 돌풍처럼 수도원을 휩쓸었다. 신앙심 중에서도 신중함을 중시하는 상당수의 수사는 석조 지하실과 저장실에 숨었다. 일부 수사들은 자신의 방에 틀어박혀서 성인들의 이름을 전부 불러가며 횡설수설 탄원을 중얼거리기도 하고 목청껏 외치기도 하였다. 그나마 가장 용감한 수사들은 예배당에 무릎을 꿇고서 커다란 십자가에 못 박힌 그리스도 앞에 엄숙히 기도하였다.

충격에서 다소 회복한 베르나르와 스테판, 이 두 명의 수사만이 거인의 진격을 용감하게 지켜보았다. 이들은 거인의 얼굴과 일로르뉴에 음산하고 불경한 짓을 일삼았던, 사악한 난쟁이 마법사의 용모가 닮았다는 것을 알아차리면서 걷잡을 수 없는 공포에 빠져들었다. 게다가 거인이 계곡을 내려오면서 내는 웃음소리가, 일전에 두 수사가 그 마귀의 성에서 치욕스레 도망칠 때 폭풍처럼 들려왔던 가증스러운 너털웃음과 흡사하였다. 그러나 베르나르와 스테판으로선 어쨌거나 진짜 악마가 틀림없는 그 난쟁이 마법사가 자신의 자연스러운 모습을 드러내고 있는 것이라 여겨졌다.

계곡 바닥에서 멈춘 거인이 수도원을 마주 보며 버티고 섰을 때, 그 이글거리는 눈동자가 베르나르와 스테판이 숨어서 엿보고 있는 창문과 수평을 이루었다. 거인은 또다시 웃음 —— 지하에서 치는 천둥처럼 섬뜩한 웃음 ——을 터뜨리더니, 이내 표석을 조약돌 쥐듯 한 움큼 잡고서 수도원을 향해 내던졌다. 표석들은 전투용 쇠뇌처럼 혹은 투석기에서 발사된 것처럼 수도원 벽에 부딪쳤다. 다행히 수도원의 벽은 튼튼하여, 심하게 흔들리기는 했으나 별다른 손상은 입지 않았다.

거인이 이번에는 계곡 중턱에 깊숙이 박혀 있는, 커다란 바위를 두 손으로 잡아 뺐다. 그러고는 바위를 들어 올려서 튼튼한 수도원 벽에 내리치는 것이었다. 예배당 곳곳이 크게 부서졌다. 예배당에서 기도하던 수사들은 박살 난 그리스도 상의 파편 사이에서 흥건한 피에 잠긴 과육처럼 짓뭉개진 채로 발견되었다.

거인은 하찮은 먹잇감을 계속 농락해 봐야 무익하다고 여겼는지, 작은 수도원을 떠나, 마귀에 씐 골리앗처럼 계곡을 따라 아베르와뉴로 돌진해 갔다.

거인이 떠나는 동안, 베르나르와 스테판은 여전히 창가에서 지켜보고 있었는데, 이때 처음으로 눈에 띄는 것이 있었다. 그것은 거인의 양 어깨 사이에 밧줄로 매달아놓은, 널빤지로 만든 커다란 궤짝 같은 것이었다. 궤짝 안에 들어가 있는 것은 나테르의 제자이자 조수 열 명, 이들은 마치 행상인의 보따리 속 인형처럼 실려 가고 있었다.

이후 계속된 거인의 이동과 약탈에 관해서는 아베르와뉴 전역에 온갖 전설로 오랫동안 떠돌았다. 그 내용은, 악마가 들끓는 아베르와뉴에서도 유례가 없을 정도로 소름 끼치고 비할 바 없이 극악한 악행으로 점철되어 있었다.

일로르뉴 아래 언덕에서 염소지기들이 거인의 출현을 목격하고 잽싼 염소 떼와 함께 가장 높은 산마루로 도망쳤다. 거인은 이들에겐 관심을 보이지 않았으나, 미처 도망치지 못한 염소지기와 염소들을 딱정벌레처럼 짓밟아버렸다. 이졸리 강의 수원인 계곡물을 따라 거인은 거대한 숲의 가장자리에 다다랐다. 전해지는 목격담에 따르면, 거인은 이곳에서 노송 한 그루를 뿌리째 뽑아서 커다란 가지들을 손으로 잘라낸 뒤 몽둥이처럼 만들었고, 이때부터 거인의 손에는 이 몽둥이가 들려 있었다.

거인은 공성 망치보다도 육중한 이 몽둥이로 숲 외곽의 길가에 있던 성당 하나를 박살 냈다. 거인의 동선에 있던 마을도 풍비박산이 났는데, 마을을 활보하면서 지붕을 부수고 벽을 무너뜨리고 마을 사람들을 짓이겼다.

거인은 죽음에 취한 키클롭스[10]처럼 파괴의 광기 속에서 하루 종일 이곳저곳을 돌아다녔다. 숲에서 가장 사나운 맹수들마저 거인을 무서워하며 도망쳤다. 한창 사냥 중이던 늑대들은 먹잇감을 포기하고 자기들의 바위틈 소굴로 겁에 질려 울면서 돌아갔다. 숲의 귀족이라 할 만큼 용맹한 검은 사냥개들도 거인에게 감히 맞서려고 하지 않고 낑낑거리며 개집으로 숨어들었다.

사람들은 거인의 엄청난 웃음소리와 우레 같은 괴성을 들었다. 다가오는 거인이 아주 멀리서도 보이자, 사람들은 능력껏 도망치고 숨었다. 해자가 있는 성의 군주들은 병사들을 소집했고, 적군의 포위에 대비하듯 도개교를 걷어 올렸다. 농부들은 동굴에, 지하실에, 쓰지 않는 낡은 우물에 심지어 건초 더미 속에 몸을 숨기고 거인이 그냥 지나가주기만을 바랐다. 교회마다, 거인이 이 땅을 유린하고 쑥대밭으로 만들려고 봉기한 악마 아니면 악마의 핵심 부하라고 여긴 사람들이 피신해 옴으로써 북새통을 이루었다.

거인은 가는 곳마다 여름날의 천둥처럼 커다란 목소리로 광기 어린 저주와 상상을 초월하는 음담패설과 신성모독의 말들을 쉬지 않고 지껄였다. 또는 자기의 등에 매달고 다니는 검은 옷차림의 무리에게 제자를 대하는 스승처럼 훈계하거나 과시하는 투로 말하기도 하였다. 나테르를 익히 알고 있던 사람들은 그 거대한 얼굴과 요란한 목소리가 나테르의 그것과 기막히게 닮았음을 알아차렸다. 이 난쟁이 마법사가 마왕과의 몹쓸 결탁을 통하여 가증스러운 자신의 영혼을 거인의 몸에 불어넣었다는 소문이 자자했다. 또한 제자들을 데리고 돌아온 이유가 자신의 왜소한 체구를 비웃고 마법을 비난했던 이 세상을 상대로 채워지지 않을 분노와 끝없는 원한을 표출하기 위함이라는 말도 떠돌았다. 이 기괴한 거인 분신을 시체들을 모아 만들었다는 말도 돌았고, 거인이 직접 자신의 정체를 발설했다는 말도 있었다.

이 약탈적인 거인이 일삼은 잔학무도한 짓을 일일이 거론하는 것은 지치는 일이겠다. 들리는 말에 따르면, 거인은 도망치는 사람들 중에서 주로 성직자와 여성 들을 붙잡아, 아이들이 곤충에게 종종 그러듯, 사지를 처참하게 찢어놓았다. 그뿐만 아니라, 여기에 기록할 수 없는, 더더욱 끔찍한 만행들도 있었으니…….

많은 이들이 라 프렌느의 군주 피에르가 사냥개와 부하들을 데리고 인근 숲으로 사슴 사냥을 나갔다가 거인에게 쫓기게 된 상황을 목격했다. 거인은 말과 사람을 한 손으로 움켜잡고는 나무 우듬지 위로 들어 올렸다가, 라 프렌느 성의 화강암 성벽에 패대기쳤다. 곧이어 피에르가 사냥한 붉은 수사슴을 붙잡아 역시나 성벽에다 내던졌다. 이렇게 성벽에 만들어진 커다란 피 얼룩은 오래도록 남아서 가을비와 겨울눈에도 오롯이 씻기지 않았다.

거인이 저지른 천인공노할 만행과 신성모독에 관한 이야기는 부지기수다. 이를테면, 거인이 시메스의 위쪽 이졸리 강으로 성모 마리아 목상을 집어던졌는데 이 목상에 갑옷을 입은 어느 악명 높은 무법자의 썩어가는 시체가 사람의 창자로 칭칭 감겨 있었다는 얘기, 무연고자 묘지에서 파낸 구더기 들끓는 시체들을 페리뇽의 베네딕트 수도원 안마당에 집어던졌다는 얘기, 그리고 성 제노비 교회에서는 인근 농장에서 가져온 온갖 거름을 쌓아 올린 뒤 그 속에 교회의 목사와 신도들을 파묻었다는 얘기 등등.

8. 거인의 **목표물**

거인은 악행과 살인의 무자비한 마귀에 씐 것처럼 무방비의 아베르와뉴를 동서남북 내키는 대로 짓밟았고, 술꾼의 갈지자걸음처럼 갈팡질팡 종잡을 수 없는 거인의 발자취를 따라 약탈과 살육으로 점철된 대파괴의 상흔이 농부의 낫질한 자리처럼 점점 더 길게 남았다. 불타는 마을의 연기에 검게 가려진 태양이 숲 너머로 섬뜩하게 내려앉은 후에도 사람들은 여전히 어스름 속을 움직이는 거인을 보았고, 여전히 천둥처럼 불길하게 울리는 광기의 너털웃음을 들었다.

해 질 무렵, 비욘의 성문 근처에 있던 가스파르 뒤 노르는 뒤편의 고대 숲 속 멀리서 이졸리 강을 따라 움직이는 오싹한 거인의 머리와 어깨를 보았다. 거인은 간간이 잔인한 짓을 일삼느라 몸을 구부리곤 하였다. 가스파르는 기진맥진하여 온몸이 무거웠으나 그래도 도주의 발길을 재촉하였다. 그의 예상으로는, 거인은 나테르의 증오와 악의가 유독 강한 비욘을 다음 날이 되기 전까진 침범하지 않을 것 같았다. 악행과 파괴를 행함에서 거의 무한의 능력을 발휘하고 있는 난쟁이 마법사, 그의 사악한 영혼은 복수의 절정을 늦추는 대신에 밤 동안 비욘의 외곽 마을과 시골 지역을 계속 공포의 도가니로 만들 터였다.

가스파르는 남루하고 지저분한 행색 때문에 의뭉스럽고 흉한 인상을 풍겼음에도, 비욘의 성문 경비병들에게 아무런 제지도 받지 않았다. 비욘은 이미 튼튼한 성벽의 보호를 찾아 인근 지역에서 도망쳐 온 사람들로 북적이고 있었다. 누구 하나, 심지어 아주 수상한 사람들마저도 성 밖으로 내침을 당하지 않았다. 성벽엔 거인의 침입을 저지하기 위해 신속히 소집된 궁수와 창병 들이 배치되어 있었다. 석궁 사수들은 성문 바로 위에 있었고, 전체 성벽을 빙 돌면서 촘촘하게 투석기가 놓여 있었다. 도시 전체가 들쑤신 벌통처럼 혼란스럽고 부산하였다.

거리마다 히스테리가 고조되어 아수라장을 방불케 하였다. 겁에 질린 창백한 얼굴들이 사방에서 정처 없이 무리를 지어 돌아다녔다. 다급한 횃불들이 황혼 속에서 처량하게 흔들렸고, 금방이라도 에레보스에서 솟구치려는 날개들의 그림자에 뒤덮인 것마냥 황혼은 점점 짙은 어둠에 물들어갔다. 땅거미 진 어스름 속엔 보이지 않는 공포와 숨 막히는 압박감의 거미줄로 가득하였다. 이 거친 무질서와 광기의 혼란을 뚫고 가스파르는 탈진했으나 굴복하지 않는 수영선수처럼 끝없이 밀려오는 끈적끈적한 악몽의 물살을 헤치며 서서히 자신의 다락방으로 향해 갔다.

집에 도착한 가스파르는 먹지도 마시지도 못했다. 체력과 정신력이 바닥난 상태라 점액질이 말라붙은 누더기 옷을 갈아입을 새도 없이 누추한 침상에 쓰러졌고, 이튿날 밤까지 세상 모르게 곯아떨어졌다.

그를 깨운 것은 창가를 비추는, 시체처럼 창백한 볼록 달이었다. 침상에서 일어난 그는 남은 밤 시간 동안, 어쩌면 나테르에 의해 창조되고 생명력을 얻은 그 극악한 괴물에 맞서는 유일한 해결책이 될지 모르는 모종의 비술을 준비하는 데 전념하였다.

가스파르는 서쪽으로 기우는 달빛과 하나뿐인 희미한 촛불에 의지하여 자신이 보유한 연금술의 다양한 재료를 조합한 뒤, 이를 바탕으로 길고도 꽤나 비교(秘敎)적인 과정에 따라, 과거에 그의 눈앞에서 나테르가 숱하게 사용했던 농회색 가루를 만들어냈다. 그의 추론으로는, 도굴한 시체들의 뼈와 살로 형태를 갖추고 죽은 마법사의 영혼에 의해서만 활력을 얻은 거인은 나테르가 시체를 되살리는 데 사용하곤 했던 이 가루의 영향을 받을 것이었다. 만약에 이 가루를 시체들의 콧구멍에 뿌린다면, 시체들은 평화로이 각자의 무덤으로 돌아가, 다시금 죽음의 영면에 들 것이었다.

소량으로는 이 거대하고 기괴한 흉물을 무력화시킬 수 없다고 판단한 가스파르는 상당량의 가루를 만들었다. 그가 가루의 효력을 끄집어낼 섬뜩한 라틴어 주문을 완성했을 때, 촛농이 흘러내린 초는 희끄무레한 새벽빛보다 더 희미한 빛을 발하고 있었다. 그는 알라스토르와 기타 악령 들의 협조를 청하는 이 주문을 마지못해 사용하였다. 그러나 다른 대안은 없었다. 마법은 마법으로만 맞설 수 있었다.

비욘에 새로운 공포와 더불어 아침이 왔다. 복수심에 불타는 거인이 초인적인 체력과 악마적인 활력으로 밤새 아베르와뉴를 들쑤시고 다녔다는 소문이 돌았고, 가스파르는 거인이 한 맺힌 비욘에 이날 아침 일찍 나타나리라 직감하였다. 그의 직감이 맞았다. 그가 비술을 완성하고 얼마 지나지 않아서 거리가 소란해지더니, 공포와 절망에 휩싸인 날카로운 아우성 위로 저 멀리서 거인의 으르렁거림이 들려왔다.

가스파르가 30미터가 넘는 거인의 콧구멍에 가루를 던질 수 있는 위치에 가 있으려면 시간이 촉박하였다. 성벽과 교회의 첨탑 대부분은 그만한 높이에 미치지 못하였다. 그때 퍼뜩 뇌리를 스치는 곳이 있었으니, 비욘의 중심에 있는 대성당, 그곳의 지붕이라면 침입자와 정면으로 맞설 수 있었다. 성벽의 화력으로는 거인의 침입과 극악한 파괴력을 막기엔 역부족이었다. 지상의 무기로는 그런 거대한 체격과 본질을 지닌 괴물에게 손상을 줄 수 없었다. 심지어 이런 마법으로 살아난 보통 크기의 시체마저도 화살 한 통을 다 맞아도 또는 열 개가 넘는 창에 찔린다 해도 속력을 늦추긴 어려웠다.

그는 커다란 가죽 주머니에 가루를 서둘러 담았다. 그리고 가죽 주머니를 허리띠에 차고 거리의 동요하는 사람들 속에 뒤섞였다. 많은 사람이 존엄하고 성스러운 피난처를 찾아서 대성당으로 달아나고 있었다. 가스파르는 그 광기의 도주 행렬에 몸을 맡겼다.

성당의 회중석은 사람들로 가득했고, 신부들은 마음속의 공포 때문에 번번이 더듬거리며 엄숙한 미사를 진행하고 있었다. 절망에 빠진 나약한 사람들은 가스파르를 주의해서 볼 여력이 없었다. 그는 가고일 장식이 있는 고층 탑 지붕으로 구부러지는 나선형 계단을 발견하였다.

지붕에 올라간 그는 고양이 머리의 그리핀[11] 석상 뒤에 몸을 숨겼다.

그곳에서 주위의 빽빽한 첨탑과 박공 너머로 상반신을 성벽 위로 드러 낸 거인을 볼 수 있었다. 거리가 멀었으나 거인을 향해 쏟아지는 무수한 화살을 볼 수 있었고, 거인은 살갗에 박히는 화살에도 아랑곳없이 속력을 늦추지 않았다. 투석기에서 퍼붓는 커다란 표석들마저 거인에 겐 작은 조약돌에 불과했고, 살갗에 박히는 묵직한 쇠 화살도 작은 생채기에 지나지 않았다.

그 무엇으로도 거인의 진격을 막을 수 없었다. 거인은 자신을 향해 창을 던지던, 동쪽 성문의 왜소해 보이는 창병들을 20미터짜리 소나무 곤봉으로 단 일격에 성벽 위에서 추풍낙엽처럼 떨어뜨렸다. 그렇게 병사들을 제압하고는 성큼 성벽을 넘어 비욘으로 진입하였다.

거인은 미친 키클롭스처럼 낄낄 껄껄 웃다가 괴성을 질렀고, 고작 허리춤에 닿는 건물들 사이의 비좁은 거리를 따라 활보하면서 미처 도망가지 못한 사람들을 무자비하게 짓밟았고 곤봉으로 건물 지붕을 박살냈다. 돌출한 박공은 거인의 왼손에 나가떨어졌고, 교회의 첨탑들은 구슬픈 경고처럼 종을 땡그랑거리며 뒤집혔다. 그가 지나는 곳마다 비참하고 히스테릭한 비명과 통곡이 이어졌다.

거인이 성당을 향해 곧장 다가오는 동안, 가스파르는 자신의 예상대로 높은 성당 건물이 거인의 살기 어린 목표물임을 직감하였다.

그쯤 거리는 텅 비어 있었다. 그러나 거인은 사람들을 은거지에서 끌어내 짓뭉개려는 심산인지, 곤봉을 공성 망치 삼아 지나는 길목의 벽과 창문과 지붕을 후려쳤다. 거인이 남겨놓은 폐허와 파괴는 이루 말할 수 없을 정도였다.

얼마 후, 가스파르가 석상 뒤에 몸을 숨기고 있는 성당의 탑 맞은편에 거인이 나타났다. 거인의 머리와 탑이 같은 높이였고, 가까이 다가

올수록 타는 지옥 불처럼 눈알이 이글거렸다. 벌어진 입술 사이로 종유석 같은 이빨이 드러났고, 증오에 찬 노호가 터져 나왔다. 천둥처럼 울리는 고함은 이러했다.

"허! 칭얼대는 성직자들 그리고 무능한 신의 숭배자들아! 모조리 지옥의 변방으로 보내버리기 전에 당장 나와서 나테르 주인님께 절을 올리렷다!"

그때였다. 가스파르가 참으로 대담하게 석상 뒤에서 나오더니, 분노한 거인을 정면으로 마주하고 섰다.

"네가 정녕 묘지와 납골당을 추잡하게 약탈한 강도가 맞는다면, 더 가까이 와라." 그는 코웃음을 쳤다. "가까이 오라니까. 할 말이 있다."

거인의 얼굴에서 깜짝 놀란, 기괴한 표정이 지금까지의 무자비한 분노를 가렸다. 미심쩍은 듯 가스파르를 힐끔거리던 거인이 곤봉을 내리고 탑 쪽으로 다가왔고, 그의 얼굴과 겁 없는 제자 사이의 거리는 불과 몇 미터로 좁혀졌다. 곧 상대가 가스파르라는 것을 확인하자, 그의 표정은 다시금 광기의 분노로 돌아갔으니, 눈빛은 지옥의 불이요, 찌푸린 인상은 무저갱의 사자 같은 살기 그 자체였다. 거인의 왼팔이 커다란 호를 그리며 솟구쳤고, 가스파르의 머리 위로 잡아챌 듯 섬뜩하게 다가온 손가락들은 해를 가리고 독수리처럼 검은 그림자를 드리웠다. 가스파르는 거인의 어깨에 매달린 판자 궤짝 속에서 대경실색한 얼굴로 자신을 훔쳐보고 있는 나테르의 제자들을 보았다.

"가스파르, 배은망덕한 제자, 바로 너로구나?" 거인이 무섭게 소리쳤다. "일로르뉴의 지하 감옥에서 썩어가고 있는 줄 알았는데, 내가 곧 박살 내려는 이 빌어먹을 성당 꼭대기에 기어올라 있구나! 녀석아, 똑똑하게 굴려면 내가 처박아둔 대로 거기 남아 있었어야지."

거인이 말하는 동안, 납골당의 냄새가 돌풍처럼 확 끼쳤다. 손톱이 삽날처럼 새까만, 거대한 손가락들은 오거[12]의 위협처럼 허공에 떠 있었다. 가스파르는 슬며시 허리띠에서 가죽 주머니를 풀어 그 입구를 벌렸다. 그때, 꿈틀거리는 손가락들이 그를 향해 내려왔고, 그는 거인의 얼굴을 향해 가죽 주머니의 내용물을 뿌렸다. 짙은 회색 구름처럼 피어오르는 미세 가루가 거인의 으르렁거리는 입술과 벌렁거리는 콧구멍을 시야에서 가려버렸다.

가스파르는 초조히 결과를 지켜보며, 혹시 나테르의 더 우세한 마법과 사악한 자원 들을 상대하기엔 가루가 어림없는 건 아닐까 두려웠다. 그런데 기적적으로, 괴물이 흩날리는 가루를 들이마시자, 지옥 구덩이 같은 눈동자에서 사악한 빛이 사라지는 것 같았다. 가스파르를 움켜잡기 직전이었던 손도 힘없이 내려갔다. 시체의 얼굴처럼 일그러진 거대한 얼굴에서 분노가 지워졌다. 커다란 곤봉이 둔탁한 소리를 내며 텅 빈 거리에 떨어졌다. 거인은 졸린 듯 갈지자걸음으로 두 팔을 힘없이 늘어뜨린 채, 성당에서 돌아서더니 파괴된 도시 사이로 발길을 되돌렸다.

거인은 걸어가면서 꿈결처럼 혼자 중얼거렸다. 그 소리를 들은 사람들이 단언컨대, 거인의 목소리는 섬뜩하고 천둥 같은 나테르의 그것이 아니라 많은 사람의 말투와 억양이었고, 그중에서 강탈당한 시체들의 목소리도 있었다 하였다. 잡다한 중얼거림 중에 간간이, 화를 내는 듯 들려오는 나테르의 목소리는 생전보다 힘이 없었다.

들어올 때처럼 동쪽 성벽을 넘어서 나간 거인은 한참을 이리저리 돌아다녔는데, 이번에는 오싹한 분노와 증오 대신에, 목격자들이 보기엔, 자신의 몸을 구성하고 있는 수백의 시체들이 강탈당한 여러 묘지를 찾아다니는 것 같았다. 납골당에서 납골당으로 묘지에서 묘지로 전 지역을 누비고 다녔다. 그러나 거인이 누울 만한 무덤은 어디에도 없었다.

저녁이 가까워질 무렵, 사람들이 거인을 본 곳은 붉은 지평선 저 멀리, 이졸리 강변의 부드럽고 비옥한 평원이었다. 거인은 두 손으로 땅을 파고 있었다. 이윽고 거인은 스스로 판 거대한 무덤 속에 누웠고, 두 번 다시 일어나지 않았다. 궤짝에서 내려올 수 없었던 나테르의 열 제자는, 소문에 따르면, 거대한 몸에 깔려 짓뭉개졌다고 한다. 그 말에 신빙성이 있는 까닭은 그 후로 열 명 중에서 어느 누구도 세간의 눈에 띄지 않았기 때문이다.

오랫동안 사람들은 스스로 파고 흙도 덮지 않은 채 들어가 있는 거인의 무덤 가까이 가려 하지 않았다. 그렇게 시체는 여름의 태양 아래서 썩어갔고, 아베르와뉴 지역에 고약한 악취와 함께 역병을 퍼뜨렸다. 악취가 많이 줄어든 가을 무렵에 용기를 내어 그곳을 찾은 사람들은 까마귀가 득시글거리는 거대한 몸통에서 아직도 나테르의 성난 목소리가 들려왔노라 말하였다.

한편, 아베르와뉴의 구세주인 가스파르 뒤 노르는 명예로운 삶을 살며 장수를 누렸고, 이 지역에서 교회의 비난을 사지 않은 유일한 마법사로 남았다고 전해진다.

---

1) 인쿠비와 수쿠비: 인쿠비(Incubi)는 인쿠부스(Incubus)의 복수형이다. 고대 로마에서 밤중에 여성이 경험하는 심한 가위눌림이나 불쾌감이 인쿠비의 성적(性的) 공격 때문이라고 생각하였다. 반대로 남성의 꿈에 나타나 유혹하는 여성 몽마를 수쿠비(succubi)라 했는데, 단수형은 수쿠버스(succubus)다. 중세 유럽에서는 인쿠비가 인간 여성을 범하게 되면 초자연적인 힘과 능력을 지닌 마법사나 마녀가 태어난다고 믿었다. 아래 멀린 참조.
2) 멀린(Merlin): 아서 왕의 전설에 등장하는 현자이자 마법사. 멀린은 아버지 인쿠버스와 인간

어머니 사이에서 태어났다고 한다.

3) 알라스토르(Alastor): 그리스 신화에서 아버지가 지은 죗값을 아이들이 치르게 하는 복수의 화신을 의미한다.

4) 에레보스(Erebus): 그리스 신화에 나오는 어둠의 신이다.

5) 반사로(反射爐): 연료가 연소하여 생기는 고온의 불꽃 또는 가스를 노 안에 보내어 불꽃을 반사해 노상(爐床) 위의 광석 또는 금속을 가열하는 용광로의 하나.

6) 이알다바오트(Ialdabaoth): 영지주의(그노시즘)에서 구약성경의 신을 달리 해석하여 물질세계를 창조한 하급 신으로 보는데, 그 이름을 데미우르고스 혹은 이알다바오트(혹은 얄다바오트 (Yaldabaoth)라고 한다.

7) 아나킴(Anakim): 구약성서에 등장하는 거인족.

8) 볼록 달: 원문은 'gibbous moon'이다. 반원보다는 크고 완전한 원보다는 작은 상태로, 상현달을 지나 보름달이 되기 전의 달이다.

9) 말레볼제(Malebolge): 단테의 『신곡』에 나오는 지옥 중에서 8옥을 일컫는 말. 이탈리아어로 '사악한 주머니'라는 의미로, 지옥의 구덩이, 지옥 굴 정도로 번역된다.

10) 키클롭스(Cyclops): 그리스 신화에 나오는 외눈박이 거인.

11) 그리핀(griffin): 몸통은 사자, 머리와 날개는 독수리인 상상의 동물로, 건축이나 장식에서 많이 볼 수 있다.

12) 오거(ogre): 주로 북유럽 신화에 등장하는 난폭하고 잔인한 거대 괴물로, 사람을 날로 잡아 먹는다.

MOTHER OF TOADS

두꺼비들의 어머니

작품 노트

1934년에 완성, 1938년 《위어드 테일스》 7월 호에 실렸다.

색다른 작품이다. 아베르와뉴의 지명이 나온다는 것 외에 언뜻 연작과 큰 관련성이 없어 보이지만, 아베르와뉴 연작의 주제 중 하나인 욕망만큼은 충실하게 다루고 있다. 충실한 정도를 넘어 당시로서는 파격적인 에로틱한 분위기와 묘사가 특징이다. 스미스는 이 작품을 집필할 당시에 R. H. 발로에게 쓴 편지에서 "아베르와뉴의 새 소설 「두꺼비들의 어머니」를 쓰기 시작했는데, 《위어드 테일스》의 고상한 지면에 실리기엔 너무 외설적이라 걱정."이라고 했다. 스미스의 걱정대로 집필 4년 만에 《위어드 테일스》에 수록될 때, 성적인 표현들을 삭제해야 했다.

소품 같은 느낌을 주면서도 야릇하고 끈적거리는 분위기 속에서 스미스가 불러내는 공포는 상당히 섬뜩하고 니글거린다.

"내 귀염둥이는 왜 항상 서두른다니?"

마녀인 메르 앙투아네트가 꿱꿱거리는 목소리로 음탕하게 말했다. 그녀는 두꺼비의 눈알처럼 깜빡이지 않는, 둥그런 눈으로 약종상의 젊은 견습공 피에르에게 추파를 던지고 있었다. 턱 밑의 주름들이 커다란 양서류의 목구멍처럼 부풀어 올랐다. 그녀가 피에르에게 다가설 때 개구리의 배처럼 희끄무레하고 커다란 젖가슴이 찢어진 가운 사이로 불거져 나왔다.

피에르는 아무런 대꾸도 하지 않았다. 그녀가 더 가까이 다가오자, 피에르는 그녀의 젖가슴 사이에서 늪지의 이슬처럼, 아니 양서류의 점액처럼 반짝이는 물기를 보았다. 마치 젖가슴 사이에 늘 물이 고여 있는 것처럼…….

거칠게 달래는 목소리는 끈질겼다. "오늘 밤엔 잠시만 있다 가렴, 귀여운 고아야. 마을에서 아무도 널 찾지 않을걸. 약종상 주인도 신경 쓰지 않을 텐데 뭐." 그녀는 오싹하게 겹친 비곗살을 피에르의 몸에 비볐다. 물갈퀴라도 달려 있을 것만 같은 짧고 납작한 손가락으로 그의 손을 붙잡고는 자신의 품으로 끌어당겼다.

피에르는 손을 비틀어 빼고 조심스레 뒤로 물러섰다. 당황해서라기보다 혐오스러워서 시선을 피했다. 마녀의 나이는 그보다 갑절이 많았고, 한순간이라도 유혹을 당하기엔 너무도 천하고 불쾌했다. 더구나 그녀가 설령 더 젊고 아름다운 여자 마법사였더라도 그 평판 때문에 더더욱 매력을 느끼는 건 불가능했다. 그녀의 마법은 아직도 주술과 미약(媚藥)에 대한 믿음이 일반적인 인근의 농민들 사이에선 공포의 대상이었다. 아베르와뉴 사람들은 그녀를 '라 메르 데 크라포', 즉 '두꺼비들의 어머니'로 불렀는데 그 이유가 한 가지만은 아니었다. 두꺼비들이 그녀의 오두막 주변에 득시글거렸다. 항간엔 두꺼비들이 그녀의 친구라면서 이들의 관계를 둘러싼 음산한 얘기들, 나아가 그녀의 명령에 따라 두꺼비들이 무슨 짓을 하는지 등의 소문이 나돌았다. 이런 얘기들이 기정사실로 받아들여지는 이유는 그녀의 생김새에서 언제나 나타나는 양서류의 특징 때문이었다.

피에르는 저녁 무렵에 그녀의 오두막과 이부 마을 사이를 오가면서 종종 밟히곤 하는, 굼뜨고 비정상적으로 커다란 두꺼비들과 똑같이 그녀를 싫어했다. 그는 지금 그 두꺼비들의 시끄러운 소리를 들을 수 있었다. 게다가 기이하게도 두꺼비들이 마녀의 말을 어설프게 따라 하고 있는 것 같았다.

곧 어두워지겠구나 싶었다. 늪지를 따라 난 길은 밤에 다니기에 유쾌한 곳이 아닌 터라 더더욱 빨리 출발해야겠다는 조바심이 일었다. 잠시 있다 가라는 메르 앙투아네트의 청에 끝내 대답을 하지 않은 채, 피에르는 기름진 식탁에 놓여 있는 삼각형의 검은색 물약 병을 집어 들었다. 그 물약 병에는 약종상 주인인 알랭 르딩동이 피에르에게 가져오라고 심부름을 보냈던, 강력한 효과의 미약이 들어 있었다. 르딩동은 종종 은밀한 거래를 통하여 마녀로부터 수상한 약제들을 공급받고 있었다. 그래서 피에르가 마녀의 숨겨진 버드나무 오두막으로 심부름을 오곤 했다.

난폭하고 상스러운 성품의 늙은 약종상은 메르 앙투아네트의 호감을 사고 있는 피에르를 놀려대곤 했다. "이 녀석아, 너는 조만간 그 여자와 함께 밤을 보내게 될 거야. 조심해라. 안 그랬다가는 커다란 두꺼비가 널 깔아뭉갤 테니까." 돌아가려던 피에르에게 약종상의 비아냥거림이 떠올랐고, 그 때문에 분노로 얼굴이 확 달아올랐다.

"더 있으라니까." 메르 앙투아네트가 집요하게 말했다. "늪지에 내린 안개가 얼마나 찬데. 게다가 금세 짙어지잖아. 네가 오늘 올 줄 알고, 시메스산 최고급 적포도주로 뮐[13]을 준비해 뒀단 말이야."

그녀는 도기 주전자의 뚜껑을 열고서 김이 나는 액체를 커다란 컵에 부었다. 자홍색 포도주에서 보기 좋은 거품이 일었고, 뜨겁고 향긋한 향신료 냄새가 오두막 안을 채우면서 부글거리는 가마솥과 반쯤 말라붙은 도마뱀과 독사, 박쥐와 벽에 걸린 고약하고 역겨운 약초 그리고 밤낮없이 그 어두운 오두막 안에서 타고 있는, 송진과 수지로 만든 검은 양초들의 악취를 조금 누그러뜨렸다.

"마실게요." 피에르가 마지못해 말했다. "다른 약물을 섞지 않았다면 말이죠."

"이건 그냥 오랜 시간 숙성시켜서 아라비아 향신료를 넣은 고급 포도주라니까." 여마법사가 샐샐거리며 말했다. "속이 따뜻해질 거야…… 또……." 그녀가 뭐라고 덧붙였으나, 피에르는 컵을 받아 들면서 제대로 듣지 못했다.

피에르는 술을 들이켜기 전에 조심스레 냄새를 맡아보고는 그 기분 좋은 향기에 내심 안심했다. 마녀가 만드는 약물이나 미약 같은 건 전혀 들어가 있지 않은 게 분명했다. 그가 아는 한, 마녀의 약들은 예외 없이 고약한 냄새를 풍기기 때문이었다.

그래도 불길한 예감 때문인지 피에르는 망설였다. 문득 해 질 녘의 공기가 무척 차갑다는 생각이 들었다. 메르 앙투아네트의 오두막으로 오는 길에도 뒤쪽에서 안개들이 은밀하게 모여들었더랬다. 포도주를 마셔두면 이부로 돌아가는 험한 길에서 한결 힘이 날 터였다. 그는 재빨리 포도주를 들이켜고, 빈 컵을 내려놓았다.

"정말 좋은 포도주네요. 하지만 이만 가봐야겠어요."

이렇게 말하는데, 벌써부터 알코올과 향신료의 더운 기운이……. 더구나 이런 것들보다 더 격렬한 뭔가가 배 속과 혈관으로 퍼져나가는 기분이 들었다. 피에르는 자신의 목소리가 머리 위 높은 곳에서 떨어지는 것처럼 비현실적이고 낯설게 느껴졌고, 몸속의 더운 기운이 점점 더 강해지더니 마법의 기름을 부은 황금 불길처럼 타오르는 것 같았다. 혈류가 소용돌이치는 격랑처럼 격렬하게 점점 더 격렬하게 온몸을 휘돌았다.

귓가에 낮고 은은한 천둥이 들려왔고, 눈가엔 장밋빛 눈부심이 있었다. 어찌 된 일인지 오두막이 넓어지고 주변이 밝게 변한 것 같았다. 초라한 가구와 볼품없는 잡동사니 들은 어디론가 사라진 것처럼 눈에 띄지 않았고, 붉은 심지로 방 안을 환하게 밝히고 있는 검은 양초들은 점점 더 휘황한 광휘로 오두막의 어스름을 채우는 것 같았다. 촛불의 일렁임과 함께 피에르의 피도 뜨거워졌다.

불현듯, 마녀의 포도주가 만들어낸 마법이 틀림없다는 생각이 스쳤다. 그는 무서워 도망가고 싶었다. 그때 곁에 바짝 붙어 있는 메르 앙투아네트를 보았다.

피에르는 곧 그녀에게 생긴 변화를 보고 소스라치게 놀랐다. 금세 공포와 충격뿐만 아니라 오래된 혐오감까지 눈 녹듯 사라졌다. 피에르는 왜 마법의 열기가 몸속에서 계속해서 치솟고 뜨거워지는지 알 것 같았다. 왜 자신의 몸이 붉은 심지처럼 확 달아올랐는지도.

더러운 치마가 그녀의 발치에 떨어져 있었고, 그녀는 최초의 마녀 릴리스처럼 나체로 서 있었다. 작달막한 팔다리와 몸은 육감적으로 늘씬해져 있었다. 창백하고 도톰한 입술이 세상의 어떤 입술보다도 달콤한 키스를 약속하며 그를 유혹했다. 짧고 투실투실한 두 팔의 얽은 자국, 볼품없이 처지고 움푹 꺼진 가슴, 주름투성이에다 불룩한 옆구리와 허벅지, 이랬던 그녀의 몸 구석구석 성적인 매력이 가득했다.

"귀염둥이, 이젠 내가 좋아?" 그녀가 물었다.

그녀가 손을 내밀자, 이번에는 피에르도 피하지 않고 뜨거운 손으로 덥석 마주 잡았다. 그녀의 손은 차갑고 축축했다. 가슴은 습지 위에 뗏장을 입힌 둔덕 같았다. 피부는 희디희었고 털 한 올 없이 반질반질했다. 그런데 군데군데 거친…… 두꺼비의 살갗 같은…… 느낌이 있었으나, 그것은 반감을 일으키기는커녕 오히려 욕정을 더 자극했다.

피에르가 두 팔로 보듬어 안기에는 그녀가 너무 컸다. 두 손으로 그녀의 가슴 한쪽을 간신히 모아 쥘 수 있었다. 그러나 포도주는 그의 피를 욕정으로 끓게 만들었다.

그녀는 그를 이끌고, 커다란 가마솥이 의뭉스레 끓고 있던 그래서 불분명한 어떤 형체를 암시하듯 기이한 소용돌이 수증기가 피어오르던 난롯가 침상으로 데려갔다. 침상은 투박하고 휑했다. 그러나 여마법사의 살결이 푹신하고 아늑한 쿠션 같아서…….

피에르는 잿빛 새벽에, 기다란 검은 양초가 뭉뚝해지고 촛대에서 찔끔찔끔 녹아내릴 때 눈을 떴다. 메스껍고 혼란스러운 가운데 지금 자기가 어디에 있는지 또 무슨 짓을 했는지 부질없이 기억을 더듬었다. 그런데 슬쩍 옆을 바라보니, 바로 옆자리에 악몽에나 나올 법한 믿기지 않는 괴물 같은 형체가 누워 있는 것이었다. 뚱뚱한 여자처럼 몸집이 큰, 두꺼비를 닮은 형체. 그것의 팔다리는 여자의 팔다리와 꽤 비슷했다. 무사마귀로 가득하고 창백한 그것의 몸뚱이가 그를 밀치듯 불룩해져 있었고, 둥그스름하고 부드러운 뭐랄까, 젖가슴의 감촉 같은 것이 전해졌다.

광란의 밤이 기억나면서 욕지기가 치밀었다. 세상에서 가장 추잡한 그 마녀에게 속아 넘어갔고, 그녀의 사악한 마법에 굴복하고 만 것이었다.

마치 인큐버스가 그의 온몸을 짓누르고 숨통을 조이는 것 같았다. 피에르는 메르 앙투아네트를 닮은 그 징그러운 괴물을 더는 보고 싶지 않아서 두 눈을 감아버렸다. 엄청난 노력 끝에 그 무시무시한 악몽의 괴물로부터 조금씩 떨어질 수 있었다. 그것은 뒤척이지 않았고 잠을 깬 것 같지도 않다. 피에르는 재빨리 침상에서 빠져나왔다.

또다시, 사악한 주문에 걸린 듯이 그는 침상의 괴물을 힐끔 돌아보았다. 그런데 침상에 누워 있는 것은 거구의 진짜 메르 앙투아네트였다. 어쩌면 거대한 두꺼비의 모습은 잠결에 보았던 환영이었나 보다. 악몽의 공포가 꽤 누그러졌다. 그러나 음탕함에 굴복하고 말았다는 생각 때문에 목구멍에는 여전히 욕지기가 차올랐다.

마녀가 금방이라도 잠에서 깨어 붙잡을까 봐, 피에르는 조용히 오두막에서 빠져나왔다. 날이 환히 밝았으나, 차가운 무채색의 안개가 갈대 늪지를 휘감으며 이부로 가는 길을 으스스한 장막처럼 덮고 있었다. 그가 집으로 출발하자, 소용돌이치는 안개가 막아서는 손가락처럼 그를 향해 다가왔다. 안개가 몸에 닿자 소름이 끼쳐서 고개를 움츠리고 외투 깃을 단단히 여몄다.

안개는 피에르를 막아서려는 것처럼 끝없이 휘돌고 꿈틀거렸다. 구불구불 비좁은 오솔길은 몇 걸음 앞까지만 보였다. 눈에 익은 지형들도 분간하기 어려웠고, 미처 보지 못한 버드나무와 말채나무들이 잿빛 유령처럼 눈앞에 불쑥 나타났다가는 홀연히 사라졌다. 그런 안개를 접한 건 처음이었다. 마녀가 휘젓는 천 개의 가마솥에서 피어오르는 숨 막힐 듯 자욱한 증기 같았다.

주변을 제대로 분간할 순 없었으나, 그래도 피에르는 마을까지 절반은 왔다고 생각했다. 그런데 별안간 두꺼비들이 나타났다. 그가 가까이 올 때까지 안개 속에 숨어 있었다. 비정상적으로 크고 불룩한 기형의 두꺼비들이 작은 오솔길 한복판에 웅크리고 있거나 길 양쪽 어딘가에서 튀어나와 피에르 앞에서 느릿느릿 뛰어다녔다.

몇 마리가 오싹하고 묵직한 힘으로 피에르의 발에 부딪혔다. 자기도 모르게 그중에 한 마리를 밟았는데, 그 물컹거리며 고약하게 뭉개진 몸통에 발이 미끄러져 하마터면 수렁 속에 곤두박질칠 뻔했다. 간신히 수렁 가장자리에서 멈춰 비틀거리는 동안, 검은 흙탕물이 바로 코앞에 있었다.

길을 찾아 다시 발길을 돌리는데, 몇 마리가 또 발밑에서 징그럽게 뭉개졌다. 늪지는 두꺼비들로 득시글거렸다. 안개 속에서 튀어나온 두꺼비들이 그 냉습한 몸뚱이로 피에르의 발과 가슴, 얼굴을 때렸다. 악마의 군대처럼 그 수가 무수히 많았다. 그것들의 움직임과 격렬한 돌격에는 어딘지 악의와 사악한 목적이 있는 것 같았다. 피에르는 두꺼비들이 들끓는 길로 나아가지 못한 채 이리저리 비틀거리다가 된통 미끄러지기도 했고, 두 손으로 얼굴을 막기도 했다. 그는 크게 당황했고, 섬뜩한 공포를 느꼈다. 마녀의 집에서 겪었던 악몽이 되살아나는 것 같았다.

두꺼비들은 그를 메르 앙투아네트의 오두막으로 돌아가게 하려는 것인지, 언제나 이부 쪽에서 쇄도해 왔다. 기괴한 우박처럼, 보이지 않는 악마들이 쏜 유도탄처럼 그를 향해 튀어 올랐다. 땅은 두꺼비로 뒤덮였고, 허공은 뛰어오른 그것들의 몸뚱이로 가득했다. 한번은 넘어져서 아예 두꺼비 떼에 깔릴 뻔한 적도 있었다.

그 수가 점점 늘어나는 것 같았고, 아예 거센 폭풍처럼 그를 향해 날아들었다. 결국, 두꺼비들에게 길을 넘겨준 피에르는 의기소침해진 채로 안전한 길에서 벗어나든 말든 되는대로 달리기 시작했다. 방향감각을 완전히 상실한 상황에서 오로지 그 득실대는 두꺼비 무리에서 도망치고 싶다는 생각에 갈대밭과 사초(莎草) 속으로 뛰어들었고, 젤라틴 같은 땅을 박차고 달렸다. 그동안에도 바로 등 뒤에선 은근하고 묵직한 두꺼비들의 퍼덕거림이 들려왔다. 이따금 두꺼비들이 차단벽처럼 갑자기 뛰어올라서 그때마다 방향을 돌려야 했다. 그대로 갔다가는 빠져들고 말았을 숨겨진 수렁 바로 앞에서 두꺼비들에게 쫓겨 발길을 돌린 적도 한두 번이 아니었다. 마치 두꺼비들이 용의주도하게 목적지까지 그를 몰아가고 있는 형국이었다.

그러던 중, 짙은 커튼이 걷히듯 안개가 사라졌고, 피에르는 눈부신 황금빛 아침 햇살 속에서 메르 앙투아네트의 오두막을 둘러싸고 있는 초록의 무성한 말채나무 앞에 서 있는 자신을 발견했다. 몇 초 전까지만 해도 주변에서 팔짝팔짝 뛰어다니던 무수한 두꺼비가 감쪽같이 사라지고 없었다. 걷잡을 수 없는 공포와 공황 상태에서 깨달은 것은 자신이 여전히 마녀의 함정에 빠져 있다는 것이었다. 많은 사람이 믿고 있듯이, 두꺼비들은 마녀와 한 패거리가 분명했다. 두꺼비들이 그의 탈출을 막았을 뿐만 아니라 그 추잡한…… 여자인지 양서류인지 아니면 둘 다인지 모를 마녀한테 돌아오게 만들었으니 말이다.

피에르는 시커멓고 깊디깊은 모래밭 속으로 점점 더 깊숙이 빠져드는 기분을 느꼈다. 마녀가 오두막에서 나와 그를 향해 다가왔다. 물갈퀴의 초기 형태처럼 희끄무레한 주름막이 잡혀 있는, 뭉툭한 손가락으로 김이 피어오르는 컵 하나를 감싸 쥐고 있었다. 어디선가 불어온 돌풍에 메르 앙투아네트의 지저분한 치마가 들리면서 투실투실한 허벅지가 드러났고, 피에르의 코끝에 약을 탄 포도주의 익숙한 향기가 풍겼다.

"요 귀염둥이, 왜 그리도 급하게 떠났다니?" 마녀의 말투에서 요염하고 달콤한 기운이 전해졌다. "널 위해서 데우고 향료를 섞은 이 좋은 적포도주 한 잔 더 대접하지 않고 보낼 수야 없지. 봐, 널 위해 준비했다니까. 네가 돌아올 줄 알고 말이야."

그녀가 말을 하는 동안 힐끔힐끔 곁눈질을 하면서 아주 가까이 다가오더니, 컵을 내밀었다. 피에르는 이상한 냄새에 현기증을 느끼고 고개를 돌려버렸다. 옴짝달싹 못하게 만드는 마법에 걸린 것처럼 몸을 살짝 움직이는 데도 엄청난 노력이 필요했다.

그래도 정신은 말짱해서 간밤의 악몽이 준 메스꺼운 혐오감이 되살아났다. 잠에서 깼을 때 옆자리에서 봤던 그 거대한 두꺼비가 지금 그의 눈앞에 있었다.

"당신이 주는 포도주는 마시지 않겠어요." 그가 단호하게 말했다. "당신은 추잡한 마녀고, 나는 당신을 싫어해요. 날 보내줘요."

"왜 날 싫어한다니?" 메르 앙투아네트가 꿱꿱거리는 소리로 말했다. "어젯밤에는 날 사랑해 놓곤. 다른 여자들이 너한테 주는 건 전부, 아니 그 이상을 내가 줄 수 있어."

"당신은 여자가 아니에요. 커다란 두꺼비지. 아침에 당신의 진짜 모습을 봤어요. 당신과 또 잠자리를 갖느니 차라리 늪에 빠져 죽는 게 나아요."

피에르가 말을 채 끝내기도 전에, 여마법사에게 형언할 수 없는 변화가 일기 시작했다. 통통하고 핏기 없는 얼굴에서 추파의 눈길이 사라지더니 일순간 사람의 느낌은 온데간데없이 휑했다. 곧이어 두 눈이 무섭게 불룩해져서 희번덕거렸고, 온몸이 독기로 부풀어 오르는 듯이 팽창하는 것이었다.

"그렇다면 가버려!" 그녀가 쉰 목소리로 표독스레 쏘아붙였다. "하지만 여기 있을걸 하고 금세 후회하게 될 거야."

피에르의 몸을 사로잡고 있던, 기이한 마비 상태가 사라졌다. 분노한 마녀의 명령에 따라 교묘히 절반만 걸어놓은 주문이 풀린 것 같았다. 작별의 말도 눈인사도 없이 피에르는 돌아서서, 이부를 향하여 긴 보폭으로 다급하게 뛰다시피 출발했다.

백 보를 채 가지 못했는데 또다시 안개가 끼기 시작했다. 안개는 늪지에서 육지 쪽으로 자욱하게 소용돌이쳤고, 그가 발을 딛고 있는 땅에서 마구 분출하는 연기 같았다. 그 순간 해는 엷은 은색 원반으로 바뀌었다가 곧 사라졌다. 소용돌이치는 창백한 창공에서 파란 하늘은 자취를 감추었다. 길은 뿌옇게 가려져, 그를 따라 움직이는 흰 심연의 가장

자리를 걷고 있는 것 같았다.

죽음의 차디찬 손가락으로 붙잡고 애무하는 유령들의 냉습한 손처럼 기이한 안개가 피에르의 곁으로 점점 더 가까이 다가왔다. 안개에 코와 목이 막혔고, 이슬에 옷이 흥건히 젖었다. 썩은 물과 부패한 늪지의 악취에 숨을 쉴 수 없었다. 그리고 어딘가 늪지 한복판에서 썩어 문드러져가는 시체들이 떠오르는 것 같은 악취가……

그때, 자욱한 안개 속에서 두꺼비들이 단단한 파도처럼 그의 머리 위로 쇄도하더니, 길에 있던 그를 폭포수처럼 휩쓸고 갔다. 피에르는 넘어지고 첨벙첨벙 버둥대면서 무수한 양서류가 득시글거리는 물속으로 빠졌다. 일어서려고 몸부림치는 동안, 두터운 더께가 입으로 코로 파고들었다. 그런데 물은 고작 무릎 높이에 불과했고, 바닥이 미끌미끌했으나 그래도 어렵잖게 일어설 수 있었다.

피에르는 희미하게나마 안개 너머로 자신이 넘어졌던 길가가 가까이 있음을 확인했다. 그런데 아무리 그쪽으로 가려고 해도 두꺼비로 들끓는 물이 기이하고도 섬뜩하게 그의 발길을 막았다. 속수무책의 공포가 시시각각 더해지는 동안에도, 그는 단단한 육지로 가기 위해 사력을 다했다. 두꺼비들이 그의 주변에서 회오리처럼 정신없이 뛰어올랐다가 떨어졌다. 그것들은 끈적거리는 역류처럼 그의 발과 정강이를 휘돌았다. 그의 힘 빠진 무릎을 징그러운 파동처럼 때리고 기어올랐다.

그래도 더디고 고통스럽게 전진하던 피에르는 드디어 안개에 파묻힌 뭍에서, 그 낮은 둔덕에서 삐져나온, 억센 풀을 손을 쭉 뻗어 붙잡을 수 있을 것 같았다. 그런데 그 순간 악귀 같은 두꺼비 떼가 두 번째 홍수처럼 그를 덮쳤다. 피에르는 더러운 물속으로 나자빠지고 말았다.

우르르 몰려들어 꾸물꾸물 기어드는 두꺼비 떼 속에 갇힌 채, 끈적거리는 두꺼운 바닥의 역겨운 어둠 속으로 가라앉으면서 피에르는 힘없이 공격자들을 잡아 뜯었다. 망각이 오기 직전, 그의 손가락 사이에 두꺼비 같은…… 동시에 뚱뚱한 여자처럼 크고 육중한 뭔가가 잡혔다. 마지막 순간, 커다란 젖가슴이 그의 얼굴을 꽉 짓누르고 있는 느낌이 들었다.

---

13) 뮬(mull): 포도주나 맥주 등을 데워 향료, 설탕, 달걀노른자 따위를 넣은 것.

하이퍼보리아 연작

개관: 그리스어 하이퍼보리아의 어원은 '북풍 너머'이다. 옛 문헌에도 그 흔적이 남아 있는데, 헤로도토스는 그리스 북쪽 멀리 있는 땅이라 하면서 24시간 햇빛이 비치는 그곳에서 유쾌한 사람들이 극락의 삶을 누린다고 했다. 페르세우스 신화에서는 페르세우스가 하이퍼보리아를 넘어 고르곤을 추격한다. 그러나 실제 클라크 애슈턴 스미스가 차용한 하이퍼보리아는 헬레나 블라바츠키의 신지학에 토대를 둔 것이다. 하이퍼보리아는 레무리아, 뮤, 아틀란티스와 달리 침몰하지 않고 빙하에 뒤덮여 사라진다. 시기적으로는 대빙하 수백 년 이전으로 공룡의 마지막 세대가 남아 있고, 따뜻하고 비옥한 땅과 울창한 정글이 있다. 공간적으로는 현재 그린란드에 상응하는 선사시대의 가상 대륙이다.

지리적 특징: 하이퍼보리아는 에이글로피안 산맥으로 양분되고, 이 산맥에서 가장 높은 산봉우리가 부르미스 종족이 은둔하는 부르미사드레스 산이다. 첫 수도 콤모리옴이 파괴된 뒤에 탈출한 시민들에 의해 두 번째 수도 우줄다롬이 건설된다. 최북단에 뮤 둘란이 자리 잡고, 뮤 둘란의 최대 도시가 세른고스다. 이콰는 뮤 둘란의 인근 도시로 자체 왕족이 존재하고, '우보-사틀라'라는 불가사의한 존재의 거주지일 가능성이 높다. 그리고 뮤 둘란 위쪽에 폴라리온이라는 광대한 빙원이 있다.

작품: 하이퍼보리아 연작에 속하는 작품은 여기에 수록된 「아삼마우스의 유고」, 「빙마」, 「백색 벌레의 출현」 외에 7편을 더해서 총 10편이다. 스미스 생전에 가장 호응이 저조한 연작이었다가 사후에 적절한 평가와 위상을 회복하였다. 냉소적인 블랙 유머가 이 연작의 전반적인 특징인데, 이것이 스미스의 당대에는 작품에 대한 접근성과 호응을 떨어뜨렸다고 한다. 그러나 우주적 공포와 철기시대를 결합함으로써 러브크래프트의 크툴루 신화와 가장 관련이 많은 연작이라는 점, 그로테스크한 아이러니 등이 재평가와 현대의 인기 요인으로 작용하였다.

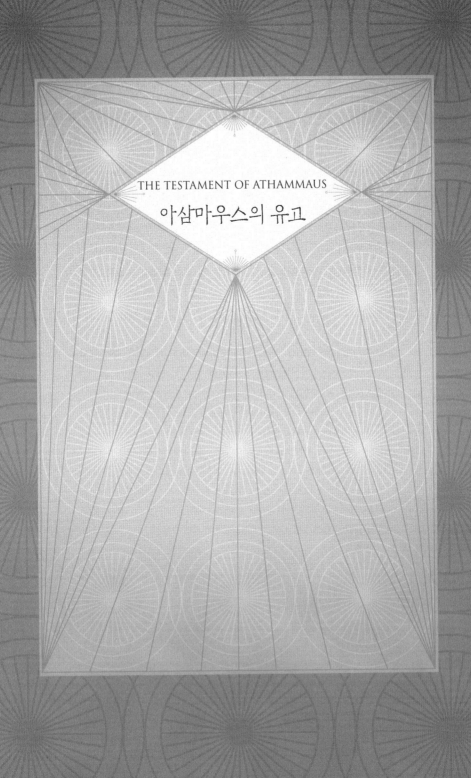

THE TESTAMENT OF ATHAMMAUS

아삼마우스의 유고

작품 노트

1931년에 완성, 1932년 《위어드 테일스》 10월 호에 실렸다.

작품을 구상한 시기는 1930년으로 "콤모리옴의 사형 집행인, 아삼마우스는 '니카우탈 자운'이라는 무법자를 참수하고 시신의 매장을 감독한다. 다음 날, 니카우탈 자운이 콤모리옴의 거리에 다시 모습을 드러내는데……"라는 원안을 유지하되, 작품의 핵심인 니카우탈 자운의 이름이 '크니가딘 자움'으로 바뀌었다. 《위어드 테일스》는 이 작품에서 크니가딘 자움의 식인 행위가 독자의 정서에 맞지 않는다고 거절했다가 나중에 지면에 실었다. 러브크래프트는 스미스에게 보낸 편지에서 "이 작품에서 선사시대 괴수와 관련된 식인 풍습은 현대에 벌어질 수 있는 현실적인 식인과는 정서적으로 완전히 다르다."면서 곧 《위어드 테일스》에서 작품을 다시 받아들일 거라고 말했다.

이 작품은 하이퍼보리아의 흥미로운 역사를 다루고 있다. 아삼마우스라는 화자를 통하여 하이퍼보리아의 첫 수도이자 중심지였던 콤모리옴이 어떻게 파괴되었는가를 설명하고 있다. 사형집행인이라는 화자의 직책, 스미스가 창조한 하이퍼보리아의 주요 신이자 크툴루 신화까지 확장된 차토구아, 크니가딘 자움의 조상과 관련된 하이퍼보리아의 외계 정착민 등등 설정뿐만 아니라 전개도 흥미롭다.

하이퍼보리아의 주요 특징인 냉소적인 유머가 이 작품에서는 비장미에 희석되어 있는데, 이 때문에 오히려 스미스의 작품이 생소한 독자들에게 우선 읽을 만한 작품으로 꼽힌다. 스미스는 1931년 러브크래프트에게 보낸 편지에서 이 작품에 만족감을 드러내는 한편 당시까지 자신이 창조해 낸 괴물 중에서 크니가딘 자움이 가장 뛰어나다고 자평하기도 했다.

청동 철필이나 깃 펜을 사용해 본 적이 없을뿐더러, 가지고 있는 유일한 도구라고는 긴 양날 칼밖에 없는 내가 왕과 그 백성이 콤모리옴을 버리고 대탈주를 하기에 앞서서 벌어진 이 기이하고도 통탄할 사건을 마땅히 설명해야 할 처지에 놓였다. 이 설명을 하는 데 내가 적임자인 이유는 이 사건에서 내가 중요한 역할을 했기 때문이다. 또한 다른 사람들이 전부 떠나고 난 뒤에 콤모리옴을 떠난 최후의 일인이 바로 나이기 때문이다.

세상이 다 알듯, 과거의 콤모리옴은 눈부시게 솟구친 수도이자 하이퍼보리아를 통틀어 대리석과 화강암으로 이루어진 최고의 중심지였다. 그러나 콤모리옴이 버려진 이유에 대하여 너무도 상반된 풍설과 너무도 거짓되고 터무니없는 낭설들이 많기에 그간의 세월에서 늙고 그간의 공포에서 더욱더 늙어버린 내가 게다가 55년의 공무에 지쳐버린 내가 세간의 혀와 기억에서 완전히 사라지기 전에 그 실상에 관하여 부득불 기록을 남기려 한다. 이 글에서 나 자신의 실패, 요컨대 맡은바 공무를 다하지 못한 나 자신의 태만까지 이실직고할 것이다.

혹여 먼 훗날에, 머나먼 타지에서 이 글을 읽게 될 사람들을 위하여 나를 소개해야겠다. 나, 아삼마우스는 우줄다롬의 사형집행인 대장이고, 그 이전엔 콤모리옴에서 역시 같은 직책에 있었다. 내 아버지, 망가이 달은 나보다 앞서 사형집행인이었고, 초기 왕정의 전설적인 시대로 거슬러 가기까지 내 아버지의 조상들 또한 에이그혼[14] 참수대에서 커다란 구리 칼로 정의를 행하셨다.

늘그막에 젖는 습관처럼 이 늙은이 또한 회상 속에서 사는 것으로 보여도 용서해 주시길. 사라진 지평선의 도도한 자줏빛과 다시는 돌이킬 수 없는 것들을 비추는 기이한 영광, 이것이 저절로 가져오는 것이 있으니 곧 젊은 날에 대한 회상이라. 보라! 콤모리옴을 떠올릴 제, 파묻힌 세월의 이 잿빛 도시에서 장대하게 정글을 굽어보던 성벽과 하늘을 찌를 듯 무수히 솟구친 앨러배스터(설화석고) 첨탑을 돌아보노라면, 나는 다시금 젊어진다. 도시 중에서도 가장 풍요롭고, 당당하고 위엄 있는 지상 최고의 도시가 바로 콤모리옴이었다. 아틀란티스 해안에서 거대한 뮤[15] 대륙의 해안에 이르기까지 모두가 공물을 바친 곳이 바로 콤모리옴이었다. 미지의 얼음으로 에워싸여 있는 최북단의 둘란에서, 끓어오르는 아스팔툼[16]의 호수로 끝나는 최남단 츠코 불파노미[17]까지 모든 상인이 집결하는 곳이 바로 콤모리옴이었다. 아! 도도하고 웅대한 콤모리옴, 이곳의 가장 허름한 집마저도 다른 도시의 왕궁보다 좋았다. 오늘날 사람들은, '폴라리온[18]'이라는 눈의 섬에서 온 ― 그 탁월한 명성과 창대한 지혜가 정글의 얼룩무늬 덩굴과 얼룩무늬 뱀에게까지 전해졌던 ― 백의 무녀[19]가 딱 한 번 발설했다는 종잡을 수 없는 예언 때문이라고 떠들어대지만, 이것은 사실이 아니다. 아니, 그것은 예언보다도 더 무시무시한 괴물 때문이었으며, 군주의 법과 사제의 지혜와 검의 날카로움이 모두 막아낼 수 없었던, 실체적인 공포 때문이었다. 아! 콤모리옴은 그렇게 쉬이 정복당하지 않았고, 그 방어자들이 그렇게 쉬이 쫓겨나지 않았다. 다른 사람들이 콤모리옴을 잊었거나 허망하고 모호한 이야기 정도로 무시한대도, 나는 콤모리옴에 대한 탄식을 절대 멈추지 않을 것이다.

나의 근력은 지금 비참하게 쇠하였고, 나의 기백은 세월의 은밀한 도둑질에 빼앗겼으며, 나의 머리칼은 사멸한 태양의 잿빛으로 물들어 있다. 그러나 그 시절에, 하이퍼보리아를 통틀어 나보다 용감하고 충성스러운 사형집행인은 없었다. 나의 이름은 숲과 마을의 악인들뿐만 아니라 비천하고 야만적인 변경의 도적들에게 핏빛 위협이었고 우렁찬 경고였다. 나는 피처럼 새빨간 정복을 입고 매일 아침이면 모두가 모여 지켜보는 광장에 서서 내게 주어진 소임에 따라 교화를 행하였다. 그리고 거대한 초승달 모양의 칼날은 황금빛 도는 붉은 구릿빛이 흐려진 적이 단 한 번도 없이, 하루에도 몇 번씩 새빨간 포도주 같은 핏물로 늘 적시어져 있었다. 결코 머뭇거린 적이 없는 팔과 한 치의 오차도 허용하지 않는 눈과 단칼이면 족한 깨끗한 일격으로 나는 로쿠아메트로스 왕과 콤모리옴 백성의 신망을 받았다.

나의 정력적인 삶에서 제일 처음 접한 무법자 크니가딘 자움에 관한 소문을 지금도 또렷이 기억하는데, 그 이유는 극악무도함을 넘어서는 소문의 내용 때문이다. 이자는 콤모리옴에서 꼬박 하루 거리의 검은 에이글로피안 산맥에 사는, 미천하고 지극히 불쾌한 부르미스[20] 종족의 일원이었다. 부르미스 종족은 나름의 고유한 전통에 따라 자기들보다는 덜 야만적인 맹수들의 동굴에 사는데, 이를 위하여 맹수들을 죽이거나 쫓아낸다고 하였다. 이들은 대체로 지나치게 털이 많은 데다 천하고 불경한 의식과 관습에 빠져 있어서 인간보다는 짐승에 더 가까웠다. 악명 높은 크니가딘 자움은 주로 자신의 종족을 골라 무적의 도당을 만들었고, 나날이 극도로 파렴치하고 간악한 강탈을 일삼아 에이글로피안 산맥 인근의 산간지대를 공포로 몰아넣었다. 대대적인 약탈은 이들의 범죄 중에서 가장 시시한 축에 들었다. 식인마저도 이들이 저지른 최악의 범죄에는 한참 미치지 못하였다.

이것만 봐도 부르미스 종족이 가장 음산하고도 혐오스러운 인종적 유전을 타고난 토착민임을 쉽게 간파할 것이다. 통설에 따르면, 크니가딘 자움은 종족민 중에서도 가장 음산한 혈통을 타고났으며, 유인원 단계에서 널리 숭배한 차토구아 — 인간의 모습을 닮지 않은 기묘한 신 — 와 그의 모계가 모종의 관련을 맺고 있다고 하였다. 그런데 이 종족민 중에는 차토구아보다 더 기이한 혈통을(이것을 혈통이라고 칭하는 것이 적당할진 모르나) 타고나, 거무스름하고 변화무쌍한 알[21]들과 관련이 있는 자들도 있었다. 이 변화무쌍한 알들은 생리학과 기하학이 모두 역으로 진화하는 외계로부터 태고에 차토구아와 함께 왔다고 알려져 있다. 이처럼 초(超)우주적인 혈통의 혼혈로 인해, 일설에 따르면, 크니가딘 자움의 몸은 털이 많고 암갈색 피부를 지닌 동료 종족민들과는 다르게 머리에서 발끝까지 털이 나지 않았고 흑황색의 커다란 반점으로 얼룩덜룩하였다. 게다가 그의 잔인함과 교활함은 타의 추종을 불허하였다.

오랫동안 이 흉악한 무법자는 내게 그저 섬뜩한 이름에 불과하였다. 다만 직업상의 흥미 같은 것이 느껴지는 건 어쩔 수 없었다. 어떤 무기로도 그를 해할 수 없다고 믿는 사람들이 많았고, 그가 사람의 힘으로는 오르거나 뚫을 수 없는 지하 감옥에서 오묘한 방법으로 탈출한 것이

한두 번이 아니라고 말하는 이들도 있었다. 나는 물론 이런 이야기들을 웃어넘겼다. 직업적인 경험상 그러한 특성이나 능력을 지닌 사람이 실존한다고는 결코 생각하지 않기 때문이었다. 게다가 나는 비속한 대중의 미신적인 성향을 익히 잘 알고 있었다.

결코 가벼이 넘길 수 없는 공무에 분주한 내게 날마다 새로운 소식들이 속속 전해졌다. 이 불쾌한 약탈자는 자신의 본거지 산맥과 그 외곽의 비옥한 산간지대 그리고 사람이 많은 마을만으로도 범죄를 일삼기에 충분했으나 여기에 만족하지 못한 모양이었다. 그의 약탈은 더욱 대담해졌고 더욱 광범위해졌다. 그러던 어느 날, 그는 콤모리옴의 근교에 속하는, 제법 가까운 마을까지 내려왔다. 이 마을에서 그와 그의 더러운 일당은 일일이 열거할 수 없는 범죄를 숱하게 저질렀다. 게다가 체포 작전에 나선 정의의 대리자들을 따돌린 일당은 짐작하기 어려운 목적으로 마을 주민 상당수를 데리고 우중충한 에이글로피안 산봉우리의 동굴로 돌아갔다.

이 파렴치한 범죄를 계기로 경찰력은 크니가던 자움의 체포에 총력전을 펴는 한편 경계를 강화하였다. 그 이전까지 크니가던 자움 패거리는 지역 관헌의 책임으로 있었다. 그러나 이제 그의 악행은 콤모리옴 경찰의 엄중한 주의를 요하는 수준까지 이르고 말았다. 이후 그의 동선에 대해 주도면밀한 감시가 이루어졌다. 그가 약탈할 가능성이 있는 마을들은 경계 태세를 강화하였고, 사방에 함정을 만들었다.

이런 상황에서도 크니가던 자움은 수개월째 당국의 체포망을 교묘히 피해 다녔다. 그동안에도 그는 곤혹스러울 정도로 빈번하게 광범위한 약탈을 계속 자행하였다. 그러던 그가 마침내 콤모리옴 외곽 공도(公道)에서 백주 대낮에 체포된 것은 우연이었거나 아니면 그 자신의 무모함이 자초한 결과였다. 널리 알려진 그의 흉포함 때문에 모든 이가 예상하는 것이 있었으나, 그 예상을 깨고 그는 아무런 저항도 하지 않았다. 저항은커녕 무장한 궁수와 창병에게 순순히 포위되어 수수께끼 같은 엷은 미소를 띤 채 단번에 항복하였다. 이후, 현장에 있었던 이들은 모두 그 미소로 인하여 많은 밤을 악몽에 시달렸다.

그는 체포 당시에 혼자였는데, 그 이유에 대해서는 전혀 설명이 없었다. 게다가 그의 일당 중에서 비슷한 시기에 혹은 나중에라도 체포된 자는 없었다. 그럼에도 콤모리옴은 흥분과 환호로 크게 술렁였고, 모두가 그 무시무시한 무법자를 보고 싶어 하였다. 어쩌면 그 누구보다 호기심이 동한 사람은 바로 나 자신이었을 것이다. 내가 적법한 절차에 따라 크니가딘 자움의 참수를 맡게 될 터이기 때문이었다.

지금까지 대략 기술한 섬뜩한 소문과 전언을 바탕으로 나는 이 범죄자에게서 특별한 비정상성을 예상하고 있었다. 그런데 그를 처음 보았을 때, 그러니까 들끓는 군중을 헤치고 감옥으로 이송되는 그를 지켜보는 동안, 크니가딘 자움은 가장 불길하고 불쾌한 예상마저 능가해 버렸다. 상반신은 알몸이었고, 허리 밑으로 걸친 긴 털 짐승의 황갈색 가죽은 무릎까지 너덜너덜 늘어져 있었다. 그러나 아무리 그의 행색을 자세히 묘사한대도, 내게 혐오감은 물론 충격까지 안겨준 외모의 특징들을 제대로 설명하진 못할 것이다. 팔다리와 몸통 그리고 얼굴은 겉으로 볼 때 그의 종족민과 비슷하였다. 어쩌면 몸에 털이 한 올도 없다는 소문을 인정하는 사람도 있었을 터인데, 온몸을 면도한 성직자의 모습을 실제와는 다르게 또 불경하게 풍자한 초상화를 연상케 하였다. 그리고 거대한 보아 뱀처럼 피부의 넓고 불규칙한 반점들은 꽤 값비싼 염료의 성분처럼 윤기가 흘렀다. 뭐랄까, 움직일 때마다 느껴지는 매끄럽고 불쾌한 경쾌함이라고 할까 아니면 물결치는 유연성과 유동성이라고 할까, 이런 것이 인간과 다른 신체 내부의 골격과 척추의 구성을 암시하는 것 같았다. 어쩌면 누군가는 골격을 전혀 갖추지 않은 유사 뱀류라고 말했을지 모르겠다. 이런 모습이 나로 하여금 계속해서 이 죄수를 지켜보게 만들었고, 내게 주어진 소임을 더없이 혐오스럽게 만들었다. 그는 걷는다기보다 미끄러지는 것 같았다. 그래서 무릎과 엉덩이, 팔꿈치와 어깨 등의 관절은 아무렇게나 부자연스럽게 움직이는 느낌을 주었다. 겉모습이 인간과 비슷하다는 점은 해부학적인 견해에서만 할 수 있는 얘기였는지 모르겠다. 그의 신체 구조는 금방이라도 전대미문의 형태와 은하계 너머에서나 가능한 규정 불가의 양태를 보여줄 것 같았다. 나는 그의 조상과 관련된 터무니없는 소문들을 진심으로 믿을 수 있었다. 또한 절반의 공포와 절반의 호기심 속에서 정의의 칼날로 과연 무엇이 밝혀질 것인지, 과연 어떤 종류의 악취 나고 유독한 영액이 순수한 피 대신에 공평무사한 칼을 더럽히게 될 것인지 자못 궁금하였다.

크니가딘 자움이 다양하고 극악한 범죄로 재판을 받고 형을 언도받기까지 그 과정을 자세히 기록할 필요는 없겠다. 법의 적용은 무서우리만큼 신속하고 단호했으며, 선고는 구차한 변명과 시간 끌기를 용납하지 않았다. 죄수는 지하 감옥 본관 밑의 비밀 감옥에 투옥되었다. 깊숙한 곳에 시생대 편마암을 파내 만든 이 감옥에는 긴 밧줄과 권양기로 그를 내리고 올리는 구멍 한 개 외에는 출입구가 없었다. 이 구멍을 거대한 돌 뚜껑으로 막아놓고서, 밤낮으로 열두 명의 무장 병사가 지켰다. 그러나 정작 크니가딘 자움은 탈출 시도를 하지 않았다. 다가올 자신의 운명에 이상하리만큼 순응하는 것 같았다. 언제나 예언적 직감에 사로잡혀온 내가 보기에, 그의 체념에는 명백하고 불길한 뭔가가 있었다. 더구나 죄수가 재판 과정에서 보여준 행동에 꺼림칙한 구석이 있었다. 무엇보다 콤모리옴 고등법원의 판사 8인이 차례로 선고하고 로쿠아메트로스 왕이 엄숙히 재가한 최종 사형선고 앞에서 그가 보여준 뻔뻔하고 태연한 태도는 실로 가관이었다. 그때부터 나는 칼을 예리하게 갈아두는 등 만반의 준비를 하면서 나의 강인한 근력과 완벽한 기교를 다하여 곧 있을 처형에 집중하겠다고 다짐하였다.

나는 임무를 오래 기다리지 않았다. 선고에서 처형까지 통상 2주의 시간이 있으나, 이것이 크니가딘 자움의 수상쩍은 특성과 그가 저지른 범죄의 극악함과 중대함에 비춰 3일로 단축되었기 때문이다.

사형집행이 예정된 날 아침, 길고도 연달아 이어지는 더없이 역한 꿈 때문에 잠을 설치고 음울해진 나는 그래도 정확한 시간에 에이그혼 참수대에 도착하였다. 참수대는 중앙광장 한복판에 기하학적으로 정확히 위치하고 있었다. 이곳에 엄청난 군중이 이미 모여 있었다. 청명한 황색 태양이 고위 법관의 은색과 주황색 법복을, 상인과 직공의 투박한 나사 옷을, 변방 종족들의 거친 생가죽 옷을 당당하게 비추었다.

역시 정확한 시간에 크니가딘 자움이 밀낫과 긴 창과 삼지창으로 무장한 경비병들의 철통 같은 장벽에 에워싸인 채 모습을 드러냈다. 한편, 광장으로 들어오는 길목뿐만 아니라 도시의 외곽 도로 전체에 대규모 병사들이 배치되어 있었다. 아직 붙잡히지 않은 무모한 무법자 일당이 마지막 순간에 자신들의 파렴치한 대장을 구조하려고 들지 모르기 때문이었다.

경비병들의 물샐틈없는 감시 속에서 크니가딘 자움이 앞으로 나오더니, 눈꺼풀이 없는 황토색 눈으로 강렬하면서도 무표정한 시선을 내게 고정하였다. 그렇게 면전에서 보니까 그의 눈에 동공이 있는지 없는

지 구별되지 않았다. 그는 얼룩덜룩한 목덜미를 무덤덤하게 내보이고 참수대 옆에 무릎을 꿇었다. 내가 그의 자세와 가격 부위를 가늠한 뒤에 치명적인 일격을 내리치려는 순간, 인간의 형태를 불경하게 모방한 그의 모습 이면에서 역겨운 유연성 다시 말해 지구 상의 존재가 아닌 무척추의 메스꺼운 신체 구조가 주는 강렬하고도 불쾌한 느낌에 사로잡혔다. 그뿐만 아니라, 그의 몸 전체에서 한결같이 유지되는, 비정상적인 침착성과 추상적이고도 불가해한 냉소를 감지하지 않을 수 없었다. 그는 내리치는 칼날을 의식하지 못하는 동면 중인 뱀 같았고, 정글의 거대한 덩굴식물 같았다. 내가 어쩌면 사형집행인의 일반적인 직무 범위를 뛰어넘는 일을 처리하고 있다는 생각이 들었다. 그래도 나는 들어 올린 커다란 칼을 한 치의 오차도 없이 빠르고 균형 잡힌 호를 그리며 얼룩덜룩한 목덜미를 향해 평소의 힘과 기교를 다해 내리쳤다.

칼로 벨 때 사람의 목마다 제각각 손맛이 다르다. 이번 경우에는 지상의 그 어떤 동물을 벨 때와도 느낌이 달랐다고밖에는 표현할 길이 없다. 나는 그래도 단칼에 성공한 것을 알고 안도하였다. 크니가딘 자움의 머리는 깨끗하게 잘려 다공질의 에이그혼 참수대에 떨어져 있었고, 몸통은 생명을 잃어가면서도 단 한 차례의 경련조차 일으키지 않고 바닥에 늘어져 있었다. 예상한 대로 피는 보이지 않았다. 그저 검은색 타르 느낌의 악취 나는 분비물뿐이었고, 그마저도 양이 많지 않아서 단 몇 분 만에 내 칼과 참수대에서 사라져버렸다. 또한 칼날에 의해 드러난 신체의 내부 구조에서 척추가 전혀 보이지 않았다. 그러나 모든 면에서 볼 때 크니가딘 자움의 추잡한 생은 끝나 있었다. 게다가 로쿠아 메트로스 왕과 판사 8인의 선언에 의해 법적인 사망이 확인되었다.

군중이 나의 완벽한 공무 집행 과정을 지켜보고 악한의 죽음에 크게 환호할 때, 나는 당당하면서도 겸허히 그들의 박수를 받아들였다. 그리고 크니가던 자움의 유해가 무덤 파는 인부들의 손에 넘겨지는 것을 본 뒤에 다른 일정이 없기에 광장을 떠나 집으로 돌아왔다. 마음은 평온하였고, 전혀 즐겁지 않은 임무를 그래도 값지게 완수했다는 기분이 들었다.

극악범의 시신을 처리하는 관례에 따라, 크니가던 자움은 오물과 쓰레기를 버리는 도시 외곽의 알땅에 아무렇게나 매장되었다. 쓰레기 더미 사이에 파묻혀 비석도 봉분도 없었다. 법의 효력은 이제 충분히 정당성을 입증하였고, 로쿠아메트로스 왕부터 죽은 무법자의 약탈에 시달려온 백성에 이르기까지 모든 사람이 만족하였다.

수바나 열매와 드종구아 콩에 품 포도주[22]까지 곁들여 푸짐하게 식사를 하고 잠자리에 들었다. 윤리적인 관점에 볼 때 나는 단잠을 자고도 남았다. 그런데 지난밤처럼 이번에도 역시 꼬리를 무는 악몽에 시달렸다. 꿈 중에서 기억나는 것이라고는 형태나 이름 없이 단조롭게 덧쌓이는 공포의 견딜 수 없는 긴장감이 전부다. 그리고 암울한 절망과 좌절 속에서 부질없이 몸부림치는, 끝없는 고문의 느낌. 또한, 시각적인 형태가 없고 인간의 인지력이나 사고력으로는 도저히 알아낼 수 없는 괴물들도 어슴푸레 기억난다. 그리고 앞서 말한 감정과 무시무시한 공포가 흐릿하면서도 단단하게 얽혀 있었다. 다람쥐 쳇바퀴 돌듯 끝없는 헛된 몸부림과 좌절 끝에 간신히 피곤하고 무거운 몸으로 일어난 나는 한밤의 괴로움을 그저 드종구아 콩 탓으로 돌렸다. 이 고영양분의 콩을 너무 많이 먹어서 탈이 났다고 생각한 것이다. 다행히 당시에는 꿈속의 음산하고 불길한 상징을 의심하진 않았다. 물론 그것은 머잖아 저절로 모습을 드러내긴 했지만.

지금부터 나는 지구와 지구의 거주자들이 감당할 수 없는 일들을 기록해야 한다. 인간을, 그리고 지상의 모든 통제력을 능가하는 일들 말이다. 이것은 이성의 전복이요 차원에 대한 조롱이요 생태학에 대한 도전이다. 무섭고도 비참한 이야기다. 35년이 지난 지금도 오랜 공포의 경련으로 글을 쓰고 있는 손이 떨리고 있다.

나는 그날 아침에도 늠름하게 사형장으로 향했고, 지극히 평범한 범죄자들 요컨대 그들의 죄목과 함께 그들의 두상까지 잊어버릴 정도로 시답잖은 죄인 세 명에게 유능한 내 팔로 마땅한 첫값은 치르게 하였다. 그러나 거리에서 거리로 골목에서 골목으로 콤모리옴의 전역으로 빠르게 퍼져가는, 터무니없는 소동에 관하여 들었을 때, 그때만큼은 나 또한 속수무책이었다. 그 시간에 외출해 있던 사람들이 너나없이 분노와 공포와 비탄 속에서 되풀이하는 아우성이 들려왔다. 나는 극도의 흥분 상태에서 여전히 고함을 질러대는 몇 명의 시민을 만나 소동의 이유를 물었다. 그들의 말에 따르면, 오욕의 생을 마감한 크니가던 자움이 다시 나타나, 이른 시간에 대로변에 있던 행인들 앞에서 천인공노할 짓을 자행함으로써 자신의 부활을 알리는 신성모독의 기적을 보여주었다는 것이다. 그가 드종구아 콩을 파는 모범 상인 한 명을 붙잡더니, 주변에 모여든 군중과 경찰이 퍼붓는 주먹질과 벽돌과 화살과 창과 돌과 욕설에도 아랑곳없이 곧바로 그 상인을 먹어치우기 시작하였다. 그가 경찰에 붙잡히어 끌려간 것은 자신의 극악한 식욕을 다 채운 후였고, 포악한 범죄 현장에는 상인의 뼈와 옷가지 몇 점만 남았다. 전례가 없는 일인바, 크니가던 자움은 또다시 지하의 비밀 감옥에 투옥되어 로쿠아메트로스 왕과 판사 8인의 결정을 기다리게 되었다.

콤모리옴의 시민과 치안 당국뿐만 아니라 나 또한 얼마나 대경실색했을까는 충분히 상상하고도 남을 터이다. 만인이 지켜보는 가운데, 크니가딘 자움은 완벽하게 참수되어 관례에 따라 매장되었다. 그의 부활은 자연의 섭리를 거스르는 것뿐만 아니라 법치에 대한 오만불손하고 불가사의한 파괴 행위였다. 사실, 법적인 측면에선 적법한 죽음에서 다시 살아난 악인들을 다시 재판하고 다시 처형하는 특별 법령을 즉시 제정하고 통과시키는 등 불가피한 조치들이 이루어졌다. 이런 기민한 대처와는 별개로 도시 전체는 큰 충격에 빠져 있었다. 지금보다 더 무지하고 더 종교적이었던 당시의 주민 사이에서 이 문제를 임박한 대재앙의 전조로 여기는 경향이 있었다.

반면에, 과학적인 성향이었던 나는 미신을 거부하고, 크니가딘 자움의 조상이 외계 존재라는 점에서 문제의 실마리를 찾았다. 외계 생물학의 요인, 다시 말해 외계 생명체의 특성이 상당 부분 관여하고 있다는 확신이 들었다.

나는 진정한 조사관의 마음가짐으로 무덤 파는 인부들을 불러 쓰레기장 어디에 크니가딘 자움을 묻었는지 안내토록 하였다. 그곳에 아주 독특한 상황이 벌어져 있었다. 흙을 파헤친 흔적은 없었고, 다만 무덤 한쪽 끝에 커다란 설치류가 만들어놓은 것처럼 깊은 구멍 하나가 나 있었다. 사람의 크기 아니 최소한 사람의 신체 구조로는 그 구멍을 통하여 빠져나오긴 불가능하였다. 내 지시에 따라, 무덤 파는 사람들이 질그릇 조각과 쓰레기 ── 처음에 그들이 참수당한 범죄자의 무덤에 덮어놓은 잡동사니 ── 와 뒤섞여 있는 흙을 파냈다. 바닥까지 파내자, 시체가 누웠던 자리에는 약간 끈적끈적한 물질밖엔 남아 있지 않았다. 그리고 견디기 힘든 악취가 풍겨 나오다가 이내 공기 중으로 흩어졌다.

나는 그 어느 때보다도 당황하고 의아해졌으나 그래도 이 수수께끼를 푸는 열쇠가 응당 있으리라 확신하면서 새로운 재판을 기다렸다. 이번에는 재판이 더욱 신속하게 진행되었고, 쓸데없는 공론도 줄었다. 죄수는 다시 한 번 사형선고를 받았고, 이번에는 처형일이 바로 다음 날로 정해졌다. 매장의 조건이 선고에 추가되었다. 요컨대, 유해는 튼튼한 목관에 밀봉하며, 목관은 다시 단단한 돌에 깊은 구덩이를 파서 그 안에 안장하되, 구덩이는 거대한 표석으로 막으라 하였다. 이 정도의 조치라면, 이 사악한 이단의 해롭고도 변칙적인 특성을 제압하기에 충분할 터였다.

크니가딘 자움이 두 배 더 강화된 경비병에 에워싸인 채, 광장을 메우고도 모자라 외곽 도로까지 꽉 들어찬 인파 사이를 헤치고 내 앞에 다시 나타났을 때, 나는 깊은 관심과 전보다 더욱 심한 혐오감으로 그를 바라보았다. 해부학적인 특징들을 잘 기억하는 내가 그의 신체에 일어난 기이한 변화들을 놓칠 리 없었다. 머리에서 발끝까지 뒤덮고 있던, 칙칙한 검은색과 메스꺼운 황색의 커다란 반점들이 퍽 다른 양상으로 변해 있었다. 특히 눈과 입가를 중심으로 얼굴에 나타난 반점의 변화 때문에 표정이 참을 수 없을 정도로 야비하고 냉소적으로 보였다. 그뿐만 아니라, 머리와 어깨의 중간 그러니까 참수당한 부위가 다시 붙어 있었는데 그걸 감안해도 목의 길이가 눈에 띄게 짧아져 있었고, 칼에 베인 흔적조차 남아 있지 않았다. 팔다리에서는 더욱 미묘한 변화들이 눈에 띄었다. 내가 신체 특징에 대한 예리한 관찰력을 지녔음에도, 이런 변화의 이면에 어떤 요인이 작용했을지는 전혀 생각하고 싶지 않았다. 만약에 이런 변화가 지속된다면 과연 어떤 결과가 나올지는 더더욱 생각하고 싶지 않았다. 아무튼 크니가딘 자움과 이 더러운 시체의 야비하고 흉악한 특성들이 영원히 끝나버리길 바라면서 나는 정의의 칼을 높이 치켜들었고 과감하게 내리쳤다.

이번에도 장님이 아닌 한, 참수의 결과가 더할 나위 없이 완벽했음을 확인할 수 있었다. 머리는 에이그혼 참수대 앞으로 굴렀고, 상반신과 팔다리는 지저분한 판석 위에 힘없이 고꾸라졌다. 법의 관점에서 보면, 이 극악무도한 범죄자는 두 번째 사형을 당한 셈이었다.

그래도 이번에는 내가 직접 유해의 처리 과정을 감독하였고, 아파 나무[23]로 짠 고강도 관이 봉해져 10자(약 3미터) 깊이의 돌 속에 내려진 뒤 엄선한 표석들로 구덩이가 메워지는 것까지 확인하였다. 이 표석들을 약간만 들어 올리는 데만 세 사람 이상이 필요하였다. 우리는 모두 이번에야말로 크니가던 자움이 회복할 수 없는 죽음에 이르렀다고 확신하였다.

아! 부질없는 지상의 희망과 노력이여! 이튿날, 터무니없는 언어도단의 변괴가 또다시 벌어졌다. 이번에도 해괴한 반(半)인간의 범죄자가 나타나, 역시나 식인 욕구를 풀기 위하여 콤모리옴의 덕망 높은 시민들을 희생양으로 삼았다. 그가 먹어치운 대상은 다름 아닌 판사 8인 중 한 명이었다. 다소 풍채가 있는 이 판사를 뼈까지 발라 먹는 것도 모자라, 이 과정을 막으려고 한 경찰 중에서 유난히 훤칠한 외모의 한 경관을 후식으로 먹었다. 이전과 마찬가지로, 이 모든 과정은 많은 군중이 격렬히 항의하고 고함을 치는 가운데 자행되었다. 불운한 경관의 왼쪽 귀까지 거의 남김 없이 갉아 먹은 뒤, 크니가던 자움은 포만감을 느끼는 양, 이번에도 자기 발로 교도관들에게 이끌려 순순히 투옥되었다.

나와 나를 도와서 고된 매장 작업을 마쳤던 사람들은 이 소식을 듣고서 더욱더 놀랐다. 일반 시민에게 미친 영향은 참으로 심대하였다. 미신적인 성향이 강하고 소심한 사람들이 곧바로 도시를 떠나기 시작하였다. 잊힌 예언들이 되살아났다. 다양한 성직자 집단에서 저마다의 성난 신과 유령 들을 달래기 위하여 대량의 제물이 필요하다는 얘기가 난무하였다. 나는 그런 헛소리들을 얼마든지 무시할 수 있었다. 그러나 크니가던 자움의 집요한 부활은 종교뿐만 아니라 과학적인 측면에서도 걱정스러운 사태였다.

우리는 일단 형식적인 절차에 따라 무덤을 조사하였다. 위쪽의 표석들이 커다란 뱀이나 사향뒤쥐 같은 생물이 지나간 것처럼 치워져 있다. 나사못을 박은 목관은 한쪽이 부서져 있었는데, 그 정도의 파괴력을 가져오려면 얼마나 엄청난 힘이 가해졌을까 생각해 보던 우리는 그만 몸서리를 치고 말았다.

기존의 생물학 법칙을 모조리 폐기해 버린 이 사건에 대해 법 집행의 공식 절차는 적용되지 않았다. 고로, 같은 날 정오가 되기 전에 부름을 받은 나, 아삼마우스는 크니가던 자움을 또다시 참수하라는 공무를 신속하고도 엄정하게 받들었다. 시신의 매장을 비롯한 제반 처리 문제 또한 나의 책임이었다. 나는 만일의 사태에 대비하여 사형장 전역에 군대와 경찰을 배치하였다.

나는 막중한 책임감과 더불어 몹시 당혹스럽지만 굴하지 않는 기백으로 사형장에 도착하였다. 범죄자가 다시 나타났을 때, 나뿐만 아니라 모든 사람이 또 한 번의 부활 과정에서 범죄자의 신체에 확연한 변화가 생겼음을 분명히 알아차렸다. 반점들이 충격적이고도 역겨운 무늬를 띠고 있었다. 인간의 면면은 섬뜩한 변형으로 사라지고 없었다. 머리와 어깨 사이에 목이 보이지 않을 정도로 착 달라붙어 있었다. 비스듬히 삐뚤어진 두 눈은 불룩하고 납작하게 얼굴에 박혀 있었다. 코와 입은 위치가 서로 바뀌어 있었다. 이뿐만 아니라, 다른 변화들도 있었으나,

인간의 가장 숭고하고도 고유한 신체적 특징들이 혐오스럽게 변질되어 있었기에 차마 여기서 자세히 밝히진 않겠다. 다만, 겹쳐진 고리 모양의 군턱이랄까 아니면 목주머니처럼 기이하게 매달린 것이 무릎뼈까지 늘어져 있었다는 것은 말해야겠다. 이런 변화에도 불구하고 참수대 앞에 서 있는 것은 (그런 자세를 서 있다고 표현할 수 있을진 모르나) 크니가던 자움이었다.

사실상 목이라고 할 수 있는 부위가 없었으므로 세 번째 참수는 사형 집행인 중에서도 오로지 나만이 가능한 눈과 손의 정확성을 요구하였다. 기쁘게 말하건대, 본인의 기술은 이 요구조건을 충족시키고도 남았다. 범죄자의 사악한 머리가 또다시 잘려 나갔다. 그러나 칼날이 살짝만 어긋났더라도, 정확한 의미의 참수가 아닌 다른 방식의 처형 결과가 나왔을 터이다.

나와 담당자들이 세 번째 매장에 얼마나 고심하고 신중을 기했는지, 이 하나만 봐도 마땅히 좋은 결과를 기대할 수 있었다. 우리는 시신의 몸통을 튼튼한 청동 관에 넣었고, 머리는 역시 청동 재질이면서 크기는 작은 관에 넣었다. 뚜껑은 아예 납땜하였다. 하나의 관은 콤모리옴의 한쪽 끝에 나머지는 그 반대쪽에 따로따로 옮겨졌다. 몸통이 들어 있는 관은 거대한 돌 밑에 깊숙이 묻은 반면, 머리가 들어 있는 관은 묻지 않은 상태에서 밤새 무장 병사들이 감시토록 하였다. 몸통이 묻힌 곳에도 많은 병력을 배치하여 불침번을 서게 하였다.

밤이 왔다. 나는 일곱 명의 믿음직한 삼지창병들과 함께 작은 청동 관이 놓여 있는 곳으로 갔다. 작은 청동 관은 인적이 드문 도시 외곽의 한 버려진 저택 안마당에 있었다. 나는 짧은 언월도와 커다란 미늘창으로 무장하고 있었다. 오싹한 불침번 동안 불빛이 모자라지 않도록 횃불도 넉넉히 가져갔다. 도착하자마자 횃불 몇 개를 마당의 깨진 판석 사이에 끼워놓았더니 붉은 불길이 관을 동그랗게 둘러싸는 형태가 되었다.

가죽 자루에 담은 심홍색의 품 포도주도 넉넉히 가져갔고, 야밤의 지루한 시간을 달래기 위하여 매머드의 상아로 만든 주사위도 챙겼다. 일상적이지만 신중한 경계를 서는 동안, 과하지 않게 포도주를 곁들여, 괜찮은 도박꾼들이 상대의 실력을 떠볼 때까지 그러하듯 처음엔 5파주르[24]의 적은 판돈으로 주사위 게임을 시작하였다.

어둠은 빠르게 깊어졌다. 우리의 머리 위쪽으로 어둠은 횃불에 의해 청옥 빛깔로 물들었고, 그 허공에서 북극성과 붉은 행성들이 마지막 빛으로 콤모리옴을 내려다보고 있었다. 그러나 우리는 재앙이 가까이 닥쳤다는 것을 꿈에도 모른 채, 가증스러운 몸통과 멀리 떨어져 철통 같은 관 속에 갇혀 있는 괴수의 머리를 호기롭게 비웃고 상스럽게 조롱하였다. 술잔이 돌고 돌았다. 술기운이 올랐다. 판돈은 커졌고 주사위 게임은 금세 열기를 더하였다.

자욱한 창공에서 얼마나 많은 별이 지나갔는지, 또 내가 돌고 도는 술잔을 얼마나 들이켰는지 모르겠다. 그러나 또렷이 기억나는 것은, 내가 삼지창병들의 돈을 90파주르 넘게 땄고, 창병들이 어떻게든 전세를 역전시키려고 애썼으나 이미 나의 승기를 꺾기에는 역부족이었다는 것이었다. 병사들 못지않게 나 또한 불침번이라는 애초의 목적을 까맣게 잊고 있었다.

머리가 들어 있는 관은 원래 어린아이용으로 만든 것이었다. 요즘에야, 그렇게 좋은 청동 관을 죄 많고 불경한 쓰레기 처리에 사용하다니 가당치 않다고 말하는 사람이 있을지도 모르겠다. 그러나 당시에는 크기와 견고함을 모두 만족시키는 관을 달리 구할 수가 없었다. 앞서 말했듯이, 우리는 도박의 열기 속에서 청동 관 감시를 잊고 있었다. 청동 관의 독특하고도 무시무시한 움직임이 우리의 눈에 띄기 전까지 얼마나 오랫동안 시각적으로 또는 청각적으로 잘못된 징후들이 지속됐던 것일까, 나는 이 생각을 할 때마다 등골이 오싹해진다. 우리가 모든 것이 잘못됐다는 것을 깨닫게 된 것은 징이나 방패를 때리는 것처럼 갑작스럽고도 요란한 금속 소리 때문이었다. 모두가 동시에 소리가 나는 쪽을 쳐다보니, 청동 관이 너울거리는 횃불의 원 안에서 해괴망측하게 요동치고 있었다. 그것은 이쪽저쪽에서 마구 날뛰고 빙글빙글 돌면서 화강암 포석을 쨍강쨍강 울렸다. 더욱더 섬뜩한 일이 벌어지고 나서야 우리는 이 상황의 진정한 공포를 알아차렸다. 청동 관의 상하 좌우가 험악하게 불룩해져서 금세 원래의 모습과는 딴판으로 변해 버린 것이었다. 직사각형의 윤곽이 부풀고 구부러지다가 변화무쌍한 악몽처럼 무섭게 원래의 모습을 잃어버리는가 싶더니, 약간 타원형의 구체로 변하였다. 그러고는 곧이어 지독히도 오싹한 소음과 함께 납땜한 뚜껑의 가장자리가 뜯어지기 시작하다가 격렬한 폭발처럼 터져버렸다. 너덜너덜 길게 갈라진 틈으로 정체 모를 검은 물질이 계속해서 부풀면서 미친 듯이 끓어올랐는데, 무수한 뱀이 발효 중인 포도주의 효모처럼 쉭쉭 소리를 내면서 유독한 거품을 일으키는 것 같았다. 그리고 여기저기서 크기는 돼지 오줌보만 하고 생김새는 검댕이 같은 거품들이 마구 뿜어져 나왔다. 검은 물질이 횃불 몇 개를 쓰러뜨리면서 쇄도하는 물결처럼 포석을 가로질러 굴러 왔고, 우리는 모두 더없이 역겨운 공포와 충격 속에서 그것을 피하려고 뒤로 풀쩍 물러났다.[25]

우리가 마당의 뒷벽에 움츠리고 있는 동안, 쓰러진 횃불들이 연기를 뿜으며 활활 타올랐고, 검은 물질이 마치 숨을 고르기라도 하는 양, 구르기를 멈추고는 지옥의 반죽처럼 가라앉으니 실로 놀라운 광경이었다. 그것은 점점 더 줄어들었고, 얼마 후에는 비슷하다고 할 정도는 아니나, 관 속의 머리를 연상시키는 생김새로 변하기 시작하였다. 그것은 둥글고 거무스름한 공 모양으로 변하였고, 그것의 요동치는 표면에서 그림의 평면적인 윤곽처럼 이런저런 불완전한 모습들이 계속해서 나타났다. 공의 한복판에서 눈꺼풀과 동공이 없는 황갈색의 눈 하나가 뭔가 단단히 벼르는 것처럼 우리를 노려보았다. 그런 상태로 1분이 더 지나갔다. 이윽고 그것은 투석기에서 발사된 것처럼 우리를 지나, 열려 있는 마당의 출입구로 향하였고, 이내 우리의 시야에서 벗어나 한밤의 거리로 사라져버렸다.

우리는 충격과 당혹감 속에서도 그것이 사라진 방향을 대충 가늠할 수 있었다. 그것이 향해 간 곳이 크니가던 자움의 몸통이 매장되어 있는 콤모리옴의 모처였으니, 우리로선 더더욱 두렵고 혼란스러웠다. 우리는 이 사단이 무엇을 의미하고 또 어떤 결과를 가져올 것인지 감히 짐작해 볼 용기조차 없었다. 엄청난 공포와 불안이 앞길을 막아섰으나, 그래도 무기를 챙기고 과음한 포도주의 취기가 허락하는 한에서 최대한 신속하게 그 불경한 머리를 뒤쫓았다.

가장 방종한 술꾼들마저 집으로 돌아갔거나 취기를 이기지 못하고 선술집 탁자에 엎드려 있는 시간인지라, 거리에는 우리들 외에 인적이 없었다. 거리는 어두웠고, 퍽 스산하였다. 하늘의 별들은 유독한 안개의 침입에 질식되어 있었다. 우리가 큰길을 따라 계속 나아가는 동안, 정적 속에서 보도를 울리는 우리의 발소리가 공허하여, 마치 우리가 기묘한 불침번을 서는 동안에 거리는 묘지들로 빽빽이 들어차버린 것 같았다.

사방을 둘러봐도, 뜯긴 관에서 뛰쳐나온 그 극악한 머리의 흔적을 발견하지 못하였다. 그러나 우리의 두려움과는 대조적으로, 우리가 예상했던 상황은커녕 그런 조짐조차 보이지 않았으니, 그나마 다행이었다. 다만, 콤모리옴의 중앙광장 근처에서 미늘창과 삼지창과 횃불을 든 많은 병사들과 마주쳤는데, 알고 보니 그들은 내가 어제저녁에 크니가던 자움의 무덤에 배치했던 경비대였다. 이 경비대는 가련할 정도로 동요하고 있었다. 이들이 들려준 섬뜩한 이야기에 따르면, 깊숙이 파묻은 무덤과 쌓아 올린 거대한 돌덩어리 밑에서 지진과도 같은 진동이 있었다. 뒤이어 부글부글 끓으며 쉿소리를 내는 물질이 이무기와 같은 모습을 하고선 돌 더미 속에서 솟구쳐 나와, 콤모리옴 방면의 어둠 속으로 사라졌다. 그 얘기를 듣고 난 우리는 폐가 안마당에서 불침번을 서는 동안에 벌어진 일을 말해 주었다. 짐승이나 뱀보다도 더 해롭고 불결한 거대 괴물이 또다시 한밤에 풀려나 날뛰는 것이라는 데 이견이 없었다. 아침에 또 무슨 일이 벌어질 것인지, 겁에 질린 속삭임만 오갔다.

우리는 힘을 합쳐 도시를 수색하였다. 골목과 도로를 샅샅이 뒤졌고, 혹여 우리의 횃불이 닿지 않는 모퉁이나 문가에 그 간악한 어둠의 자식이 도사리고 있지는 않을까, 용감했던 사람들마저 두려워하고 걱정하였다. 수색은 허탕이었다. 별빛은 납빛 하늘에서 점점 더 희미해져갔다. 새벽이 대리석 첨탑마다 괴괴한 은빛을 던지며 찾아왔다. 환영처럼 옅은 황색 햇빛이 벽과 보도에 떨어졌다.

머잖아 도시 곳곳에서 우리뿐만 아니라 다른 사람들의 발소리도 울리기 시작하였다. 떠들썩하고 익숙한 일상이 하나둘 잠에서 깨어났다. 일찍 나온 행인들이 나타났다. 과일과 우유와 콩을 파는 상인들이 시골 지역에서 도심으로 들어왔다. 그러나 우리가 찾는 흔적은 여전히 보이지 않았다.

　우리는 수색을 계속하였고, 그동안 도시는 우리 주변에서 꾸준히 또 하루의 이른 일상을 시작하고 있었다. 그런데 난데없이, 누구보다 대담한 사람도 깜짝 놀라게 만들고 누구보다 용감한 사람도 자지러지게 할 만한 상황에서 우리는 추적해 온 상대와 맞닥뜨렸다. 우리가 에이그혼 참수대가 놓여 있는, 그동안 숱한 악인들이 목을 내놓았던 광장으로 들어설 때, 무시무시한 공포와 고통의 울부짖음이 들려왔으니, 그런 소동을 일으킬 수 있는 것은 이 세상에 단 하나일 터였다. 우리가 발길을 서둘러 도착해 보니, 정의의 참수대에서 가까운 광장 쪽을 지나오던 두 명의 길손이 자연사와 전설 그 어느 쪽도 인정하지 않을 유일무이의 괴물에게 붙잡히어 몸부림치고 있었다.

　괴물이 보여주는 당황스럽고도 애매한 특성에도 불구하고, 우리는 가까이 다가갈수록 그것이 크니가던 자움이라고 생각하였다. 징그러운 상반신과 벌써 세 번째 결합된 머리는 가슴 아래의 횡격막 부위에 거의 납작하다시피 붙어 있었다. 이 새로운 합체 과정에서 눈 하나는 다른 쪽과 멀리 떨어져서 늘어진 턱 바로 아래, 즉 배꼽에 가 있었다. 그 밖에 다른 변화들은 더욱더 충격적이었다. 팔은 촉수처럼 길어졌고, 손가락들은 꿈틀거리는 독사의 똬리 같았다. 원래 머리가 있던 위치에서 두 어깨가 원뿔형의 돌기처럼 솟아 있었고, 그 끝에는 컵 모양의 입이 달려 있었다. 그러나 무엇보다 터무니없는 변화는 두 다리에서 생겼다. 무릎과 엉덩이가 각각 둘로 갈라져 길고 흐물흐물한 주둥이가 되었고, 주둥이마다 안쪽에 빨판이 달려 있었다. 이처럼 여러 개의 입과 팔다리로 구성된 이 괴물은 붙잡은 두 사람을 동시에 집어삼키려 하고 있었다.

이 살풍경한 현장으로 다가가는 동안, 우리 뒤쪽으로 사람들이 비명을 듣고 몰려들었다. 도시 전체가 거의 동시다발적인 아우성으로 가득해졌고, 끝없이 높아만 가는 이 소동의 특징은 극도로 처참한 공포였다.

치안을 담당한 공무원이자 남자로서 우리가 어떤 기분이었는지는 말하지 않겠다. 우리에게 분명했던 것은, 크니가던 자움의 조상이 지니고 있던, 인간계를 초월한 요소들이 최근의 부활을 통해 무섭도록 빠른 속도로 모습을 드러내고 있다는 점이었다. 그럼에도 불구하고, 또 눈앞의 거대한 괴물의 모습에도 불구하고, 우리는 여전히 맡은 임무를 다하고 무력한 시민들을 최대한 보호할 각오가 되어 있었다. 영웅의 자질이 필요했다고 자랑하는 것이 아니다. 우리는 평범한 사람이었을 뿐, 그저 눈앞의 당면한 요구에 부응했던 것뿐이다.

우리는 괴물을 포위했고, 여차하면 미늘창과 삼지창으로 공격하기 직전이었다. 그런데 이때 난감한 상황이 벌어졌다. 눈앞의 괴물이 두 희생양과 더불어 억세게 몸을 비틀어대는 바람에 괴물과 사람이 한 몸으로 격렬히 몸부림치고 요동을 쳤다. 우리는 괴물뿐만 아니라 두 시민까지 찌르거나 다치게 할 상황이라 무기를 사용하지 못하였다. 그러나 결국엔 두 사람의 생명이 다해 가면서 몸부림과 요동도 수그러들었다. 역겨운 포식자와 그것에 잡아먹힌 희생자들 모두 서서히 침묵으로 빠져들었다.

바로 그때가 실낱같은 희망이고 기회였다. 나는 설령 무모하고 부질없다 하여도 한꺼번에 공격에 나서야 한다고 확신하였다. 그런데 괴물은 이런 시시한 소동에 지쳐버린 것 같았고, 인간을 괴롭히는 것도 이제 성가시고 귀찮아 보였다. 우리가 무기를 치켜들고 공격하려는 순간, 괴물이 뒤로 물러서더니, 혈관이 다 터진 채 흐물흐물해진 희생자들을 여전히 붙잡고는 에이그혼 참수대로 올라갔다. 여기서, 사람들이 지켜보는 가운데, 마치 초인적인 증오와 원한으로 터져버릴 듯이 괴물의 몸통 전체와 팔다리 전부가 부풀어 오르기 시작하였다. 빠르게 팽창하는 속도에 따라 참수대를 뒤덮고 범람하는 물결처럼 사방으로 덮치는 그 크기는 가장 허구적인 신화의 영웅들마저 움츠러들기에 충분하였다. 덧붙이자면, 상반신이 수직 방향보다 수평 방향으로 더 많이 부풀었다. 기형적인 팽창이 지상의 어떤 생명체와도 견줄 수 없는 양태를 띠기 시작할 무렵, 그래서 우리를 향하여 공격적으로 보아 뱀 같은 팔들이 서서히 또 끝없이 확장할 무렵, 나의 용감하고 강건한 동료들이 도망치는 것을 비난할 수 없었다. 그때부터 날카로운 비명과 통곡 속에서 급류처럼 콤모리옴을 빠져나가는 시민들을 나는 더더욱 비난하진 못하였다. 사람들의 탈주를 부추긴 것은 필시 목소리, 그러니까 처음으로 괴물에게서 나온 소리 때문이었을 터이다. 쉭쉭 소리에 가까웠다. 그러나 음량은 위압적이었고, 음색은 차마 들을 수 없을 정도로 괴롭고 역겨웠다. 무엇보다 고약했던 이유는 소리가 해부학상의 입뿐만 아니라 입처럼 열려 있는 여러 구멍이나 흡입관에서도 나왔기 때문이다. 나, 아삼마우스마저도 그 쉭쉭 소리를 피해 뒤로 물러났고, 똬리를 트는 뱀처럼 뻗어 오는 손가락들이 닿을 수 없는 거리까지 물러나 있었다.

그래도 나는 여러 번 뒤를 돌아보며 안타까운 시선을 던지면서도 텅 빈 광장 끝에서 한참 동안 서 있었다는 데 자부심을 느낀다. 한때 크니가던 자움이었던 괴물은 겉보기에 자신의 승리에 흡족해하는 것 같았다. 그것은 이제 눈에 보이지도 않는 에이그혼 참수대 위에 산만한 몸을 나른하게 늘어뜨리고 있었다. 무수한 쉭쉭 소리도 서서히 가라앉더니, 졸린 이무기의 소리처럼 작아졌다. 그것은 나를 공격하거나 다가올 기색은 보이지 않았다. 결국 그 괴물이 제기한 직업상의 문제는 도저히 풀 수 없는 것이 되어버렸다. 게다가 이제 콤모리옴에는 왕도 법 체제도 경찰이나 백성 그 어느 누구도 남아 있지 않다는 것을 떠올리면서 나는 결국 그 파멸의 도시를 버리고 다른 이들을 따라나섰다.

---

14) 에이그혼(eighon-wood): 도마 따위를 만드는 데 사용하는, 단단한 나무.

15) 뮤(Mu) 대륙: 기원전 7만 년경에 남태평양에 존재했다고 알려진 대륙. 1926년, 영국의 예비역 대령인 제임스 처치워드가 『잃어버린 뮤 대륙』을 출간하면서 고고학계에 일대 파란이 일었다. 처치워드는 고고학계에 전혀 알려진 바 없는 뮤 대륙의 실존을 주장하며 50년 동안 세계 각지를 돌아다니며 방대한 자료를 수집한 뒤 책을 출간했다. 고고학계는 터무니없다고 그의 주장을 일축했으나, 논란은 계속되었다. 『잃어버린 뮤 대륙』에 따르면, 고도의 문명을 세운 뮤 대륙에 약 5만 년 전부터 인류가 출현했으며, 10개가 넘는 민족과 6400만 명가량의 인구가 살았다고 한다. 기원전 11~12세기경에 화산 폭발로 뮤 대륙이 침몰한 이후, 그 후손의 일부가 중국, 러시아, 몽골 등지에 흩어져서 오늘날까지 살아가고 있다고 한다.

16) 아스팔툼(asphaltum): 20세기까지 쓰였던 아스팔트의 다른 말.

17) 츠코 불파노미(Tscho Vulpanomi): 위치상 현 아이슬란드에 해당하는, 하이퍼보리아 최남단의 전설적인 화산지대. 무시무시한 아코라보마스 화산이 전역에 화염을 뿜는다. 해안에는 수정뿐만 아니라 다이아몬드가 백사장처럼 깔려 있고, 루비가 자갈처럼 흩어져 있다.

18) 폴라리온(Polarion): 원래는 북극 인근에 있는 설원의 섬으로, 난폭한 사람들이 이곳에 거주했다. 한때 비옥했던 이 땅은 빙하에 휩쓸리면서 동토의 황무지로 변했다. '백의 무녀'가 이곳에서 나타나 콤모리옴의 멸망을 예언했다.

19) 백의 무녀(White Sybil): 하이퍼보리아의 첫 번째 수도인 콤모리옴의 멸망을 예언한 점쟁이. 이 작품 외에도 「사탐프라 제이로스의 이야기 The Tale of Satampra Zeiros」와 동명의 단편 「백의 무녀」에 등장한다. 「백의 무녀」에 다음과 같이 가장 자세하게 묘사되고 있다. "달에서 내려온 유령 같았다. 여신인지 유령인지 인간인지 알 수는 없으나, 눈과 북극의 빛으로 이루어진 존재였고, 눈동자는 달빛이 비치는 연못 같았으며, 입술은 이마와 가슴처럼 창백했다. 옷은 얇고 흰 직물 같은 것으로 만들어져, 그녀 자체처럼 순결하고 가벼웠다. 폴라리온이라는 황무지에서 정령처럼 왔다는 소문만 있을 뿐, 그녀의 이름이나 출생에 대해 아는 사람은 아무도 없다. 그녀는 달빛 베일을 휘감은 눈의 여신처럼 피처럼 붉은색과 하늘색 꽃 한복판에 서 있었다. 창백한 눈동자에서 정체불명의 차가운 황홀감을 뿜어냈다." 이 소설에서 주인공 토르사는 백의 무녀

118

와 사랑에 빠진다.

20) 부르미스(Voormis): 퇴화된 상태로 지하 생활을 하는 유사 인간 종족. 부르미스라는 명칭은 이들 종족의 조상이자 위대한 샤먼인 부름(Voorm)에게서 유래했다. 『에이본의 서』에 따르면, 부름의 지도하에 키사밀이라는 곳에서 타쉰으로 이주하여 문명을 세웠다. 터전이었던 타쉰이 침몰한 이후 급격히 퇴화하여 현재는 종족의 이름을 딴 부르미사드레스 산에 거주하고 있다.

21) 변화무쌍한(protean) 알은 차토구아의 무정형(formless) 알로 더 많이 표현된다. 차토구아의 명령을 수행하는 종복의 일종으로, 복원력이 워낙 뛰어나 죽이기 어렵다. 이 작품에서도 검은 비결정질의 영액(靈液) 형태로 등장하는데, 후반부에 크니가딘 자움이 연이어 참수를 당하면서 이 형태로 변화하는 과정이 자세히 묘사되어 있다.

22) 수바나 열매, 드종구아 콩, 품 포도주는 스미스가 만들어낸 용어다.

23) 아파 나무(apha-wood): 스미스가 지어낸 나무의 한 종류.

24) 파주르(pazoors): 콤모리옴에서 통용되는 가상의 통화 단위. 이보다 큰 가치를 지닌 통화로는 은화의 일종인 드잘(Djals)이 있다.

25) 차토구아가 처음 등장하는 「사탐프라 제이로스의 이야기」에도 비슷한 변형 과정이 묘사되어 있다. "대야에 다가가 가장자리 너머를 흘깃 본 결과, 아주 칙칙하고 거무스름한 색깔의 끈적끈적한 액화성 물질이 가득히 담겨 있었다. (중략) 우리가 막 돌아서려는데 마치 거무스름한 액체 속에 가라앉은 동물 아니면 뭔가가 움직이듯 표면에 살며시 기포가 이는 것이 보였다. 기포는 금세 많아졌고, 강한 효모의 작용처럼 가운데 부분이 부풀어 올랐다. 우리가 극한 공포 속에서 지켜보는 동안, 거칠고 애매한 윤곽의 머리와 흐릿하게 튀어나온 눈알이 점점 길어지는 목과 함께 솟구쳐 오르더니 극단적인 악의를 띠고 우리를 노려보았다. 이내 두 개의 팔 ─ 그것을 팔이라고 말할 수 있을지는 모르겠으나 ─ 역시 조금씩 솟아올랐으니, 우리의 예상과는 달리 그것은 액체 속에 가라앉아 있던 생물이 아니라 액체 자체에서 그 끔찍한 목과 머리가 생겨난 것이었다. 게다가 액체에서 생겨난 그 징그러운 팔들이 발톱이나 손 대신에 달려 있는 촉수 같은 것으로 우리를 향해 더듬거리고 있잖은가!"

THE ICE-DEMON

빙마

작품 노트

1932년에 7월에 완성, 1933년 《위어드 테일스》 4월 호에 실렸다.

스미스의 「검은 책」에 따르면, "사냥꾼인 쿠앙가는 뮤 둘란의 두 상인과 함께 어느 왕의 사라진 보석을 찾아 나선다. 그들은 왕과 부하들의 시체와 함께 보존된 보석을 찾아내 돌아오려 하지만, 보이지 않는 얼음 존재의 추격을 받는다……."라고 원안을 밝히고 있다.

이 작품은 중단했던 하이퍼보리아 연작을 다시 쓴 것으로, 연작 중에서 가장 나중에 완성된 것으로 보인다. 처음엔 《스트레인지 테일스》 다음엔 《위어드 테일스》로부터 퇴짜를 맞았다. 스미스는 잡지들의 작품 선별 기준에 혐오감을 드러냈고, 러브크래프트 역시 "상투적이고 무난한 작품이 아니라 극소수라도 기이함을 포함하는 작품이 필요한데, 참담하다."라며 개탄했다. 결국 결말 부분을 수정하여 《위어드 테일스》에 실렸으나, 수정되지 않은 원본의 존재 여부는 현재 불투명하다.

「빙마」는 유머를 덜어낸 황량하고 쓸쓸한 분위기에서 문명의 멸망을 다루고 있어서 아베르와뉴와 조티크 연작에 더 가깝다. 그래서 장식적인 표현보다 직설적인 표현이 더 강하다. 비현실적인 세계와 북극의 풍광을 아우르면서 빙하를 사악한 존재로 의인화하는 효과가 뛰어나다.

사냥꾼 쿠앙가와 이콰에서 가장 모험심이 강한 두 보석상, 홈 피토스와 아이부르 츠산스, 이렇게 셋은 사람들의 발길이 드물 뿐만 아니라 일단 발을 들여놓았다가 돌아온 예는 더더욱 드문 지역으로 들어갔다. 이들은 이콰에서 북쪽으로 가는 길목에서 황폐해진 뮤 둘란을 지났는데, 이곳엔 폴라리온의 거대한 빙하가 얼어붙은 바다처럼 그 유명한 부자 도시들 위를 떠다녔고, 이 두꺼운 만년빙 밑으로 해안에서 해안에 이르는 드넓은 지협들까지 얼음으로 뒤덮여 있었다.

빙하 밑으로 깊숙이 가라앉은 전설의 세른고스, 이 도시의 조가비처럼 생긴 반구형 지붕들이 얼음에 비치어 지금도 내려다보였다. 오곤-자이의 높고 날카로운 첨탑들도 빙하 밑에서 야자수와 매머드, 검은색 정사각형 건물인 차토구아 신전과 뒤엉키어 있었다. 이 모든 것이 아주 오래전에 벌어진 일이었다. 그리고 여전히 반짝이는 거대 성벽과도 같은 얼음들이 황폐해진 땅을 휩쓸며 남쪽으로 이동하고 있었다.

쿠앙가는 이 요새화된 빙하를 따라 동료들을 이끌고 대담하게 나아갔다. 이들의 목표는 단 하나, 할로 왕의 루비를 찾는 것이었다. 할로 왕은 50년 전에 마법사 옴뭄-보그와 완전군장을 갖춘 대군의 기마병을 거느리고 극지의 얼음과 대적하기 위하여 원정길에 올랐다. 이 기상천외한 원정에서 할로 왕도 옴뭄-보그도 돌아오지 않았다. 다만, 참담한 몰골의 기진맥진한 패잔병들이 두 달 뒤에 이콰로 돌아와, 섬뜩한 이야기를 전하였다.

돌아온 군사들의 말에 따르면, 옴뭄-보그가 선택한 곳에 그러니까 전방으로 얼음이 잘 보이는 둥근 언덕에 진을 쳤다. 이윽고 이 위대한 마법사는 원형으로 세워놓은 — 그리고 끝없이 황금빛 연기를 내뿜는 — 화로들 한복판에 할로 왕과 함께 서서, 이 세상보다도 더 오래된 주술을 외움으로써 남쪽의 태양보다도 더 거대하고 더 붉은 불의 구체를 소환하였다. 이 구체가 하늘에서 퍼붓는 뜨겁고 눈부신 광선으로 인해 태양은 한낮의 달처럼 흐려 보였고, 무거운 군장 차림의 병사들은 그 열기를 이기지 못하고 정신을 잃기 직전이었다. 이 광선 아래서 빙하의 가장자리가 녹아내려, 실개천이 되고 강이 되어 흐르자, 할로 왕은 과거에 그의 선왕들이 통치하였던 뮤 둘란 제국을 되찾을 수 있다는 희망에 부풀었다.

급류는 군대가 진을 치고 있던 언덕을 지나 점점 더 깊어졌다. 그런데 마치 적진에서 마법을 부리듯이, 강물에서 옅은 색의 자욱한 안개가 피어올라, 옴뭄-보그가 소환한 태양을 가려버리니, 뜨거운 빛이 점점 약해지고 차가워져 더는 얼음을 녹이지 못하였다.

마법사는 차갑고 짙은 안개를 쫓으려 여러 가지 마법을 사용했으나 헛수고였다. 오히려 안개는 뒤얽혀 있는 유령 뱀들처럼 몸부림치면서 냉습하고 불길하게 내려앉았고, 병사들의 뼛속에 죽음의 냉기가 스며들었다. 안개는 실체를 지닌 괴물처럼 더욱더 차갑고 짙어지면서 진지 전체를 뒤덮었고, 사지가 마비된 병사들은 앞을 더듬거렸으나 바로 앞에 있는 아군의 얼굴마저 볼 수 없었다. 극소수의 병사들이 천신만고 끝에 안개의 경계를 지나, 창백한 태양 아래서 황망히 기어서 도망쳤는데, 하늘에는 옴뭄-보그가 불러냈던 마법의 구체가 사라지고 없었다. 기이한 공포 속에서 도망치며 뒤를 돌아보자, 낮게 깔리던 안개 대신에 방금 얼어붙은 빙원(氷原)이 왕과 마법사의 진지가 있는 언덕을 뒤덮고 있었다. 얼음은 키 큰 성인 남자보다도 더 높았고, 도주하던 병사들은 반짝이는 얼음 속에 갇혀버린 그들의 장수와 동료 들을 보았다.

패잔병들은 이것이 자연적인 현상이 아니라 거대한 빙하에 의한 마법이자, 빙하 자체가 지금껏 없었던 재앙의 힘을 지닌 악의적인 생명체라 여기고 도주의 속도를 늦추지 않았다. 게다가 빙하는 감히 자기를 공격하는 자의 운명이 어떤 것인지 경고하려는 듯, 병사들이 순순히 도망치게 놔두었다.

병사들의 얘기를 믿는 사람이 있는가 하면 그렇지 않은 사람도 있었다. 그러나 할로 왕 이후에 이콰를 다스린 왕들은 빙하와 대적하기 위하여 원정에 나서지는 않았다. 해를 소환하여 빙하와 싸우려는 마법사 또한 없었다. 사람들은 점점 더 반경을 넓혀오는 빙하를 피해 도망쳤다. 이 과정에서 빙하가 살아 있는 손을 뻗는 것처럼 갑작스럽고도 사악하게 움직여 사람들이 외딴 계곡에 고립되거나 얼음에 깔려버렸다는 기담(奇談)들이 회자되었다. 이 밖에 다른 얘기들도 전해졌다. 이를테면, 섬뜩한 크레바스(빙하의 갈라진 틈)가 느닷없이 입처럼 벌어지더니 이 동토의 황무지에서 떠나지 않고 감히 버티려는 사람들을 삼켜버렸다는 얘기, 극지 악마들의 숨결처럼 바람이 불어와 삽시간에 사람들을 꽁꽁 얼려서 화강암처럼 단단한 얼음 조각상으로 만들어버렸다는 얘기 등등. 얼마 지나지 않아, 빙하와 몇 킬로미터 떨어진 이 지역 전역에서 사람의 자취가 끊어졌다. 가장 대담한 사냥꾼들만이 저마다의 목표를 좇아 이 동토의 땅에 들어갈 뿐이었다.

그러던 중, 쿠앙가의 형이며 역시나 배짱이 두둑한 사냥꾼이었던 일루아크가 뮤 둘란에 갔다가, 저 멀리 거대한 빙원에서 커다란 흑여우한 마리를 발견하고 뒤쫓은 적이 있었다. 한참을 추격했건만, 여우는 끝끝내 화살의 사정거리 안으로 들어오지 않았다. 그러다가 도착한 곳이 평원의 거대한 둔덕, 이곳이 바로 얼음에 매장됐다는 언덕인 것 같았다. 일루아크는 여우가 둔덕 안으로 들어갔다고 생각하고서 화살의 시위를 당긴 채 그 뒤를 쫓아 동굴로 들어갔다.

동굴의 내부는 북방 왕국의 왕실 아니면 신전 같았다. 사방 어디에나 희미한 초록색 불빛 속에서 거대한 기둥들이 빛나고 있었다. 커다란 고드름들이 종유석 모양으로 천장에 매달려 있었고, 바닥은 아래쪽으로 경사를 이루고 있었다. 일루아크는 동굴 끝까지 가보았으나 여우의 흔적을 찾지 못하였다. 그런데 동굴 끝의 투명한 벽 속에서 수많은 사람들이 썩지 않은 몸과 오그라들지 않은 얼굴로 마치 무덤 속에 들어가 있듯 꽁꽁 얼어 있었다. 사람들은 긴 창으로 무장했고, 대부분이 갑옷투구 차림이었다. 그런데 선두에 푸른 어의를 입고 서 있는 도도한 인물이 있었다. 그리고 그 옆에는 노인 하나가 마법사의 검은 옷을 입고서 머리를 숙이고 있었다. 왕으로 보이는 위풍당당한 인물의 옷에 총천연색 별빛처럼 얼음 속에서도 이글거리는 보석들이 치렁치렁 수놓여 있었다. 그리고 가슴에는 방금 굳은 피처럼 새빨갛고 커다란 루비들이 삼각형으로 수놓여, 이콰 왕의 표식을 이루고 있었다. 일루아크는 여러 정황으로 볼 때, 이곳이 바로 저 옛날 빙하와 대적했다는 할로 왕과 옴뭄-보그 그리고 병사들의 무덤임을 알았다.

기이하기만 한 광경에 위압감을 느끼면서 옛 전설들을 떠올리던 일루아크는 처음으로 용기를 잃었고, 지체 없이 그곳을 빠져나왔다. 어디에도 흑여우의 흔적은 보이지 않았다. 여우 추격도 포기해 버리고 남쪽으로 발길을 돌렸고, 무사히 빙하의 아래 지역에 도착하였다. 그런데 나중에 그가 호언장담한 얘기에 따르면, 여우를 쫓아간 사이 빙하에 이상한 변화가 생겨서 동굴에서 나온 이후 한참 동안 방향을 잃었다고 한다. 사람의 발길이 닿은 적 없는 가파른 능선과 언덕 때문에 돌아오는 여정이 험난했다는 것이다. 게다가 빙하가 전에 비해 수 킬로미터까지 저절로 확장된 것 같았다고 하였다. 이처럼 설명할 수도 이해할 수도 없는 일들로 인해 일루아크의 마음에는 기묘하고도 스산한 공포가 자리 잡았다.

그는 두 번 다시 그 빙하에 가지 않았다. 대신에 동생인 쿠앙가에게 할로 왕과 옴뭄-보그 그리고 그들의 병사들이 묻혀 있는 동굴의 위치를 말해 주었다. 그리고 얼마 후, 일루아크는 화살을 다 쏘고도 죽이지 못한 백곰에 의해 역으로 죽임을 당했다.

쿠앙가는 일루아크와 견줄 만큼 대담무쌍하였다. 그는 빙하에 여러 번 갔고 그때마다 이렇다 할 어려움도 겪지 않았기에 빙하를 두려워하지 않았다. 만족을 모르는 탐욕가였던 그는 영원한 얼음 속에 할로 왕과 함께 있다는 루비들을 자주 떠올렸다. 용감한 사람이라면 그 루비들을 가져올 수 있을 것 같았다.

그래서 어느 여름날, 이콰에 모피를 팔러 갔던 쿠앙가는 북쪽 계곡에서 찾아낸 석류석 몇 개를 가지고 보석상 아이부르 츠산스와 홈 피토스를 찾아갔다. 보석상들이 석류석을 감정하는 동안, 쿠앙가는 지나가는 투로 할로 왕의 루비를 거론하면서 은근슬쩍 그 값어치가 얼마나 되냐고 물었다. 곧바로 엄청난 가치가 있다는 말과 함께 홈 피토스와 아이부르 츠산스의 얼굴에 탐욕스러운 관심이 드러나자, 쿠앙가는 그들에게 형한테 들은 얘기를 꺼냈고, 만약에 루비 값의 절반을 자기에게 준다면, 비밀의 동굴까지 안내해 주겠다고 제안하였다.

보석상들은 그 여정이 험난한 것은 둘째 치고 성공한다 해도 이콰 왕실의 것으로 의심받는 보물을 처분하기란 녹록지 않을뿐더러 자칫 지금의 왕인 라루가 알게 되는 날엔 그 소유권을 주장할 공산이 크다는 등등 여러 난관에도 불구하고 이 제안을 받아들였다. 루비의 엄청난 가치가 이들의 탐욕에 불을 지핀 것이었다. 쿠앙가의 입장에선 자신이 직접 보물을 처분할 방법이 막막했기에 이들과 공모를 원하였다. 그는 홈 피토스와 아이부르 츠산스를 믿지 않았고, 이것이 동굴까지 동행한 뒤에 보물이 그들의 손에 들어가는 즉시 약조한 돈을 지불하라고 요구한 이유였다.

그리하여 이 이상한 삼인조는 한여름에 목적지로 출발하였다. 2주 동안 험준한 북극권 지역을 지나자, 영원한 얼음의 땅이 가까워지고 있었다. 그들은 도보로 이동하였고, 사향소보다 조금 큰 세 마리 말에 짐을 실었다. 백발백중의 명사수인 쿠앙가가 날마다 산토끼와 물새를 사냥하여 끼니를 해결하였다.

그들 뒤로 구름 한 점 없는 청록색 하늘에서 옛 시절엔 더 높이 떠 있었다고는 하나 지금은 낮게 내려앉은 태양이 이글거리고 있었다. 녹지 않은 눈이 흘러가다가 높은 언덕의 그늘 속에 쌓였다. 그들은 가파른 계곡에서 나와, 앞으로 펼쳐져 있는 빙원 위로 올라섰다. 나무와 풀은 이미 드문드문 그 수가 준 데다 크기도 왜소해졌는데, 과거엔 바로 이 땅에서 온화한 기후와 더불어 숲이 우거졌더랬다. 그런데 양귀비들이 초원에서 또 비탈을 따라서 울긋불긋 연약한 아름다움을 펼쳐 보이고 있으니, 영원한 겨울의 발길 앞에 깔린 주홍 양탄자 같았다. 또한 잔잔한 웅덩이와 악취 나는 개울가를 따라 흰 수련이 줄지어 피어 있었다.

동쪽으로 멀지 않은 곳에서 화산 봉우리들이 여태 빙하의 침범에 저항하면서 거센 연기를 뿜고 있었다. 서쪽의 높고 황량한 산들은 가파른 절벽을 끼고서 정상마다 눈으로 뒤덮여 있었고, 그 아래쪽 비탈에는 얼음이 쇄도하는 바다처럼 올라가 있었다. 앞쪽으로 광대한 빙하의 들쭉날쭉한 벽이 나타났다. 빙벽은 평원과 산을 두루 이동하면서 나무를 송두리째 뽑아버렸고, 땅을 밀어붙여 거대한 습곡과 둑을 만들어냈다. 북부의 여름 때문에 빙벽의 이동이 다소 느려진 상태였다. 쿠앙가와 보석상들은 흙탕물 개울에 이르렀는데, 이것은 반짝이는 청록색 빙벽의 밑부분이 일시적으로 녹으면서 생긴 결과였다.

그들은 짐 실은 말들을 수풀이 있는 계곡의 키 작은 버드나무에 기다란 가죽끈으로 묶어놓았다. 그러고는 이틀분의 식량과 장비를 챙긴 뒤, 쿠앙가가 가장 접근하기 좋은 지점으로 선택한 얼음 비탈을 올라, 일루아크가 발견한 동굴을 향해 출발하였다. 쿠앙가는 화산을 기준으로 방향을 잡았고, 빙원의 북쪽으로 마치 여자 거인의 갑옷 속 젖가슴처럼 외떨어져 있는 두 개의 봉우리도 길잡이로 삼았다.

세 사람은 탐사의 위험에 대비해 장비를 제대로 갖추고 있었다. 쿠앙가는 할로 왕의 시체를 도굴하는 데 사용할 목적으로 잘 벼린 청동제 곡괭이를 가져왔다. 또한 활과 화살통뿐만 아니라 나뭇잎 모양의 단도로 무장하고 있었다. 옷은 커다란 곰의 흑갈색 털로 만든 것이었다.

추위에 대비해 물오리의 솜털로 누빈 두툼한 옷을 입은 홈 피토스와 아이부르 츠산스는 투덜거리면서도 탐욕스러운 기대를 품고 쿠앙가의 뒤를 따랐다. 이들은 황량한 혹한의 땅을 오랫동안 이동하는 것도 그렇거니와 북부의 환경에 노출되는 것을 달가워하지 않았다. 게다가 이들은 촌스럽고 건방진 쿠앙가를 싫어했다. 이들의 악감이 더 강해진 이유는 두 개의 무거운 가방 — 나중에 보석과 맞바꿀 황금이 들어 있는 가방 — 을 메고 있는데도 쿠앙가가 짐 대부분을 그들에게 억지로 떠넘겼기 때문이었다. 할로 왕의 루비만 아니었다면, 이들이 여기까지 와서, 빙원의 거대한 황야에 발을 들여놓는 일은 없었을 것이다.

그들 앞에 펼쳐진 광경은 마치 외계의 얼어붙은 세상 같았다. 흩어져 있는 몇 개의 둔덕과 능선을 제외하곤 그야말로 완벽하고도 거대한 빙원이 흰 지평선과 그곳의 얼음 봉우리까지 펼쳐져 있었다. 가까운 곳에서는 눈이 휩쓸려 사라지고 없었으나, 섬뜩하게 반짝이는 이 풍광 속에 살아 있거나 움직이는 것은 없었다. 더욱더 창백하고 차가워 보이는 태양은 모험가들 뒤로 꽁무니를 빼는 것 같았다. 그리고 극지 너머의 심연에서 불어오듯 빙원에서 바람이 불어왔다. 그러나 극지의 황량함과 스산함을 빼면 쿠앙가와 보석상들에게 좌절감을 줄 만한 것은 없었다. 이들 중에서 아무도 미신을 믿지 않았고, 전해 내려오는 이야기들 역시 두려움에서 빚어진 망상이자 쓸모없는 신화로 치부해 버렸다. 쿠앙가는 할로 왕을 발견한 이후로 지나치게 겁에 질리고 터무니없는 상상에 빠져들었던 형을 떠올리며 측은한 미소를 지었다. 그것은 사람도 짐승도 두려워하지 않았던 성급하고 저돌적인 사냥꾼, 일루아크의 유일한 약점이었다. 할로 왕과 옴품-보그 그리고 이들의 병사들이 빙하에 갇힌 것은 겨울의 폭설 속에서 자초한 일이 분명하였다. 그리고 소수의 생환 병사들은 정신적인 충격을 받은 나머지 황당한 이야기를 꾸며낸 것이었다. 얼음은 ― 설령 이것이 대륙의 절반을 집어삼켰다고 해도 ― 얼음일 뿐, 그 작용 또한 일정한 자연의 법칙에 따랐을 터였다. 일루아크는 빙원이 잔인하고도 탐욕스럽고 거대한 악마여서 자기가 가져간 것을 포기하지 않는다고 말했더랬다. 그러나 그런 믿음은 플라이스토세의 문명인에겐 어울리지 않는 미숙하고 원시적인 미신에 불과하였다.

그들은 아침 일찍 빙벽을 올랐다. 쿠앙가는 적잖은 어려움을 겪어야 하고 정확한 위치를 찾기까지 시간이 걸리겠지만 그래도 한낮까지는 동굴에 도착할 거라고 보석상들에게 장담했다.

빙원에는 특이하리만큼 크레바스가 없어서 이동하는 데 별다른 장애물이 없는 편이었다. 앞쪽에 보이는 젖가슴 모양의 봉우리들을 지표(洋紅)로 삼아 이동하기를 세 시간여, 드디어 일루아크가 말한 둔덕의 모습과 일치하는 언덕 형태의 고지대에 도착하였다.

일루아크가 다녀간 이후로 변한 것이 거의 없는 것일까, 내부의 기둥과 천장에서 늘어진 고드름에 이르기까지 그의 설명과 다른 점이 별로 없었다. 출입구는 엄니가 나 있는 목구멍 같았다. 내부에는 50미터가 넘는 바닥이 밑으로 기울어져 있었다. 공기 중엔 연한 황록색의 차가운 반투명 물질이 가득했고, 이것은 반구형의 천장을 통하여 스며들고 있었다. 쿠앙가와 보석상들은 홈이 나 있는 맞은편 벽 속에 들어가 있는 무수한 사람들의 형체를 발견하였고, 그중에서 파란 어의 차림에 키가 큰 할로 왕과 검은 옷을 입고 고개를 숙인 옴품-보그의 시신을 쉽게 알아보았다. 그들의 시신 뒤로 다른 사람들, 그러니까 창을 들어 올린 채로 또 아래쪽 깊숙한 곳에서 움츠러든 채로 굳어 있는 이들의 모습도 어렴풋이 보였다.

당당하게 허리를 펴고 서 있는 할로 왕은 마치 살아 있는 사람처럼 도도히 눈을 부릅뜨고 있었다. 그의 가슴에는 삼각형으로 수놓인 새빨간 루비들이 둔중한 얼음 속에서도 누그러지지 않는, 강렬한 빛을 발하고 있었다. 그리고 푸른 어의에 장식된 황옥과 녹주석, 다이아몬드와 감람석이 싸늘하게 반짝였다. 이 전설의 보석들은 쿠앙가 일행이 탐욕스러운 손가락을 뻗으면 닿을 정도로 가까운 얼음 속에 있었다.

그들은 먼 길을 찾아온 보석들을 말없이 황홀한 눈빛으로 바라보았다. 보석상들은 커다란 루비는 물론이고 할로 왕의 옷에 장식된 다른 보석들의 가치까지 따져보고 있었다. 루비를 뺀 다른 보석들만 쳐도 여정의 고됨과 쿠앙가의 무례를 견딜 만한 가치는 충분하니 자못 흐뭇하였다.

사냥꾼 입장에선 더 많은 액수를 부를걸 하고 아쉬워하고 있었다. 그래도 두 자루의 금이면 부자가 될 터였다. 멀리 남쪽의 우줄다롬에서 생산한, 루비보다도 더 붉은 값비싼 포도주를 양껏 마실 수 있었다. 그가 말만 하면 언제든 눈꼬리가 치켜 올라간 황갈색 피부의 이콰 여자들이 춤을 출 것이었다. 그리고 판돈이 큰 도박을 즐길 수도 있었다.

세 사람 모두 얼어 죽은 망자들과 함께 고립무원의 북부에 와 있다는 상황의 섬뜩함에는 신경을 쓰지 않았다. 그뿐만 아니라 이제 곧 그들이 저지르려는 도굴이 얼마나 엽기적인 범죄인지도 안중에 없었다. 보석상들의 채근에 쿠앙가는 지체 없이 예리하게 잘 벼린 청동 곡괭이를 들어 올리고는 투명한 얼음벽을 힘차게 깨기 시작했다.

곡괭이질에 얼음이 날카로운 소리를 내면서 수정 조각처럼 또 다이아몬드 덩어리처럼 떨어졌다. 얼마 지나지 않아서 커다란 구멍이 뚫렸다. 할로 왕의 시신은 이제 금이 가고 금방이라도 부서질 것처럼 얇은 얼음에 싸여 있었다. 이 얼음 껍데기를 쿠앙가는 아주 조심스럽게 떼어 냈다. 금세 그의 손가락 끝에 삼각형으로 수놓인 기괴한 루비들이 아직은 얼음이 조금 묻은 채로 닿았다. 할로 왕의 도도하고 휑한 눈이 얼음 가면 뒤에서 뚫어지게 노려보고 있는 동안, 사냥꾼은 곡괭이를 내려놓고 나뭇잎 모양의 날카로운 단도를 빼 들더니, 루비를 왕의 옷에 정교하게 부착하고 있는, 미세한 은 철사를 잘라내기 시작했다. 서두르다 보니 푸른색 어의가 조금 찢어져서 얼어붙은 시체의 새하얀 살이 드러났다. 쿠앙가는 루비를 하나씩 떼어, 바로 뒤에 서 있던 홈 피토스에게 건넸다. 탐욕스러운 눈빛을 반짝이던 피토스는 황홀감에 침까지 흘려가면서 미리 준비해 온, 얼룩무늬 도마뱀 가죽으로 만든 커다란 행낭에 루비들을 조심조심 집어넣었다.

마지막 루비까지 떼어내자, 쿠앙가는 어의에 점성학적인 또는 신성한 의미를 띠는, 기묘한 무늬와 기호로 장식된 다른 보석들을 살피기 시작했다. 그런데 이때, 보석에 정신이 팔려 있던 쿠앙가와 홈 피토스는 뭔가 쪼개지는 듯한 커다란 굉음에 이어 무수한 유리 조각들이 부서져 떨어지는 소리에 화들짝 놀랐다. 뒤돌아보니, 동굴 천장에서 거대한 고드름이 떨어진 것이었다. 고드름의 끝이 정확하게 겨눈 것처럼 아이부르 츠산스의 두개골에 꽂혔고, 츠산스는 뇌수가 흘러나오는 머리에 고드름 파편이 깊숙이 박힌 채로 얼음 잔해 사이에 널브러져 있었다. 그는 무슨 일이 벌어졌는지도 모르고 즉사하였다.

여름이라 거대한 고드름이 조금씩 녹고 있었으니 이 사고는 자연적인 결과로 보였다. 그러나 크게 놀라고 당황한 쿠앙가와 홈 피토스는 정상적이거나 논리적인 것과는 거리가 먼 또 다른 상황에 주목할 수밖에 없었다. 루비를 떼는 동안, 그러니까 두 사람이 온통 그 일에만 집중하고 있는 동안, 동굴의 폭이 원래보다 절반으로 좁아졌을 뿐만 아니라, 천장도 낮아져서 고드름이 마치 커다란 아가리의 우적거리는 이빨처럼 그들의 머리에 닿을락 말락 내려와 있었던 것이다. 동굴 안은 더 어두워졌고, 빛이라고는 두꺼운 빙원 밑의 북극해에 스며드는 햇빛 정도에 불과하였다. 바닥의 경사도 더욱 가팔라져서 금방이라도 밑 빠진 지하로 곤두박질칠 것만 같았다. 두 사람은 멀리, 황당하리만큼 멀리 위쪽에서 여우굴 정도로 작게 보이는 출입구를 바라보았다.

한순간 그들은 얼어붙었다. 동굴의 변화를 도무지 그럴듯하게 설명할 길이 없었다. 상황이 이렇다 보니, 이 두 명의 하이퍼보리아인들은 지금까지 무시해 왔던 미신적인 공포가 냉습한 파도처럼 한꺼번에 밀려오는 걸 느꼈다. 그들은 오랜 전설에서 빙하에 깃들었다고 했던 불길하고 사악한 힘, 그 의식적이고도 강한 적의를 더는 부정할 수 없었다.

위험을 알아채고 공황상태에 빠져 다급해진 두 사람은 경사를 오르기 시작했다. 홈 피토스는 허리띠에 매단 무거운 금화 자루뿐만 아니라 루비로 불룩해진 행낭까지 챙겼다. 쿠앙가도 단도와 곡괭이를 챙길 만한 정신은 남아 있었다. 그러나 겁에 질려 서두른 나머지, 어느 누구도 남은 금화 자루, 그러니까 아이부르 츠산스 옆 흩어진 고드름 조각 밑에 깔려 있던 자루 하나를 가져가진 못하였다.

불가사의하게 좁아지던 동굴과 섬뜩하고도 불길하게 내려앉던 천장, 언뜻 보기에 이런 움직임이 멈춘 것 같았다. 아무튼 하이퍼보리아인들이 필사적으로 출입구를 향해 올라가는 동안에는 동굴에 변화가 계속되는 조짐을 보진 못하였다. 금방이라도 덮칠 것만 같은 무시무시한 고드름 이빨을 피하기 위하여 곳곳에서 몸을 웅크려야만 했다. 그들이 신고 있는, 거친 호랑이 가죽의 반장화로도 오싹한 경사에 발을 딛고 지탱하기가 어려웠다. 미끄러운 기둥 모양의 물체에 의지해 몸을 지탱하기도 했고, 앞장선 쿠앙가가 곡괭이로 임시 발판을 깎아야 하는 경우도 많았다.

홈 피토스는 너무도 겁에 질린 나머지 기본적인 사고력마저 잃은 상태였다. 반면에 쿠앙가는 경사를 오르는 동안에도 지금까지 자신이 두루 경험한 자연현상과는 다른 동굴의 괴상한 변화에 대해 곰곰이 생각하고 있었다. 동굴의 면적과 바닥의 경사도를 애초에 잘못 계산한 것이라고 스스로 믿고 싶었다. 그러나 부질없었다. 그런 생각을 하고 있는 순간에도 그의 이성에 어긋나는 상황과 직면해 있었으니 말이다. 그가 알고 있는 세상의 일면을 비현실적이고도 섬뜩한 광기로 왜곡해 버리는 이 상황, 그의 눈앞에서 지금 세상의 섭리와 악의적인 혼돈이 뒤엉키고 있었다.

광적이고 끈질긴 악몽의 곤경으로부터 탈출하듯이 기나긴 등반이 끝나가면서 동굴 입구가 가까워졌다. 날카롭고 묵직한 얼음 이빨 밑으로 사람 한 명이 기어서 간신히 빠져나갈 수 있는 공간이 있었다. 쿠앙가는 거대한 괴물의 이빨처럼 가까이 다가와 있는 고드름에 거의 스치듯 꿈틀거리며 동굴의 입구를 빠져나갔는데, 그 모습이 민망할 정도로 재빨랐다. 불현듯 뭔가가 잡아끄는 느낌이 들었고, 한순간 올 것이 왔구나 하는 강한 공포에 사로잡혔다. 그런데 알고 보니, 어깨에서 벗어두는 걸 깜박했던 활과 화살통이 고드름에 걸린 것이었다. 뒤에 남은 홈 피토스가 공포와 초조 속에서 종잡을 수 없는 말을 지껄여대는 동안, 쿠앙가는 거꾸로 기어가서 거치적거리는 무기들을 빼냈다. 그리고 이번에는 곡괭이를 앞쪽으로 놓고, 다시금 좁은 입구를 통과하기 시작했는데, 전보다는 수월하게 움직일 수 있었다.

쿠앙가가 탁 트인 빙원으로 올라왔을 때, 뒤따라오던 홈 피토스가 불룩한 허리띠 때문에 통로에 꽉 끼여서는 미친 듯이 비명을 질렀다. 피토스는 루비 행낭을 움켜쥔 오른손을 동굴 밖으로 내밀고 있었다. 그러고는 고약한 얼음 이빨이 자기를 깨물어 죽이려 한다는 둥 횡설수설 고함을 계속해서 질러댔다.

사냥꾼은 무시무시한 공포에 기가 꺾이긴 했어도 돌아가서 홈 피토스를 도와줄 만한 용기는 아직 있었다. 그가 곡괭이로 거대한 고드름들을 후려치려는 순간, 보석상의 고통스러운 비명에 이어서 빠드득하는 기분 나쁜 소리가 들려왔다. 고드름 이빨들이 움직이는 것 같지 않았는데도 불구하고 쿠앙가는 그것들이 동굴 바닥까지 내려와 있는 것을 보았다. 홈 피토스의 몸은 고드름 이빨에 차례차례 찔렸고, 나중에는 조금 뭉툭한 이빨에 아예 짓뭉개져서는 포도즙 짜는 통에서 나오는 붉은 연기처럼 얼음 위에 피를 뿜었다.

쿠앙가는 자신의 감각을 의심하였다. 눈앞에서 벌어진 광경이건만 도저히 있을 수 없는 일이었다. 동굴 입구의 위쪽 둔덕에는 그 끔찍한 고드름 이빨들이 내려왔을 법한 틈이나 균열 같은 건 없었다. 이 기상천외하고 극악무도한 일은 그의 눈앞에서 일어났으나 제대로 보기에는 너무도 후딱 지나가버렸다.

홈 피토스를 도와줄 방법은 없었다. 오싹한 공황 상태에 빠져버린 쿠앙가는 피토스를 돕겠다고 그곳에 잠시라도 더 남아 있고 싶지 않았다. 그러나 동굴 밖으로 뻗어 있던 죽은 보석상의 손에서 행낭을 발견하자, 공포와 뒤섞인 탐욕의 충동으로 그것을 낚아채버렸다. 그러고는 뒤 한 번 돌아보지 않고 낮게 떠 있는 태양을 향해 빙원을 부리나케 달려갔다.

잠시 달리는 동안, 쿠앙가는 동굴의 변화만큼 불길하고 사악한 변화가 빙원에서 일어나고 있다는 걸 눈치채지 못했다. 현기증을 일으키는 충격적인 공포와 함께 그가 깨달은 것은 그 자신이 길고도 무섭게 기울어진 비탈 위를 기어오르고 있다는 사실이었다. 태양은 이상하리만큼 아득히 먼 곳에 있었고, 외계 행성에서 바라보듯 작고 차가웠다. 하늘도 달랐다. 여전히 구름 한 점 없긴 했으나, 기이하게도 창백했다. 살기랄까, 거대하고 등골이 오싹한 악의랄까, 이런 음침한 기운이 공기 중에 가득하여 인큐버스처럼 쿠앙가를 짓누르려 하였다. 무엇보다 가장 무서웠던 것은 자연법칙의 의도적이고 악의적인 교란을 증명하듯이 평평했던 빙원이 아찔할 정도로 극지를 향해 기울어져 있는 것이었다.

쿠앙가는 천지 만물이 미쳐버렸고, 그 자신은 불경한 외계의 심연에서 온 악마의 손아귀에 방치된 거라고 생각하였다. 위태롭게 발을 디디고 비틀비틀 힘겹게 위로 올라가는 내내, 언제든 미끄러져서 끝을 알 수 없는 북극의 구덩이 속으로 떨어져버릴 것 같아 매순간 두려웠다. 마침내 용기를 내어 발길을 멈추고, 깎아 세운 듯한 내리막을 확인하려고 슬쩍 뒤돌아보았는데, 뜻밖에도 그가 지금 오르고 있는 오르막과 모든 면에서 비슷한 비탈이 버티고 있었다. 비스듬한 빙벽이 또 다른 태양을 향해 끝없이 솟구쳐 있으니, 이건 광기였다.

이 기이한 대혼란 속에서 쿠앙가는 마지막 남은 평정심마저 잃어버린 것 같았다. 지금까지 그를 저버린 적이 없는 방향감각을 되찾기 위하여 기를 쓰는 동안, 마치 세상이 뒤집히기라도 한 것처럼 빙하가 그의 주변에서 빙빙 돌다가 곤두박질쳤다. 사방 어디에나, 끝없는 빙벽 위에서 작고 희미한 가짜 태양들이 그를 조롱하고 있었다. 그는 망상처럼 뒤죽박죽인 세상에서 또다시 절망의 등반을 시작하였다. 동쪽인지 서쪽인지 혹은 남쪽 아니면 북쪽인지, 자기가 어느 쪽으로 가고 있는지도 모른 채.

돌풍이 빙하를 휩쓸며 내려왔다. 바람은 비웃는 악마들의 무수한 목소리처럼 쿠앙가의 귓전에 대고 악을 썼다. 그것은 깨지는 얼음의 날카로운 소리처럼 신음했고 웃었고 울었다. 그것은 심술궂은 손가락처럼 그를 잡아 뜯었고, 그가 고통스럽게 헐떡거리는 호흡을 빨아들였다. 두툼한 옷을 입었고 모질게 속력을 올려 올라가고 있음에도 불구하고, 뼛속까지 스며들어 잘근잘근 씹어대는 듯한 돌풍의 매서움은 가시지 않았다.

계속 올라가는 동안, 매끈하던 얼음이 기둥과 피라미드처럼 솟아 있거나 아니면 그보다 더 해괴한 형태를 띠고 있었다. 악의를 지닌 거대한 반면상(半面像)들이 청록색 수정 눈알로 그를 흘겨보았다. 상스러운 악마의 흉악한 머리들이 오만 가지 인상을 쓰고 있었다. 일어선 용들이 가파른 비탈을 따라 몸을 비틀고 있거나 깊은 크레바스 속으로 가라앉아 얼어붙어 있었다.

얼음이 만들어내는 이 가상의 형태 외에도, 쿠앙가가 본 것은 혹은 봤다고 생각한 것은 얼음 속에 갇혀 있는 인간의 육신과 얼굴 들이었다. 얼음 속 깊은 곳에서 창백하고 흐릿한 손들이 그를 향해 애원하듯 뻗어 있었다. 그리고 과거에 실종된 사람들의 서릿발 선 눈동자를 본 것도 같았다. 그들의 팔다리는 고문을 당하는 것처럼 기이한 자세로 굳어 있었다.

쿠앙가는 이제 아무런 생각도 할 수 없었다. 귀를 먹게 하고 눈을 멀게 하는, 이성보다도 더 오래된 원시의 공포들이 그의 정신을 격세유전의 암흑으로 채워버렸다. 공포는 짐승을 사냥하듯 그를 무자비하게 내

몰았고, 진짜가 아닌 악몽의 비탈에 그가 잠시 멈춰 서거나 쓰러지게 내버려두지도 않았다. 생각할 수 있는 것은 단 하나, 탈출은 불가능하다는 것이었다. 얼음은 살아서 의식을 지닌, 악랄하기까지 한 괴물이었다. 이 얼음 괴물은 황당무계한 애니미즘을 통하여 계획해 놓은 잔인하고도 기괴한 게임을 하고 있을 뿐이었다. 그는 정말 사고력을 상실한 것 같았다. 이런 생각이 드는 걸 보니…….

희망을 잃어가던 쿠앙가는 갑작스럽게 빙하의 끝에 다다랐다. 꿈을 꾸고 있는데 자기도 모르게 갑자기 꿈이 바뀐 것 같았다. 어리둥절해진 그는 빙벽 아래 남쪽으로 펼쳐진 익숙한 하이퍼보리아의 계곡과 동남쪽 언덕 뒤에서 까맣게 연기를 뿜어내는 화산들을 물끄러미 쳐다보았다.

동굴에서 탈출하기까지 극지의 기나긴 오후가 거의 다 지나가버렸고, 태양은 벌써 지평선 가까이 내려가고 있었다. 가짜 태양은 사라졌고, 어마어마한 눈속임처럼 빙원은 다시금 수평으로 펼쳐져 있었다. 만약 그가 자신의 인상들을 비교할 수 있었더라면, 이 당혹스럽고도 초자연적인 변화를 보이는 빙하 앞에서 그리 놀라지는 않았을 터이다.

쿠앙가는 감쪽같이 사라지는 신기루를 대하듯 미심쩍은 눈빛으로 발아래 풍광을 찬찬히 살펴보았다. 어느 모로 보나 그와 보석상들이 본격적인 파멸의 여정으로 접어들었던 빙원의 초입이 분명하였다. 앞쪽의 완만한 내리막에서 시냇물이 수풀 우거진 초원 쪽으로 흘러가고 있었다. 혹시나 눈앞의 광경이 말짱 허상이고 진짜가 아닐지도 ─ 잔인하고도 전능한 악마일지 모르는 빙하가 새로 계획한 정교하고 기만적인 함정일지도 ─ 모른다는 두려움에 쿠앙가는 내리막을 다급하게 뛰어내려갔다. 발목까지 쑥 들어가는 커다란 석송 군집 한가운데 서서 잎이 무성한 주변의 버드나무와 사초를 보고 있을 때조차 자신이 탈출에 성공했음을 확신하지 못했다.

그는 불쑥 솟구치는 돌연한 공포에 여전히 쫓기고 있었다. 역시나 까닭 없이 솟구치는 원시적인 본능에 이끌려 화산으로 향하였다. 본능은 화산 주변에서 이 혹독한 북방의 추위를 피할 수 있는 피신처를 찾게 될 거라 말하고 있었다. 그리고 그곳이라면 빙하의 극악무도한 간계를 무사히 피할 수 있을 거라고. 그는 이 화산들의 지하에서 비등천[26]이 끊임없이 흐르고, 거대한 간헐천이 지옥의 가마솥처럼 부글부글 끓어오르며 더 높은 곳의 골짜기들을 뜨거운 폭포수로 채운다는 소문을 들은 적이 있었다. 하이퍼보리아를 휩쓸고 온 눈발도 이 화산 근처에서 부드러운 빗방울로 변한다고 하였다. 그리고 예전엔 이 지역 전체에 퍼져 있었으나 지금은 보기 드문, 짙고 화려한 색깔의 식물들이 계절마다 무성하게 자란다고도 하였다.

쿠앙가는 골짜기 초원에서 키 작은 버드나무에 묶어두었던 작고 텁수룩한 말들을 발견하지 못하였다. 어쩌면 그 골짜기가 아닌 것 같았다. 아무튼, 말들을 찾느라 도주의 고삐를 늦추진 않았다. 위협적인 빙하를 겁에 질려 한 번 뒤돌아본 후로는 머뭇거리거나 시간을 끌지 않고 곧장 연기를 뿜고 있는 화산으로 출발하였다.

낮게 내려앉은 태양이 남서쪽 지평선을 하염없이 따라가면서, 성가퀴 같은 빙하와 구불구불한 주변 풍경에 연한 자수정 빛을 퍼부었다. 체력이 강하고 장거리 도보에 능한 쿠앙가는 끈질긴 공포심을 억눌렀고, 북부 여름의 길고도 영묘한 색조를 띠는 황혼에 조금씩 마음을 열었다.

그는 도망치는 과정에서 활과 화살통뿐만 아니라 곡괭이까지 계속 지니고 있었다. 묵직한 루비 행낭도 본능적으로 품속 깊숙이 보관해 두었다. 그는 옷 속에 넣어둔 루비를 까맣게 잊고 있었고, 루비의 얼음 껍데기가 녹아서 도마뱀 가죽의 행낭 밖으로 새어 나온 물방울이 뚝뚝 떨어지는 것조차 눈치채지 못하였다.

무수한 계곡 중에서 하나를 지나는 동안, 튀어나온 버드나무 뿌리에 발부리가 걸려 쓰러졌는데, 이때 손에 든 곡괭이를 놓쳐버렸다. 일어선 그는 곡괭이를 도로 집어 들지 않고 내처 달려갔다.

어둑해지는 하늘을 배경으로 화산의 불그스름한 빛이 또렷해지기 시작했다. 쿠앙가가 계속 가는 동안, 그 빛은 더욱 밝아졌다. 그토록 갈구했던 불가침의 피난처에 가까워졌다는 생각이 들었다. 초인적인 시련에 심신이 지칠 대로 지치고 의기소침해졌으나, 그래도 마지막엔 그 빙마(氷魔)로부터 탈출할 수 있겠다는 생각이 들기 시작했다.

그때까지 잊고 있었던, 극심한 갈증으로 갑자기 목이 타는 것 같았다. 낮은 골짜기 한 곳에서 마지못해 발길을 멈추고, 가장자리에 꽃들이 피어 있는 개울에서 물을 들이켰다. 그러자 알게 모르게 누적됐던 피로가 한꺼번에 밀려오는 바람에 잠시 쉴 요량으로 황혼에 물든 새빨간 양귀비 사이에 벌렁 누웠다.

눈꺼풀에 부드럽고 묵직한 눈이 쌓이듯, 잠이 쏟아졌으나 그를 조롱하는 냉혹한 빙하로부터 헛되어 도망치는 악몽에 금세 깨고 말았다. 식은땀을 흘리고 몸서리를 치면서 싸늘한 공포 속에서 잠을 깬 그는 은은한 홍조가 서서히 사라져가는 북녘 하늘을 바라보았다. 거대하고 단단하며 악의적이고 육중한 그림자 하나가 지평선을 따라 움직이면서 낮은 산들을 건너뛰더니, 그가 누워 있는 계곡 쪽으로 다가오는 것 같았다. 굉장히 빨랐다. 게다가 마지막 햇빛마저 얼음 속에 갇힌 것처럼 싸늘하게 사라지는 것 같았다.

그는 오랜 탈진으로 뻣뻣해진 몸을 힘겹게 일으켜 세웠다. 선잠의 악몽이 아직도 어리마리 공포와 뒤섞이고 있었다. 이런 상태에서 한순간 광기 어린 패기가 치솟자, 하늘을 배경으로 금방이라도 코앞까지 다가올 것 같은 그 거대하고 냉혹한 무형의 그림자를 향하여 화살통이 빌 때까지 마구 화살을 쏘아댔다. 그는 화살을 다 쏘고 나자 또다시 무턱대고 도망치기 시작했다.

달리는 동안에도 골짜기를 가득 메우고 있는 갑작스럽고도 극심한 냉기에 온몸이 떨렸다. 그는 가까이 와 있는 공포를 느꼈고, 막연히 냉기 어딘가에 유해하고 비정상적인 뭔가가, 요컨대 장소와 계절에 어울리지 않는 뭔가가 있다는 느낌을 받았다. 이글거리는 화산들이 아주 지척이어서 곧 있으면 화산 외곽의 언덕에 도착할 터였다. 그렇다면 주변의 공기가 따뜻하진 않더라도 차갑진 않아야 했다.

느닷없이 주위가 어두워졌고, 그 어둠 한복판에서 정체 모를 청록색이 반짝였다. 그는 순간적으로 길목을 막고 거대하게 일어서서 별빛과 화산의 번쩍임을 가리는 무형의 그림자를 보았다. 곧이어 그림자가 태풍에 쫓기는 증기의 소용돌이처럼 그를 휘감더니 살을 에는 냉기를 가차 없이 퍼부었다. 그것은 유령 얼음 같았다. 쿠앙가는 빙하 무덤 속에 매장된 것처럼 눈앞이 안 보였고 숨이 막혀왔다. 지금까지 경험하지 못한 극지의 혹독한 냉기, 그것은 견딜 수 없게 뼛속에 파고들었고, 이내 온몸의 감각이 사라지기 시작했다.

그의 주변으로 더욱 촘촘해지고 짙어진 청록색 어둠 속에서 육중한 얼음 맷돌을 가는 것처럼 고드름 떨어지는 소리가 희미하게 들려왔다. 사악하고 무자비한 빙하의 영혼이 도망치는 쿠앙가를 끝내 붙잡은 모양이었다. 그는 몽롱해지는 공포 속에서 몇 번이고 뻣뻣하게 몸부림쳤다. 그러다가 막연한 충동에 이끌려, 복수의 신에게 비위를 맞추듯이, 한참 동안 힘겨운 동작으로 옷 속에서 루비 행낭을 꺼내고는 힘껏 집어 던졌다. 떨어진 행낭에서 가죽끈이 풀렸고, 아주 먼 곳에서 들려오는 것처럼 아득하게 루비들이 단단한 표면을 구르며 흩어지는 소리가 났다. 곧이어 그는 깊은 망각에 휩싸였고, 자신이 쓰러지는 줄도 모른 채 뻣뻣하게 고꾸라졌다.

아침이 되자 쿠앙가는 뻣뻣하게 언 채로 작은 냇가에서 발견되었다. 얼굴은 마치 거대한 빙마의 발자국에 까맣게 짓눌린 듯 양귀비 무리 속에 처박혀 있었다. 한가로운 실개천이 모여 만든, 근처의 웅덩이는 얇은 얼음으로 덮여 있었다. 그리고 그 얼음 위에 얼어붙은 핏방울처럼 할로 왕의 루비들이 흩어져 있었다. 남쪽으로 서서히 또 완강히 움직이는 거대한 빙하가 적당한 때를 기다려 루비의 소유권을 주장할 터이다.

---

26) 비등천(沸騰泉): 지하의 높은 열로 온천수가 끓어오르는 것을 말하는데, 주로 화산 지대의 온천에서 발견된다.

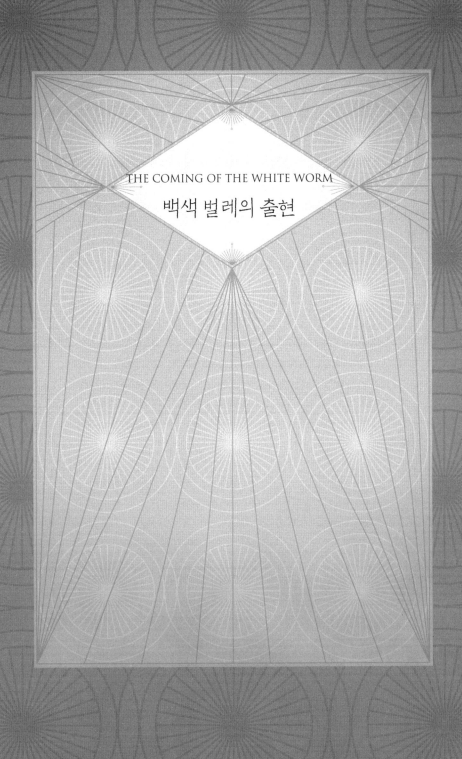

THE COMING OF THE WHITE WORM

백색 벌레의 출현

작품 노트

1933년 완성, 1941년 4월《스털링 사이언스 스토리스》에 실렸다.

스미스의 걸작 상당수가 그러했듯이, 이 작품 역시 잡지들의 잇따른 거절을 거치면서 오랫동안 발표 지면을 확보하지 못했다. 특히 이 작품이 완성되고 발표되기까지 스미스의 삶과 문학에 전성기와 더불어 결정적인 좌절이 찾아들었다. 이 작품은 1938년 11월에야《위어드 테일스》의 편집장 판즈워스 라이트로부터 연락이 와 발표의 기회가 마련되는 듯싶었다. 그러나 이때는《위어드 테일스》의 3인방이었던 로버트 E. 하워드, 러브크래프트, 스미스의 양친까지 모두 세상을 뜬 후였고, 스미스는 깊은 실의와 좌절에 빠져 있었다. 1938년 말에《위어드 테일스》의 새 운영자가 된 윌리엄 딜레이니가 편집장을 유임하겠다는 약속과는 달리 이듬해 초에 라이트를 해고하면서 「백색 벌레의 출현」은 또다시 출간 기회를 잃었다. 지인과 가족의 연이은 죽음으로 이미 창작의 동력을 잃어버린 스미스에게 딜레이니의 운영 방침은 전혀 호의적인 것이 아니었다.《위어드 테일스》를 사들인 딜레이니는 "위어드 테일스는 계속 위어드(위어드 픽션)를 고수한다."라는 제하의 한 잡지사 인터뷰에서 몇 가지 작품 선별 기준을 내세웠다. 요약하면, '아주 혐오스러운' 내용 사절, '등장인물이 (영어 외에) 불어, 독일어, 라틴어 등을 계속 사용하고 독자로 하여금 사전을 찾게 만드는' 작품 사절.

결국 이 작품은 탈고한 지 8년이 지나서야 단명한(4호를 넘기지 못한)《스털링 사이언스 스토리스》에 실렸다. 그러나 이마저도 미묘한 표현 상당 부분을 삭제하거나 수정한 뒤에 가능했다. 이후 하이퍼보리아 연작 중에서 각종 선집에 가장 빈번하게 실리는 작품 중 하나가 되었다.

「백색 벌레의 출현」은 스미스 작품 중에서도 특히 문체가 치밀하면서 고풍스러운 작품으로 꼽힌다. 구성은 아베르와뉴 연작에 등장했던 가스파르 뒤 노르가 번역한 가상의 책『에이본의 서』제4장이라는 뼈대를 취하고 있다. 이로써 러브크래프트의『네크로노미콘』, 로버트 E. 하워드의『이름 없는 의식』그리고 스미스의『에이본의 서』라는《위어드 테일스》의 3대 금서가 구체화된 셈이다.

스미스의 원래 작풍을 고려해도 구성과 전개가 복잡한 편에 속한다. 그러나 이 작품이 여러 잡지들로부터 거절당한 이유는 시적인 언어 때문이었다.

1944년 스미스는 덜레스에게 보낸 편지에서 "내가 러브크래프트의 신들을 간헐적으로 언급하고, 종종 명칭을 약간씩 바꾸는데 (이를테면, '요그-소토스'를 '아이오그-소토트'로, '크툴루'를 '크툴루트'로) 대부분은 기괴한 유머를 사용하여 러브크래프트의 그것과는 퍽 다릅니다. 그러나 「백색 벌레의 출현」 같은 작품은 크툴루 신화의 직접적인 연장선 위에 있다고 할 수 있습니다."라고 밝혔다.

(『에이본의 서[27]』제4장)
가스파르 뒤 노르의 오래된 불어 원고를 바탕으로 작성함.

　보레아 해 인근에 사는 마법사 에바흐는 한여름치고는 이상하고도 불길한 조짐들을 알아챘다. 뮤 둘란의 얼음처럼 깨끗한 무채색 창공에서 태양이 싸늘하게 빛났다. 저녁에는 저 높이 신들의 방에 늘어진 벽걸이 천처럼 오로라가 하늘에서 땅까지 드리워졌다. 에바흐의 집 뒤편, 으슥한 골짜기에 핀 양귀비는 시들어 눈에 잘 띄지 않았고, 아네모네도 그 수가 줄었다. 에바흐의 담장을 두른 정원에선 과실들이 껍질은 창백했고 속은 아직 퍼렇게 설익어 있었다. 더구나, 매일 낮이면 제철이 아님에도 엄청난 수의 새 떼가 뮤 둘란 너머에 가려진 군도를 떠나 남쪽으로 날아갔고, 밤이면 또 다른 새들이 크게 무리를 지어 지나가며 괴로이 울었다. 에바흐는 요란한 바람과 울부짖는 파도에 실려, 영원한 겨울의 땅에서 들려오는 기이한 속삭임들에 언제나 귀를 기울이고 있었다.

에바흐의 집 아래쪽 항구에 사는 무무한 어부들이나 에바흐 본인이나 근심스럽기는 매한가지였다. 모든 마법을 통달한 대가로서 또 먼 곳과 미래의 일들을 내다보는 예지자로서 에바흐는 이 이상한 조짐들의 의미를 알아내고자 자신의 능력을 다 동원했다. 그러나 낮에는 하루 종일 구름이 그의 시야를 가렸고, 꿈속에서 실마리를 찾으려고 할 때면 어둠이 그를 방해하였다. 더없이 영묘한 그의 점성술 또한 쓸모가 없었다. 동료 마법사들은 침묵하지 않으면 애매하게 말하였다. 이렇다 보니, 그의 흙 점과 물 점과 예언에는 혼란만 가중되었다. 에바흐의 입장에선, 미지의 힘이 지금껏 누구도 이기지 못한 마술로 그를 조롱하고 무력하게 만드는 것 같았다. 그는 마법사의 직감으로 그 힘이 사악한 것이며 그 전조가 인간에게 재앙임을 알았다.

한여름 동안, 어부들은 날마다 엘크 가죽과 버드나무로 만든 배를 타고 그물을 던졌다. 그러나 열기 때문인지 아니면 혹한 때문인지는 몰라도 무참하게 죽은 물고기들이 그물에 걸렸다. 게다가 가장 나이 든 선장들도 본 적이 없는 괴물체들까지 그물에 딸려 왔다. 이를테면, 세 개의 머리와 꼬리와 지느러미가 달린 무시무시한 괴물, 일정한 형태가 없이 고약한 액체로 바뀌어 그물에서 빠져나간 검은색 생명체, 머리가 없이 부푼 달처럼 생겨서 주변으로 초록색의 싸늘한 빛을 내는 생명체, 눈알은 비늘로 덮이고 털은 끈적끈적한 점액질로 덮인 뭔가에 이르기까지.

얼마 후, 세른고스에서 출항한 배들이 북극의 군도 사이를 지나곤 하는 북쪽 수평선으로부터 갤리선 한 척이 되는대로 노를 젓고 키를 잡으면서 떠내려왔다. 이 갤리선은 조수에 밀려 마을 어선들 사이로 들어왔는데, 당시엔 어부들이 더는 바다에 나가지 못하고 절벽 가 에바흐의 집 아래 모래사장에 어선들을 올려놓은 상태였다. 놀라고 궁금해진 어부들이 갤리선 주변으로 몰려들었을 때, 노잡이는 아직 노를 잡고 선장은 아직 키를 잡고 있었다. 그러나 갤리선 선원들의 얼굴과 손은 전부 뼈다귀처럼 뻣뻣했고, 나환자의 살처럼 희었다. 뜨고 있는 눈에서 눈동자의 색이 옅어져, 흰자위와 구별이 되지 않았다. 이 눈동자에서는 바닥까지 빠르게 얼어붙은 깊은 웅덩이의 얼음처럼 완전한 공포가 비쳤다. 나중에 에바흐가 내려와 갤리선의 선원들을 살펴보고서 이 불가사의한 일에 대해 골똘해졌다.

어부들은 그 시체들에 손대기를 저어하면서 바다에 죽음이 내리고 바다 생물과 사람들에게 저주가 내렸다고 투덜거렸다. 그러나 에바흐는 시체들이 햇볕에 썩을 터이고 전염병의 근원이 될 수 있기에 갤리선 주위에 장작을 쌓으라고 지시하였다. 이윽고 갤리선보다 더 높이 장작이 쌓이자, 에바흐는 죽은 노잡이들을 보지 않으려 시선을 피하며 손수 배를 태웠다.

불길이 솟구쳤고, 먹구름처럼 검은 연기가 바람에 실려 절벽 가 에바흐의 높은 집을 지나갔다. 그런데 나중에 불길이 잠잠해지고 보니, 노잡이 시체들은 잿더미 사이에 그대로 앉아 있었다. 시체들의 팔은 노를 젓는 자세로 쭉 뻗어 있었고, 손가락은 잔뜩 우그리고 있었다. 다만, 노는 불에 타 잿더미로 떨어져 있었다. 한편, 갤리선의 선장은 원래의 자리에 똑바로 서 있었다. 키는 타버려 그의 옆에 떨어져 있는데도 말이다. 대리석 같은 시체들에서 타버린 것이라고는 옷밖에 없었다. 시체들은 나무가 타고 남은 잿더미 위에서 달빛 머금은 대리석처럼 하얗게 빛나고 있었다. 시체 어디에도 불에 탄 검댕조차 없었다.

이것을 좋지 않은 기적으로 여긴 어부들은 혼비백산하여 다급히 가장 높은 바위 위로 도망쳤다. 마법사 에바흐와 그의 마법을 자주 목격하여 불가사의한 광경에 익숙했던 두 명의 하인, 즉 라타라는 소년과 아히리디스 할멈 이렇게 세 명만 그 자리에 남아 있었다. 이렇게 두 명의 하인 곁에서 마법사는 남은 불씨가 꺼지기를 기다렸다.

불씨는 곧 꺼졌다. 그러나 연기는 정오와 오후 나절 내내 피어올랐다. 해 질 무렵이 가까워졌을 때도 사람이 밟고 다니기에는 재가 아직 뜨거웠다. 에바흐는 하인들에게 항아리로 바닷물을 길어 와 재와 타다 남은 나무에 뿌리게 하였다. 연기와 치직거리는 소리가 사라진 후, 그는 창백한 시체들을 향해 다가갔다. 시체에 가까이 가자, 북극의 얼음에서 뿜어지는 듯한 엄청난 냉기가 느껴졌다. 손과 귀를 얼얼하게 만든 냉기는 모피 망토의 속까지 파고들었다. 그래도 더 가까이 가서 시체한 구를 집게손가락으로 건드려보았다. 살짝 건드렸다가 뗐는데도 불에 덴 것처럼 손가락이 화끈거렸다.

에바흐는 크게 놀랐다. 지금껏 그런 시체는 처음이었다. 마법의 지식을 총동원해 봤으나 짚이는 게 전혀 없었다. 시체들이 주술에 쐰 것 같았다. 창백한 극지의 악마들 아니면 달의 차가운 마녀들이 눈 동굴 속에서 만들어낸 마법 같았다. 이 마법이 망자 외에도 효과를 발휘할지 모르니, 속히 돌아가는 편이 좋을 듯하였다.

밤이 되기 전에 집으로 돌아온 에바흐는 출입문과 창문마다 북방의 악마들을 상대하는 데 가장 효과적인 수액을 태웠다. 그리고 악귀가 들어올 수 있는 구석마다 자신이 부리는 영(靈)들을 하나씩 세워 침입을 막게 하였다. 라타와 아히리디스가 잠든 동안, 에바흐는 강력한 퇴마술이 다수 포함되어 있는 프놈의 글을 찬찬히 읽어 내려갔다. 그러나 마음의 위안 삼아서 그 붉은색 고어들을 되풀이해 읽는 동안, 리스의 이 예언자가 한 말 그러니까 어떤 인간도 의미를 알아낸 적이 없는 그 말이 불길하게 떠올랐다.

"극도로 추운 곳에서 살고, 아무도 숨 쉴 수 없는 곳에서 숨을 쉬는 자가 있다. 머잖아 그가 인간의 섬과 도시 한복판에 출현하리라. 그가 올 제, 그의 거주지에서 잠들었던 백색 운명의 바람도 더불어 오리라."

굵은 소나무와 테레빈유로 방 안에 불을 지폈음에도 밤이 깊어갈수록 살을 에는 추위가 공기 중에 스며드는 것 같았다. 에바흐가 불편한 기색으로 프놈의 양피지 문서에서 고개를 들어 아직 생생하게 타오르는 불길을 바라보고 있노라니, 거센 바람에 실려 바닷새의 섬뜩한 울음소리와 부질없이 날개를 퍼덕이는 가금류의 울부짖음 그리고 그 어떤 소리보다도 시끄러운 악마의 웃음소리가 들려왔다. 북풍이 에바흐의 정사각형 저택을 무지막지하게 후려갈겼다. 새들은 추풍낙엽처럼 날리어, 튼튼한 창가에 부딪쳤다. 악마들이 저택의 화강암 담장을 잡아 뜯는 것 같았다. 방문은 물론이고 창문까지 꼭 닫혀 있었음에도 방 안에 맴돌던 차가운 돌풍이 에바흐가 앉아 있던 탁자를 휘감더니 그의 손에서 프놈의 양피지 문서를 낚아채고 램프의 불꽃을 잡아당겼다.

에바흐는 멍해진 머리로 북방의 악령들에게 가장 효과적으로 대항하는 주문을 떠올리려고 했으나 헛수고였다. 그런데 기이하게도 바람이 잠잠해지는 것 같더니 저택 주변에 정적이 흘렀다. 차가운 돌풍도 방에서 사라져서 램프와 난로의 불길이 안정이 되자, 따스한 기운이 반쯤 얼어붙은 에바흐의 몸속으로 서서히 돌아왔다.

그는 곧 창문 너머에서 뒤늦게 떠오르는 달처럼 반짝이는 빛을 보았다. 그러나 이맘때 그 시간에 뜨는 달은 초승달이었다. 창문 너머의 빛은 북쪽에서 비추는 얼음의 불처럼 창백하고 차가웠다. 창가로 가보니, 보이지 않는 극지에서 비추는 듯, 온 바다를 건너오는 한줄기의 거대한 광선이 보였다. 그 빛을 받은 바위들은 대리석보다 창백했고, 모래사장은 소금보다 희었으며, 어부들의 오두막은 백색의 무덤 같았다. 담장을 두른 에바흐의 정원에 그 빛이 가득하여, 잎과 꽃은 모조리 녹색을 잃고 눈꽃처럼 희디흰 색을 띠었다. 빛은 저택의 담 아래쪽에 싸늘히 떨어지더니, 에바흐의 방에서 드리워진 그림자 속에 가만히 머물렀다.

에바흐는 그 빛이 수평선 위에 떠 있는 희미한 구름에서 쏟아진 것이거나 밤에 솟구친 흰색 봉우리에서 비추는 것이라고 생각했으나 확신하진 못했다. 빛은 하늘 높이 솟구쳐 있었으나, 어찌 된 영문인지 그의 방 벽을 따라 위까지 비추지는 않았다. 그 의미를 소득 없이 따져보고 있는데, 마법과도 같은 감미로운 목소리가 들려오는 것 같았다. 그 목소리는 그가 모르는 언어로 잠의 주술을 읊었다. 에바흐는 그 주술에 저항하지 못했고, 눈발 속에서 지친 망꾼이 스르르 눈을 감듯 잠의 무감각 속으로 빠져들었다.

새벽녘, 잠들었던 바닥에서 뻣뻣한 몸을 일으킨 에바흐는 이상한 기적을 목격하였다. 지금까지 북쪽을 항해해 온 어떤 선박에서도 본 적이 없는, 하이퍼보리아 도서 벽지를 통틀어 어떤 전설에도 등장하지 않는 빙산 하나가 항구에 우뚝 솟아 있는 것이 아닌가! 빙산은 해안에서 해안까지 이를 만큼 넓었고, 층층이 경사와 계단식 절벽을 지니고 까마득히 솟구쳐 있었다. 빙산의 꼭대기는 에바흐의 저택 상공 저 높은 곳에 탑처럼 매달려 있었다. 그것은 불과 용암을 분출하여 츠코 불파노미를 거쳐 남쪽 바다까지 쇄도하게 만드는 공포의 산, 아코라보마스보다도 높았다. 또 북극지방의 경계를 표시하는 야라크 산보다도 가팔랐다. 그리고 그 빙산으로부터 희미한 빛이 흘러나와, 바다와 육지로 떨어졌다. 무시무시하고도 섬뜩한 빛, 에바흐는 어둠 속에서 본 것이 바로 그 빛이었다는 걸 깨달았다.

에바흐는 차가운 공기 속에서 숨 쉬기조차 힘들었다. 게다가 극한의 냉기를 내뿜는 거대한 빙산의 빛 때문에 눈을 뜰 수 없었다. 그런데 이상한 점은, 그 빛이 직사광선이 아니라 그의 저택 양쪽으로 비스듬히 떨어진다는 것이었다. 그래서 라타와 아히리디스가 잠들어 있는 아래층 방에는 한밤처럼 빛이 닿지 않았다. 저택 전체에는 이른 아침의 햇빛과 그림자만 드리워져 있었다.

내려다보이는 해변에는 모래사장에 놓여 있는 갤리선의 잔해와 그 속에서 타지 않고 남아 있는 백색 시체들이 있었다. 그리고 모래사장과 바위를 따라서 어부들이 뻣뻣하게 굳은 자세로 누워 있거나 똑바로 서 있었다. 그들은 마치 희미한 광선을 보기 위해 피신처에서 빠져나왔다가 마법의 잠에 빠져든 것 같았다. 항구의 해변 전체와 에바흐의 정원 심지어 저택 출입문까지 두터운 서리로 뒤덮여 있었다.

에바흐는 다시금 리스의 예언자가 한 말을 기억해 냈다. 그리고 불길한 예감을 안고 아래층으로 내려갔다. 북쪽 창가에 꼬맹이 라타와 아히리디스 할멈이 얼굴을 빛 쪽으로 향한 채 기대어 있었다. 그들은 휘둥그레진 눈으로 뻣뻣하게 굳은 채 서 있었고, 얼굴엔 창백한 공포가 어려 있었다. 그들에게 찾아온 것은 갤리선 선원들과 마찬가지로 백색 죽음이었다. 그들에게 다가가던 마법사는 그들의 시신에서 뿜어지는 섬뜩한 냉기에 그만 멈춰 섰다.

그는 자신의 마법으로는 속수무책이라는 것을 알고 집에서 도망치고 싶었다. 그런데 이 죽음들의 원인이 빙산에서 나오는 광선과 직접 닿는 것이니, 집을 나간다면, 치명적인 빛에 노출될 거라는 생각이 들었다. 또한, 해변에 사는 사람들 중에서 자기 혼자만 살아남았다는 생각도 들었다. 왜 자기만 예외가 되었는지는 짐작할 수 없었다. 그러나 결국에는, 앞으로 무슨 일이 벌어지든 인내심을 갖고 담대하게 기다리는 것이 최선이라고 생각하였다.

자신의 방으로 돌아온 에바흐는 여러 가지 마법을 준비하느라 바삐 움직였다. 그런데 그가 부리는 영들이 불침번을 서라는 지시를 어기고 구석 자리들을 그냥 내버려둔 채 한밤에 사라져버렸다. 인간의 영이든 악마의 영이든 그 어떤 것도 그의 질문에 대답하지 않았다. 마법사들에게 알려진 기존의 방식으로는 빙산에 대해 혹은 예언에 대해 털끝만치도 그 비밀을 알 수 없었다.

쓸모없는 마법들을 구사해 보던 에바흐는 달의 에테르처럼 공기보다 더 미묘하고 희박한 냉기가 얼굴에 와 닿는 것을 느꼈다. 숨이 막혀서 말할 수 없이 고통스럽더니, 죽음과도 같은 혼절로 바닥에 쓰러지고 말았다. 이 혼절 상태에서 낯선 주문을 외는 목소리들이 어렴풋이 들려왔다. 보이지 않는 손가락들이 그를 만지자 차가운 고통이 밀려왔다. 그리고 그의 주변에서 차디찬 빛이 밀물과 썰물처럼 이리저리 오갔다. 그의 감각으로는 그 빛을 견딜 수 없었다. 빛은 움직이는 간격이 더 짧아지면서 서서히 밝아졌다. 마침내 그의 눈과 피부는 빛에 익숙해졌다. 북쪽 창가를 통해 들어온 빙산의 빛이 그의 온몸에 쏟아지고 있었다. 그리고 거대한 눈동자 하나가 빛 속에서 그를 쳐다보고 있는 것 같았다. 그는 그 눈동자와 마주하기 위해 일어서려고 했다. 그러나 혼절 상태의 마비감이 여전히 그를 사로잡고 있었다.

그 후로 그는 한동안 다시 잠에 빠져들었다. 잠에서 깼을 때, 그의 몸은 평소의 기운과 민첩성을 회복한 상태였다. 그 기이한 빛은 여전히 그를 비추며 방 안에 가득했다. 그리고 그는 또 다른 기적을 목격했다. 정원과 바위와 모래사장이 감쪽같이 사라진 것이다. 그 대신에 집 주변으로 평평한 얼음 공간이 자리 잡았고, 요새의 넓은 성가퀴에 세워진 망루처럼 길고 뾰족한 얼음들이 솟아 있었다. 얼음의 경계선 너머, 아래쪽으로 멀리 바다가 펼쳐져 있었다. 그리고 그 바다 너머로 해변이 어슴푸레 아른거렸다.

이 모든 것이 인간 마법사들의 능력을 뛰어넘는 절대 마법의 결과임을 깨달은 에바흐, 그에게 공포가 몰려왔다. 높은 절벽에 있던 그의 화강암 저택은 지금 뮤 둘란의 해변에 있는 것이 아니라 빙산의 위쪽에 있었다. 그는 부들부들 떨면서 무릎을 꿇고, 지하 동굴 아니면 해저 혹은 현세를 초월한 공간에 거주한다는 올드원[28]들에게 기도했다. 기도를 하는 동안, 저택 문을 두드리는 요란한 소리가 들려왔다.

큰 공포와 불안 속에서 에바흐는 출입문을 활짝 열어젖혔다. 눈앞에 나타난 것은 두 사람 아니 사람을 닮은 생명체였다. 둘 다 얼굴이 이상했고 피부에서 광채가 났으며, 마법사들의 옷차림처럼 룬 문자가 수놓인 옷을 입고 있었다. 룬 문자는 기이하고 낯설었다. 반면에 그중 하나가 하는 말을 듣고 보니 에바흐가 어느 정도 이해할 수 있는 언어, 즉 하이퍼보리아 군도의 방언 중 하나였다.

"우리는 리스의 예언자가 오실 거라 예언한 분을 섬기고 있소. 그분은 떠다니는 요새 즉 이킬스 얼음산을 타고 북쪽의 한계 너머에서 오시어, 인간계의 바다를 항해하면서 차가운 광휘로 하잘것없는 인간들을 끝장내셨소. 그리고 광활한 둘라스크 섬에서 유일하게 우리 둘만 살려주시니, 우리는 그분과 함께 이킬스를 타고 함께 항해해 왔소. 그분은 우리로 하여금 이킬스의 혹한에 단련되게 하셨고, 인간은 숨 쉴 수 없는 공기에서도 숨 쉴 수 있게 하셨소. 그분은 그대의 목숨 또한 구하시어 그분의 마법으로 이킬스가 가는 곳의 추위와 희박한 대기에 적응하도록 하셨소. 이것을 봐도, 에바흐여, 그대는 위대한 마법사외다. 가장 강한 마법사만이 선택되어 살아남기 때문이오."

에바흐는 크게 놀랐다. 그러나 상대방들이 자신과 같은 인감임을 알고 나자, 둘라스크의 마법사들에게 꼬치꼬치 캐묻기 시작했다. 그들의 이름은 두니와 억스 로드한, 둘 다 태고의 신들에 관해 해박했다. 그들이 섬기고 있다는 대상은 르림 샤이코스, 그는 얼음산의 최정상에서 지낸다고 하였다. 그들은 르림 샤이코스의 정체랄까 특징에 대해서는 전혀 언급하지 않았다. 그 존재를 섬기는 일에 대해서는 신을 숭배하는 것과 유사하고, 지금까지 맺어온 인간과의 인연을 완전히 끊는 것이라고만 말하였다. 그리고 에바흐더러 그들과 함께 르림 샤이코스 앞에 나아가, 예정된 복종의 의식을 수행하고, 마지막 외계와의 결연을 받아들여야 한다고 하였다.

에바흐는 두니와 억스 로드한의 안내를 받아, 녹지도 않고 태양 가까이 솟아 있는 빙산 중에서도 가장 높이 돌출한, 거대한 얼음 탑으로 향하였다. 얼음 탑 안쪽은 비어 있었고, 그 속에 나 있는 얼음 계단을 따라 오르자 드디어 르림 샤이코스의 거처가 나타났다. 그곳은 원형의 돔 형태였고, 한복판에 제단의 역할을 하는 둥근 블록 하나가 있었다. 그리고 그 제단 위에 예언자 리스가 모호하게 그 출현을 예고했던 존재가 있었다.

그것을 보는 순간, 에바흐는 겁에 질려서 그만 가슴이 철렁 내려앉았다. 그리고 공포에 이어 엄청난 역겨움과 함께 욕지기가 치밀어 올랐다. 세상에서 가장 역겨운 것이 있다면, 그게 바로 르림 샤이코스였다. 투실투실한 백색 벌레를 닮은 모습. 그러나 덩치가 바다코끼리보다 컸다. 꼬리는 절반이 돌돌 말려 있는데, 그 두께가 몸통만 했다. 제단에서 몸 한쪽을 흰색 원판 모양으로 들어 올렸고, 거기에 얼굴의 윤곽이 희미하게 나타나 있었으나, 지상의 동물과 바다 생물을 통틀어도 그것과 비슷한 얼굴은 없었다. 그리고 원반 한쪽 끝에서 다른 쪽 끝까지 흉하게 나 있는 입은 줄기차게 열렸다 닫혔다 하면서 희끄무레하고 혀도 이빨도 없는 목구멍을 드러냈다. 르림 샤이코스의 눈구멍은 납작한 콧구멍 중간에 서로 가까이 몰려 있었다. 눈구멍에는 눈알이 없는 대신에 잠깐 잠깐씩 핏빛 구체가 나타나 눈알의 형태를 띠었다. 그런데 이 핏빛 구체가 끊임없이 눈구멍을 빠져나와 제단 앞으로 뚝뚝 떨어졌다. 얼음 바닥에는 얼어붙은 핏덩어리처럼 검붉은 두 개의 물체가 석순처럼 올라와 있었으니, 끊임없이 떨어지는 구체들이 이 물체를 만들어내고 있었다.

두니와 억스 로드한은 르림 샤이코스 앞에 엎드렸고, 에바흐는 그들을 따라 하는 게 신상에 이롭겠거니 생각하였다. 얼음 바닥에 엎드려 있자니, 붉은 방울들이 묵직한 눈물처럼 떨어지는 소리가 들려왔다. 그때, 위쪽 둥근 천장에서 들려오는 목소리, 그것은 마치 텅 빈 얼음 동굴 속에 숨겨진 폭포의 소리 같았다.

"보라, 에바흐야. 내 너를 인간들의 운명에서 구하여 극한 혹한에서도 살게 하였고, 공기가 없는 진공에서도 숨 쉬게 하였다. 네가 나를 받들고 나의 종이 된다면, 너는 이루 말할 수 없는 지혜를 얻을 것이고, 인간을 넘어서는 능력의 소유자가 될 것이다. 나와 함께 북쪽 왕국 사이를 항해하고, 푸른 남쪽 섬들을 지나면서 이킬스의 빛으로 인간들에게 내리는 백색의 죽음을 지켜보자. 우리가 가는 곳마다 인간의 정원들은 영원한 서리로 뒤덮일 것이고, 인간의 살에는 가장 빛나는 별들마저 하나둘 그 빛을 가려버릴 만큼 혹독한 심연의 봉인이 찍힐 것이며, 태양의 정중앙에 서리가 낄 것이다. 너는 이 모든 광경을 죽음의 군주로서 신적인 불멸의 존재로서 지켜볼 것이다. 그리고 마지막에는 나와 함께 최극단 너머의 세계 즉 나의 제국이 있는 곳으로 돌아가리라. 신들도 막을 수 없는 존재, 그게 바로 나다."

선택의 여지가 없다는 것을 깨달은 에바흐는 그 창백한 벌레를 기꺼이 숭배하고 섬기겠노라 약속하였다. 두니와 억스 로드한의 가르침에 따라 일곱 부분으로 이루어진, 그러나 여기서 묘사하는 건 적절하지 않은 의식을 치렀고, 발음하기 어려운 외계의 말로 세 번의 서약을 하였다.

그로부터 오랜 나날 동안, 에바흐는 르림 샤이코스와 함께 뮤 둘란의 해안을 따라 항해하였다. 거대한 빙산은 언제나 바람과 조수의 힘을 능가하는 벌레의 마법에 의해 조종되는 것 같아서 그 항해의 방식이 괴이하였다. 그리고 밤낮을 가리지 않고 이킬스에서 뿜어지는 차가운 죽음의 광선이 멀리까지 파멸을 드리웠다. 위풍당당한 갤리선들도 남쪽으로 도주하다가 붙잡히었고, 선원들은 노를 젓는 자세로 얼어붙었다. 때로는 나포된 선박들이 빙산의 일부로 이용되어, 날이 갈수록 거대해지는 빙산의 새로운 부속물이 되기도 하였다.

아름다운 하이퍼보리아의 항구들은 들고나는 선박들로 분주하다가도 르림 샤이코스가 지나가면 그대로 정지해 버렸다. 창백한 빛이 왔다가 사라지면, 거리와 부두 들은 생기를 잃었고, 항구에서의 선적 작업도 한산해졌다. 멀리 내륙에도 빛이 떨어져, 들녘과 정원마다 북극의

혹한이 찾아왔다. 숲은 얼어붙었고, 그곳을 거닐던 짐승들은 대리석처럼 굳어버려서, 한참 후에 그 지역을 찾아온 사람들은 온갖 자세로 굳어 있는 엘크와 곰과 매머드를 보게 되었다. 그러나 이킬스에서 생활하는 마법사 에바흐는 그런 얼음의 죽음에서 면제되어 있었다. 자신의 집에 앉아 있거나 빙산 위를 산책할 때도 여름날 그늘 속에 앉아 있는 정도의 시원함을 느끼는 정도였다.

어느덧, 둘라스크의 마법사 두니와 억스 로드한 외에도 추가로 다섯 명의 마법사들이 르림 샤이코스의 선택을 받아, 에바흐와 함께 항해를 하고 있었다. 그들 또한 이킬스의 추위에 적응이 되었고, 그들의 집은 미지의 마법에 의해 빙산으로 옮겨졌다. 그들은 광활한 둘라스크보다 더 극지에 가까운 군도, 즉 북방 출신의 메부수수한 사람들이었다. 에바흐는 그들의 생활 방식을 이해하기 어려웠다. 그들의 마법도 낯설거니와 언어 또한 알아들을 수 없었다. 이런 사정은 둘라스크의 두 마법사에게도 마찬가지였다.

누가 음식을 가져오는지는 알 수 없으나, 여덟 명의 마법사들은 인간에게 필요한 음식물이 날마다 차려져 있는 걸 발견하였다. 마법사 모두 한마음으로 백색 벌레를 숭배하였다. 모두가 각자의 운명에 꽤 만족하고 있는 듯했고, 벌레가 약속한 비현세적인 지식과 권력을 간절히 원하고 있었다. 그러나 에바흐는 내심 거북했고, 르림 샤이코스의 종복이 된 것에 남몰래 반감을 품고 있었다. 그렇다 보니, 아름다운 도시와 비옥한 해변이 속속 이킬스의 영원한 저주에 파멸되는 광경 앞에서 극도의 혐오감을 느꼈다. 꽃이 만발한 세른고스의 파괴, 사람들로 북적이던 레콴 거리를 짓누른 북방의 정적, 해변 마을인 아퀼의 뜰과 과수원을 갑자기 뒤덮어버린 새하얀 서리, 이런 과정을 그는 비통하게 지켜보았다. 어선과 무역선, 전함에 이르기까지 이킬스를 만나고부터 무인선이 되어 떠도니, 이 또한 그의 마음을 아프게 하였다.

거대한 빙산은 남쪽으로 계속 항해하면서, 여름 해가 높아서 이글거리는 땅에도 죽음의 겨울을 실어 날랐다. 에바흐는 속내를 숨긴 채, 두니와 억스 로드한을 비롯하여 다른 마법사들과 행동을 같이하였다. 극지방 별들의 움직임에 맞춰 규칙적인 주기마다 여덟 마법사는 얼음 제단 위에서 르림 샤이코스가 몸통의 절반을 꼰 채로 늘 머물고 있는 꼭대기 방으로 올라갔다. 벌레한테서 눈알 같은 눈물이 떨어지는 박자에 맞춰 의식을 치렀고, 벌레의 입이 열렸다 닫혔다 하는 것에 맞춰 무릎을 꿇고 절을 올림으로써 요구받은 대로 르림 샤이코스에게 숭배를 바쳤다. 벌레는 때론 침묵했고, 때론 자신이 한 약속을 애매하게 되풀이해 말하기도 하였다. 에바흐는 동료 마법사들한테서 벌레가 매번 달이 저무는 동안에 잠을 잤다는 말을 전해 들었다. 오로지 이때만 핏빛 눈물이 멈추고, 입의 열리고 닫힘이 그친다 하였다.

세 번째 예배 시간, 얼음 탑에 오른 마법사는 일곱뿐이었다. 인원수를 확인한 에바흐는 없어진 마법사가 다섯 명의 이방인 가운데 하나라는 걸 알게 되었다. 나중에 두니와 억스 로드한에게 결석자에 대해 물었고, 다른 네 명의 북방인들에게도 손짓으로 의문을 전했다. 그러나 예배에 참석하지 않은 마법사가 어찌 되었는지 아무도 모르는 것 같았다. 그 후로 실종자를 보거나 소식을 듣지 못하였다. 장고를 거듭한 에바흐는 매우 불안해졌다. 탑실에서 예배를 하는 동안, 벌레의 몸통과 허리가 이전보다 더욱 비대해진 것 같았기 때문이다.

에바흐는 르림 샤이코스가 어떤 식으로 영양분을 섭취하는지 은밀히 알아보았다. 이에 대해, 갑론을박이 일었다. 억스 로드한은 르림 샤이코스가 북극 백곰의 심장만 먹는다고 한 반면, 두니는 고래의 간이라 하였다. 누구의 말이 옳든 간에, 벌레는 이킬스를 타고 항해하는 동안 아무것도 먹지 않은 셈이었다. 두 마법사의 의견이 일치하는 부분은, 벌레의 섭식 주기가 지상의 어떤 생물보다도 길어서 시간이나 일(日) 단위가 아니라 연(年) 단위로 계산된다는 것이었다.

나날이 더 넓어지고 거대해진 빙산은 점점 더 뜨거워지는 태양 아래서 항해를 계속하고 있었다. 별의 움직임에 맞춘 시간, 요컨대 사흘에 한 번씩 오전마다 마법사들은 다시 르림 샤이코스 앞에 모였다. 불안하게도 이번에는 여섯이었다. 이번에 사라진 마법사 또한 북방인들 중에 하나였다. 게다가 벌레는 더욱더 커져 있었다. 머리에서 꼬리까지 통통해진 것이 눈에 확연히 보일 정도였다.

이 상황을 불길한 징조로 여긴 여섯 명의 마법사는 겁에 질려 저마다의 언어로 벌레에게 탄원하였고, 사라진 동료들의 운명에 대해 알려주십사 간청하였다. 그러자 벌레가 답하였다. 그 말은 에바흐와 억스 로드한과 두니 그리고 세 명의 북방인들 모두 알아들을 수 있는 것이어서 저마다 자신의 모국어를 듣고 있구나 생각하였다.

"이것은 너희들이 각자 깨달아야 할 오묘한 문제다. 이것을 알아두어라. 두 명의 실종자는 지금도 여기에 있다. 그리고 그들과 너희들은 내가 약속한 대로 현세를 초월한 지식과 르림 샤이코스의 영토를 나누어 갖게 될 것이다."

그들이 탑에서 내려오는 동안, 에바흐와 두 명의 둘라스크 마법사는 그 말의 해석을 놓고 설전을 벌였다. 에바흐는 실상 실종된 동료들은 지금 벌레의 배 속에 있을 것이기에 불길하다고 주장하였다. 반면, 다른 두 마법사는 실종자들이 훨씬 더 신비한 전이를 거쳐 현재 인간의 시력과 청력을 초월하는 곳으로 승격된 것이라고 주장하였다. 그래서 두 마법사는 다음 순번에는 자신들에게 신격화의 기회가 올 거라 기대하면서 지체 없이 기도와 고행을 준비하였다. 그러나 에바흐는 여전히 두려웠다. 게다가 벌레의 중의적인 언질을 믿을 수 없어서 의혹을 거두지 못하였다.

에바흐는 사라진 북방인들의 흔적을 찾아 의혹과 불안을 덜고자, 바닷가 절벽의 작은 어촌처럼 자신과 다른 마법사들의 집이 자리 잡고 있는 거대 빙산의 성가퀴를 뒤지고 다녔다. 다른 마법사들은 혹여나 벌레의 심기를 불편하게 만들까 봐 두려워 에바흐와 동행하지 않았다. 에바흐는 이킬스의 한쪽 끝에서 다른 쪽 끝까지, 뾰족한 봉우리들이 솟아 있는 드넓은 평원을 걷듯 거침없이 누비고 다녔다. 위쪽의 비탈을 위태롭게 오르기도 했고, 괴이한 얼음의 기이한 빛 말고는 햇빛 한줄기 들지 않는 틈과 동굴 속으로 내려가기도 했다. 동굴 벽에는 마치 지하 단층의 돌 속에 파묻히듯 인간이 만들지 않은 거주지와 다른 시대 혹은 다른 세계의 것으로 보이는 선박들이 박혀 있었다. 그러나 어디서도 생명체를 발견하진 못하였다. 게다가 그가 틈과 동굴을 지나면서 자주 구사했던 소환 마법에 반응하는 영혼이나 유령도 없었다.

에바흐는 여전히 벌레의 간계를 걱정하였다. 그래서 다음 예배 전날 밤에 잠을 자지 않기로 마음먹었다. 그날 밤, 다섯 명의 다른 마법사들이 각자의 집으로 돌아가는 것을 확인했다. 그러고는 그의 창가에서 또렷하게 보이는 르림 샤이코스의 탑실 출입문을 예의 주시하기 시작했다.

빙산은 어둠 속에서 괴이하고 차갑게 반짝였다. 빙산 전체에서 얼어붙은 별빛 같은 광휘가 가득했다. 달은 동쪽 바다에서 일찍 솟아 있었다. 에바흐는 자정까지 창가에서 불침번을 섰으나, 그 높은 탑을 드나드는 그림자 하나 보이지 않았다. 그런데 자정이 되자, 아편을 섞은 포도주라도 마신 것처럼 갑자기 졸음이 엄습하였다. 졸음을 이기지 못한 그는 불침번을 포기하고는 남은 밤 동안 곯아떨어졌다.

다음 날, 돔형의 얼음 탑에 모여 르림 샤이코스에게 경배를 올린 마법사는 고작 네 명에 불과하였다. 에바흐는 북방인 중에서 덩치와 키가 작은 두 명이 또 사라진 것을 알았다.

그 후로도 예배 전야에 에바흐의 동료들이 하나둘 사라졌다. 마지막 북방인이 사라지자, 에바흐와 억스 로드한 그리고 두니 이렇게 셋만 탑에 모였다. 다음엔 에바흐와 억스 로드한 둘뿐이었다. 에바흐는 자신의 차례가 가까워짐을 느끼고 나날이 깊은 공포에 빠져들었다. 이상한 낌새를 챈 억스 로드한이 추위와 희박한 대기에 익숙해진 상태라서 다시금 태양의 온기와 지상의 공기 속에서 살 순 없다고 경고하지 않았더라면, 에바흐는 이킬스의 높은 누벽에서 바다로 몸을 던졌을 것이다. 억스 로드한은 자신의 운명은 까맣게 잊은 채, 백색 벌레의 나날이 비대해지는 몸집과 사라진 마법사들에 대해 신비한 의미를 부여하는 데 급급하였다.

달이 기울고 사위가 완전히 어두워진 어느 날, 에바흐는 끝없는 공포와 혐오 속에서 무거운 발걸음으로 르림 샤이코스 앞으로 올라갔다. 시선을 떨어뜨린 채 돔형 탑실 안으로 들어섰을 때, 그는 자신이 유일한 예배자라는 걸 깨달았다.

복종의 예를 취하는 동안 공포로 온몸이 굳어졌다. 눈을 들어 벌레를 쳐다볼 엄두조차 나지 않았다. 평소의 절차에 따라 궤배(跪拜)를 시작할 즈음에야, 르림 샤이코스의 붉은 눈물이 자주색 석순 위로 떨어지지 않는다는 것을 알게 되었다. 언제나 입을 벌렸다 다물었다 하면서 내는 소리도 들리지 않았다. 그래서 용기를 내어 시선을 들었을 때, 살집이 제단의 테두리를 벗어날 정도로 징그럽게 거대해진 괴물의 모습을 발견하였다. 그뿐만 아니라, 르림 샤이코스의 입과 눈구멍이 잠을 자듯 닫혀 있었다. 그때 둘라스크의 마법사들에게 들은 말, 그러니까 달이 기울 때마다 일정 시간 동안 벌레가 잠든다는 말이 떠올랐다. 극도의 공포와 불안 때문에 그런 사실을 잠시 잊고 있었던 것이다.

동료들이 가르쳐준 예배 의식은 오로지 르림 샤이코스의 떨어지는 눈물과 벌렸다가 다무는 입의 움직임에 따라야만 올바로 진행될 수 있기에 에바흐는 적잖이 당황스러웠다. 벌레가 자는 동안에는 어떤 의식이 적절한 것인지 아무도 가르쳐주지 않았던 것이다. 그래서 그는 상당히 미심쩍어하면서 나지막이 말해 보았다.

"르림 샤이코스님, 일어나시겠나이까?"

그 물음에 답하듯, 눈앞의 창백하고 비대한 덩어리로부터 불분명하게 여러 목소리가 들려오는 것 같았다. 목소리들은 이상하게 억눌려 있었으나, 에바흐는 그중에서 두니와 억스 로드한의 말소리를 알아냈다. 그리고 웅얼거리는 이국적인 목소리들은 다섯 명의 북방인들이 내는 말소리 같았다. 그런데 이들의 목소리 외에 그 밑바닥에서 사람의 말도 짐승의 소리도 아닌, 그렇다고 지상의 악마들이 내는 소리도 아닌 무수한 저음들이 들려왔다. 아니 들려오는 것 같았다. 이 낮은 목소리들이 갑자기 높아져, 깊은 지하 감옥에 갇힌 포로들이 한꺼번에 내는 아우성처럼 시끌벅적해졌다.

에바흐가 극한 공포 속에서 귀를 기울이자, 곧 두니의 목소리가 다른 목소리보다 또렷하게 들려왔다. 그리고 소란스럽게 웅얼거리던 여러 개의 소리들이 마치 두니의 말에 귀를 기울이려는 것처럼 뚝 그쳤다. 에바흐는 이렇게 말하는 두니의 목소리를 들었다.

"벌레는 지금 잠들었으나, 벌레에게 잡아먹힌 우리는 깨어 있소. 벌레가 우리를 감쪽같이 속인 거였소. 밤에 우리들의 집으로 와서 주문에 걸려 잠들어 있는 우리를 하나씩 통째로 삼켜버렸으니 말이오. 우리의 육체뿐만 아니라 영혼까지 집어삼켜서, 우리는 르림 샤이코스의 일부인 동시에 어둡고 고약한 지하 감옥에 갇혀 있는 셈이오. 벌레가 깨어 있는 동안, 우리는 독립적인 존재, 의식을 지닌 존재가 아니라 르림 샤이코스의 완전한 부분이 되고 말아요.

에바흐, 잘 들으시오. 우리가 벌레와 하나가 된 뒤에 알아낸 진실을 말해 주겠소. 벌레가 우리를 백색 죽음에서 구하여 이킬스에 태운 건 다른 꿍꿍이 때문이었소. 그러니까 우리는 능력과 기예가 뛰어난 마법사이기에 인간 중에서 유일하게 동사(凍死)의 과정을 극복하고 진공상태에서도 숨을 쉴 수 있소. 그래서 결국은 르림 샤이코스의 먹잇감이 되기에 적당했던 거요.

이 벌레는 대단하고 무서운 존재라서 어디서 왔는지 또 어디로 돌아갈 것인지에 대해 인간은 상상조차 할 수 없소. 벌레가 전지전능하긴 하나, 딱 한 가지 예외가 있으니, 자기가 먹어치운 자들이 깨어 있다는 것, 특히 자기가 잠든 동안에 깨어 있다는 걸 모른다는 것이오. 태고보다도 더 오래된 이 벌레에게 한 가지 치명적인 약점이 있소. 벌레를 공격하기 좋은 시기와 방법을 알고 실행에 옮길 담력만 있다면, 쉽게 처치할 수 있을 것이오. 공격의 적기는 바로 벌레가 잠들어 있는 시간이오. 그러니 올드원의 믿음으로 지금 그대에게 간청하나니, 부디 망토 속의 칼을 빼서 르림 샤이코스의 옆구리를 찌르시오. 그것이 놈을 죽이는 방법이오.

에바흐, 그대만이 이 창백한 죽음을 멈추게 할 수 있는 유일한 사람이오. 그대만이 동료 마법사인 우리를 옴짝달싹할 수 없는 이 노예의 속박과 감금에서 벗어나게 해줄 유일한 사람이오. 비단 우리뿐만 아니라, 지난 시대에 또 다른 세상에서 벌레에게 속아 잡아먹힌 자들이 함께 있소. 벌레를 죽이는 것만이 그대가 벌레의 창백하고 역겨운 아가리에서 벗어나는 길이자, 벌레의 흉악하고 어두운 배 속에서 다른 이들과 함께 불완전한 유령으로 살아가지 않는 길이라오. 다만, 르림 샤이코스를 죽이는 자는 동시에 자신도 죽어야 한다는 점, 알아두시오."

아연실색해진 에바흐는 그 와중에서도 두니에게 궁금한 것을 물었고, 묻는 족족 준비하고 있었던 것처럼 답변이 돌아왔다. 그리고 이따금씩 억스 로드한의 목소리가 대답을 대신하기도 했고, 때로는 감금당한 유령들의 외침처럼 알아들을 수 없는 웅성거림이 들려오기도 했다. 에바흐는 벌레의 기원과 본질에 대해 많은 것을 알게 되었다. 그리고 이킬스의 비밀, 요컨대 이킬스가 어떻게 북극 너머의 심연을 지나 지구의 바다로 항해해 왔는지도 전해 들었다. 흑마법과 악마 소환 같은 건 이골이 나서 웬만한 공포엔 무감각해진 에바흐였으나, 벌레에 관한 얘기는 들으면 들을수록 더 깊은 혐오감을 일으켰다. 그러나 그가 알게 된 일들을 여기서 밝히는 건 이롭지 못할 것이다.

마침내 돔형 탑실 안에 침묵이 흘렀다. 벌레는 깊이 잠들어 있었고, 에바흐는 두니의 유령에게 더는 묻고 싶은 게 없었기 때문이다. 두니와 함께 갇혀 있는 이들이 죽음의 정적 속에서 에바흐의 행동을 기다리며 지켜보는 것 같았다.

불굴의 정신력과 과단성을 지닌 에바흐는 더 지체하지 않고 늘 어깨

띠에 꽂고 다니는 상아 칼집에서 짧지만 잘 버려진 청동 검을 뽑아 들었다. 그리고 제단으로 다가가서, 르림 샤이코스의 비대한 몸에 칼을 찔러 넣었다. 칼날은 마치 거대한 방광을 찌른 것처럼 넓적한 칼자루까지 쑥 미끄러져 들어갔다. 에바흐의 오른손까지 빨려 들어갔을 정도였다.

벌레의 경련이나 몸부림 같은 건 느껴지지 않았으나, 상처에서 검은 액화성 물질이 물레방아의 물줄기처럼 급물살로 쏟아져 나와서, 어쩔 수 없이 칼을 놓치고 말았다. 피보다 뜨거운 액체가 이상한 증기 같은 연기를 내면서 그의 팔로 쏟아져 옷에 튀었다. 얼음이 빠르게 그의 발을 휘감았다. 그런데 액체는 마르지 않는 악의 샘에서 뿜어지듯 쏟아져 나와, 사방에 웅덩이와 개울을 만들었다.

에바흐는 도망치려고 했다. 그러나 시커먼 액체가 넘쳐흐르면서, 그가 계단 가까이 갔을 때는 이미 발목 위까지 차올랐다. 액체는 깎아지르는 동굴에서 떨어지는 폭포처럼 에바흐 앞에 있는 계단을 따라 쇄도해 내려갔다. 점점 더 뜨겁게 끓어오르면서 거품을 내는 액체의 흐름은 더욱 거세졌고, 살기 어린 손처럼 에바흐를 붙잡고 끌어당겼다. 계단을 내려갈 엄두가 나지 않았다. 게다가 탑실 안에는 액체를 피해 올라설 만한 장소가 아예 없었다. 돌아선 그는 물살에 맞서 넘어지지 않으려고 사투를 벌이다가, 자욱한 증기 사이로 어렴풋이 르림 샤이코스의 거대한 몸을 보게 되었다. 상처가 엄청나게 벌어져 있었고, 거기서 쏟아지는 물살이 무너진 봇물처럼 제단 주위에 소용돌이쳤다. 그런데 벌레가 지상의 생물이 아니라는 또 다른 증거를 보여주듯, 몸집이 조금도 줄어들어 있지 않았다. 그런데도 검은 액체가 대홍수처럼 쏟아졌다. 어느새 액체는 에바흐의 무릎까지 차올라 소용돌이쳤다. 게다가 증기는 무수한 유령의 형태를 띠고, 한데 어우러져 소용돌이치더니 그를 지나갈 때는 다시금 하나씩 분리되는 것 같았다. 그때, 계단 가에서 비틀거리던 에바흐는 결국 물살에 휩쓸려, 까마득히 아래 있는 얼음 계단에 떨어져 죽고 말았다.

이날, 중앙 하이퍼보리아의 동쪽 해상에서 몇몇 상선의 선원들이 전대미문의 광경을 목격하였다. 그들은 멀리 섬에서 순풍의 도움을 받아 북쪽으로 빠르게 돌아오는 중이었는데, 오전 늦게 꼭대기가 뾰족뾰족하고 전체적으로 울퉁불퉁한, 기괴한 빙산 하나가 산처럼 불쑥 솟아 있는 것을 보았다. 빙산의 일부가 기이한 빛으로 반짝이고 있었다. 그리고 가장 높은 꼭대기에서 잉크처럼 시커먼 물이 솟구치고 있었다. 그 아래쪽의 얼음 절벽과 측벽 들도 폭포처럼 떨어지는 시커먼 물살에 휩싸여 있었고, 그것이 바다로 떨어지면서 끓는 물처럼 증기를 뿜었다. 빙산 주위의 바닷물은 오징어의 먹물처럼 검게 물들었고, 검은 띠가 넓은 간격을 두고 퍼져 있었다.

선원들은 두려워서 빙산 가까이 배를 대려고 하지 않았다. 그러나 외경심에 휩싸여 탄성을 내며 노를 잡은 채 빙산을 쳐다보았다. 바람이 잠잠해지자, 갤리선들은 하루 종일 빙산이 보이는 범위에서 맴돌았다. 보이지 않는 곳에서 불이 타오르고 있는 것처럼 빙산은 빠르게 녹아내렸다. 주변의 공기에 이상한 온기가 퍼졌고, 바닷물도 점점 미지근해졌다. 빙산의 울퉁불퉁한 부분들이 녹아서 사라져갔다. 부피가 큰 얼음 조각들은 요란한 소리와 함께 바다로 떨어졌다. 가장 높은 꼭대기 층도 무너졌다. 그런데도 검은 물은 불가사의한 분수에서 솟구치듯 계속해서 쏟아져 나왔다. 선원들은 이따금씩 바다로 떨어지는 집과 그 파편들을 본 것 같았다. 그러나 끝없이 피어오르는 증기 때문에 정말 그랬는지는 확신하지 못하였다. 해 질 무렵, 빙산은 보통 크기의 부빙(浮氷)만 하게 줄어들었다. 그래도 검은 물은 계속 뿜어져 빙산을 뒤덮었다. 얼마 후엔 빙산이 파도 밑으로 가라앉았다. 동시에 기이한 빛도 사라졌다. 그다음엔 달이 뜨지 않는 밤이 찾아와 모든 것이 어둠에 묻혔다. 남쪽에서 강한 돌풍이 불어왔다. 그리고 새벽녘, 바다엔 아무것도 남아 있지 않았다.

이 이야기와 관련하여 각양각색의 전설들이 뮤 둘란을 비롯해 최북단의 왕국과 군도는 물론 심지어 최남단의 오스즈트롤 섬까지 퍼져 있다. 그런 전설들은 진실이 아니다. 지금까지 아무도 진실을 모르고 있었기 때문이다. 그러나 마법사인 나, 에이본[29]은 강신술을 통하여 파도처럼 방랑하는 에바흐의 혼과 교령(交靈)함으로써 벌레의 출현에 관해 그 실상을 전해 들었다. 그리하여 나는 인간의 나약함과 정신을 고려하여 필요한 부분은 삭제하면서 글로 기록하였다. 사람들은 거대한 빙산의 출현과 소멸이 있은 지 오랜 시간이 지난 후에 상당수의 오랜 전설과 더불어 이 기록을 읽게 될 것이다.

....

27) 『에이본의 서 *Book of Eibon*』: 스미스가 창조한 가상의 금서. 에이본이 집필한 금서로서, 비밀 제식을 통하여 현재까지 전해 내려온다. 스미스의 단편 「우보-사틀라*Ubbo-Sathla*」의 묘사에 따르면, 잊힌 오컬트 서적 중에서도 가장 기이하고 희귀한 책이다. 하이퍼보리아 언어로 유사 이전에 집필된 원본이 영어와 불어, 라틴어 등 여러 번역본을 통하여 전해진다. 이 책에는 에이본의 행적, 차토구아 숭배 의식, 마법의 주문 등이 집대성되어 있다. 러브크래프트는 차토구아와 더불어 『에이본의 서』를 자신의 작품에 차용했다.

28) 올드원(Old Ones): 올드원은 까마득한 태초에 지구에 있었던 혹은 지구로 이주한 존재들이다. 러브크래프트의 크툴루 신화에서 올드원은 작품에 따라 또 문맥에 따라 다소 복잡하고

산만하게 사용되는 경향이 있다. 그래서 지칭하는 대상이 달라지거나 전체를 포괄적으로 아우르는 방식을 띤다. 반면에 스미스의 올드원은 크툴루 신화와의 직접적인 관련성을 지니는 동시에 상당히 다른 면모를 보여준다. 이 점이 스미스가 러브크래프트의 단순한 아류가 아니라 독립적인 자기만의 신화 체계를 구축한 작가로 평가되는 이유일 것이다. 요컨대 러브크래프트의 올드원들은 인간과 비교할 수 없을 정도로 강력한 존재이자 감히 근접하기 어려운 (감히 인간의 입으로 발음하기조차 할 수 없는) 위치에 있다. 반면에 스미스의 올드원은 작품 내에서 좀 더 자연스럽게 캐릭터로 자리 잡고 인간세계에서 가깝게 움직인다. 다시 말해 생소한 명칭과 생김새에도 불구하고 인간과의 거리감은 줄고 냉소적인 유머 속에서 종종 인간적인 면모까지 보여준다(특히 하이퍼보리아 연작). 두 작가의 올드원이 각자의 작품 내에서 차지하는 위상과 역할의 차이는 우주적 공포의 다른 질감으로 이어진다. 러브크래프트의 우주적 공포는 광범위하고 강력한 반면, 스미스의 그것은 약화되었지만 인간적이어서 무섭다고 말하는 이유다.

29) 에이본(Eibon): 에이본은 스미스의 또 다른 단편 「토성으로의 관문*The Door to Saturn*」에 등장하는 하이퍼보리아의 가장 강력한 마법사이자 조타쿠아(차토구아의 다른 명칭)의 사제다. 유명한 금서 『에이본의 서』를 남겼다. 하이퍼보리아의 첫 수도, 콤모리움이 몰락한 해에 태어나, 열 살부터 성인이 될 때까지 뮤 둘란의 마법사인 지라크의 제자로 있었다. 에이본의 생애에 관해선 『에이본의 서』에 자세히 기록되어 있다고 한다. 에이본은 뮤 둘란의 바닷가에 검은 편마암으로 지은 5층 높이의 5각탑에 살았으나, 그가 숭배하는 차토구아의 세력이 쇠하면서 박해를 받았다. 그러던 중, 차토구아 숭배를 금지한 (하이퍼보리아 후반기의 주요 신인) 야운데(Yhounde, 엘크 여신)의 고위 심문관 몰기에게 체포되기 직전에 종적을 감추었다. 그가 도주한 곳은 사이크라노쉬(뮤 둘란에서 토성을 부르는 명칭)인데, 이후로 두 번 다시 지구에 모습을 나타내지 않았다.

조티크 연작

개관: 조티크는 시간적으로는 미래, 공간적으로는 지구 최후의 대륙이다. 원래 구상한 명칭은 니드론(Gnydron)을 비롯하여 열 개 정도였으나 나중에 조티크로 확정되었다. '고대'라는 의미의 단어 '앤티크(Antique)'의 운을 따서 조티크(Zothique)라는 명칭을 생각해 냈다고 한다. 또는 '찾는다'는 의미의 '시크(seek)'에서 운을 딴 것이라는 의견도 있다. 스미스는 스프레이그 디 캠프에게 보낸 편지(1953년 11월 3일 자)에서 조티크에 대해 이렇게 설명하고 있다.

"과거와 미래 대륙에 관한 신지학적 이론에서 막연히 영감을 받은 조티크는 지구의 마지막 대륙입니다. 현재 우리가 사는 대륙들이 이미 몇 차례 침몰을 거듭한 이후일 겁니다. 대륙 일부는 물에 잠겨 있지요. 다른 일부는 다시 떠올라 부분적으로 재결합했고요. 내가 구상한 조티크는 소아시아, 아라비아, 페르시아, 인도, 북동부 아프리카의 일부분 그리고 인도네시아 군도의 상당 부분으로 이루어져 있습니다. 새로운 호주가 남쪽 어딘가에 있습니다. 서쪽으로는 음산한 식인종들이 살고 있는 나트(섬)를 비롯하여 실재한다고 알려진 몇 개의 섬이 있습니다. 북쪽으로는 탐사되지 않은 거대한 사막이 있습니다. 동쪽으로는 역시 배가 가본 적 없는 바다가 있지요. 사람들은 주로 아리안족 혹은 셈족의 후손입니다. 그러나 북서쪽으로 흑인 왕국(일카르)이 있고, 흑인들이 여러 나라에 산재해 있는데 특히 왕궁의 후궁 중에 많습니다. 남부 섬들에는 인도네시아나 말레이시아인의 혈통을 지닌 후손들이 생존해 있습니다. 조티크에서 현재 문명의 과학과 기계장치는 종교와 더불어 사라진 지 오래입니다. 그러나 많은 신이 숭배되고, 마법과 악마주의가 고대에 그랬던 것처럼 이곳에서 널리 퍼져 있지요. 노를 젓는 배와 돛단배가 운송 수단의 전부입니다. 무기는 활과 화살, 검과 창 등 낡은 방식만 있을 뿐 화기(火器)는 전무합니다. 중심 언어는 인도유럽어에 뿌리를 둔 것으로 산스크리트어, 그리스어와 라틴어처럼 굴절어에 속합니다."

지리적 특징: 조티크는 바다에 에워싸인 본토와 섬으로 이루어진다. 서쪽으로는 이리보스 섬이 있고, 더 멀리에 마법의 섬 나트가 있다. 나트 너머에는 '검은 강'이라는 거대한 조류가 이곳을 여행하는 사람들을 세상의 끝으로 휩쓸어 간다. 대륙의 남쪽에는 신트롬과 유카스트로그가 소속된 인다스키안 해가 있다. 특히 유카스트로그는 고문자들의 섬으로 악명이 높다. 동쪽으로는 소타르 왕국이 있고, 이 너머에는 토스크 섬과 환상(環狀) 산호섬인 유마토트가 있다. 이 섬들을 지나 동쪽으로 더 가면, 이로지안 해의 이름 없는 섬들이 흩어져 있는데, 그중에 예외적으로 이름이 있는 섬이 새들의 섬 오르나바이다. 대륙 본토에는 실라크(조티크 북서부의 중심 주), 줄-바-사이르(실라크와 타슌 중간에 위치한 도시), 타슌(실라크의 남쪽, 오래되고 무수히 많은 미라의 도시로 유명), 요로스(대륙의 남쪽, 인다스키안 해를 마주 보고 있는 도시로 포도주가 유명), 티나라스(실라크의 최동단, 신코의 바로 북쪽으로 이곳 사람들은 마법 행위를 극도로 싫어한다.), 우스타임(조티크의 동쪽 해안에 있는 왕국, 실라크의 동쪽) 등이 있다.

작품: 죽음과 상실을 주제로 한 이 연작에는 작품이 가장 많고, 걸작도 다수 포진해 있다. 여기에 수록된 「마법사들의 제국」, 「고문자들의 섬」, 「납골당의 신」, 「검은 곡두」, 「지트라」 외에 11편을 더해서 총 16편의 단편과 시 1편, 극본 1편이 있다.

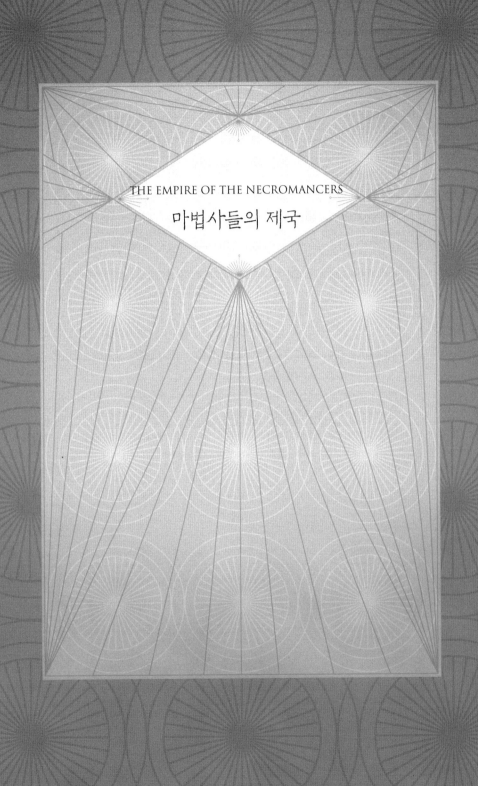

THE EMPIRE OF THE NECROMANCERS

마법사들의 제국

작품 노트

1932년에 완성, 같은 해 《위어드 테일스》 9월 호에 실렸다.

이 작품은 조티크 연작의 출발점답게 전체 연작의 서문 격인 문장으로 시작된다. 이 도입부는 영국의 작가 브라이언 스테이블포드의 평처럼 조티크를 알리는 '더없이 극적인 적합성'을 띠고 있다. 다시 말해, 역사적 서술이나 개관 없이도 스미스가 이 작품뿐만 아니라 전체 연작을 아우르는 조티크의 본질을 간결하면서도 강렬한 문장으로 묘사해 냈다는 평가다.

스미스는 1930년에 "두 마법사가 망자들을 되살려내 그 위에 군림한다. 그러나 망자들은 다시 살아난 것에 반발한다."라는 초안을 구상했고, 1931년에 이 구상을 구체화한다. 1932년에 이 작품을 완성한 직후, 덜레스에게 보낸 편지에서 "소품에 가까운 이 작품에는 기묘한 분위기가 있습니다. 곧 있으면 완성될 「망자의 행성 *The Planet of the Dead*」처럼 이 작품에도 러브크래프트가 언젠가 언급했던 '퇴폐의 녹청'으로 가득합니다."라고 설명했다.

「마법사들의 제국」은 망각(죽음)을 갈망하는 한 종족의 피로를 전하고 있다. 죽어가는 종족이 아니라 이미 죽은 종족이다. 이 작품은 《위어드 테일스》 9월 호에서 가장 많은 인기를 끌었다. 앞에서 언급했듯, 스미스의 뛰어난 환상 세계인 조티크 연작의 서막을 알리는 가장 이상적인 작품이자 걸작으로 자주 인용된다.

엠마트무오르와 소도스마의 전설은 지구의 말기 즉 원시의 유쾌한 전설들이 잊힌 시기에 이르러서야 유래하였다. 이 이야기가 전해지기 전까지 무수한 시대가 사라졌고, 바다는 가라앉았으며, 새로운 대륙들이 탄생하였다. 아마도 당시엔 이 이야기가 망각 외에는 아무런 희망도 없이 절멸해 가던 어느 종족의 검은 피로를 조금은 달래주었을 터이다. 희미한 태양과 슬픈 하늘이 내려다보는 마지막 대륙에서, 저녁이 오기 전부터 섬뜩한 광휘로 별들이 빛나던 그 조티크 대륙에서 사람들이 말하던 방식 그대로 나는 이 이야기를 전하련다.

I

'나트'라는 검은 섬 출신의 마법사, 엠마트무오르와 소도스마는 오그라든 대양 너머의 티나라스에서 사악한 마법을 행하고자 하였다. 그 이유인즉, 잿빛의 티나라스에서 죽음은 성스러운 것으로 여겨졌기 때문이고, 무덤의 무상함이 함부로 모독되지 않았기 때문이며, 시체를 되살려내는 마법은 혐오되었기 때문이다.

고로 엠마트무오르와 소도스마는 얼마 지나지 않아 티나라스 시민들의 공분을 사고 쫓겨났다. 그들이 도망친 곳은 신코, 이 남부 사막에 있는 것이라고는 과거에 역병으로 죽은 어느 종족의 뼈와 미라뿐이었다.

그들이 들어간 이 땅은 검은색의 거대한 태양 아래서 황량하게 또 불결하고 창백하게 펼쳐져 있었다. 이곳의 부서져가는 바위와 쥐 죽은 듯 적막한 사막은 평범한 사람들의 심장을 공포로 물들이기에 충분하였다. 게다가 변변한 먹을거리 하나 없이 이 불모의 땅으로 쫓겨 왔으니 이 마법사들의 곤경이 절망적으로 보일 만도 하였다. 그러나 소도스마와 엠마트무오르는 오래도록 갈구해 온 제국을 향하여 다가가는 정복자들처럼 은밀한 미소까지 머금은 채 꿋꿋이 신코로 걸어갔다.

그들 앞으로 한때 길손들이 신코와 티나라스를 오갔던 큰 도로가 나무와 풀이 없는 들판을 지나고 말라붙은 강을 건너서 예전의 모습 그대로 줄달음질 치고 있었다. 도로에는 살아 있는 것이 없었다. 그런데 얼마 후에 도로에 대자로 널브러져 있는 말 한 필과 그 주인의 해골이 나타났는데, 사람과 말이 걸치고 있던 화려한 옷과 마구가 아직 남아 있었다. 엠마트무오르와 소도스마는 썩은 살 한 점 남아 있지 않은 이 가련한 해골 앞에 멈춰 서서 사악한 미소를 주고받았다.

"말은 자네 거야." 엠마트무오르가 말하였다. "자네가 나보다 나이가 조금 더 많으니까, 우선권을 주는 거야. 그리고 말 주인은 신코에서 우릴 섬기는 첫 충복으로 만들자고."

그들은 곧 길가의 잿빛 모래에 세 겹의 원을 그렸다. 그리고 함께 원의 한복판에 서서, 망자를 평온한 무(無)로부터 일으켜 세우고 이후 마법사의 음험한 의지에 따라 무슨 일이든 복종하게 만드는 극악한 의식을 행하였다. 의식이 끝난 뒤에는 마법의 가루를 조금씩 사람과 말의 콧구멍에 뿌렸다. 삐걱거리는 구슬픈 소리와 함께 하얀 뼈들이 누워 있던 자리에서 일어나더니 주인들의 명을 기다렸다.

서로 정한 대로, 해골 말에 올라타서 보석이 박힌 고삐를 잡은 소도스마는 죽음을 악랄하게 조롱하며 창백한 말을 몰아갔다. 한편, 엠마트무오르는 흑단 지팡이를 짚으며 말과 나란히 걸었다. 그리고 사람의 해골은 값비싼 옷을 헐렁헐렁 나부끼며 종복처럼 두 마법사를 뒤따랐다.

한참 뒤에, 그들은 이 잿빛 황무지에서 자칼이 남겨놓은, 그리고 태양이 오래된 미라처럼 바싹 말려놓은 또 다른 말과 사람의 유해를 발견하였다. 이 유해들도 되살려냈다. 엠마트무오르는 이 시든 말 위로 펄쩍 올라탔다. 이리하여 두 마법사는 시체와 해골의 수행을 받으며 모험을 찾아 나선 황제처럼 도도하게 나아갔다. 도중에 발견한 또 다른 사람과 짐승의 뼈와 납골당 잔해 들이 똑같은 방식으로 부활하였다. 이렇게 신코를 누비고 가는 동안 되살아난 시체들이 점점 더 긴 행렬을 이루었다.

신코의 수도인 예틀리레옴에 가까워질 무렵, 그들은 길가에서 오랜 세월이 지났음에도 훼손되지 않은 무수한 무덤과 공동묘지를 발견하였고, 그중에서 붕대에 감긴 미라들은 거의 온전한 형태로 남아 있다. 마법사들은 이 모두를 음산한 밤으로부터 살려내어 자신들의 지시를 따르게 하였다. 일부는 불모의 들녘을 일구고 말라가는 우물에서 물을 긷게 하였다. 또 다른 시체들에겐 그들이 생전에 했던 일을 비롯하여 이런저런 임무를 주었다. 다양한 활동의 소음과 소동은 한 세기의 긴 침묵을 깨뜨렸다. 직조를 맡은 앙상한 시체들이 힘겹게 베틀을 돌렸다. 농부의 시체들은 썩은 소를 앞세우고 고랑을 만들었다.

엠마트무오르와 소도스마는 기이한 여정과 되풀이하여 행하는 마법에 지쳐갈 무렵, 드디어 사막의 언덕에서 어두워져가는 썩은 핏빛의 불길한 저녁놀에 물든 예틀리레옴의 높은 첨탑과 아름다운 돔을 보게 되었다.

"좋은 땅이야." 엠마트무오르가 말하였다. "우리 둘이 이 땅을 나눠 가지자. 그래서 이 땅의 시체들을 모조리 지배하여 예틀리레옴의 황제들이 되는 거야."

"그거 좋지." 소도스마가 대답하였다. "이곳에는 우리에게 반기를 들 사람이 없으니까. 우리가 무덤에서 불러내는 자들은 오로지 우리 명령에 따라 움직이고 숨을 쉴 뿐, 반항하지 못할 테니까."

이리하여 핏빛 황혼이 자주색으로 짙어져갈 무렵, 그들은 예틀리레옴으로 진입하여 불 꺼진 높은 저택 사이로 말을 몰아갔다. 그리고 그들의 섬뜩한 수행원들과 더불어 님보스 황조의 제왕들이 2000년 동안 신코를 다스렸던, 지금은 버려졌으나 여전히 웅장한 궁전에 들어섰다.

그들은 지저분한 황금 홀에서 교묘한 마법으로 텅 빈 마노 램프에 불을 밝혔고, 역시 마법으로 만들어낸 전통의 궁중 요리로 저녁을 먹었다. 종복들은 살점 없는 손으로 고대의 최상품 포도주를 월장석 술잔에 그득히 따랐다. 이렇게 두 마법사는 예틀리레옴의 시체들은 다음 날 되살려내기로 잠시 미루고는 환상적인 주연을 베풀어 흥청망청 마시고 즐겼다.

그들이 아늑한 궁전 침대에서 잠을 깬 것은 짙은 심홍색 새벽, 해야 할 일이 많았기 때문이다. 그리하여 이 잊힌 도시의 곳곳을 부산히 누비며 역병으로 죽은 뒤 매장되지 않은 시체들을 상대로 마법을 걸었다. 그다음엔, 예틀리레옴 너머의 다른 도시로 향하여, 님보스의 황제들을 비롯하여 신코의 지도층과 귀족 들이 매장된, 높은 무덤과 으리으리한 능묘를 누볐다.

이곳에서 그들은 해골 노예들로 하여금 망치로 능의 밀폐된 출입문들을 부수게 하였다. 그러고는 사악하고 흉포한 주문으로 황가의 미라들을 불러내니, 황조의 시조까지 포함하여 모든 제왕이 휘황찬란한 보석으로 수놓인 붕대를 감은 채 멍한 눈빛으로 뻣뻣하게 걸어 나왔다. 그뿐만 아니라, 나중에는 여러 세대의 조신들과 고관들까지 유사 생명을 주입하여 불러내었다.

신코의 죽은 황제들과 황후들이 검고 도도하고 휑한 얼굴로 엄숙한 행렬을 이루어, 엠마트무오르와 소도스마에게 복종하면서 예틀리레옴의 거리거리마다 포로의 물결처럼 두 마법사를 수행하였다. 궁전의 웅장한 어전에서 두 마법사는 한때 적법한 통치자들이 배우자와 함께 앉았던 두 개의 높은 왕좌에 올랐다. 화려하면서도 음울한 분위기로 모여든 황제들 사이에서 두 마법사는 전설의 시대를 통치했던 님보스 황가의 시조 격인 헤스타이욘의 미라가 앙상한 뼈다귀 손으로 수여하는 왕권을 받아들였다. 그러자 어전에 빽빽하게 모여 있던 헤스타이욘의 후손들 모두가 단조로운 메아리처럼 울리는 목소리로 엠마트무오르와 소도스마의 왕권을 제창하였다.

그 결과, 티나라스 사람들에 의해 죽음의 형벌로써 이 황량한 불모의 땅으로 추방당했던 마법사들은 오히려 이곳에서 자신들의 제국과 백성을 발견한 셈이 되었다. 이들은 사악한 마법으로 신코의 모든 망자를 지배하면서 악랄한 폭정을 휘둘렀다. 뼈다귀 짐꾼들이 변경으로부터 공물을 실어 오는가 하면, 역병으로 죽은 시체와 키 큰 미라 들이 납골당의 발삼 냄새를 풍기며 예틀리레옴 구석구석을 누비거나 까맣게 거미줄이 뒤엉킨 고대의 금과 먼지 낀 보석 들을 무궁무진한 묘지에서 가져와 이 탐욕스러운 폭군들 앞에 쌓아 올렸다.

죽은 일꾼들이 궁전의 정원에 사라진 지 오래였던 꽃들을 다시 피웠다. 시체와 해골 들이 광산에서 고된 노역에 임하거나 죽어가는 태양을 찌를 듯 당당하고 환상적인 탑들을 세웠다. 과거의 시종들과 왕자들은 두 마법사를 위하여 컵을 날랐고, 무덤의 어둠에서도 변색되지 않은 금발의 왕비들은 가녀린 손으로 현악기를 뜯었다. 그중에서 역병과 구더기에 덜 훼손된, 가장 아름다운 여성들은 마법사들의 후궁이 되어 시간(屍姦)의 노리개가 되었다.

II

신코의 주민들은 모든 면에서 엠마트무오르와 소도스마의 의지에 따라 행동하였다. 그들은 말하고 움직이고 먹고 마시는 등 흡사 살아 있는 사람 같았다. 살아생전에 그랬던 것과 유사한 방식으로 듣고 보고 느꼈다. 그러나 그들의 두뇌만큼은 무서운 마법에 사로잡혀 있었다. 이전의 삶을 어렴풋하게만 기억할 뿐이지, 그들의 되살아난 상태는 공허하고 어수선한 그림자와도 같았다. 그들의 피는 레테의 강물과 뒤섞여 차갑고 더디게 흘렀다. 그뿐만 아니라, 레테의 수증기가 그들의 눈을 가리고 있었다.

그들은 반항하거나 항의하지 않고 그저 묵묵히 폭군들의 명령에 따랐으나, 막연하고도 무한한 피로감, 요컨대 영원한 잠에 취해 있다가 다시금 인간의 비참한 삶으로 돌아온 망자들이라면 당연히 느낄 만한 피로감에 짓눌려 있었다. 그들에겐 열정도 욕망도 기쁨도 없었으며, 그저 망각으로부터 깨어난 뒤의 검은 나른함과 방해받은 안식으로 돌아가고 싶은 잿빛의 끝없는 갈망만 있었다.

님보스 황조의 가장 어린 마지막 황제, 일레이로는 역병이 퍼진 첫 달에 사망하여, 마법사들이 오기 전까지 200년간 높은 능 속에 누워 있었다.

자신의 백성들 그리고 선왕들과 함께 깨어나 두 폭군의 시중을 들던 일레이로는 의문도 놀라움도 없는 공허의 삶을 다시 살고 있었다. 그는 꿈의 모욕과 기적을 받아들이듯 자신과 선조의 부활을 받아들였다. 그는 희미한 태양 아래로, 또 공허하고 덧없는 세계로, 또 그 자신의 지위가 순종적인 그림자에 불과한 세계로 돌아왔음을 알고 있었다. 그러나 처음에는 그도 다른 망자들처럼 그저 막연한 피로감과 상실한 망각에 대한 아련한 그리움 때문에 당황하는 정도였다.

군주들의 마법에 걸린 채 죽음이라는 무의 세월을 오랫동안 거치며 무기력해진 상태에서 그는 자신의 선조들을 속박하고 있는 무법의 상황을 몽유병자처럼 지켜보았다. 그러나 한참이 지나자, 미약한 불꽃 하나가 그의 마음속 침침한 어스름에서 일어났다.

그는 거대한 심연 너머로 그 자신이 통치했던 예틀리레옴의 화려함과 젊은 시절의 소중한 자부심 그리고 그때의 환희를 기억해 냈다. 이 기억과 더불어, 지금의 비참한 거짓의 삶으로 끌어낸 마법사들에 대해 반감과 어렴풋한 분노를 느끼기 시작했다. 또한 그 자신의 전락뿐만 아니라 선왕들과 백성의 애처로운 곤경으로 인해 침통한 마음이었다.

일레이로는 한때 자신이 통치했던 홀에서 술을 따르는 시종으로 하루하루를 보내며 엠마트무오르와 소도스마의 소행을 지켜보았다. 그의 눈에 비친 마법사들은 잔인하고 탐욕스러운 변덕을 일삼았고, 나날이 폭음과 폭식을 더해 갔다. 그들은 마법의 향락 속에서 뒹굴었고, 나태로 느즈러졌으며, 방종으로 피둥피둥해졌다. 마법 수련을 게을리하는가 하면, 주문의 상당수를 까먹었다. 그럼에도 여전히 그들은 무소불위의 통치자였다. 자줏빛과 장밋빛 침상에서 뒹굴면서 망자의 군대로 티나라스를 칠 계획까지 세웠다.

그들은 정복을 꿈꾸고 더 거대한 마법을 꿈꾸면서 점점 더 뚱뚱해졌고, 납골당의 풍요 속에서 부패와 더불어 저절로 생겨난 구더기들처럼 굼떠졌다. 그들의 방종과 폭정이 심해질수록 일레이로의 그늘진 마음속에서 망각의 습기와 싸우는 불꽃처럼 반란의 불길이 일렁이었다. 그리고 서서히 분노가 깊어짐에 따라 마치 살아 있을 때처럼 힘과 결기 같은 것이 되살아났다. 압제자들의 간악함을 지켜봐왔고, 그들이 무력한 망자들에게 저지른 악행을 알기에 그의 머릿속에선 복수를 요구하는 숨죽인 목소리들의 아우성이 가득하였다.

일레이로는 주군들의 지시에 따라 자신의 선조들 사이를 지나 예틀리레옴 궁전의 곳곳을 조용히 움직이거나 멈춰 서서 명령을 기다렸다. 그는 주군들의 마노 술잔에 태양이 좀 더 왕성했던 시절의 산간에서 마법으로 가져온 황갈색 포도주를 따랐고, 그들의 무례와 모욕을 묵묵히 받아들였다. 그렇게 그는 밤이면 밤마다 술에 취한 불쾌한 얼굴과 투실투실한 몸으로 갈취한 호사 속에서 꾸벅꾸벅 졸다가 잠이 드는 마법사들을 지켜보았다.

살아 있는 시체들은 서로에게 말을 거의 하지 않았다. 아버지와 아들

186

이 어머니와 딸이 그리고 연인들이 서로 알아보지 못한 채 이리저리 돌아다닐 뿐, 자신들의 사악한 운명에 대해서도 아무런 말이 없었다. 그러나 마침내, 폭군들이 잠이 들고 마법의 램프에서 불길이 흔들리던 어느 깊은 밤, 일레이로는 황가의 시조이자 전설에 의하면 고대의 비전(秘傳)에 밝은 대마법사였다는 헤스타이욘에게 조언을 구하였다.

헤스타이욘은 다른 시체들과 거리를 두고, 어두운 홀의 한쪽 구석에 서 있었다. 삭아가는 미라의 옷 속에서 그의 몸은 갈색으로 시들어 있었다. 그리고 광택이 없는 흑요석 같은 두 눈은 텅 빈 시선으로 열려 있을 뿐이었다. 그는 일레이로의 질문을 듣지 못하는 것 같았으나, 드디어 메마르고 바삭거리는 속삭임으로 이렇게 대답하였다.

"이 늙은이가 무덤에서 보낸 밤이 길어 많은 것을 잊어버렸구나. 그러나 죽음의 빈 공간을 거슬러 올라가다 보면, 행여 과거의 지혜를 일부나마 기억해 낼지 모르겠다. 우리 둘이 구출 방법을 마련해야겠구나." 헤스타이욘은 구더기가 우글거리는 곳에서 곰팡이 핀 옛 비서(秘書)들을 뒤적이는 사람처럼 기억의 파편을 더듬었다. 이윽고 그가 기억을 떠올리고 이렇게 말하였다.

"기억하기론 내가 한때 위대한 마법사였구나. 특히 마법의 주문에 능통하였으나, 그것을 사용하여 시체를 되살려내는 것이 극악한 짓인지라 몸소 사용하진 않았다. 또한 나는 다른 지식들도 알고 있었다. 이를테면, 고대 비전의 일부인데, 그중에 지금 우리를 인도해 줄 만한 것이 있겠구나. 예틀리레옴과 신코 제국이 세워졌던 태초에 모호하고 불확실한 예언 하나가 있었는데, 그것이 지금 떠올랐으니 말이다. 그 예언에 따르면, 먼 훗날 신코의 제왕과 백성 들에게 죽음보다도 더 거대한 악이 닥치리라 하였다. 또한, 님보스 황조의 태조와 마지막 황제가 힘을 합쳐 그 운명의 속박을 끊고 풀려나리라 하였다. 그 악의 정체에 대해선 예언에 언급되지 않았다. 다만 두 왕이 예틀리레옴 왕궁의 가장 깊은 지하 묘를 지키고 있는 고대의 진흙 소조상을 부숨으로써 문제의 해결 방법을 알게 된다 하였다."

조상의 형태 없는 입술에서 흘러나오는 예언에 관해 듣고 있던 일레이로가 잠시 생각에 잠겼다가 이렇게 말하였다.

"지금 생각해 보니, 어린 시절 어느 오후에 왕궁의 폐기된 지하를 뒤지며 놀다가, 맨 끝 공간에서 지저분하고 투박한 진흙 소조상, 그러니까 처음 보는 형태와 얼굴의 진흙 소조상을 발견한 적이 있사옵니다. 당시에는 그 예언을 알지 못했기에 그저 실망하여 별생각 없이 햇빛을 찾아 돌아왔지요."

그들은 곧 무관심한 동족들 사이에서 슬그머니 빠져나와, 홀에서 가져온 보석이 박힌 램프를 들고 왕궁의 지하 계단을 내려갔다. 그리하여 완고하고 은밀한 그림자처럼 어둡고 복잡한 복도를 지나 마침내 최하층 지하 묘지에 다다랐다.

까마득한 세월의 검은 먼지와 굳은 거미줄 사이에서 그들이 발견한 것은 앞서 언급한 그리고 지금은 잊힌, 지상의 신을 빚어 만든 투박한 형태의 진흙 소조상이었다. 일레이로는 돌조각으로 그 진흙 소조상을 깨뜨렸다. 그리고 헤스타이욘과 함께 텅 빈 진흙 소조상의 몸통 부분에서 녹슬지 않은 거대한 칼과 변색되지 않은 묵직한 청동 열쇠 그리고 지시 사항이 새겨진 황동 서판을 집어 들었다. 바야흐로 신코에서 마법사들의 음산한 지배를 끝내고 백성들을 망각의 죽음으로 돌려보내야 할 시점이었다.

서판의 지시에 따라, 일레이로는 변색되지 않은 청동 열쇠로 깨진 진흙 소조상 뒤쪽에 있는 낮고 좁은 문을 열었다. 그들이 본 것은, 예언대로 미지의 심연으로 내려가는 거무스름한 나선상 돌계단이었다. 저 밑 어딘가에서 땅속의 불길이 일렁이고 있었다. 헤스타이욘은 일레이로에게 그 열어놓은 문을 지키게 한 뒤, 자신은 앙상한 손에 녹슬지 않은 칼을 들고 마법사들이 잠들어 있는 홀로 돌아갔다. 마법사들은 자줏빛과 장밋빛 침상에 대자로 누워 잠들어 있는 반면, 잿빛의 핏기 없는 시체들은 그 주변에 흐트러짐 없이 늘어서 있었다.

태초의 예언과 빛나는 서판의 지혜로 무장한 헤스타이욘은 큰 칼을 치켜들어 엠마트무오르와 소도스마의 목을 각각 한 번씩 내리쳤다. 그러고는 서판의 지시에 따라 마법사들의 시체를 칼로 강하게 내리쳐 넷으로 등분하였다. 마침내 마법사들은 추악한 생을 다하고 미동도 없이 늘어져서 침상의 장밋빛은 더 붉게, 우중충한 자줏빛은 좀 더 밝게 물들였다.

이윽고 헤스타이욘은 속박에서 벗어난 것도 모른 채 침묵 속에서 무덤덤하게 서 있는 시체들을 향하여 메마르고 작지만 준엄한 목소리로 백성을 인도하는 왕처럼 명령을 내렸다. 죽은 황제와 황후 들이 돌풍에 흔들리는 가을 낙엽처럼 꿈틀거렸고, 왕궁 곳곳으로 속삭임이 돌고 돌더니 마침내 신코의 모든 망자에게까지 전해졌다.

그날 밤 내내 또 검붉은 빛이 도는 이튿날 새벽까지, 흔들리는 횃불과 스러져가는 햇빛에 의지하여 역병으로 죽은 시체와 너덜너덜한 해골 들이 무수한 군대처럼 예틀리레옴의 거리거리와 헤스타이욘이 마법사들의 시체를 지키고 선 왕궁의 홀을 따라 음산하게 행진하였다. 그들은 쫓기는 그림자들처럼 흐릿하게 고정된 눈으로 왕궁 지하의 납골당을 찾아서 쉼 없이 이동하였고, 일레이로가 기다리고 있는 마지막 납골당의 열린 출입문을 지나, 수천수만의 계단을 따라 약해져가는 불길이 끓어오르는 심연의 가장자리로 내려갔다. 그리고 이 가장자리에서 그들은 두 번째 죽음과 깊디깊은 불구덩이의 완전한 절멸 속으로 몸을 던졌다.

그러나 모두가 해방의 길로 떠나간 뒤에도 헤스타이욘은 스러져가는 황혼 속에서 엠마트무오르와 소도스마의 토막 난 시체 곁에 홀로 남아 있었다. 이곳에서 그는 서판에서 지시한 대로, 그 자신이 과거에 알고 있었던 고대의 마법을 행하였다. 이 마법은 엠마트무오르와 소도스마의 토막 시체를 두 마법사가 생전에 신코의 백성들에게 걸었던 저주, 즉 '영원한 죽음 속의 삶'으로 가두는 것이었다. 이 저주의 주문이 헤스타이욘의 창백한 입술에서 흘러나오자, 잘린 두 머리가 눈을 부릅뜬 채 섬뜩하게 굴렀고, 황제의 침상에 놓여 있던 시체의 팔다리와 상반신은 굳은 핏덩어리 속에서 몸부림쳤다. 모든 것이 운명과 예언대로 이루어진 것을 안 헤스타이욘의 미라는 뒤 한 번 돌아보지 않고 마법사들을 그들의 숙명에 남겨둔 채, 피곤한 발걸음으로 어두운 지하의 미로를 따라 일레이로가 있는 곳으로 향하였다.

그리하여 평온한 침묵 속에서 말이 더 필요 없었던 일레이로와 헤스타이욘은 지하 납골당의 문을 넘었고, 일레이로는 변색되지 않은 청동 열쇠로 문의 자물쇠를 잠갔다. 이때부터 그들은 땅속의 불을 향하여 나선상 계단을 내려갔고, 그들의 동족이자 백성인 시체들과 하나가 되어 최후의 완전한 무(無) 속으로 들어갔다.

그러나 엠마트무오르와 소도스마는, 소문에 따르면, 오늘날까지 예틀리레옴에서 토막 난 몸뚱이로 이리저리 기어 다니며 죽음 속의 생이라는 운명에서 벗어날 안식이나 휴식을 찾고 있다 한다. 그리하여 일레

이로가 잠가버린 지하 납골당의 문을 찾아서 검은 미로 속에서 부질없
이 헤매고 다닌다고…….

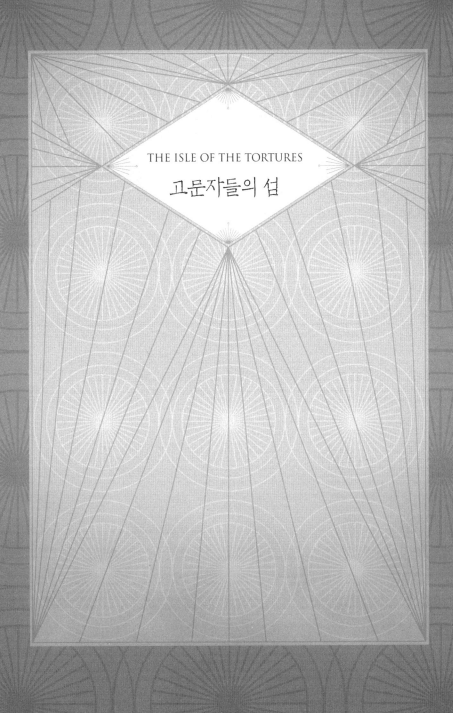

THE ISLE OF THE TORTURES

고문자들의 섬

작품 노트

1932년 7월에 완성, 1933년《위어드 테일스》3월 호에 실렸다.

스미스는 이 작품을 「마법사들의 제국」의 자매편이라고 설명했다. 덜레스에게 보낸 편지에서 "섬뜩함, 기괴함, 밝은 분위기, 잔인함, 참혹한 인간 비극의 기이한 혼합이고 (중략) 이번 여름에 완성한 작품 중에서 최고라고 생각합니다."라고 밝히기도 했다.

제목과 스미스 자신의 설명이 아니더라도, 그의 작품 중에서 고문과 고통이 가장 많이 묘사되어 있다. 에드거 앨런 포의 「붉은 죽음의 가면」이 단초가 되었다는 이 작품은 요로스에 닥친 '은빛 죽음'에 관한 이야기다. 주인공 풀브라와 그의 동료들에게 가해지는 희망 고문과 이 과정에서 예견되는 죽음의 공포는 조티크 연작의 소주제이기도 하다. 분위기와 전개 방식이 유사한 「나트에서의 마법 Necromancy in Naat」이라는 작품도 있다.

러브크래프트는 스미스에게 보낸 편지에서 이 작품에 대해 이렇게 적고 있다. "사실적인 묘사의 치밀함이 오히려 진부하다는 의심을 살 수 있음에도, 「고문자들의 섬」은 아주 인상적인 분위기로 가득하고 진정한 로드 던세이니풍의 매력과 설득력을 지니고 있습니다."

해가 뜨고 지는 사이, 은빛 죽음이 요로스에 닥쳤다. 하지만 이것의 출현에 대하여 이미 수많은 고금의 예언서에 나와 있었다. 점성가들은 지금까지 지상에 없었던, 이 불가사의한 병이 큰 별 아케르나르[30]에서 내려와, 조티크의 남부 대륙 전체를 무참히 유린하리라 말하였다. 그리하여 그 눈부신 금속성의 창백함으로 숱한 사람들을 죽인 이 전염병은 희미한 영기의 흐름을 타고 시공간을 누비며 다른 세계로 향할 것이라고.

은빛 죽음은 무시무시했다. 게다가 누구도 그 전염의 비밀이나 치료책을 알지 못하였다. 이것은 사막의 바람처럼 빠르게, 그 접근을 경고하기 위하여 밤새 달려온 전령들을 앞질러, 황폐한 타슌 지역에서 요로스로 들이닥쳤다. 이 병에 걸린 사람들은 가장 바깥의 심연에서 불어오는 바람을 쐬듯 곧 온몸이 얼어붙는 냉기와 오한을 느꼈다. 그들의 얼굴과 몸은 이상하리만큼 하얘져서, 창백하게 빛을 내다가, 단 몇 분 만에 오래된 시체처럼 굳어버렸다.

실폰과 실로의 거리에서, 요로스의 수도인 파라아드에서 이 전염병은 황금 램프 아래, 섬뜩한 빛처럼 사람들의 얼굴에서 얼굴로 스쳐 갔다. 병에 걸린 사람들은 그 자리에서 쓰러졌고, 죽음의 빛이 그들 위에 남았다.

흥청망청 떠들썩한 축제는 이것이 지나는 길목에서 질식했고, 흥에 겨운 사람들은 익살스러운 자세 그대로 굳어버렸다. 으리으리한 대저택마다, 불콰한 낯빛으로 주흥을 즐기던 사람들은 화려한 향연 한복판에서 창백해져가다, 푹신한 의자에 몸을 의지하고는 뻣뻣해진 손가락으로 아직 비우지 못한 술잔을 여전히 쥐고 있었다. 상인들은 저마다 가게에서 막 세기 시작한 돈 더미 위에 고꾸라졌다. 그리고 나중에 이곳에 들어온 도둑들은 훔친 돈을 가져가지 못하였다. 무덤 파는 사람들은 거지반 파던 무덤을 미완으로 남겨두고 죽었다. 그러나 묘지를 찾아와 자신의 묫자리에 불만을 터뜨리는 사람은 단 한 명도 없었다.

이 기이하고도 필연적인 재난에서 벗어날 시간은 없었다. 총총한 별빛 아래서, 이것은 섬뜩하고도 신속하게 요로스를 유린하였다. 새벽녘 선잠에서 깨어난 사람들은 극소수였고, 이제 막 왕위를 계승한 요로스의 젊은 왕자, 풀브라는 사실상 백성 없는 통치자가 되었다.

역병이 닥친 그날 밤, 풀브라는 파라아드를 굽어보는, 천문 장비가 갖춰진 궁전의 높은 전망탑에서 밤을 보냈다. 마음이 참으로 무거웠고, 생각은 아편에 취한 절망으로 무뎌졌다. 그러나 잠은 그의 눈꺼풀에서 멀어져 있었다. 그는 은빛 죽음을 예고한 무수한 예언을 알고 있었다. 그뿐만 아니라, 점성가이자 마법사인 벰데즈 노인의 도움을 받아, 별자리에서 그것이 임박했음도 읽어냈다. 그와 벰데즈가 알고도 공표하지 않은 이유, 그것은 요로스의 파멸이 천운에 의해 시종일관 정해진 일임을 그들이 너무도 잘 알고 있어서였다. 그러하기에 이 숙명이 아닌 다른 방식으로 죽음을 맞도록 정해져 있지 않은 사람은, 그 누구도 이 파멸을 피할 수 없었다.

벰데즈는 풀브라의 별점을 쳤다. 그의 과학으로도 해결할 수 없는 애매함이 있긴 했으나, 그래도 분명한 건, 왕이 요로스에서 죽지 않을 거란 점이었다. 어디서, 어떻게 죽게 될지는 확실치 않았다. 그러나 선왕 알타스를 섬겼고 후왕에 대해서도 헌신적이었던 벰데즈는, 자신의 마법으로 언제든 어디서든 은빛 죽음으로부터 풀브라를 보호해 줄 마법의 반지를 만들었다. 이 반지는 붉은색의 생소한 금속으로 만들어졌는데, 불그스름한 금이나 구리보다도 색이 더 짙었고, 반지에 박힌 검은 타원형 보석은 지상의 어떤 보석상도 처음 보는 종류로, 끊임없이 강한 향을 풍겼다. 마법사는 풀브라에게 어떤 일이 있어도, 설령 요로스에서 멀리 떨어져 있다 하여도, 은빛 죽음이 지나간 지 많은 시간이 흘렀다 하여도, 절대 중지에 긴 반지를 빼지 말라고 하였다. 일단 이 역병이 풀브라에게 닿은 이상, 희박하나마 그의 몸속엔 병균이 잠복해 있을 터, 반지를 뺀다면 원래의 독성을 발하기 때문이라 하였다. 벰데즈는 그러나 그 붉은 금속과 검은 보석이 어디서 났는지, 또 이 보호 마법을 얻기 위하여 어떤 대가를 치렀는지에 대해서는 함구하였다.

풀브라는 비통한 심정으로 그 반지를 받아 중지에 끼웠다. 이것이 그날 밤을 덮친 은빛 죽음으로부터 그가 무사히 살아남은 이유였다. 그래도 높은 탑에서 초조히 기다리는 동안, 희고 무자비한 별들이 아니라 파라아드의 황금빛을 지켜보는 동안, 풀브라는 여름답지 않게 가벼운 냉기가 스치는 걸 느꼈다. 냉기가 지나는 동안, 도시의 유쾌한 소음들이 멈추었다. 구슬픈 류트 소리가 기이하게 흐느적거리다가 잠잠해졌다. 정적이 축제를 슬그머니 뒤덮었다. 램프들이 일부 꺼졌고, 다시 불이 붙지 않았다. 발아래, 그의 궁전도 침묵에 잠겼다. 조신과 시종 들의 웃음소리도 더는 들려오지 않았다. 자정이면 으레 탑을 찾아와 그와 함께하던, 벰데즈가 모습을 드러내지 않았다. 결국 풀브라는 자신이 왕국이 없는 왕이 됐음을 깨달았다. 고귀한 알타스 선왕을 잃은 슬픔이 채가시지 않았건만, 이번엔 백성을 잃은 큰 비애까지 더해졌다.

시간이 내리 가도록 그는 눈물조차 나지 않을 만큼 큰 슬픔에 잠기어, 꼼짝 않고 가만히 앉아 있었다. 창공의 별빛이 변하였다. 아케르나르는 조롱하는 악마의 강렬하고도 잔인한 눈알처럼 계속 이글거렸다. 검은 보석 반지의 짙은 발삼 향이 콧속으로 파고들어 숨이 막힐 것 같았다. 풀브라는 불현듯 반지를 빼버리고 백성과 함께 죽어야겠다고 생각하였다. 그러나 너무도 큰 절망은 그마저도 허락하지 않았다. 그렇게, 결국은, 은빛 죽음처럼 창백한 새벽이 서서히 창공을 수놓았고, 그는 여전히 탑에 있었다.

이 새벽, 풀브라 왕은 자리에서 일어나 나선형의 반암 계단을 따라 궁전으로 내려갔다. 계단 중간에서 발견한 시신, 늙은 마법사 벰데즈였다. 그는 죽음의 순간에도 주군과 함께하기 위해 계단을 올랐던 게다. 벰데즈의 주름진 얼굴은 광택이 도는 금속 같았고, 수염과 백발보다도 더 하얗게 변해 있었다. 죽어서도 감지 못한 눈, 사파이어처럼 새파랗던 눈동자엔 역병이 서리처럼 덮여 있었다. 왕은 양아버지처럼 사랑했던 벰데즈의 죽음을 확인하고 크나큰 슬픔에 잠기어, 천천히 계단을 내려갔다. 그리고 궁실과 집회장마다, 널브러져 있는 조신과 하인과 근위병의 시신들을 보았다. 궁전 밑 깊숙한 지하의 녹색 쇠문을 지키던 세 명의 궁노, 이들을 제외하고 살아남은 자는 없었다.

풀브라는 벰데즈의 충고, 요컨대 속히 요로스를 벗어나 요로스의 왕에게 경의를 표해 온 남부의 신트롬 섬으로 피신하라는 말을 떠올렸다. 그리할 마음도, 다른 방도를 찾고 싶은 의욕도 없었으나 그래도 그는 생존한 궁노들에게 일러, 장거리 여행에 필요한 식량과 물건을 모아서, 보옴 강변의 궁전 주랑에 계류 중인 왕실의 흑단 배에 싣게 하였다.

이윽고 궁노들과 승선한 왕은 배의 키를 잡고서, 궁노들에게 널찍한 황색 돛을 펼치라 명하였다. 위풍당당하나 지금은 거리마다 은빛 시체로 즐비한 도시 파라아드를 지나, 점점 드넓어지는 보옴 강어귀의 벽옥색 물살을 가르고, 인다스키안 해의 자줏빛 물굽이 속으로 들어갔다.

간밤에만 해도 은빛 죽음을 실어 왔던 바람이, 이번에는 황폐해진 타슌과 요로스 너머 북쪽에서 뱃길 따라 순풍이 되어 불어왔다. 보옴 강변에서 한가로이, 바다 쪽으로 표류하는 배가 많았으나, 그 선원과 선장 들은 모두 역병으로 죽은 후였다. 파라아드는 고대의 공동묘지처럼 적막하였다. 내포(內浦) 어디에도, 부슬부슬한 부채 모양의 야자수가 점점 강해지는 바람에 남쪽으로 흔들리고 있을 뿐, 살아 움직이는 것은 없었다. 이내 요로스의 녹색 해안이 멀어지더니, 저절로 아스라한 꿈과 파란 덩어리로 뭉뚱그려졌다.

항해자들을 에워싼 이 평화로운 바다는 포도주색 물거품이 감돌고, 묘한 중얼거림과 어렴풋한 이국풍의 이야기로 가득했고, 그 위로는 어느새 여름 해가 드높이 솟아 있었다. 그러나 바다의 매혹적인 목소리도, 길고 나른하고 광대한 자장가도 풀브라의 슬픔을 달래주지 못하였다. 그의 마음속에는 벰데즈의 붉은 반지에 박힌 검은 보석만큼이나 새카만 절망이 머물러 있었다.

그래도 그는 흑단 배의 커다란 키를 놓지 않았고, 해를 길잡이 삼아 능력껏 신트롬으로 항로를 잡아 갔다. 황색 돛은 순풍을 받아 팽팽했다. 배는 흑단 여신상이 세워진, 검은 뱃머리로 자줏빛 물살을 가르며 온종일 질주하였다. 눈에 익은 남부의 별들과 함께 밤이 찾아오자, 풀브라는 지금까지 방향을 잡다가 실수한 부분들을 수정할 수 있었다.

많은 날 동안 그들은 남쪽으로 달렸다. 조금 낮아진 태양이 그들의 뒤를 따랐다. 밤이면 새로운 별들이 나와, 뱃머리의 검은 여신상 주변에 모여들었다. 어린 시절에 아버지 알타스와 함께 신트롬 섬으로 한 차례 항해한 적이 있는 풀브라는 머잖아 자줏빛 바다 위로 녹나무와 백단향 울창한 신트롬의 해안이 나타나리라 생각하였다. 그러나 그의 마음엔 기쁨이 없었다. 알타스와 함께했던 항해를 떠올리노라니 하염없는 눈물이 눈앞을 가리곤 하였다.

그런데, 한낮에 느닷없이, 선실이 어둠에 잠기더니, 바다는 자줏빛 유리처럼 변하였다. 하늘은 너덜너덜한 구리로 만든 돔 지붕처럼 바뀌어, 배에 닿을 듯 가까이 내려앉았다. 사악한 마술에 걸린 듯, 돔 하늘은 칠흑 같은 어둠으로 물들었고, 강성한 악마들의 입김을 한데 모은 듯한 태풍이 닥치니, 바다엔 무수하고 거대한 물마루가 솟구쳤고, 깊디깊은 협곡들이 들어섰다. 흑단 돛대는 바람 속 갈대처럼 툭 부러지고, 돛은 갈가리 찢어져, 무력한 배는 격랑의 시커먼 놀 사이로 곤두박질쳤다가 어지러운 물거품의 장막을 뚫고 놀의 아찔한 물마루까지 내던져졌다.

풀브라는 쓸모없는 키를 기어이 포기하지 않았고, 노예들은 그의 명령에 따라 이물 쪽 선실에 몸을 피하였다. 그들은 오래고 오랜 시간을 광기 어린 태풍에 이끌려 다녔다. 풀브라는 난폭한 어둠 속에서 솟구친 파도의 희미한 물마루 외에는 아무것도 볼 수 없었다. 게다가 그들이 어디를 향해 가고 있는지, 뱃길조차 가늠할 수 없게 되었다.

그런데, 무자비한 어둠 속에서, 태풍이 몰아치는 바다에 올라탄 또 다른 배 한 척이 간헐적으로 눈에 띄었으니, 풀브라의 배에서 그리 멀지 않았다. 풀브라가 보기엔, 상인들이 향료와 깃털 장식과 진사[31]를 팔기 위하여 남쪽 군도 사이를 항해할 때 사용하는 갤리선 같았다. 그러나 노는 대부분 부서져 있었고, 돛대와 돛은 이물 쪽으로 쓰러져 있었다.

두 척의 배는 한동안 함께 달렸다. 풀브라는 어둠 사이로 정체불명의 해안에서, 날카롭고 거무스름한 바위들과 그 위로 창백하게 솟구친, 더 날카로운 탑들을 보았다. 그는 방향을 돌릴 수 없었다. 그의 배와 갤리선은 돌출한 그 바위들을 향하여 휩쓸려 갔고, 결국 거기서 두 척의 배가 충돌할 것 같았다. 그런데, 무슨 조화인지, 삽시간에 격노했던 바다가 이번에는 삽시간에 바람 없이 잔잔해졌다. 그리고 맑게 갠 하늘에서 고요한 햇빛이 쏟아졌다. 그의 배는 갤리선과 나란히, 바위와 잠잠해진 바다 중간의 황토색 모래사장 중에서 초승달처럼 생긴 넓은 곳에 닿았다.

크게 놀라고 어리둥절해진 풀브라가 키에 기대고 있는 동안, 궁노들이 겁먹은 표정으로 선실에서 기어 나왔고, 갤리선의 갑판에서도 사람들이 하나둘 모습을 드러내기 시작하였다. 그들 중에는 평범한 선원의 옷을 입은 사람들도 있었고, 부유한 상인의 옷차림을 한 사람들도 있었으니, 풀브라 왕은 그들을 소리쳐 부르려고 하였다. 그런데 그때 기이한, 날카롭고 꽤나 사악한 고음의 웃음소리가 아주 높은 곳에서 떨어지듯 들려왔다. 풀브라가 올려다보니, 무수한 사람이 해변을 에워싼 절벽에 난 계단 같은 것을 통해 내려오고 있었다.

그들이 가까이 다가와, 유람선과 갤리선 주변에 모여들었다. 핏빛처럼 새빨갛고 생김새 또한 기괴한 터번을 둘렀고, 독수리처럼 까맣고 몸에 꽉 끼는 로브를 입고 있었다. 얼굴과 손은 사프란처럼 샛노랬다. 작고 째진 눈은 속눈썹 없는 눈꺼풀 밑으로 비스듬히 자리 잡고 있었다. 그리고 한결같은 미소를 머금은 얇은 입술은 언월도의 날처럼 구부러져 있었다.

그들은 불길하고 위험해 보이는, 톱니 모양의 칼과 쌍두창 같은 무기를 지니고 있었다. 그중에서 몇몇이 풀브라에게 절을 하고는 굽실거리며 말을 걸었는데, 그러면서도 풀브라로선 이해할 수 없는 눈길, 다시 말해 전혀 깜박거리지 않는 시선으로 그를 빤히 쳐다보는 것이었다. 그들의 말도 겉모습 못지않게 낯설었다. 날카로운 치찰음이 현저하였다. 왕도 그의 궁노들도 그 말을 이해할 수 없었다. 그러나 풀브라는 부드럽고 감미로운 요로스 말로 그들에게 정중히 말하면서 그의 유람선이 태풍에 쫓겨 온 이곳이 어디냐고 물었다.

그들 중에서 일부가 째진 눈을 반짝이는 것으로 미루어, 그의 말을 이해하는 것 같았다. 그리고 그중 하나가 서툰 요로스 말로, 이곳은 유카스트로그 섬이라고 말하고는, 곧이어 어딘지 음흉한 미소를 짓더니, 난파한 선원들과 항해자들 모두, 이 섬의 왕인 일드라크로부터 융숭한 대접을 받게 될 거라 덧붙였다.

이 말을 들은 풀브라는 가슴이 철렁 내려앉았다. 유카스트로그 섬에 관한 무수한 얘기를 들은 적이 있어서였다. 더구나 그 내용이 좌초한 길손을 안심시키는 그런 얘기는 아니었다. 신트롬의 동쪽 멀리에 있는 유카스트로그는 흔히들 고문자들의 섬으로 알려져 있었다. 부지불식간에 혹은 바다에 떠밀려, 이 섬에 온 사람들은 섬 주민들에 의해 감금되었다가 나중에 괴상하기 그지없는 고문자들, 그러니까 주로 그들의 잔인한 기쁨을 위하여 고문을 가하는 자들의 손에 넘겨진다고 하였다. 풍

202

문에 따르면, 그 누구도 유카스트로그에서 탈출하지 못하였다. 상당수는 수년 동안 이곳의 지하 감옥과 끔찍한 고문실에 산 채로 감금되어, 일드라크 왕과 그 신하들의 쾌락을 채워준다 하였다. 그뿐만 아니라, 고문자들은 대단한 마법사들로서, 마법을 부려 강한 태풍을 일으키고, 선박들을 항로에서 멀리 벗어나게 하여 유카스트로그 해변에 내동댕이칠 수 있다 하였다.

유람선을 에워싼 황색인들을 보면서 탈출은 불가능하다고 판단한 풀브라는 당장 일드라크 왕에게 데려가줄 것을 요구하였다. 일드라크에게 자신의 이름과 왕의 신분을 밝힐 요량이었다. 게다가 그는 단순하게도, 일드라크가 아무리 잔인하다 한들, 자신과 동등한 왕을 고문하거나 감금하진 않을 거라 여겼다. 또한, 유카스트로그의 주민들을 둘러싼 이야기는 길손들에 의해 악의적으로 부풀려진 것일 가능성도 있었다.

그리하여 풀브라와 그의 궁노들은 일단의 섬사람들에게 에워싸인 채 일드라크의 궁전으로, 해변 너머 바위들 위로, 섬사람들의 중심 거주지 위로 솟구쳐 있는 높고 날카로운 탑으로 안내되었다. 그들이 절벽을 깎아 만든 계단을 올라가는 동안, 풀브라는 밑에서 나는 큰 고함과 쇠붙이끼리 맞부딪치는 쩽그랑거림을 들었다. 내려다보니, 난파한 갤리선의 선원들이 칼을 빼 들고 섬사람들과 싸우고 있었다. 그러나 수적으로 열세였던 그들은 득시글거리며 몰려드는 고문자들에 의해 진압되었다. 그들 대부분은 생포되었다. 이 광경을 본 풀브라는 쓰디쓴 불안감을 맛보았다. 더욱더 이 황색인들이 의심스러울 수밖에 없었다.

얼마 지나지 않아 풀브라는 궁전의 너른 알현실에서 높다란 놋쇠 의자에 앉아 있는 일드라크와 마주하게 되었다. 일드라크는 신하들보다 머리 반 정도 키가 컸다. 얼굴은 옅은 황금빛을 띤 금속으로 만든, 사악한 가면을 쓰고 있는 것 같았다. 그리고 방금 흘린 새빨간 피에 물든 선명한 자줏빛처럼 기묘한 색감의 옷을 입고 있었다. 그의 주변에는 낫처럼 생긴 섬뜩한 무기로 무장한 근위병들이 많았다. 그리고 주홍색 치마와 야청색(검은빛을 띤 푸른빛) 브래지어를 한 궁녀들이 눈꼬리가 치켜올라간 음울한 눈으로 거대한 현무암 기둥 사이를 이리저리 오가고 있었다. 집회장 주위에는 풀브라가 처음 보는 물건들, 그러니까 나무와 돌과 금속으로 만든 기구들이 즐비했는데, 각각의 기구마다 육중한 사슬들이 늘어져 있었고, 그 밑판에는 철심이 박혀 있거나 밧줄이 엉켜 있었으며 상어 가죽으로 만든 도르래까지 달려서 무시무시한 분위기를 자아내고 있었다.

요로스의 젊은 왕은 당당하게 두려워하는 기색 없이 나아가, 가만히 앉아서 눈 한 번 깜박이지 않고 그를 응시하고 있던 일드라크에게 자신의 이름과 신분 그리고 요로스를 탈출하게 만든 역병에 대하여 말하였다. 그리고 신트롬 섬으로 급히 가야 한다는 말도 덧붙였다.

"신트롬까지는 긴 여정이오." 일드라크는 교활한 미소를 띠고 말하였다. "더구나, 손님들이 유카스트로그 섬의 융숭한 대접을 만끽하지 않은 채 떠나게 하는 건 우리의 도리가 아니지요. 그러니, 청컨대, 풀브라 왕은 성급함을 거두어주시오. 이곳엔 왕께 선사할 볼거리와 즐길 거리가 많소이다. 나의 신하들이 곧 왕위에 걸맞은 궁실을 준비할 것이오. 그러기에 앞서 청하노니, 왕의 허리에 찬 칼을 거두어주시오. 칼은 종종 날카로운 법, 나의 손님들이 자신의 칼에 상하지 않길 바라는 마음에서요."

풀브라의 칼은 근위병 한 명이 가져갔다. 그가 지니고 있던 루비 손잡이의 작은 단도도 마찬가지였다. 곧바로 근위병 몇 명이 큰 낫으로 그를 에워싸더니 어딘가로 데려갔다. 풀브라는 집회장을 떠나 무수한 복도를 지난 뒤, 궁전의 석조 지하로 향하는 계단을 내려갔다. 풀브라는 자신의 세 궁노가 어디로 잡혀갔는지 또 갤리선의 포로들은 어떤 운명을 맞게 될지 알지 못하였다. 얼마 후 햇빛이 사라지더니 구리 초롱의 유황빛 불길로 밝혀진, 토굴집 같은 공간들이 나타났다. 주변 곳곳에 숨겨져 있는 밀실에서 비참한 신음이 났고, 광기 어린 절규들이 철통 같은 밀실 문에 부딪쳤다 사라져갔다.

이 지하 복도 어딘가에서 풀브라와 일드라크의 근위병들은 다른 궁녀들에 비해 더 아름답고 덜 음침하게 생긴 젊은 여성을 만났다. 그런데 풀브라의 생각에는, 그가 지나갈 때 그 여성이 그를 향하여 측은지심의 미소를 짓는 것 같았다. 게다가 요로스 말로 나지막이 이렇게 중얼거리는 것 같았다. "마마, 용기를 내소서. 누군가 마마를 도울 겁니다." 그리고 그녀의 말을, 거친 치찰음으로 가득한 유카스트로그 말만할 줄 아는 근위병들이 알아채거나 이해한 기색은 없었다.

그들은 많은 계단을 내려간 후, 어마어마한 청동 문 앞에 도착하였다. 근위병 한 명이 청동 문의 자물쇠를 풀었고, 풀브라는 그 안에 감금되었다. 그의 등 뒤로 청동 문이 철그렁 구슬픈 소리를 내며 닫혔다. 그가 감금된 방의 삼면은 이 섬의 특산물인 흑석으로 막혀 있었고, 나머지 한 면은 깨뜨릴 수 없는 묵직한 유리로 막혀 있었다. 유리 너머로 방 안에 매달린 쇠 초롱의 불빛에 반짝이는 청록색의 해저가 보였다. 그 물속에서 거대한 아귀 같은 것이 유리 벽을 따라 촉수를 꿈틀거렸다. 그리고 거대한 이무기 형태의 뭔가가 거짓말 같은 황금빛 똬리를 틀면서 어둠 속으로 멀어져갔다. 그뿐만 아니라, 둥둥 떠다니는 시체들이 눈꺼풀이 도려내진 눈으로 풀브라를 노려보고 있었다.

지하 감옥의 한쪽 구석, 그러니까 유리 벽 가까이에 침상 하나가 놓여 있었다. 음식과 물이 나무 그릇에 담겨 왔다. 왕은 음식을 마다한 채, 지치고 무력한 몸을 침상에 뉘었다. 시체와 바다 괴물 들이 쇠 초롱 불빛 속에서 그를 노려보는 동안, 그는 눈을 질끈 감고 누워서 슬픔과 목전의 처참한 운명을 잊고자 애썼다. 그런데 짙어지는 공포와 슬픔 사이로, 그를 향해 측은지심의 미소를 지었던, 유카스트로그에서 만난 사람 중에서 유일하게 그에게 따뜻한 말을 건넸던, 그 여자의 아름다운 얼굴이 스쳐 갔다. 그 얼굴이 살포시 그의 뇌리에 남아서 은은한 마술처럼 자꾸 떠올랐다. 풀브라는 수년 만에 처음으로, 그동안 잊고 지낸 청년기의 희미한 활력과 모호하고도 불분명한 삶의 욕구를 느꼈다. 그렇게, 그는 잠시 잠들었다. 여자의 얼굴이 계속해서 그의 꿈속에 나타났다.

그가 잠에서 깼을 때, 쇠 초롱의 불빛은 변함없이 타오르고 있었다. 유리 벽 너머의 바다에는 전과 똑같은, 아니면 비슷한 어종이 더 가세한, 괴물들이 떼 지어 있었다. 그런데 떠다니는 시체 중에서 섬사람들에게 고문을 당한 후에 살가죽이 벗겨진 채, 잠에서 깬 풀브라의 눈에 띄도록, 그의 지하 감옥에 인접한 해저 동굴로 내던져진, 요로스 궁노들의 시체가 있었다.

그 광경을 본 풀브라는 새로운 공포에 속이 메스거렸다. 그가 시체들의 얼굴을 보고 있던 바로 그때, 청동 문이 음산하게 삐걱거리며 열리더니, 경비병들이 들어왔다. 들여보낸 음식과 물이 그대로인 것을 본 경비병들은 구부러지고 넓은 칼날로 풀브라를 위협하여, 억지로 조금이라도 먹고 마시게 하였다. 그러고는 그를 지하 감옥에서 데리고 나와, 거대한 고문실에 있는 일드라크 왕 앞으로 끌고 갔다.

풀브라는 왕궁의 창마다 수평으로 비치는 황금빛을 보면서, 또 기둥과 고문 도구 들의 기다란 그림자를 보면서 이른 새벽임을 알아차렸다. 고문실은 고문자들과 그들의 여자들로 붐볐다. 남녀 한 무리가 불길한 준비를 하느라 분주히 움직이는 동안, 또 다른 무리는 그런 그들의 모습을 구경하고 있는 것 같았다. 높다란 놋쇠 왕좌에 앉아 있는 일드라크, 그 오른쪽에 마치 지하 세계의 무자비한 신처럼 잔인하고 악마적인 생김새를 한, 키 큰 놋쇠 조각상이 세워져 있었다.

풀브라가 경비병들에 의해 앞으로 끌려 나가자, 일드라크는 간단히 인사를 건넸는데, 말보다 먼저 보인 교활한 미소가 말이 끝난 후에도 계속 남아 있었다. 그리고 일드라크가 말을 하는 동안, 그 옆의 놋쇠 상도 귀에 거슬리는 금속성의 요로스 말로 풀브라에게 말하니, 그 내용인즉, 그가 그날 당하게 될 별의별 극악한 고문에 대한 세세한 설명이었다.

놋쇠 상이 말을 마쳤을 때, 풀브라는 귓전에 와 닿는 부드러운 속삭임이 있어, 옆을 바라보니, 지하 복도에서 만났던 그 아름다운 여성이 있었다. 고문자들은 그 여성에겐 신경을 쓰지 않는 분위기였고, 그녀가 풀브라에게 이렇게 말하였다.

"용기를 내시어, 그 어떤 고초를 겪더라도 용감히 이겨내소서. 소인이 되도록, 내일까지는 마마가 풀려날 수 있게 하겠나이다."

풀브라는 여자의 장담에 고무되었다. 게다가 그녀는 전보다도 더 아름다워 보였다. 그리고 자신을 바라보는 여자의 부드러운 눈길을 느꼈다. 사랑과 삶이라는 쌍둥이 같은 욕구가 그의 가슴속에서 기이하게 되살아나, 일드라크의 고문에 맞서겠다는 힘을 주었다.

일드라크 왕과 그 백성의 사악한 쾌락을 위하여 풀브라에게 행해진 일들을 소상히 밝히는 것은 바람직하지 않다. 유카스트로그 섬사람들은 오감을 괴롭히고 고통스레 만드는, 별나고 교묘한 고문을 셀 수 없이 개발해 냈으니 말이다. 그들은 두뇌에만 따로 고문을 가함으로써 광기보다도 더 섬뜩한 극단까지 몰고 갈 수도 있었다. 그 결과 기억의 소중한 보물은 사라지고, 그 자리에 이루 말할 수 없는 불순물이 남았다.

그러나 그날, 그들은 풀브라를 극한 상황까지 고문하지는 않았다. 그래도 듣기 고약한 소리들로 그의 청각을 괴롭혔다. 심장의 피를 얼어붙게 만드는, 사악한 플루트 소리가 그러했다. 온몸 구석구석을 헤집어 고통스럽게 만드는 저음의 굵은 북소리가, 뼈마디를 비틀어대는 가는 테이버(작은북) 소리가 그러했다. 그다음에는 화로에 용의 말린 쓸개와 죽은 식인종의 지방을 악취 나는 나무로 태우면서 풀브라에게 그 냄새를 맡게 하였다. 그리고 화로의 불길이 사그라지자, 이번에는 흡혈 박쥐의 기름으로 불길을 되살려냈다. 결국, 풀브라는 그 역겨운 냄새를 더는 견디지 못하고 기절하고 말았다.

나중에는 풀브라의 옷을 벗기고, 사람의 살만 태우는 산(酸)에 담가둔 비단 띠로 그의 몸을 칭칭 감았다. 산은 견딜 수 없는 고통과 함께 그의 살을 서서히 파고들었다.

그가 죽지 않도록 비단 띠를 풀어준 고문자들이 이번에는 1미터 길이의 뱀처럼 생긴, 그러나 머리에서 꼬리까지 풀쐐기의 털 같은 것으로 뒤덮여 있는 괴생물들을 가져왔다. 이 생물들이 저절로 몸을 꼬더니 풀브라의 팔다리를 단단히 휘감았다. 풀브라는 거칠게 몸부림쳤으나 그것들을 도저히 떼어낼 수 없었다. 곧이어 그 생물들의 수축성 몸뚱이를 뒤덮은 털들이 무수한 작은 바늘처럼 그의 사지를 찌르기 시작하자, 그는 고통으로 비명을 질렀다. 그가 결국 숨을 쉬지 못하고 비명도 지르지 못하게 되자, 섬사람들은 자기들만 아는 비밀의 나른한 피리 소리로 그 새끼 뱀들로 하여금 풀브라의 몸에서 죄는 힘을 빼게 만들었다. 그것들은 풀브라의 몸에서 떨어져 나갔다. 그러나 그의 팔다리엔 그것들이 옭아맨 흔적이 붉게 남아 있었다. 게다가 그의 온몸엔 비단 띠의 타들어간 낙인이 찍혀 있었다.

일드라크 왕과 그 백성들은 악랄한 만족감을 드러내며 이 광경을 지켜보았다. 이런 것이야말로 그들에겐 기쁨이요, 무자비하고 음산한 욕망을 달래는 길이었기 때문이다. 그러나 풀브라가 더는 고통을 감당할 수 없음을 알고서, 또 앞으로도 많은 날 동안 고문의 즐거움을 맛보기 위하여, 그를 다시금 지하 감옥으로 돌려보냈다.

몸겨누운 풀브라는 각인된 공포에 파리하게 질리고 고통의 고열에 시달리면서도 죽음의 자비를 구하는 대신, 자신을 풀어주겠다고 한 여인의 약속에 희망을 걸었다. 정신착란이 동반된 지루한 시간이 흐르고 흘렀다. 심홍색으로 바뀐 쇠 초롱의 불빛이 그의 두 눈을 핏빛으로 채웠다. 유리 벽 너머에선 시체와 바다 괴물 들이 피 웅덩이 속을 유영하듯 헤엄치고 있었다. 그 여인은 오지 않았다. 풀브라는 절망하기 시작했다. 그런데, 드디어, 경비병이 들어올 때의 거친 철그렁거림이 아니라 부드럽게 문이 열리는 소리가 들려왔다.

그가 고개를 돌렸을 때, 그 여인이 조용히 하라며 손가락을 올리고는 살그머니 그의 침상으로 다가왔다. 여인이 부드러운 속삭임으로 자신의 계획이 실패했다고 말하였다. 그러나 내일 밤까지는 무슨 일이 있어도 경비원들에게 약을 먹이어, 외부 문의 열쇠를 손에 넣을 수 있다고 자신하였다. 그리되면 풀브라가 이 왕궁을 탈출하여 모처의 후미까지 갈 수 있고, 그곳에 한 척의 배뿐만 아니라 물과 식량까지 은닉되어 있다 하였다. 여인은 일드라크의 고문을 하루만 더 견디어달라 간청하였고, 풀브라는 어쩔 수 없이 그러마 하였다. 풀브라는 그 여인이 자신을 사랑하고 있다 생각하였다. 여인이 그의 열 오른 이마를 부드러이 어루만지고, 고문으로 화끈거리는 사지에 연고를 발라주었기 때문이다. 게다가 여인의 눈빛은 연민 그 이상의 감정을 담고 있는 것 같았다. 그 때문에 풀브라는 그 여인을 믿고서, 내일까지 그 공포를 이겨내리라 마음먹었다. 여인의 이름은 일바. 그녀의 어머니는 요로스 사람으로, 일드라크의 손에 살가죽이 벗겨지는 대신에 사악한 섬사람과 혐오스러운 결혼을 선택했다 하였다.

일바는 발각될지 모른다며 너무도 급히 풀브라를 남겨둔 채 조용히 문을 닫고 사라졌다. 그 후로 한동안 왕은 잠을 청하였다. 그리고 일바가 꿈속에서 그 광란의 치욕 한복판에서 다시 나타나, 그로 하여금 기이한 지옥의 공포를 견디게 하였다.

새벽에 갈고리 모양의 무기로 무장한 경비병들이 들이닥쳤고, 풀브라를 또 일드라크 앞으로 끌고 갔다. 그리고 또다시 악귀 같은 놋쇠 상이 귀에 거슬리는 목소리로 풀브라가 겪게 될 무자비한 시련들을 선포하였다. 그런데 이번에는 갤리선의 선원과 상인 들을 포함하여 다른 포로들도 그 거대한 고문실에서 고문자들의 흉악한 봉사를 기다리고 있었다.

구경꾼 속에 섞여 있던 일바가 이번에도 경비병들의 제재를 받지 않고 풀브라에게 다가와, 위로의 말을 속삭였다. 그 때문에 풀브라는 신탁의 놋쇠 상에 의해 예고된, 극한 시련을 버텨내리라 굳게 마음먹었다. 실제로도 이날의 시련을 견디기 위해선 참으로 크나큰 용기와 희망이 필요하였으니…….

여기서 밝히기엔 바람직하지 않은 고문 중에서 하나를 들자면, 고문자들이 풀브라를 기이한 마법의 거울 앞에 세운 것인데, 거울에는 풀브라가 죽은 후의 얼굴이 비쳤다. 그가 거울을 응시하는 동안, 그의 뻣뻣한 얼굴에 녹색과 푸르스름한 부패의 색이 확연해졌다. 주름지고 피골이 상접한 얼굴을 구더기가 파먹는 모습까지 나타났다. 한편 다른 포로들의 괴로운 신음과 고통스러운 비명이 고문실 안에 가득하였고, 풀브라의 눈에 다른 얼굴들, 살가죽이 벗겨진 채 부풀고 눈꺼풀이 없는 시체들이 보였으니, 마치 뒤쪽에서 다가와 거울 속 그의 얼굴 주변으로 몰려드는 것 같았다. 그들은 흠뻑 젖은 채로 물기를 뚝뚝 떨어뜨렸고, 머리카락과 해초 들이 뒤엉켜 있어서 바다에서 건진 시체의 머리칼처럼 보였다. 그런데 냉습한 느낌이 들어 돌아보자, 그 얼굴들은 환각이 아니라 사악한 마법으로 바닷속에서 건져 올린 실제 시체들로서, 살아 있는 사람들처럼 일드라크의 궁전 안으로 들어와 풀브라의 어깨 너머를 흘깃거리고 있었던 것이다.

개중에는 바다 괴물한테 뼈까지 갉힌 풀브라의 궁노들도 있었다. 그 궁노들이 보이는 것이라고는 죽음의 공허뿐인 눈을 이글거리며 그를 향해 다가왔다. 그리고 일드라크의 주술적인 조종에 따라서, 흉악하게 되살아난 이 시체들이 절반만 남은 손가락으로 풀브라의 얼굴과 옷을 할퀴며 공격하기 시작하였다. 일드라크가 사용하는 형구(刑具)들처럼 왕의 목소리를 모르고 듣지 못하는 죽은 궁노들, 풀브라는 그들에 맞서 저항하다가 그 역겨움에 그만 정신을 잃고 말았다.

물을 뚝뚝 떨어뜨리던 익사체들은 곧 사라졌다. 고문자들은 풀브라의 옷을 벗기고 궁전 바닥에 반듯이 눕힌 뒤, 무릎과 손목 그리고 팔꿈치와 발목에 쇠고랑을 채워, 바닥의 걸쇠에 꽉 조였다. 그리고는 피범벅이 되어 죽은, 거의 뜯어 먹힌 채, 시커먼 부패의 과정에서 훤히 드러난 뼈와 너덜너덜한 살에 여전히 무수한 구더기들이 들끓고 있는, 한 여인의 시체를 가져왔다. 이 시체를 풀브라의 오른쪽에 놔두었다. 거기다 막 부패하기 시작한 검은 염소의 고깃덩어리를 가져와, 이번에는 풀브라의 왼쪽에 나란히 놔두었다. 그리하여, 풀브라의 몸을 타고, 오른쪽에서 왼쪽으로 굶주린 구더기들이 기다란 물결처럼 기었다.

이 고문이 끝난 후에도 역시나 독창적이고 잔학한, 일드라크 왕과 그 신하들의 쾌락을 위하여 고안된, 또 다른 고문들이 이어졌다. 그래도 풀브라는 일바의 말을 떠올리며 이를 악물고 굳세게 그 고문들을 견디었다.

그날 밤, 풀브라는 지하 감옥에서 속절없이 일바를 기다렸다. 쇠 초롱의 불빛은 더욱더 핏빛을 띠고 벌겋게 타올랐다. 해저 동굴에는 살가죽이 벗겨져 떠다니는 시체들 사이로 처음 보는 시체들이 섞여 있었다. 그때 몸통이 두 개인 심해의 뱀들이 끝없이 꿈틀거리며 솟구쳤다. 유리벽에 들이민, 그 뿔 달린 머리들이 어마어마하게 거대하였다. 그러나 일바는 그를 탈출시키겠다는 약속과는 달리, 나타나지 않았다. 밤은 계속 흘러갔다. 풀브라의 가슴을 잊었던 절망과 더욱 강한 독기를 머금은 공포의 발톱이 다시금 파고들었으나, 그래도 그는 조금 지체되는 것이겠거니, 아니면 예기치 못한 사고 때문에 계획에 차질이 생겼거니, 혼자 되뇌면서 끝내 일바를 의심하지 않았다.

사흘째 새벽, 그는 또다시 일드라크 앞으로 끌려갔다. 놋쇠 조각상은 그날의 고문에 대해, 즉 풀브라를 단단한 형거에 결박하리라 선언하였다. 형거에 누운 채로 약물을 탄 포도주를 마심으로써 왕의 기억을 깡그리 잃게 될 것이고, 일드라크의 고문실로 다시 말해 형거 위의 망가진 육체로 되돌아오기 전까지, 헐벗은 영혼으로 기괴하고도 치욕스러운 지옥을 오래도록 떠돌게 되리라 하였다.

곧바로 고문자들의 여자 몇 명이 음탕하게 웃으며 앞으로 나오더니, 용의 창자로 만든 끈으로 풀브라 왕을 단단한 형거에 결박하였다. 결박이 끝나자, 뻔뻔하게도 잔인한 광희(狂喜)의 미소를 드러낸 일바가 풀브라 앞에 나타나, 약물이 든 황금 포도주잔을 들고서 다가왔다. 일바는 자신의 약속을 너무도 쉬이 믿어버린 풀브라의 우둔함과 순진함을 조롱하였다. 그러자 다른 여인들과 남자 고문자들이 놋쇠 왕좌에 앉아 있는 일드라크의 면전임에도 불구하고 풀브라를 향해 와자지껄 사악하게 웃어댔고, 일바의 모략을 칭송하였다.

풀브라는 그 무엇보다도 깊은 절망감에 사로잡히어 점점 더 비참해졌다. 슬픔과 고통 속에서 생겨난, 짧고도 가련한 사랑은 그의 마음에서 사라져, 증오에 물든 한 줌 재로 남았다. 그러나 슬픈 눈으로 일바를 응시하면서도 그는 한마디 원망의 말도 하지 않았다. 더는 살고 싶지 않았다. 한시라도 빨리 죽기를 갈망하면서 마법 반지와 그것을 뺐을 때 어떤 일이 생길지에 대한 뱀데즈의 말을 떠올렸다. 고문자들이 하찮은 물건으로 여긴 덕분에 그는 아직도 그 반지를 끼고 있었다. 그러나 지금은 두 손이 형거에 단단히 묶여 있으니 반지를 뺄 수 없었다. 더구나 섬사람들에게 반지를 빼달라고 청했다가는 오히려 정반대의 상황을 가져올 것임을 잘 알기에, 풀브라는 돌연 실성한 척하면서 고래고래 소리를 질렀다.

"정 원한다면, 이 가증스러운 포도주로 내 기억을 훔쳐 가라. 그래서 나를 수천의 지옥 속을 떠돌게 하다가 유카스트로그로 다시 데려와라. 하지만 이 중지에 낀 반지만은 빼지 마라. 이 반지는 수많은 왕국보다도, 덧없는 사랑의 품보다도 훨씬 더 내겐 소중하니까."

이 말을 들은 일드라크 왕이 놋쇠 왕좌에서 일어섰다. 그러고는 일바에게 포도주잔을 잠시 거두라 명한 후, 앞으로 나와 벰데즈의 반지 즉 풀브라의 손가락에 끼워져 있는, 무채색의 보석이 박힌 거무스름한 반지를 신기한 듯 살펴보았다. 그동안에도 풀브라는 반지를 빼앗길까 봐 두려워하듯 마구 소리를 질러댔다.

일드라크는 반지를 빼버린다면 풀브라를 조금이나마 더 괴롭히고 고통을 줄 수 있다 여겼으니, 이것이 바로 풀브라가 원하는 바였다. 게다가 반지는 풀브라의 야윈 손가락에서 쉽게 빠졌다. 일드라크는 포로가 된 왕을 조롱하고자 그 반지를 자신의 중지에 끼웠다.

이윽고, 일드라크가 금박을 입힌 자신의 창백한 가면에 더욱더 사악한 미소를 머금고 풀브라를 바라보는 동안, 이 요로스의 왕에게 섬뜩하고도 학수고대했던 일이 벌어졌다. 벰데즈의 마법 반지에 갇혀 풀브라의 몸속에 오랫동안 잠복해 있던 은빛 죽음이 그가 형거에 결박된 상황에서도 여지없이 존재를 드러낸 것이었다. 그의 사지는 고문보다도 더 모진 고통 속에서 뻣뻣하게 굳어갔다. 그의 얼굴은 죽음 앞에서 환하게 빛났다. 그렇게 그는 죽었다.

곧이어 일바에게도, 형거 주변을 서성이던 다수의 고문자들에게도 은빛 죽음의 냉기와 신속한 전염이 일었다. 그들은 그 자리에서 쓰러졌다. 이 역병은 남자들의 얼굴과 손에서 화려한 빛처럼 머물렀고, 여자들의 알몸 속에서 반짝이며 나왔다. 이렇게 역병은 거대한 궁전 내부를 따라 퍼져갔다. 덕분에 일드라크의 다른 포로들은 온갖 고문에서 풀려날 수 있었다. 고문자들은 동족인 인간의 고통을 통해서만 달랠 수 있었던 그들의 음산한 욕망이 이젠 끝이 났음을 깨달았다. 궁전 구석구석을 거쳐 유카스트로그 섬 전역으로, 죽음은 빠르게 움직이면서, 그 숨결에 닿은 사람들을 통해 모습을 드러내기도 했고, 사람이 없을 때는 보이지 않는 미묘한 그림자로 퍼져나갔다.

그러나 벰데즈의 반지를 끼고 있던 일드라크는 이 역병에 면역이 되어 있었다. 그는 자신의 면역력이 어떻게 생겼는지 알지 못한 채, 그저 신하들을 유린하는 운명 앞에서 대경실색하였고, 도주하는 포로들의 모습에 망연자실하였다. 그는 곧 이 해로운 마법을 피하여 고문실을 뛰쳐나갔다. 그리고 밝아오는 여명 아래 바다를 굽어보는 궁전의 테라스에 서서, 벰데즈의 반지를 빼어 저 아래 물거품이 이는 격랑 속으로 내던졌으니, 겁에 질린 상황에서 그 반지가 이 정체 모를 살기의 마법을 부른 근원이거나 계기라고 여겼기 때문이었다.

섬사람들이 전부 쓰러지고 난 뒤에 일드라크가 은빛 죽음에 걸려들었다. 핏빛이 선연한 자주색 예복을 입은 모습 그대로 누워, 구름 걷힌 태양을 향하여 창백하게 반짝이는 그의 얼굴 위로 죽음이 내려앉았다. 그렇게 유카스트로그 섬은 잊히었다. 고문자들과 고문당한 자들도 더불어 잊히었다.

....

30) 아케르나르(Achernar): 에리다누스 자리에서 가장 밝은 별.

31) 진사(辰砂·辰沙): 진홍색의 광석으로 수은과 황의 화합물이다. 수은의 원료, 적색 채료, 약재로 쓰인다.

THE CHARNEL GOD

납골당의 신

작품 노트

1932년 11월에 완성, 1934년 《위어드 테일스》 3월 호에 실렸다.

조티크 연작의 세 번째 단편으로 「검은 책」에 기록된 원안은 이렇다. "조티크의 줄-바-사이르에서 시체를 먹는 거대한 구울 몰디기알이 대리석 신전에서 반인간의 정체 묘연한 사제들로부터 숭배되고 있다. 줄-바-사이르에서 사람이 죽으면 외지인이라도 그 시체의 소유권은 몰디기알의 사제들에게 넘어간다." (이 작품이 완성됐을 때 몰디기알은 몰디기안으로 바뀐다.)

섬뜩하면서도 독특한 캐릭터(몰디기안과 그의 사제들)와 스미스의 작품에서 드물게 언어의 효과보다는 플롯이 강세를 보이고 있어 퍽 흥미로운 작품이다. 캐릭터와 플롯에 중점을 두지 않는 스미스 특유의 작풍과 사뭇 다르기 때문이다. 스미스가 직접 삽화를 그렸고, 개를 닮은 것으로 묘사되는 구울은 러브크래프트의 「픽맨의 모델」에서 영감을 얻었다고 알려져 있다.

로버트 E. 하워드는 이 작품을 읽고 스미스에게 보낸 편지에서 "대단한 작품인 「납골당의 신」은 물론이고 직접 그린 삽화까지 보게 되다니 기쁩니다. 작품이 정말 대단히 강렬하고, 미묘한 공포의 음산한 배경에서 불길한 형체들이 신비하게 움직입니다. 지금까지 이보다 더 뛰어난 작품을 접해 본 것 같지가 않군요."

러브크래프트는 당시(1934)에 한참 후배인 로버트 블록에게 이렇게 편지를 보낸다. "「납골당의 신」에는 아주 강렬한 순간들이 있고, 스미스가 직접 그린 삽화는 인간의 모습이 경직되어 있긴 하나, 이상스레 인상적이네. 거대한 기둥이 받치고 있는 홀과 시체를 운반하는 정체불명의 두 형체가 참으로 잊기 힘든 조화를 이루거든."

I

"몰디기안은 줄-바-사이르의 신이죠." 여인숙 주인이 느끼하면서도 짐짓 심각하게 말하였다. "인간의 기억이 그분의 검은 신전 지하보다도 더 깊은 어둠 속으로 사라지기 전, 그 오래전부터 그분은 신이었죠. 줄-바-사이르에 다른 신은 없어요. 그리고 이 도시 안에서 죽으면 누구든 몰디기안에게 바쳐진다 이거예요. 심지어 왕과 귀족도 죽으면 몰디기안의 말 없는 사제들의 손에 넘겨지죠. 그게 법이고 관습이니까. 곧 있으면 사제들이 댁의 신부를 데리러 올 거예요."

"하지만 엘라이스는 죽지 않았소." 젊은 파리옴은 몹시도 절박하게, 벌써 서너 번째 똑같은 말로 항변하였다. "이 사람의 병세가 원래 죽은 것처럼 누워 있는 거란 말이오. 전에도 두 번이나 의식을 잃은 채로 두 뺨이 창백해지고 핏기 없이 누워 있었소. 그래서 죽은 사람과 거의 구별이 가지 않았소. 그런데 두 번 다 며칠 뒤에 깨어났단 말이오."

여인숙 주인은 그 누추한 다락방에서 꺾인 백합처럼 침대에 핏기 없이 누워 있는 여자를 거짓말 말라는 눈빛으로 힐끔거렸다.

"그렇다면 댁이 이 여자를 줄-바-사이르에 데려오지 말았어야죠." 여인숙 주인은 근엄한 척 비꼬는 투로 확언하였다. "의사가 이미 여자의 사망을 확인했어요. 그리고 사제들에게 보고되었고요. 이 여자는 몰디기안의 신전으로 가야 해요."

"하지만 우리는 하룻밤 묵어가려는 외지인이오. 우리는 멀리 북쪽에 있는 실라크에서 왔소. 그리고 오늘 아침에는 타순을 지나, 남해 근방에 있는 요로스의 수도 파라아드로 가야 한단 말이오. 당연히 당신들의 신은 설령 엘라이스가 진짜 죽었다고 해도 소유권을 주장할 수 없소."

"줄-바-사이르에서 죽은 자는 모두 몰디기안의 소유니까요." 여인숙 주인이 지지 않고 딱 잘라 말했다. "외지인이라고 예외는 아니에요. 몰디기안 신전의 검은 목구멍은 영원히 벌어져 있으니, 지금까지 남녀노소를 막론하고 그 목구멍을 피해 간 사람은 없어요. 인간은 모두 때가 오면 몰디기안의 제물이 돼야 해요."

파리옴은 여인숙 주인의 느끼하고도 불길한 말에 그만 소름이 돋았다.

"실라크에서 여행자들이 말하는 전설을 듣고 몰디기안에 대해 조금은 알고 있었소." 파리옴이 시인했다. "그러나 도시 이름은 깜박 잊었소. 그래서 엘라이스와 내가 모르고 여기 줄-바-사이르에 들어온 거요……. 설령 알고 있었다고 해도, 당신이 알려준 그런 끔찍한 관습이 과연 사실인지 의심했을 거요……. 하이에나와 독수리처럼 굴다니, 대체 무슨 신이 그렇소? 그건 신이 아니라 구울[32]이지."

"그런 불경한 말일랑 삼가세요." 여인숙 주인이 훈계조로 말하였다. "몰디기안은 죽음처럼 오래되고 전능해요. 그분은 조티크가 바다에서 솟구치기 전부터 여러 대륙에서 숭배를 받았어요. 그분이 있기에 우리는 부패와 구더기를 피할 수 있어요. 다른 지역 사람들이 망자들을 활활 타오르는 불길 속에 바치듯, 우리 줄-바-사이르 사람들은 망자들을 몰디기안 신에게 바치는 거니까. 그 오싹한 신전은 햇빛도 닿지 않는 공포와 음흉한 그림자의 장소죠. 시체는 몰디기안의 사제들에 의해 그곳으로 옮겨져서, 그분이 자신의 거주지인 지하 납골당에서 나타나기 전까지 거대한 돌 탁자 위에 놓여 있게 되죠. 사제 외에는 어느 누구도 그분을 본 사람이 없어요. 사제들의 얼굴은 은 가면으로 감추어져 있고, 손까지 꽁꽁 가려져 있어서 사람들은 몰디기안을 본 사제들마저 제대로 쳐다볼 수 없어요."

"그래도 줄-바-사이르에 왕이 있지 않소? 내가 왕께 이 악랄하고 냉혹한 불의에 대해 호소해야겠소. 분명히 내 말에 귀 기울여주실 거요."

"펜쿠오르가 왕이지만, 설령 왕이 댁을 도와주고 싶어도 그럴 수 없어요. 댁의 호소가 전달되지도 않을걸요. 몰디기안은 왕 중의 왕이고, 그분의 법은 신성한 것이니까요. 쉿! 벌써 사제들이 왔네요."

파리옴은 이 낯선 악몽의 도시에서 자신의 앳된 아내에게 닥친 납골당의 공포와 운명의 잔인함에 괴로웠다. 여인숙의 다락방으로 이어진 계단에서 음흉한 삐꺽거림이 들려왔다. 사람이라고 하기엔 너무도 빠른 속도로 발소리가 가까워지더니, 음침한 진홍색 옷을 칭칭 휘감고 얼굴에는 해골 모양의 커다란 은 가면을 쓴 네 명의 낯선 자들이 방 안으로 들어왔다. 여인숙 주인의 말대로, 손에도 벙어리장갑을 끼고 있어서 그들의 실제 모습을 짐작하는 것조차 불가능하였다. 게다가 진홍색 옷은 헐렁하게 늘어져서 발치에 납포(蠟布, 밀랍을 바른 천)처럼 끌리고 있었다. 그들이 드리운 공포감에서 섬뜩한 은 가면은 오히려 가장 덜 무서운 축에 들었다. 그 공포감은 비정상적으로 웅크린 자세와 성가신 옷에도 제약을 받지 않고 야수처럼 날랜 움직임이 일부분 원인이었다.

무엇보다 그들이 가져온 들것이 기이했는데, 가죽으로 엮어서 기괴한 뼈로 틀과 손잡이를 만든 것이었다. 들것의 가죽은 납골당에서 오랫동안 사용됐는지 반들반들하고 거무스름했다. 그들은 파리옴이나 여인숙 주인에게 한마디 말도 없이 아무런 형식과 절차도 없이 곧장 엘라이스가 누워 있는 침대로 다가갔다.

슬픔과 분노로 참담한 심정이었던 파리옴은 그들의 흉포한 생김새에도 위축되지 않고 허리띠에서 자신의 하나뿐인 무기, 즉 단도를 빼 들었다. 그러고는 여인숙 주인의 만류에도 아랑곳없이 그 침묵의 사제[33]들을 향해 거칠게 덤벼들었다. 그는 민첩하고 힘이 셌으며 무엇보다 가볍고 몸에 꼭 맞는 옷을 입고 있어서 일견 조금이나마 우세해 보였다.

사제들은 그에게 등을 보이고 있었다. 그러나 마치 그의 일거수일투족을 예견한 것처럼 두 명의 사제가 들것의 뼈 손잡이를 놓아버리면서 사자처럼 날쌔게 획 돌아섰다. 그중 하나가 독사의 공격처럼 눈 깜짝할 사이에 파리옴의 손에 든 단도를 쳐냈다. 곧바로 두 명이 합세하여 옷자락에 휘감긴 팔로 파리옴을 무섭게 후려치고는 빈 구석 자리로 내던졌다. 파리옴은 바닥에 떨어진 충격으로 잠시 동안 의식을 잃고 누워 있었다.

파리옴이 흐리멍덩하게 정신을 차리고 보니, 뿌연 시야에 자신을 누리끼리한 달처럼 내려다보고 있는 뚱뚱한 여인숙 주인의 얼굴이 보였다. 퍼뜩 엘라이스 생각이 떠올라서 칼에 찔린 것보다 더 예리한 고통이 되살아났다. 그는 몹시 불안한 표정으로 어두운 방 안을 휘둘러봤으나, 납포를 휘감은 사제들은 이미 사라진 뒤였고, 침대는 비어 있었다. 여인숙 주인의 유들유들하고 무덤처럼 불길한 목소리가 들려왔다.

"몰디기안의 사제들은 관대하죠. 방금 사별한 사람들의 광기와 괴로움을 받아주니까요. 사제들이 인간의 나약함을 불쌍히 여기고 이해해 주니까 댁한테 다행한 일이죠."

파리옴은 멍들고 욱신거리는 몸에 갑자기 불길이 닿은 것처럼 벌떡 일어섰다. 방 한복판에 떨어져 있는 단도를 도로 칼집에 집어넣고는 지체 없이 문가로 향했다. 그때 여인숙 주인의 의뭉한 손길이 그의 어깨를 붙잡았다.

"몰디기안의 자비심에도 한계가 있으니 그 선을 넘지 않도록 조심하세요. 그분의 사제들을 쫓아가는 건 나쁜 일이죠. 또한 몰디기안 신전의 치명적이고 신성한 어둠을 침범하는 건 더더욱 나쁜 일이고요."

파리옴은 그 경고를 귀담아듣지 않았다. 그는 서둘러 밉살스러운 손가락을 뿌리치고 문가로 돌아섰다. 그러나 여인숙 주인이 또 그를 붙잡았다.

"가기 전에 댁들이 먹고 잔 값은 치르고 가야죠." 여인숙 주인이 말하였다. "게다가 의사의 왕진비 문제도 있으니, 내게 그 비용까지 쳐서 주면 대신 처리해 주리다. 지금 돈을 내요. 댁이 돌아올 거란 보장이 없으니까."

파리옴은 자신의 전 재산이 들어 있는 돈주머니를 꺼내, 세어보지도 않고 눈앞의 탐욕스러운 손바닥 위에 엽전을 쏟아냈다. 그러고는 작별 인사는커녕 뒤 한 번 돌아보지도 않고 인큐버스에게 쫓기듯, 낡은 여인숙의 곰팡내 나는 계단을 내려와, 줄-바-사이르의 어둠침침하고 뱀처럼 구불구불한 거리로 나왔다.

II

더 예스럽고 어둡다는 점만 빼면 줄-바-사이르는 여느 도시와 다를 게 없어 보였다. 그러나 극도의 괴로움에 사로잡혀 있던 파리옴의 눈에는 이 도시의 모든 길이 오로지 깊숙한 곳의 괴괴한 납골당으로만 연결된 지하 복도 같았다. 과도하게 돌출된 가옥들 위로 해가 솟아 있었으나, 파리옴에게는 지하 묘지로 내려갈 때처럼 희미하고 쓸쓸한 어스름에 불과하였다. 사람들도 여느 도시민들과 크게 다르지 않았으나, 그의 눈에는 사람들의 불길한 면만 보여서 마치 사람들이 묘지의 음산한 심부름꾼처럼 이리저리 오가는 구울과 악마 같았다.

참담함 속에서 떠올리는 통한의 어제저녁, 그는 엘라이스와 함께 줄-바-사이르로 들어왔더랬다. 엘라이스는 북부 사막을 지나면서 유일하게 살아남은 단봉낙타를 탔고, 그는 그 곁에서 고단해도 만족스럽게 걷고 있었다. 새빨간 저녁놀에 물든 담장과 돔 지붕, 점점 짙어지는 황금빛 눈알처럼 밝혀진 유리창들, 이곳은 아름답게 보였고 꿈속의 이름 모를 도시 같았다. 그래서 그들은 요로스의 파라아드를 향한 길고도 힘겨운 여정을 앞두고 이곳에서 하루 이틀 쉬어 가기로 한 것이었다.

이 여행은 오로지 필요에 따른 것이었다. 귀족 가문의 가난한 청년이었던 파리옴은 칼레포스 황제와 배치되는 가문의 정치적, 종교적 신념 때문에 추방을 당했다. 파리옴은 갓 결혼한 새색시를 데리고 요로스로 출발하였다. 요로스에서 자리를 잡은 가문의 일족들이 그를 따뜻하게 맞아줄 터였다.

그들은 대규모의 카라반과 함께 남쪽의 타슘으로 향하였다. 그런데 실라크의 변경 너머, 셀로티안 사막의 붉은 모래밭 한복판에서 카라반은 강도단의 습격을 받아 일행 대다수가 살해되고 나머지는 뿔뿔이 흩어지고 말았다. 단봉낙타를 타고 탈출한 파리옴과 그의 아내는 사막에서 길을 잃은 뒤, 타슌으로 가는 길을 찾지 못한 채 부주의하게도 줄-바-사이르로 가는 길로 들어서고 말았다. 사막의 남서쪽 가장자리에 성벽으로 둘러싸인 이 도시는 그들의 원래 여정에 포함되어 있지 않았다.

줄-바-사이르에 들어온 파리옴 부부는 경제적인 이유로 허름한 지역에 있는 여인숙을 골랐다. 그날 밤에 엘라이스는 세 번째 강경증 발작을 일으켰다. 결혼 전에 있었던 두 번의 발작은 병증을 제대로 파악한 실라크 의사들의 노련한 치료 덕분에 호전되었더랬다. 그리고 병이 재발하지 않을 거라 기대했었다. 세 번째 발작은 틀림없이 여정의 피로와 고초 때문이었다. 파리옴은 엘라이스가 회복할 거라고 확신했으나 여인숙 주인이 불러온 줄-바-사이르의 의사는 그녀가 사망했다고 주장하였다. 그리고 이 도시의 이상한 법에 따라 곧바로 엘라이스의 사망을 몰디기안의 사제들에게 보고하였다. 남편의 격렬한 항의는 완전히 묵살되었다.

병증의 특성상, 겉으로 볼 때 사망한 것으로 보이나 실제로는 살아 있는 엘라이스가 납골당 신의 광신도들에게 잡혀간 일련의 상황에는 어딘지 사악한 필연 같은 것이 느껴졌다. 끝없이 구불거리고 사람들로 북적이는 길을 따라 정처 없이 그저 허둥대며 성난 발걸음으로 걷는 동안, 파리옴은 이 필연에 대해 골몰하느라 정신이 팔려 있었다.

계속 걸어가는 동안, 여인숙 주인한테 들은 흉흉한 정보뿐만 아니라 실라크에서 들어봤던 전설들까지 뒤늦게 기억났다. 실상, 줄-바-사이르의 평판이 나쁘고 수상쩍었음에도 불구하고 자신이 그것을 까맣게 잊고 있었다는 게 믿기지 않았다. 그래서 일시적이라고 해도 돌이킬 수 없는 자신의 건망증에 험한 욕설을 퍼부었다. 줄-바-사이르의 관습대로 먹잇감을 향해 언제나 열려 있는 그 넓은 관문으로 들어서느니 차라리 엘라이스와 함께 사막에서 죽는 편이 나았을 터였다.

상업의 중심지인 이 도시에 외지의 여행객들이 들르긴 해도, 눈에 보이지 않는 신이자 시체를 먹으며 그 먹잇감을 자신의 사제들과 나눈다는 몰디기안의 혐오스러운 숭배 의식을 알기에 오래 머물려고 하진 않았다. 시체들은 어두운 신전에 며칠 동안 놓아두고, 부패가 시작되기 전까진 먹지 않는다고 하였다. 사람들은 시체를 먹는 것보다, 구울이 지배한 지하 납골당에서 엄숙하게 거행되는 신성모독의 의식보다, 또 몰디기안이 먹기 전까지 시체를 상대로 자행되는 입에 담을 수 없는 관행보다 더 추잡한 일들에 대해 속삭였다. 외부에서 볼 때 줄-바-사이르에서 죽은 사람들의 운명은 섬뜩한 교훈과 저주의 대명사였다. 그러나 구울 신을 믿는 이 도시 사람들에게는 시체를 처리하는 일상적이고도 당연한 방식이었다. 대단히 실용적인 신 덕분에 무덤과 묘비, 지하 묘지와 화장용 장작 등의 성가신 것들이 필요 없게 된 셈이다.

파리옴은 이 도시민들이 일상생활로 분주한 모습을 보고 깜짝 놀랐다. 짐꾼들이 생활용품 꾸러미를 어깨에 짊어지고 지나갔다. 상인들은 타 도시의 상인들처럼 저마다 자신의 가게에 쭈그리고 앉아 있었다. 판매자와 구매자 들이 시장에서 큰 소리로 흥정을 하고 있었다. 여자들이 문간에서 웃고 수다를 떨었다. 파리옴이 자신과 같은 외지인과 줄-바-사이르 사람들을 따로 구분할 수 있는 것이라고는 붉은색이나 검은색 또는 보라색의 옷 그리고 이상하고 투박한 억양뿐이었다. 길을 갈수록 악몽의 암울함이 걷히기 시작했고, 주변의 일상적인 모습을 보면서 서서히 격심한 고민과 절망도 누그러졌다. 그러나 상실감과 엘라이스에게 닥친 악운의 공포만큼은 그 무엇으로도 사라지게 할 수 없었다. 그러나 그는 긴박할수록 냉정해진 이성으로 구울 신의 신전에서 엘라이스를 구해 내는, 도저히 가망이 없어 보이는 문제에 대해 곰곰이 따져 보기 시작했다.

그는 한가로이 산책하는 사람처럼 표정을 태연히 고치고 서둘던 발걸음을 늦추어, 아무도 그의 노심초사한 속마음을 눈치채지 못하게 하였다. 그리고 남성복에 관심이 있는 척 상인에게 접근하여 먼 외지에서 온 여행객처럼 줄-바-사이르와 그 관습에 대하여 이런저런 것을 물어보았다. 상인이 수다스러웠던 덕분에 파리옴은 곧 도시의 중심에 있다는 몰디기안 신전의 위치를 알아냈다. 또한 신전이 24시간 개방되어 있고, 사람들은 신전의 경내를 자유롭게 오간다는 것도 알았다. 그러나 경내에선 사제들이 축원하는 개인적인 의식 외에 다른 숭배 의식은 열리지 않는다고 하였다. 게다가 신전 안으로 들어가는 사람은 거의 없는데, 그 이유는 신전의 어둠을 침범했다가는 머잖아 신의 제물이 되는 대가를 치른다는 미신 때문이었다.

줄-바-사이르 주민들의 눈에 비친 몰디기안은 자애로운 신 같았다. 몰디기안은 이렇다 할 인간적 특징이라고는 없는, 참 독특한 신이었다. 말하자면, 태우고 정화하는 불처럼 자연력에 가까운 비인격적인 힘이었다. 몰디기안의 사제들 또한 수수께끼 같은 존재였다. 그들은 신전에 살면서 장례 의무를 거행할 때만 모습을 드러냈다. 어떻게 사제들을 채용하는지는 베일에 가려져 있으나, 대다수의 시민들은 남녀로 구성된 사제들이 외부와의 관계를 맺지 않고 자기들끼리 수 세대에 걸쳐 자손을 낳아 사제를 충원해 왔다고 믿고 있었다. 또 다른 주장에 따르면, 사제들은 인간이 아니라 지하 종족의 일원으로서 불멸의 삶을 누리며 몰디기안 신과 마찬가지로 시체를 먹고 산다고 하였다. 이런 믿음을 바탕으로 최근에는 소수의 이단들이 생겨나서 그중에서 일부가 몰디기안은 그저 신적인 허상에 불과하고 시체를 먹는 장본인은 사제들이라고 주장하였다. 이단에 대해 말을 끝낸 상인이 서둘러 자신은 독실한 사람이라 그런 주장을 믿지 않는다고 덧붙였다.

파리옴은 다른 화제로 한동안 상인과 대화를 나누다가 곧 도심을 지나, 큰 도로에서 비스듬히 나 있는 길을 따라 신전으로 향하였다. 특별한 계획이 있는 것이 아니라 신전 근처를 살펴볼 요량이었다. 옷 파는 상인의 말이 사실이라면, 신전은 만인에게 개방되어 있으나 정작 사람들은 들어가려 하지 않았다. 방문자가 많지 않다면, 파리옴의 모습이 쉽게 눈에 띌 터, 그러니 무엇보다 시선을 피하고 싶었다. 한편, 신전에서 시체를 가지고 나오는 것은 줄-바-사이르 사람들로서는 꿈도 꿀 수 없는 대담하고 무례한 짓일 터였다. 오히려 이런 대담함 때문에 의심을 사지 않고 엘라이스를 구출할 수 있을 것도 같았다.

길이 내리막으로 변하면서 점점 좁아지더니, 지금까지 지나온 어떤 길보다도 훨씬 더 어둡고 구불구불해졌다. 잠시 길을 잃었나 싶어서 행인에게 방향을 물어보려는 찰나, 몰디기안의 사제 네 명이 뼈와 가죽으로 만든 괴상한 들것을 들고 바로 앞쪽의 낡은 골목에서 나타났다.

들것에는 여자의 시체가 놓여 있었다. 한순간 격렬한 충격과 동요가 그를 부들부들 떨게 했으니, 그 여자가 바로 엘라이스라는 생각이 들어서였다. 그러나 다시 살펴보니 착각이었다. 여자가 입고 있는 옷은 간소하긴 하나, 진귀하고 이국적인 천으로 만든 것이었다. 엘라이스처럼 창백한 얼굴엔 검은 양귀비 꽃잎으로 만든 관 같은 것이 씌어 있었다. 열대 백합과 수선화가 다르듯, 죽어서도 생생하고 육감적인 여자의 아름다움 역시 엘라이스의 희디흰 순수함과는 달랐다.

파리옴은 신중하게 거리를 유지하면서, 음울한 수의를 걸친 사제들과 그들의 아름다운 시체를 조용히 뒤따라갔다. 사제들 앞에서 사람들이 경외감을 보이며 재빨리 길을 터주었다. 사제들이 지날 때마다 목청을 높이던 행상인과 흥정하던 사람 들이 숨을 죽였다. 주민 두 사람이 소곤거리는 소리를 들은 파리옴은 그 죽은 여자가 줄-바-사이르의 귀족이자 행정장관인 콰오스의 딸, 아크텔라임을 알게 되었다. 그녀는 의사들도 알지 못하는 원인 불명의 병에 걸렸고, 아름다움이 채 가시지 않을 정도로 병에 걸린 직후에 숨을 거두었다. 주민들의 소곤거림에 따르면, 여자의 사인이 질병이 아니라 탐지되지 않는 독극물이라고 생각하는 사람들도 있고, 사악한 마법에 희생된 것이라고 말하는 사람들도 있는 모양이었다.

사제들은 계속 이동했고, 파리옴은 시야에서 그들을 놓치지 않으면서 몹시 구불구불한 길을 따라 최대한 따라붙었다. 길이 가팔라져서 그 아래쪽이 제대로 보이지 않았고, 집들은 벼랑을 피해 옹기종기 모여 있듯 더욱 빼곡히 들어차 있었다. 마침내 파리옴은 오싹한 안내자들을 따라, 도시의 중심부에 있는 원형의 분지 같은 곳으로 나왔다. 몰디기안 신전이 음침한 마노 포석 한복판에 외따로 서 있었고, 주변의 장례용 삼나무들은 죽은 세월의 흔적처럼 걷히지 않는 납골당의 그림자로 거무스름해져 있었다.

신전 건물은 불결한 부패의 조짐처럼 거무스름한 자주색을 띤, 기이한 돌로 지어진 것이었다. 이 석조물은 정오의 격렬한 햇빛도 새벽이나 황혼의 영롱한 빛도 거부하고 있었다. 기괴한 영묘의 모습을 본뜬 이 건물은 낮고 창문이 없었다. 출입구들이 삼나무의 그림자 속에서 음산하게 열려 있었다.

파리옴은 아크텔라를 들것에 실은 사제들이 유령 짐을 진 유령들처럼 출입구 안으로 사라지는 것을 지켜보았다. 옹기종기 웅크린 가옥들과 신전 사이에 놓여 있는, 드넓은 포석 지대는 휑하니 비어 있었으나, 파리옴은 환한 햇빛 아래서 무모하게 그 포석을 넘어가진 않았다. 주위를 돌면서 살펴본 결과, 이 거대한 신전에는 몇 개의 문이 더 있었고, 모두가 무방비 상태로 열려 있었다. 주변에는 별다른 움직임이 없었다. 그러나 신전의 벽 내부에 은폐되어 있을 것들을 생각하자니, 대리석 무덤 속에 숨겨진 구더기들의 향연을 떠올리듯 소름이 끼쳤다.

역겨운 소문의 진원지가 햇빛 속에서 바로 눈앞에 버티고 있는 모습에 그만 속이 메슥거렸다. 엘라이스가 신전의 시체 사이에서, 불결한 그림자들이 굽어보는 가운데 누워 있을 것을 생각하자 그는 또다시 광기에 사로잡혔다. 참을 수 없는 분노에 괴로웠으나, 불확실하고 불투명한 구출 계획이나마 실행하기 위해선 어둠의 호의를 기다려야만 했다. 그동안 엘라이스는 의식을 회복하더라도 주변의 무시무시한 공포를 접하고 오히려 더 치명적인 상황에 빠질지 몰랐다. 아니면 소곤대는 얘기들이 사실일 경우, 더욱더 안 좋은 상황이 벌어질지도…….

III

마법사이자 강신술사인 아브논-타는 몰디기안의 사제들과 맺은 계약에 대해 자축하고 있었다. 그는 이번 계약을 성사시킨 다양한 비법들이 자기보다 영리하지 못한 자들은 도저히 생각해 내거나 실행할 수 없을 거라 생각했는데, 이것이 아예 틀린 생각은 아니었다. 그는 드디어 오만한 콰오스의 딸, 아크텔라를 자신의 무조건적인 노예로 만들기 직전에 와 있었다. 다른 그 누구도 그 자신이 원하는 여자를 얻기 위하여 사용한 이런 책략을 발휘하진 못할 터였다. 이 도시의 젊은 귀족인 알로스와 약혼한 아크텔라는 일개 마법사의 열망으로는 닿을 수 없는 존재처럼 보였다. 그러나 아브논-타는 보통 마법사가 아니라, 오래전부터 흑마술 중에서도 가장 섬뜩하고도 심오한 비책들에 정통한 마법의 대가였다. 그는 멀리서도 칼이나 독약보다 더 빠르고 확실하게 사람을 죽이는 주문에 능하였다. 또한 죽은 지 오래되거나 부패한 시체들까지 되살려내는 더욱 음산한 주문들도 알고 있었다. 그는 진기하고도 교묘한 인형술로 아크텔라를 쥐도 새도 모르게 죽였고, 아무런 흔적도 남기지 않았다. 아크텔라의 시신은 지금 몰디기안 신전 안에 망자들과 함께 누워 있었다. 오늘 밤, 그는 수의를 입은 무시무시한 사제들의 묵인하에 그녀를 다시 살려낼 계획이었다.

아브논-타는 줄-바-사이르의 토박이가 아니라 오래전에 평판이 나쁘고 실재의 지역인지조차 불투명한 섬 ─ 거대한 대륙, 조티크의 동쪽 어딘가에 있다는 ─ 소타르에서 온 인물이었다. 그는 번드르르한 젊은 야심가처럼 납골당의 그늘 속에서 자수성가하여, 제자와 조수를 거느릴 정도로 성공하였다.

아브논-타와 몰디기안 사제들 간의 거래는 오래전부터 광범위하게 이루어져왔는데, 최근에 맺은 계약은 지금까지의 거래와는 성격이 전혀 달랐다. 사제들은 그에게 몰디기안의 소유인 시체들을 한때 이용해도 좋다고 허락하였다. 단 조건이 있었으니, 시체를 대상으로 어떤 마법을 실험해도 상관없으나 시체를 신전에서 가지고 나갈 수 없다는 것이었다. 이런 특권은 사제들의 입장에서 볼 때 약간은 예외적인 것이라, 아브논-타로선 그들에게 뇌물을 제공할 필요가 있었다. 그러나 뇌물은 금이 아니었고, 금보다 더 불길하고 효과적인 물건을 무제한 공급하겠다는 약속이었다. 이것은 양쪽 모두에게 매우 만족스러운 협약이었다. 아브논-타가 이 도시로 온 이후부터 원래 풍족했던 시체들이 더욱더 다량으로 신전에 공급되었다. 그러니 몰디기안 신에게 먹이가 부족한 적은 없었고, 아브논-타에겐 더욱 사악한 마법을 활용해 볼 실험 대상이 부족한 적이 없었다.

전반적으로 아브논-타는 만족하는 편이었다. 그런데 이번에는 자신의 뛰어난 마법 능력과 기발한 창의력 외에도 지금까지 거의 유례가 없었던 용기를 증명할 생각이었다. 그는 무서운 신성모독에 버금가는 약탈을 계획하고 있었던 것이다. 다시 말해, 되살려낸 아크텔라의 시신을 신전에서 빼내 올 작정이었다. 이런 약탈 행위와(살아 있는 시체건 죽은 시체건 간에) 그에 따르는 처벌은 전설에만 등장하는 사안이었다. 최근에 이런 일이 벌어진 예가 없기 때문이었다. 이 도시의 상식에 따르면, 시체의 약탈을 시도했다가 실패한 사람들은 그야말로 무시무시하고 참혹한 운명을 맞았다. 이 마법사는 무턱대고 위험을 감수하진 않았다. 그렇다고 세간의 소문이나 믿음 때문에 포기하거나 겁을 먹지도 않았다.

그의 의도를 알고 있는 두 명의 조수, 즉 나가이와 벰바-트시스는 줄-바-사이르 탈출에 필요한 만반의 준비를 은밀히 진행해 왔다. 이 도시를 떠나려는 동기가 아크텔라를 향한 마법사의 강렬한 연정 때문만은 아니었다. 그는 변화를 원하였다. 그의 마법 활동을 어느 정도 용이하게 만들면서도 결정적으로는 제약을 가하는 이 도시의 이상한 법에 조금씩 지쳐가고 있었기 때문이다. 남쪽으로 가서, 미라가 많고 오래되기로 유명한 제국, 타슌의 도시 중 한 곳에서 자리를 잡을 계획이었다.

어느새 일몰이었다. 신전의 탁 트인 원형 경내 쪽으로 기울어져 있는 듯한, 아브논-타의 높은 저택 안마당에 달리기 훈련을 시켜온 다섯 마리의 단봉낙타들이 대기하고 있었다. 낙타 하나에는 마법사의 가장 귀중한 책과 원고 그리고 기타 마법 용품이 담긴 짐을 싣고, 나머지는 아브논-타와 두 명의 조수 그리고 아크텔라가 타고 갈 것이었다.

나가이와 뱀바-트시스는 그들의 스승 앞에 나타나, 모든 준비가 끝났음을 알렸다. 두 명은 아브논-타보다 훨씬 어렸고, 이들 또한 줄-바-사이르에서 외지인이었다. 이들은 가무잡잡하고 눈매가 가는 나트 사람의 피를 물려받았는데, 나트로 말하면 소타르에 뒤지지 않을 만큼 평판이 나쁜 섬이었다.

"잘 했다." 마법사는 앞에 있는 두 명의 조수가 눈을 내리깔고 준비 상황을 알려 오자 그렇게 말하였다. "적당한 시간을 기다리면 된다. 사제들이 지하 밀실에서 저녁을 먹는 일몰과 월출 사이, 그때를 기다렸다가 신전 안으로 잠입하여 아크텔라를 되살려내는 마법을 시행할 것이다. 1층 성소의 커다란 탁자 위에서 많은 시체들이 숙성된 상태이니, 사제들은 오늘 밤 배불리 먹을 것이다. 물론 몰디기안도 그러할 테지. 그러니 아무도 우리를 지켜보지 않을 것이다."

"하지만 스승님, 그리하는 것이 과연 현명한 일인지요?" 이렇게 말한 이는 나가이, 그의 주황색 옷이 살며시 떨리고 있었다. "그 여자를 신전에서 꼭 데리고 나와야 합니까? 스승님은 지금까지 사제들의 허가를 받아서 시체를 잠시 빌렸다가 죽은 상태로 돌려놓는 것으로도 만족해하셨습니다. 진정, 몰디기안 신의 법을 어겨도 괜찮겠습니까? 사람들은 몰디기안의 노여움이 드물기는 하나 그 어떤 신의 노여움보다 무섭다고들 합니다. 그래서 근래에는 그 누구도 감히 신을 속이려 들지 않았고, 신전에서 시체를 빼내려고 한 예가 없습니다. 일설에 의하면, 오래전에 이 도시의 지체 높은 귀족 한 명이 자신이 사랑했던 여인의 시신을 빼내 사막으로 도주했다고 합니다. 그러나 사제들이 자칼보다도 빠른 속도로 그를 뒤쫓았고…… 결국 그 귀족에게 닥친 운명에 대해선 전설들마저 쉬쉬하면서 얼버무리고 있지요."

"나는 몰디기안도 그의 부하들도 두렵지 않다." 아브논-타가 근엄하게 허세를 부리며 말하였다. "나의 낙타들이 사제들보다 빠르다. 설령 사제들이 항간의 소문처럼 인간이 아니라 구울이라고 해도 그렇다. 그러니 그들이 우리를 따라잡을 가능성은 크지 않다. 그들은 오늘 밤 실컷 먹은 후에 배부른 독수리처럼 잠들 것이다. 내일 그들이 깨기 전에 우리는 이미 멀리 떨어져 타슌으로 향하고 있을 것이다."

"스승님이 옳습니다." 벰바-트시스가 거들고 나섰다. "우리에겐 두려울 것이 없습니다."

"하지만 사람들은 몰디기안이 잠들지 않는다고 말합니다." 나가이도 굽히지 않았다. "게다가 몰디기안은 신전의 지하 검은 납골당에 있으면서도 언제나 모든 것을 꿰뚫어 본다고 합니다."

"나 또한 그런 말을 들었다." 아브논-타가 다 알고 있다는 듯 태연하게 말하였다. "그러나 내가 보기엔, 그런 믿음은 미신에 불과하다. 시체 먹는 자들의 실상을 입증해 주는 건 아무것도 없다. 지금까지 나는 잠들어 있건 아니면 깨어 있건 간에 몰디기안을 본 적이 없다. 하지만 몰디기안도 한낱 평범한 구울에 불과할 공산이 크다. 나는 구울에 대하여 또 그들의 습성에 대하여 알고 있다. 그들은 기괴한 생김새와 큰 몸집

그리고 불사불멸, 이것만 아니라면 하이에나와 다를 것이 없다."

"그래도 몰디기안을 속인다는 게 꺼림칙하군요." 나가이가 작은 소리로 중얼거렸다.

귀가 밝은 아브논-타가 이 말을 놓치지 않았다. "아니, 속이는 것이 아니다. 나는 지금까지 몰디기안과 그의 사제들에게 충분히 봉사해 왔고, 그들의 검은 식탁을 푸짐하게 차려주었다. 게다가 아크텔라와 관련해서라면, 나는 계약을 최대한 지킬 것이다. 다시 말해, 내가 마법을 행사하는 대가로 새로운 시체 한 구를 제공할 것이다. 내일, 아크텔라의 약혼자인 젊은 알로스가 그 여자를 대신하여 시체들과 누워 있을 것이다. 그만 물러가라. 나는 열매의 중심에서 깨어나는 벌레처럼 알로스의 심장을 갉아 먹을 비밀의 인형 주술을 준비해야 하니까."

IV

흥분하고 심란한 파리옴에겐 그 청명한 하루가 시체에 가로막힌 강물처럼 더디게만 지나가는 것 같았다. 그는 산란한 마음을 진정시키지 못한 채, 자주색 하늘을 배경으로 서쪽 망루들이 점점 검게 물들어가고 가옥들 사이에서 잿빛의 성난 바다처럼 저녁놀이 퍼져갈 때까지 인파로 북적이는 시장 여기저기를 정처 없이 거닐었다. 이윽고 엘라이스가 쓰러졌던 여인숙으로 돌아가, 놔두고 온 낙타를 찾아왔다. 낙타를 타고, 절반씩 열려 있는 집집의 창문에서 새어 나오는 램프나 초의 은은한 불빛만 비치는, 어스름한 길을 따라 다시 한 번 도시의 중심부로 향해갔다.

몰디기안 신전을 에워싸고 있는 공터에 도착했을 때, 어스름은 짙은 어둠으로 바뀌어 있었다. 공터를 마주하고 있는 저택들의 창문은 모두 닫혀 있어서 죽은 눈알처럼 빛의 흔적일랑 없었고, 어두운 그림자가 드리운 거대한 신전 건물은 모여드는 별 아래의 여느 무덤처럼 어두컴컴했다. 밖에 나와 있는 사람은 아무도 없는 것 같았고, 이런 정적이 그의 계획에는 유리했음에도 불구하고 파리옴은 섬뜩한 위협감과 황량함의 냉기에 몸서리를 쳤다. 땡강거리며 포석을 울리는 낙타의 발굽 소리가 간담이 서늘할 만큼 요란하고 기이하였다. 구울들이 침묵 뒤에 숨어서 귀를 쫑긋하고 있다면, 틀림없이 그 소리를 들었을 것 같았다.

그러나 음산한 어둠 속에는 아무런 움직임도 없었다. 오래된 삼나무들이 울창하게 모여 있어 은신처가 될 만한 곳에 이르자, 그는 낮은 가지에 낙타를 묶었다. 나무 사이를 벗어나지 않고 바짝 경계심을 조이면서 그림자들 속의 그림자처럼 신전으로 다가갔다. 그리고 천천히 신전의 주위를 돌면서, 건물의 네 구획마다 있는 네 개의 출입문이 무방비 상태로 역시나 어둠에 잠긴 채 활짝 열려 있음을 발견하였다. 이윽고 낙타를 묶어놓은 동쪽 구역으로 돌아온 뒤, 마음을 다잡고 음산하게 열려 있는 문으로 들어섰다.

문지방을 넘자, 곧바로 부패의 희미한 악취와 불에 탄 뼈와 살 냄새가 풍기면서 갑갑하고 냉습한 어둠이 그를 휘감았다. 거대한 복도에 들어와 있는 것 같았고, 오른쪽 벽을 더듬거리며 나아가는데 느닷없이 모퉁이가 나왔다. 멀리 앞쪽에서 푸르스름한 불빛이 비치는 것으로 봐서, 복도가 끝나고 중앙의 지성소가 있는 것 같았다. 불빛 속에서 육중한 기둥들이 그림자를 드리우고 있었다. 그가 가까이 다가가는 동안, 기둥 뒤에서 옷으로 몸을 칭칭 휘감은 몇 개의 검은 형체들이 커다란 해골의 옆모습을 드러내고 지나갔다. 그중에서 두 명은 사람의 시체 한 구를 나누어 들고 있었다. 어두운 복도에서 멈춰 선 파리옴은 그들이 지나간 뒤에 잠시 동안 허공에서 더 심하게 진동하는 썩은 냄새를 맡았다.

다른 그림자들은 더 나타나지 않았고, 신전은 다시 무덤의 정적 속으로 빠져들었다. 그래도 파리옴은 의심과 두려움 때문에 다시 발을 떼기까지 한참을 기다렸다. 시체 안치소의 불가사의한 중압감에 공기가 갑갑해졌고, 무덤의 악취 같은 것에 숨이 막혀왔다. 견디기 힘들 정도로 촉각을 곤두세운 상태에서 분간할 수 없이 뒤섞인 낮고 끈끈한 목소리들이 어렴풋이 들려왔는데, 신전의 지하에서 나는 소리 같았다.

드디어 복도의 끝까지 무사히 도착한 파리옴은 지성소로 보이는 곳을 살펴보기 시작했다. 천장이 낮고 기둥이 많은 그 방은 상당히 넓었지만, 가는 돌기둥 위에 놓인 무수한 항아리 같은 단지에서 깜박거리는 푸르스름한 불빛이 공간의 절반만 비추고 있었다.

파리옴은 이 오싹한 공간의 문간에서 주춤했는데, 타고 썩는 살 냄새의 진원지에 가까이 온 것처럼 공기 중에 악취가 가득했기 때문이다. 게다가 걸걸한 목소리들의 웅얼거림이 왼쪽 벽 옆의 바닥에 나 있는 어두운 계단에서 올라오는 것 같았다. 그러나 그 방 안엔 어느 모로 보나 생명의 흔적이 없었고, 흔들리는 불빛과 그림자가 전부였다. 파리옴은 방 한복판에서 신전 건물의 자재와 똑같은 흑석으로 깎아 만든, 커다란 탁자의 윤곽을 알아보았다. 탁자 위에서 단지들의 불빛에 절반은 드러나고, 육중한 기둥들의 음영에 절반이 가려진 것은 나란히 누워 있는 다수의 사람들이었다. 파리옴이 발견한 것은 몰디기안의 소유물인 시체들을 놓아두는 검은 제단이었다.

숨 막히는 거센 공포와 그보다 더 거센 마음속의 희망이 서로 충돌하였다. 그는 부들부들 떨면서 탁자로 다가갔다. 시체들이 만들어내는 냉습하고 끈적끈적한 공기가 덮쳐왔다. 길이는 약 9미터, 높이는 사람의 허리께에 닿는 탁자가 열두 개의 튼튼한 다리로 지탱되고 있었다. 가장 가까운 모서리부터 시체들을 따라 지나가면서 위로 향해진 얼굴들을 두려운 마음으로 쳐다보았다. 남녀노소, 지위고하가 따로 없었다. 귀족과 부자 들이 지저분한 넝마에 둘러싸인 채 거지들과 함께 콩켸팥켸 놓여 있었다. 시체 중에서 일부는 사망한 지 얼마 되지 않은 것이었고, 일부는 며칠 동안 그곳에 놓여 있었는지 부패가 시작되고 있었다. 시체 사이에 공간이 많은 것으로 봐서, 상당수를 가져간 모양이었다. 파리옴은 희미한 불빛에 의지하여 사랑하는 엘라이스의 모습을 찾기 시작했다. 탁자의 반대편 끝에 가까워지면서 그녀가 이곳에 없는 것은 아닐까 두려운 마음이 들기 시작할 즈음 드디어 그녀를 찾아냈다.

이상한 병의 증상, 그러니까 불가사의한 창백함과 죽은 듯 정지된 상태 그대로 엘라이스는 차가운 돌 탁자 위에 누워 있었다. 파리옴은 그녀가 죽지 않았다고 확신했기에 크나큰 안도감을 느꼈다. 그뿐만 아니라 이 신전의 무시무시한 환경 속에서 한 번도 깨어나지 않은 것 같았다. 이 증오스러운 줄-바-사이르 땅에서 그녀를 데리고 빠져나갈 수 있다면, 그녀는 죽음과도 같은 질병에서 회복될 터였다.

파리옴은 별생각 없이 엘라이스 옆에 누워 있는 또 다른 여자를 쳐다보다가, 그녀가 신전의 입구 가까이 그를 인도했던 들것의 주인공, 즉 미모의 아크텔라임을 알아차렸다. 그는 아크텔라에게 두 번 다시 눈길을 주지 않고 허리를 굽혀 엘라이스를 안아 올렸다.

그때였다. 그가 지성소로 들어올 때 지나왔던 입구 쪽에서 낮은 웅얼거림이 들려왔다. 사제들이 다시 온 것이라고 생각한 그는 몸을 숨길

수 있는 유일한 공간 즉 커다란 탁자 밑으로 재빨리 기어들었다. 단지
에서 비치는 불빛의 그림자 속에 몸을 웅크리고 탁자의 두꺼운 다리 사
이로 동정을 살폈다.

목소리들이 점점 커지더니, 이상하게 생긴 샌들을 신은 몇 개의 발이
보였고, 곧이어 방금 전에 파리옴 자신이 서 있었던 자리를 향해 다가
오는 짧은 옷차림의 세 사람이 보였다. 파리옴은 그들의 정체를 알 수
없었다. 다만 연한 색상의 검붉은 옷차림으로 봐서 몰디기안의 사제들
은 아니었다. 그들이 그를 봤는지 못 봤는지도 확실치 않았다. 그는 탁
자 밑에 웅크린 채로 칼집에서 단도를 빼 들었다.

이때부터 세 명의 목소리를 구분할 수 있었다. 근엄하면서도 부드럽
게 명령하는 목소리, 걸걸하게 쉰 목소리 그리고 비음이 섞인 날카로운
목소리. 이들의 억양은 줄-바-사이르의 주민과는 다르면서 생경한 면
이 있었고, 사용하는 말 자체도 번번이 이상하게 들렸다. 그렇다 보니,
파리옴은 이들이 나누는 대화의 상당 부분을 알아들을 수 없었다.

"……여기다 ……여기 끝 쪽…….” 근엄한 목소리가 말하였다. “서둘
러라…… 꾸물거릴 시간이 없다.”

"네, 스승님.” 걸걸한 목소리가 말하였다. “그런데 이 여자는 누굴까
요? ……상당한 미인인데요.”

이들은 이 대목에서 더욱더 조심스레 목소리를 낮추고 대화를 하는
것 같았다. 분위기상, 걸걸한 목소리의 남자가 다른 두 명이 반대하는
것을 계속 고집하는 상황이었다. 파리옴은 한두 마디씩 간신히 알아들
을 수 있었다. 그래도 걸걸한 목소리의 남자는 벰바-트시스, 비음이 섞
인 날카로운 목소리의 주인공은 나가이라는 건 짐작할 수 있었다. 드디
어 스승으로 불리는, 근엄한 남자의 목소리가 분명하게 들려왔다.

"다 들어주진 않겠다. 그러다간 제때 출발할 수 없으니까. 게다가 둘을 한 낙타에 태울 수밖에 없고. 하지만 그 여자를 데려가도 좋다. 벰바-트시스. 너 혼자 힘으로 필요한 마법을 행할 수 있다면 말이다. 내가 두 번의 마법을 행하기엔 시간이 없으니, 네 능력을 알아보는 좋은 시험대가 되겠구나."

벰바-트시스가 고맙다는 식으로 중얼거렸다. 이어서 스승의 목소리가 들려왔다. "이제 조용히 서둘러라." 파리옴은 이들의 대화에 막연히 꺼림칙한 의심이 들었다. 셋 중에서 두 사람이 시체를 향해 상체를 구부리는 것처럼 탁자에 몸을 바싹 갖다 댔다. 돌 탁자 위에서 옷이 부스럭거리는 소리가 들려온 데 이어, 몇 초 후에 세 사람이 들어왔던 방향과 반대쪽으로 떠나는 모습이 보였다. 두 사람은 어둠 속에서 희미하게 빛나는 짐을 하나씩 들고 있었다.

검은 공포가 파리옴의 심장을 움켜잡았다. 그제야 그 짐들의 정체가 무엇인지 또 그중 하나가 누구일지 명확하게 짐작이 갔기 때문이었다. 재빨리 은신처에서 빠져나온 그는 검은 탁자에 있던 엘라이스와 아크텔라가 사라지고 없는 것을 발견하였다. 서쪽 벽에 드리워진 어둠을 따라 세 개의 그림자가 사라져가고 있었다. 유괴범들이 구울인지 아니면 구울보다 더 나쁜 족속인지는 알 수 없으나, 그는 엘라이스에 대한 걱정 때문에 조심성을 잃고 허둥지둥 그들의 뒤를 쫓아갔다.

서쪽 벽에 이르자, 복도의 입구가 나타났고, 그는 무턱대고 복도로 뛰어들었다. 전방의 어둠 속 어딘가에서 불그스름한 빛이 보였다. 잠시 후, 육중한 금속이 삐걱거리는 소리가 들려왔다. 붉은 빛이 가느다란 틈처럼 좁아졌는데, 그 불빛이 새어 나오던 출입문이 닫히고 있는 것 같았다.

그는 어두운 벽을 따라, 불빛의 틈새까지 다다랐다. 검게 변색된 청동 문 하나가 빠끔히 열려 있었고, 그 안을 살펴보니, 검은 받침대 위의 단지들에서 변덕스럽게 너울거리는 핏빛 불빛 아래 기이하고도 불경한 장면이 연출되고 있었다.

그 방에는 죽음의 신전의 칙칙하고 음울한 돌과 묘하게 어울리는 감각적인 사치품으로 가득했다. 여러 침상과 화려한 무늬의 주홍색, 황금색, 담청색, 은색의 양탄자들. 그리고 구석마다 미지의 금속으로 만든 보석 향로들이 세워져 있었다. 한쪽의 낮은 탁자 위에는 신기한 모양의 병 여러 개와 의약이나 마법에 사용할 법한 신비한 도구들이 어지러이 놓여 있었다.

엘라이스는 한 침상에 누워 있었고, 가까이에 있는 또 다른 침상에는 아크텔라의 시신이 놓여 있었다. 파리옴이 그때 처음으로 얼굴을 보게 된 유괴범들은 상당히 의아스러운 뭔가를 준비하느라 분주히 움직이고 있었다. 방 안으로 뛰어들고 싶은 충동을 가로막은 것은 그를 사로잡고 꼼짝 못하게 만든 경이감 같은 것이었다.

세 사람 중에서 한 명 그러니까 파리옴이 '스승'이라고 짐작하는, 키 큰 중년의 남자가 작은 화로와 향로를 포함하여 독특하게 생긴 용기들을 한데 모으고는 아크텔라 옆쪽 바닥에 내려놓았다. 그보다 젊고 음탕하게 눈이 째진 남자는 엘라이스 앞쪽에 비슷한 도구들을 가져다 놓았다. 나머지 한 사람 그러니까 역시 젊어 보이고 용모가 사악하게 생긴 남자는 그저 가만히 서서, 불안하고 불편한 기색으로 지켜보고 있었다.

파리옴이 보기에, 그들은 오랜 수련 생활로 능력을 갖춘 마법사들 같았다. 그들이 향로와 화로에 불을 지피고는 동시에 생경한 언어로 리드미컬하게 주문을 외우면서 일정한 간격마다 화로에 검은 기름을 뿌리자, 화로의 석탄에서 요란한 쉭쉭거림과 함께 진주색의 거대한 연기 구름이 피어올랐다. 향로에선 검은 수증기가 줄처럼 꾸불꾸불 피어오르더니, 화로의 연기가 만들어낸 희미하고 기괴한 유령 거인들의 모습 속에서 핏줄처럼 뒤얽혔다. 방 안에 가득해진 몹시도 매캐한 발삼 냄새가 파리옴의 감각을 교란시키는 바람에 눈앞의 광경이 어지러이 흔들리면서 꿈처럼 거대하고 최면적인 왜곡을 일으켰다.

마법사들의 목소리가 불경한 찬가처럼 높아졌다 낮아졌다. 그들은 금지된 신성모독의 목표를 이루게 해달라고 긴박하게 탄원하고 있는 것 같았다. 죽은 여자와 죽은 것처럼 보이는 또 한 명의 여자가 누워 있는 침상 주변에서 수증기가 사악한 생명력으로 몸부림치고 소용돌이치는 곡두들처럼 솟구쳐 올랐다.

얼마 후, 수증기가 흉한 소용돌이 속에서 갈라졌는데, 파리옴은 그때 수증기 사이로 희미하게 보이는 엘라이스가 잠을 자고 깨어난 사람처럼 뒤척이다가 눈을 뜨고는 호화로운 침상에서 연약한 손을 들어 올리는 모습을 보았다. 젊은 마법사가 갑자기 떨리는 목소리로 찬송을 멈추었다. 그러나 다른 마법사의 엄숙한 찬송은 계속되었고, 파리옴의 팔다리와 감각을 옭아맨 주술의 힘도 여전하여서 몸을 움직일 수 없었다.

수증기가 흩어지는 곡두들의 소동처럼 서서히 가늘어졌다. 파리옴은 죽은 여자 즉 아크텔라가 몽유병자처럼 두 발로 일어서고 있는 광경을 보았다. 그녀 앞에 서 있던 아브논-타의 찬송이 낭랑하게 끝났다. 이어진 섬뜩한 침묵 속에서 파리옴은 엘라이스의 힘없는 비명을 들었고, 뒤이어 그녀에게 상체를 굽히고 있던 뱀바-트시스의 거친 환호성이 들려왔다.

"아브논-타, 보십시오! 저의 마법이 스승님의 마법보다 더 빨랐습니다. 제가 고른 이 여자가 아크텔라보다 빨리 깨어났으니까요!"

파리옴은 자신을 옥죄고 있던 사악한 주술이 걷힌 것처럼 속박 상태에서 풀려났다. 그는 검게 변색된 거대한 청동 문을 활짝 열어젖혔다. 돌쩌귀가 투덜거리듯 삐걱거렸다. 그는 단도를 빼 들고 방 안으로 돌진하였다.

딱하게도 어리둥절한 상태에서 눈이 휘둥그레져 있던 엘라이스가 파리옴 쪽을 쳐다보고는 침상에서 일어서려고 했으나 마음대로 되지 않았다. 아브논-타 앞에서 말없이 순종적인 태도로 있는 아크텔라는 마법사의 의지에 따르는 것 외에는 관심이 없는 것 같았다. 그녀는 아름답지만 영혼이 없는 자동인형 같았다. 돌진해 오는 파리옴을 향해 돌아섰던 마법사들은 그의 공격을 민첩하게 피하면서 각자 가지고 있던, 짧지만 섬뜩하게 굽은 검을 빼 들었다. 나가이가 파리옴의 단도를 전광석화처럼 후려치자, 단도의 얇은 칼날이 칼자루만 남긴 채 깨져버렸다. 벰바-트시스의 칼도 무섭게 반원을 그리며 허공을 갈랐는데, 아슬아슬하게 아브논-타가 멈추라고 하지 않았더라면 파리옴은 그 칼에 맞아 죽었을 것이다.

자신을 겨누고 있는 칼날들 앞에서 격분한 상태지만 어찌할 바를 모르던 파리옴은 먹이를 노리는 야행성 맹금류처럼 자신을 탐색하는 아브논-타의 음산한 시선을 알아차렸다.

"네가 침입한 이유를 알겠다." 아브논-타가 말하였다. "몰디기안의 신전에 들어오다니, 용기가 참으로 가상하구나."

"나는 저기 누워 있는 여자를 찾으러 왔다." 파리옴이 분명한 어조로 말하였다. "저 여자의 이름은 엘라이스, 몰디기안 신이 부당하게 가지려 했던 나의 아내다. 그런데 내 아내를 몰디기안의 탁자에서 이 방으로 데려온 이유는 무엇이고, 시체를 되살리듯 저기 다른 여자를 일으켜 세운 당신들은 대체 누구냐?"

"나는 마법사 아브논-타, 그리고 여기 두 사람은 나의 제자인 나가이와 벰바-트시스다. 벰바-트시스에게 고마워하라. 이자가 스승을 능가하는 능력으로 너의 아내를 죽음의 경계에서 되살려냈으니까. 심지어 마법이 다 끝나기도 전에 너의 아내가 깨어나지 않았는가!"

파리옴은 가시지 않은 의심의 눈빛으로 아브논-타를 노려보았다. "엘라이스는 죽은 것이 아니라 혼수상태에 빠졌던 것이다. 아내를 깨운 건 너의 제자가 부린 마법이 아니다. 무엇보다 나는 엘라이스가 죽었든 살았든 상관없다. 우리를 가게 해줘. 우리는 그저 지나가는 여행자이니, 줄-바-사이르를 떠나고 싶다."

이렇게 말한 파리옴은 마법사들을 등지고 엘라이스에게 다가갔다. 멍한 눈빛으로 쳐다보고 있던 엘라이스는 그가 껴안자, 힘없는 목소리로 그의 이름을 불렀다.

"허, 참으로 기막힌 우연이로군." 아브논-타가 흡족하게 말하였다. "나와 제자들 또한 줄-바-사이르를 떠날 계획이니 말이야. 그것도 오늘 밤에. 우리와 함께 간다면 좋겠소만."

"고맙소." 파리옴이 무뚝뚝하게 말했다. "그러나 우리가 갈 길이 같을지 모르겠소. 엘라이스와 나는 탸슌으로 가는 중이오."

"몰디기안의 검은 제단 앞에서 그 또한 더 기막힌 우연이로고. 탸슌은 우리의 목적이기도 하니까. 우리는 되살려낸 아크텔라를 데려갈 것이오. 납골당의 신과 그 제자들에게 주기엔 너무도 아름다운 여자니까."

파리옴은 마법사의 유들유들하고 냉소적인 말 속에서 사악함을 감지했다. 그뿐만 아니라, 아브논-타가 자신의 제자들에게 보내는 은밀하고 불길한 눈짓을 알아차렸다. 무기가 없으니 그 냉소적인 제안에 겉으론 승낙할 수밖에 없었다. 그는 이 신전을 살아서 나갈 수 없다는 것을 잘 알고 있었다. 그를 감시하는 나가이와 벰바-트시스의 가늘어진 눈매가 살인의 핏빛 욕망으로 번뜩이고 있었기 때문이다.

"가자." 아브논-타가 건방진 명령조로 말하였다. "가야 할 시간이다." 그는 가만히 서 있는 아크텔라를 향해 돌아서더니 생소한 말 한마디를 내뱉었다. 그가 열려 있는 문 쪽으로 걸어가자, 아크텔라는 횅한 눈빛과 몽유병자의 걸음으로 그 뒤를 따라갔다. 파리옴은 엘라이스를 부축하여 일으키면서, 그녀의 눈빛에서 점점 커지는 공포와 혼란의 불안감을 달래주고자 걱정 말라고 속삭였다. 엘라이스는 느리고 불안정했으나 그럭저럭 걸을 수 있었다. 벰바-트시스와 나가이가 뒤쪽으로 다가오더니, 파리옴과 엘라이스더러 앞서 가라는 시늉을 해 보였다. 그러나 등을 보이는 순간 죽이려 한다는 것을 직감한 파리옴은 마지못해 걸음을 떼면서 무기로 쓸 만한 것을 찾아 절박하게 주위를 두리번거렸다.

연기 나는 석탄으로 가득한 쇠 화로 하나가 바로 발치에 있었다. 파리옴은 재빨리 몸을 숙여 화로를 집어 들고 두 마법사를 향해 돌아섰다. 그의 예상대로 칼을 치켜든 벰바-트시스가 그를 향해 덤벼들고 있었다. 파리옴은 화로와 그 안의 지글거리는 석탄들을 벰바-트시스의 얼굴에 냅다 집어던졌다. 벰바-트시스는 오싹하게 숨넘어가는 비명을 지르며 쓰러졌다. 그사이, 나가이가 표독하게 으르렁거리며 무방비 상태의 파리옴에게 달려들었다. 나가이가 일격을 가하려고 칼을 뒤로 젖히는 순간, 단지의 붉은 불빛 속에서 언월도의 칼날이 악랄한 빛을 뿜었다. 그런데 언월도가 허공에서 멈추었다. 죽음 앞에서도 강직하게 버티고 섰던 파리옴은 나가이가 고르곤[34] 같은 유령을 본 것마냥 굳어서 그의 어깨 너머를 빤히 쳐다보고 있음을 알아챘다.

자신의 의지가 아니라 마치 다른 사람의 강요에 의한 것처럼 파리옴은 돌아섰고, 나가이의 칼을 멈추게 한 것이 무엇인지 보았다. 열려 있는 문 앞에 멈춰 선 아크텔라와 아브논-타의 모습이 방 안에서 드리워진 것과는 다른, 거대한 그림자를 배경으로 윤곽을 드러내고 있었다. 그 그림자는 문을 가득 메우고 상인방 위까지 솟아 있었다. 그리고 곧바로 그것은 그림자 이상의 모습으로 바뀌었다. 까맣고 불투명한 암흑의 덩어리, 그것은 기이한 빛으로 보는 이의 눈을 부시게 만들었다. 그것은 방 안 단지들의 붉은 빛을 빨아들여 방 안을 완전한 죽음과 무(無)의 냉기로 채우는 것 같았다. 그것의 생김새는 벌레에 갉힌 기둥이었고, 용처럼 거대했으며, 끝자락이 복도의 어둠으로부터 계속해서 생겨나오고 있었다. 그런데 그 모습이 시시각각 변하면서 암흑의 무한정한 소용돌이 에너지로 활기를 얻는 것처럼 계속 휘돌았다. 잠시 동안은 눈알 없는 머리와 팔다리 없는 몸통의 흉포한 거인을 연상시켰다. 그러고는 이내 연기 자욱한 불길처럼 뛰고 퍼지면서 방 안으로 쇄도해 들어왔다.

뒤로 물러선 아브논-타가 저주인지 아니면 구마 주문인지 모를 말을 미친 듯이 중얼거렸다. 그러나 창백하고 가냘픈 모습으로 움직임이 없던 아크텔라는 그것이 쇄도해 오는 길목에 그대로 남아 있었다. 그 괴물은 아크텔라를 휘감더니, 그녀가 시야에서 완전히 사라질 때까지 굶주린 빛을 너울거리며 그녀를 집어삼켰다.

파리옴은 엘라이스를 부축하였고, 그녀는 금방이라도 기절할 것처럼 그의 어깨에 힘없이 기대어 있었다. 그는 살기 어린 나가이의 존재를 까맣게 잊었다. 형태를 갖추고 나타난 죽음과 분해의 존재 앞에서 그 자신과 엘라이스는 한낱 희미한 그림자처럼 느껴졌다. 그는 그 암흑이 아크텔라를 바짝 휘감을 때, 빨아들인 불빛으로 점점 더 비대해지는 것을 보았다. 또 그것이 검은 태양의 스펙트럼처럼 칙칙하고 희미한 무지갯빛으로 빛나는 것도 보았다. 일순간, 타오르는 불길의 소리처럼 나지막한 웅얼거림이 들려왔다. 이윽고 그것은 빠르고 무섭게 방에서 물러갔다. 아크텔라는 허공의 유령처럼 감쪽같이 사라지고 없었다. 그때 열기와 냉기가 기이하게 뒤섞인 돌풍이 불어왔고, 타버린 화장용 장작 더미에서 풍기는 매캐한 냄새가 돌풍에 실려 왔다.

"몰디기안!" 나가이가 발작적인 공포에 사로잡혀서 울부짖었다. "몰디기안 신! 아크텔라를 가져갔어!"

그의 울부짖음에 화답하듯, 하이에나의 울음 같은, 그러나 "몰디기안!"이라고 반복해서 외치는 10여 개의 냉소적이고 비인간적인 목소리가 메아리쳤다. 어두운 복도에서 방 안으로 쇄도하는 일단의 무리, 그들의 보랏빛 옷만 봐서는 파리옴도 익히 아는 구울 신의 사제들이었다. 그들은 두개골 모양의 가면을 벗은 상태라, 반은 사람 반은 개를 닮은, 그래서 더없이 극악한 머리와 얼굴을 드러내고 있었다. 게다가 벙어리 장갑까지 벗고 있었으니…… 손가락이 적어도 열두 개는 넘었다. 새빨간 불빛 속에서 그들의 휘어진 손톱이 검게 변색된 쇠갈고리처럼 번뜩였다. 관에 박는 못보다도 긴, 대못 같은 이빨이 으르렁거리는 입술 사이로 튀어나와 있었다. 그들은 자칼의 무리처럼 아브논-타와 나가이를 포위하고는 가장 먼 구석으로 몰아갔다. 조금 늦게 방으로 들어온 사제들은 그쯤에서 정신을 차리기 시작하여 바닥의 흩어진 석탄 사이에서 신음하고 몸부림치던 뱀바-트시스를 향하여 맹수처럼 덤벼들었다.

그들은 악독한 황홀경에 취한 것처럼 가만히 서서 지켜보고 있던 파리옴과 엘라이스를 무시하는 것 같았다. 그런데 가장 나중에 들어온 사제가 벰바-트시스의 공격자들과 합류하기 직전에 이 젊은 한 쌍을 쳐다보고는 무덤을 울리는 개의 짖음처럼 거칠고 공허한 목소리로 이렇게 말하였다.

"가라. 몰디기안은 죽은 자만을 원하고 산 자에겐 상관 않는, 공정한 신이시다. 그리고 우리, 몰디기안의 사제들은 신의 법을 어기고 신전에서 시체를 가져가려 한 자들을 우리만의 방식대로 처리한다."

파리옴은 여전히 힘없이 자신의 어깨에 기대어 있는 엘라이스와 함께 어두운 복도로 나왔다. 자칼의 포효와 하이에나의 웃음과 인간의 비명이 뒤섞인, 오싹한 소음이 계속 들려왔다. 이 소동이 멈춘 것은 그들이 파란 불빛이 비치는 지성소를 경유하여 외부 복도로 향할 때였다. 그리고 그들의 등 뒤로 몰디기안의 신전을 채웠던 침묵이 검은 제단 탁자에 놓인 시체들의 침묵처럼 깊어졌다.

....

32) 구울(Ghoul): 원래 아라비아 전설에 등장하는 괴수로, 사막이나 묘지에 살면서 행인들을 공격한다고 한다. 『아라비안나이트』와 『바텍』을 통하여 구울을 접한 러브크래프트가 자신의 작품에 변형하여 활용하였다. 러브크래프트의 구울은 개와 사람의 모습을 섞어놓은 형상으로 시체를 먹는 고약한 습성을 지녔으며 자신의 새끼와 사람의 아이를 바꿔치기하곤 한다. 러브크래프트의 「픽맨의 모델」과 「미지의 카다스를 향한 몽환의 추적」에 등장한다. 스미스는 자신의 작품에 러브크래프트의 구울을 차용하였다.

33) 몰디기안의 사제들은 스미스의 다른 단편 「무덤의 자식 The Tomb-Spawn」에 나오는 반인반수의 종족 고리와 흡사하다.

34) 고르곤(Gorgon): 그리스 신화에 등장하는 스테노, 에우리알레, 메두사로 이루어진 세 자매 괴물.

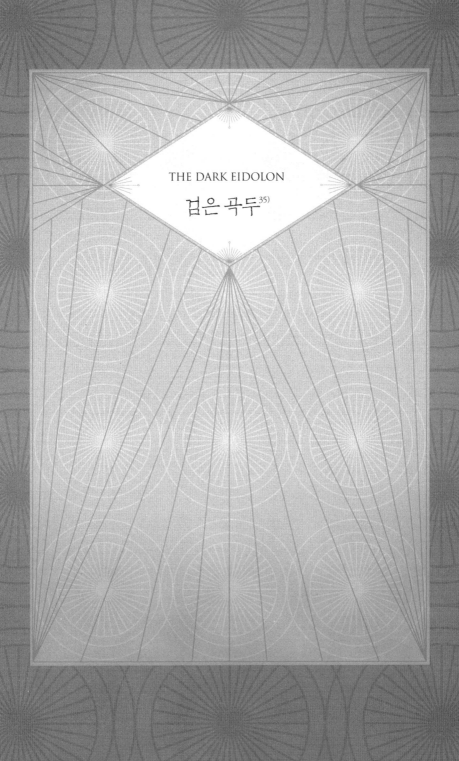

THE DARK EIDOLON

검은 곡두[35]

작품 노트

1932년에 완성, 1935년 《위어드 테일스》 1월 호에 실렸다.

스미스의 걸작을 꼽을 때 빠지지 않는 작품으로, 걸작 중에서도 최고라는 평가까지 받는다. 「검은 책」의 원안은 이렇다. "조티크의 한 마법사가 자신이 증오하는 폭군의 영혼을 악의 신, 티사이나의 검은 신상 속에 가둔다. 왕의 육체에 들어간 마법사가 왕의 사랑하는 여동생을 고문하는 동안, 신상 속에 갇힌 왕은 이 광경을 지켜볼 수밖에 없다……"

완성된 작품에선 티사이나가 다사이돈으로, 왕의 여동생이 연인(후궁)으로 수정되었다. 스미스가 「일로르뉴의 거인」과 더불어 영화화의 기대를 거는 한편, 《위어드 테일스》에서 진가를 알아본다면 즉시 받아줄 거라 여겼던 작품이다. 그러나 실상은 편집장 라이트로부터 후반부(전체의 3분의 1가량)가 너무 길다고 거절당했다. 나중에 스미스가 수정하여 《위어드 테일스》에 실렸다. 어느 정도를 삭제했는지 알 길은 없으나, 원본을 복원하기 어려운 스미스의 작품 중에서도 특히 애석한 작품으로 통한다.

「검은 곡두」는 조티크 연작 중에서도 가장 분량이 많다. 실라크의 파멸로 상징되는 조티크의 운명, 죽음과 부패의 이미지, 인간보다 더 이성적인 다사이돈(악의 신)과 나미르하의 운명이 보여주는 아이러니까지 이 작품은 조티크 연작의 중심으로 보기에 충분하다.

일곱 지옥의 제왕, 다사이돈
거기에 사는 한 마리 뱀은
지옥 구덩이에서 구덩이로 육중한 몸을 이끌고
끝없는 불과 어둠을 뚫고…….
지하 하늘의 태양, 다사이돈
그대의 오랜 악이 결코 죽지 않음은,
그대의 음울한 섬광이
이름 없는 지하 세계에서 타오르기 때문이니,
부정한 마법사들이 비록 그대를 모욕하여도
인간의 마음은 그대를 왕으로, 언제나 절대자로 섬기오.

— 지트라의 노래

    지상의 마지막 대륙, 조티크에서 태양은 이제 절정기의 순백으로 빛나지 아니하고, 피의 증기에 가려진 양 흐릿하고 우중충하였다. 셀 수 없이 많은 새 별들이 천공에 스스로의 존재를 드러냈고, 무한의 그림자들이 가까이 드리워졌다. 그리고 이 그림자들로부터 태고의 신들이, 하이퍼보리아 이후로, 뮤와 포세이도니스 이후로, 본질은 같으나 다른 이름으로 잊혔던 신들이 인간에게 돌아왔다. 그리고 태고의 악마들도 돌아와, 희생제의 독기로 배를 채웠고, 원시 마법사들을 다시금 육성하였다.

조티크의 영매와 마법사 들은 많았고, 그들이 행한 악행과 기적은 후세에 어디서나 전설이 되었다. 그러나 그들 중에서 으뜸은 '나미르하'이니, 그는 실라크의 도시들에 검은 멍에를 씌웠고, 나중에는 오만한 정신착란 속에서 스스로를 악의 제왕인 다사이돈의 진정한 동료라 여겼다.

사막의 폭풍을 뒤따르게 하는 등의 음산한 명성과 더불어, 악명이 자자했던 나미르하는 사막 왕국인 타순에서 실라크의 중심지인 움마오스로 옮겨와 거처를 정하였다. 그가 움마오스에 온 것을 두고 자신의 고향을 찾아온 것임을 아는 사람은 아무도 없었으니, 모두가 그를 타순의 토박이라고 여겼기 때문이었다. 실상, 이 위대한 마법사가 한때 누군지도 모르는 부모 밑에서 태어나, 움마오스의 거리와 시장에서 구걸을 하며 목숨을 부지했던 거지 소년, 나르토스였다는 것을 그 누구도 꿈엔들 생각하지 못하였다. 누구도 모르는 것이 또 하나 있으니, 이는 모든 걸 집어삼킬 만한 큰불로 화하기까지 때를 기다리며 은밀히 지펴온 불길처럼 그의 마음속에 서서히 싹트고 자란, 이 잔인하고도 부유한 도시를 향한 증오심이었다.

유년기와 청소년기를 거치면서 사람에 대한 나르토스의 원한과 증오는 뼈에 사무치도록 깊어졌다. 어느 날, 소년 나르토스와 같은 또래였던 조툴라 왕자가 억센 말을 타고 왕궁 앞 광장에 나타나자, 나르토스가 시혜를 구걸한 적이 있었다. 그러나 그의 애원을 업신여긴 조툴라는 그냥 박차를 가하여 말을 몰았다. 이때 나르토스는 말과 부딪쳐 쓰러졌고 말발굽에 짓밟혔다. 말에 밟혀 의식을 잃고 몇 시간 동안 사경을 헤매던 나르토스를 사람들은 그저 무심히 지나쳐 갔다. 간신히 의식을 되찾은 나르토스는 아픈 몸을 끌며 자신의 거처인 헛간으로 돌아왔다. 그러나 그 후로 내내 발을 조금 절룩거리게 되었고, 몸에 낙인처럼 찍힌 말발굽 자국은 시간이 지나도 희미해지지 않았다. 훗날, 그는 움마오스를 떠나, 사람들의 기억에서 금세 잊혔다. 남쪽으로 가다가 들어서게 된 타슈, 그는 광활한 사막에서 길을 잃고 아사 직전에 처하였다. 그러나 가까스로 작은 오아시스를 찾아냈으니, 이곳에 사람의 무리보다는 정직한 자칼과 하이에나 무리를 더 좋아하는 은자이자 마법사, 우팔로크가 거하고 있었다. 굶주린 아이에게서 커다란 재능과 사악함을 발견한 우팔로크는 이 아이를 거두어주었다. 나르토스는 우팔로크와 수년간 함께 지내면서, 마법사의 제자가 되어 악마에 필적하는 지식을 물려받았다. 이 은거지에서 기이한 것들을 배웠고, 물기 먹은 땅에서 자라지 않은 열매와 곡식을 먹었으며, 흙에서 난 포도의 즙이 아닌 포도주를 마셨다. 그리하여 나르토스는 우팔로크처럼 악마의 지배자가 되었고, 다시이돈 마왕과도 직접 결연을 맺었다. 우팔로크가 죽자, 나르토스는 나미르하로 개명을 한 뒤에 타슈의 방랑자들과 지하 깊숙이 파묻힌 미라들 사이에서 위대한 마법사로 군림하였다. 그러나 그는 어린 시절에 겪었던 불행과 조툴라의 부당한 대우를 결코 잊을 수 없었다. 해가 갈수록 그의 머릿속에는 복수의 검은 씨줄과 날줄이 촘촘히 짜여갔다. 그의 명성은 더욱더 음산해지고 커져서, 타슈에서 멀리 있는 사람들도 그를 무서워하였다. 요로스의 여러 도시뿐만 아니라 '몰디기안'이라는 잔인무도한 신이 거주하는 줄-바-사이르에서 그가 행한 일들을 두고 세간에 숨죽인 속삭임들이 나돌았다. 나미르하가 오기 훨씬 전부터, 이미 그는 움마오스의 주민들 사이에서 시뭄[36]이나 역병보다도 더 무서운 가공의 천벌로 알려져 있었다.

어린 나르토스가 움마오스를 떠난 지 오랜 세월이 지난 지금, 조툴라 왕자의 아버지인 피다임은 어느 가을밤에 온기를 찾아 그의 침대로 기어든 작은 독사에 물려 죽고 말았다. 혹자는 독사를 풀어놓은 자가 조툴라라고 말했으나, 누구도 그것을 확증할 수는 없었다. 피다임이 승하함에 따라, 그의 외아들인 조툴라가 실라크의 왕위에 올라, 움마오스의 왕궁에서 압제를 휘둘렀다. 조툴라는 본디 나태하고 폭압적이었으며, 기이한 욕망과 잔악함으로 가득한 인물이었다. 그러나 역시나 사악한 자들은 왕의 배덕을 높이 칭송하였다. 조툴라 왕은 승승장구하였고, 그동안 지옥과 천국의 군주들은 그를 벌하지 않았다. 붉은 해와 잿빛 달들이 실라크 너머 서녘으로 지다가, 항해자도 드문 바닷속으로 떨어졌는데, 뱃사람들의 말이 사실이라면, 이 바다는 악명 높은 나트 섬을 지나는 거센 강물처럼 시종일관 격랑을 일으키며, 거대한 폭포가 되어 멀리 동쪽 끝단의 지하 공간으로 떨어진다 하였다.

그의 세력은 날로 강성해졌고, 그의 죄악은 깊은 심연에서 과하게 익은 열매처럼 부풀어갔다. 그러나 시간의 바람이 부드럽게 불었기에 그 열매들은 떨어지지 않았다. 조툴라는 바보와 환관과 후궁 들에 둘러싸여 웃었다. 그리고 그의 향락에 관한 이야기는 나미르하의 유명한 마법과 쌍벽을 이루며 멀리까지 퍼져서, 아득히 먼 외국인들 사이에서도 회자되었다.

하이에나의 해, 한여름에 조툴라는 움마오스의 시민들에게 대규모

향연을 베풀었다. 동쪽 섬, 소타르에서 들여온 색다른 향신료로 요리한 고기가 사방에 차고 넘쳤다. 그뿐만 아니라 거대한 항아리에서 퍼내는, 요로스와 실라크산(産) 독한 포도주가 지하의 불처럼 끝없이 술잔을 채웠다. 술은 격렬한 쾌락과 충성의 광기를 일깨웠다. 시간이 지나자 사람들은 레테의 강만큼이나 깊디깊은 잠에 빠져들었다. 흥청망청 주흥을 즐기던 사람들이 거리에서 또 집과 정원에서 마치 역병에 걸린 것처럼 하나둘 쓰러져갔다. 조툴라 또한 황금과 흑단으로 치장된 궁궐 연회장에서 후궁과 신하 들에 둘러싸여 잠들었다. 그리하여 천랑성이 서쪽으로 기우는 시간에, 움마오스를 통틀어 남녀를 불문하고 깨어 있는 사람이 없었다.

이렇다 보니, 나미르하의 도착을 보거나 들은 사람도 없었다. 그런데 아침나절에 께느른히 눈을 뜬 조툴라 왕은 그보다 먼저 일어난 환관과 후궁들 사이에서 어수선히 이는 소동을 들었다. 그 연유를 물으니, 간밤에 기이하고 불가사의한 일이 벌어졌다는 답이 돌아왔다. 그러나 여전히 술기운과 잠기운에 취해 있던 왕은 사태를 제대로 파악하지 못하였고, 그가 가장 아끼는 후궁, 오베사의 손에 이끌려 궁전의 동쪽 주랑으로 나서서야, 자신의 눈으로 놀라운 광경을 확인할 수 있었다.

움마오스 한복판에는 원래 왕궁 하나만 세워져 있었고, 북쪽으로 또 남쪽과 서쪽으로 멀리까지 웅장한 정원들이 펼쳐져 있는데, 이 정원마다 장려하게 아치를 그리는 야자수와 높게 솟구치는 분수가 가득하였다. 반면에 동쪽으로는 왕궁과 높다란 대저택들 사이에 공유지 형태의 너른 빈터가 있었다. 그런데 어제까지만 해도 텅 비어 있던 이 빈터에 기괴한 버섯 모양의 돌로 된 돔 지붕을 올린 건물 하나가 불과 하룻밤만에 태양을 향해 거대하고 당당하게 솟구쳐 있지 않은가. 게다가 조툴라의 왕궁과 같은 높이로 솟구쳐 있는 돔 지붕들은 새하얀 대리석으로 만든 것이었다. 다발 기둥의 주랑과 깊은 발코니들이 있는 건물의 거대한 정면은 칠흑처럼 새카만 마노와 용의 피 색깔이 도는 반암으로 장식 띠를 두르고 있었다. 이 광경을 본 조툴라는 실라크의 신들과 악마들을 심히 모욕하는, 상스러운 말들을 뱉어냈다. 그러면서도 눈앞의 광경이 마법의 결과라고 여기고 어안이 벙벙해졌다. 후궁들이 왕의 주변으로 몰려들더니, 경외와 공포의 새된 비명을 질렀다. 점점 더 많은 조신들이 잠에서 깨어남에 따라 소동도 더욱 커졌고, 금실로 짠 옷을 입은 뚱뚱한 카스트라토[37]들이 황금 웅덩이 속의 커다란 검은 해파리들처럼 폴짝거렸다. 그러나 실라크의 왕으로서 자신의 권력을 떠올린 조툴라는 불안감을 애써 숨기면서 이렇게 말하였다.

"어둠을 틈타 자칼처럼 움마오스에 들어와, 짐의 궁전 가까이 그것도 마주 보는 자리에 저 건방진 소굴을 세운 자가 누구냐? 가서 저 못된 놈의 이름을 알아 오라. 가기 전에 먼저 사형집행인에게 양날 검을 잘 갈아두라 이르라."

꾸물거렸다가는 왕의 노여움을 살까 두려워 시종 몇 명이 부리나케 그 이상한 건물의 정문으로 달려갔다. 그들이 가까이 가기 전까지는 정문에 아무도 없는 듯이 보였으나, 이내 문 앞에 지상의 어떤 인간보다도 키가 큰 거구의 해골 하나가 나타났다. 해골이 그들을 향하여 1미터의 보폭으로 성큼성큼 걸어왔다. 해골은 자주색 비단 로인클로스(허리에 두르는 옷)로 몸을 감싸고 흑석의 허리띠 장식을 둘렀으며, 다이아몬드로 수놓은 검은 터번을 쓰고 있었는데, 터번의 꼭대기가 정문의 상인방에 거의 닿을 정도로 거구였다. 움푹 들어간 눈구멍에서 늪지의 반딧불처럼 눈알이 번뜩였고, 오래된 시체처럼 검게 변한 혀가 이빨 사이로 나와 있었다. 반면에 몸에는 살점 하나 남아 있지 않아서 걸어오는 동안 뼈가 햇빛을 받아 하얗게 반짝였다.

다가오는 해골 앞에서 할 말을 잃은 시종들이 그저 벌벌 떠는 동안, 그들의 황금 허리띠가 삐걱거리고 비단옷이 부스럭거리는 소리만 들려왔다. 해골이 멈춰 서자, 검은 마노로 포장한 보도에 그것의 발뼈가 떨꺼덕 부딪치는 소리가 났다. 곧 해골의 썩은 혀가 이빨 사이에서 꿈틀거리기 시작했다. 그것이 느끼하고 메스꺼운 목소리로 한 말은 이랬다.

"돌아가 조툴라 왕에게 고하라. 예언자이고 마법사인 나미르하가 왕의 곁에 살고자 왔다고."

해골이 살아 있는 사람처럼, 더구나 도시 몇 개를 폐허로 만들었다는 나미르하라는 오싹한 이름을 말하자, 시종들은 더는 그 앞에 서 있지 못하고 볼썽사납게 도망쳐, 조툴라에게 그 말을 전하였다.

이제 움마오스의 왕궁과 이웃한 자가 누구인지 알게 된 조툴라 왕, 그의 분노는 어둠의 바람에 꺼지는 힘없고 요란하기만 한 불길처럼 누그러졌다. 그리고 포도주 빛깔 혈색이었던 두 뺨에 창백한 반점이 생겼다. 왕은 기도인지 저주인지 모를 말을 웅얼거렸을 뿐, 별다른 말을 하지 않았다. 나미르하의 출현은 사악한 밤새들이 날아가듯 궁내는 물론이고 도시 전역으로 빠르게 퍼져서, 바야흐로 움마오스에는 최후의 순간까지 유독한 공포가 똬리를 틀었다. 나미르하는 자신의 요술과 수하의 오싹한 괴물들로 인해 음산해진 명성을 기반으로 세속의 어떤 군주도 감히 대적할 수 없는 권능의 표상이 되어 있었다. 사람들은 지옥과 외계의 거대하고 음산한 제왕들을 두려워하듯, 어디서나 나미르하를 두려워하였다. 특히 움마오스에는, 나미르하가 타슌에서 부하들을 거느리고, 마치 역병이 올 때처럼, 사막의 바람을 타고 왔으며, 악마들의 도움을 받아 한 시간 만에 조틀라의 왕궁 옆에 자신의 거처를 세웠다는 소문이 돌았다. 그뿐만 아니라, 이 저택의 분수들은 지옥의 단단한 외피에 세워져서, 그 바닥에 난 구덩이마다 지옥의 불길이 이글거리고, 그 밑을 지나가는 별들까지 볼 수 있다 하였다. 게다가 나미르하의 부하들은 여러 이상한 왕국에서 죽은 시체들, 하늘과 땅과 심연의 악마들 그리고 마법사가 직접 금기의 결합으로 창조해 낸 광기의 불경한 잡종 괴물들이라는 소문도 있었다.

사람들은 나미르하의 웅장한 저택 근처에는 얼씬도 하지 않았다. 조틀라의 궁전에선, 그쪽으로 나 있는 창문과 발코니에 가까이 가는 이가 거의 없었다. 그리고 왕 자신도 침입자 나미르하에 대해서는 무시하는 척하면서 한마디 말도 하지 않았다. 후궁들은 나미르하와 그의 첩들을 둘러싼 불길한 소문들에 대해 시도 때도 없이 재잘거렸다. 그런데 나미르하가 투명 옷을 입고서 어디든 돌아다닌다는 소문이 있긴 했으나, 이상하리만큼 사람들의 눈에 띄지 않았다. 그의 하인들도 마찬가지였다. 그러나 건물 입구에서 망령의 절규 같은 소리가 종종 새어 나왔다. 또한 단단한 석상 같은 것이 크게 웃듯이 이상한 너털웃음이 들려오기도 하였다. 간혹 동토의 지옥에서 얼음이 산산이 부서지듯 낄낄거림이 들려올 때도 있었다. 햇빛도 램프의 불빛도 들지 않는 주랑에서 희미한 그림자들이 움직였다. 저녁이면 건물의 창문마다 붉고 으스스한 빛이 깜박이는 악마의 눈알처럼 스쳤다 사라졌다. 깜부기불 같은 태양들이 실라크 너머로 서서히 뉘엿거리다가 멀리 바닷속으로 떨어졌다. 잿빛 달들은 밤마다 숨겨진 심연으로 떨어지면서 까맣게 변하였다. 얼마 지나지 않아, 이 마법사가 노골적인 악감정을 품지 않았고 그로 인해 딱히 해코지를 당한 사람도 없다고 여기게 되자, 사람들은 용기를 내기 시작했다. 조툴라는 거나하게 술을 마셨고, 예전처럼 흥청망청 주연을 베풀었다. 이 세상 간악함의 으뜸인, 검은 다사이돈이 실존했으나 정작 실라크의 제왕으로 인정된 적은 없었다. 머잖아 움마오스 주민들은 조툴라의 화려한 죄악을 떠벌리듯, 나미르하와 그의 오싹한 요술에 대해 조금씩 허풍을 떨었다.

그러나 나미르하는 여전히, 악마들이 그를 위해 지어준 저택의 담장 안에 틀어박힌 채, 속으로 복수의 검은 계획을 세우고 또 세웠다. 과거에 조툴라가 나르토스에게 행한 부당한 처사는 왕의 입장에선 이미 까맣게 잊어버린, 더없이 시시한 만행에 불과하였다.

조툴라의 두려움이 상당 부분 가라앉고, 이웃 마법사에 대한 후궁들의 수다도 전에 비해 줄어든 무렵, 새로운 기적과 공포가 일었다. 조툴라가 조신들에 둘러싸여 연회장에 앉아 있던 어느 밤, 왕궁의 정원을 짓밟는 쇠발굽 소리가 왕의 귓전을 때렸다. 조신들도 그 소음을 듣고서 한껏 오른 취기에도 불구하고 소스라치게 놀랐다. 분노한 왕은 근위병 일부를 보내 소동의 진상을 알아내라 하였다. 달빛이 환히 비치는 잔디밭과 화단들을 샅샅이 살펴본 근위병들은, 시끄러운 발굽 소리가 여전히 사방에 가득함에도 불구하고, 아무것도 볼 수가 없었다. 마치 드센 종마의 무리가 왕궁 앞을 시끄럽게 날뛰면서 질주해 지나가기를 되풀이하는 것 같았다. 근위병들은 이리저리 살피고 귀를 기울이는 동안, 공포에 사로잡혔다. 그들은 감히 앞으로 나서지 못하고, 조툴라에게 돌아왔다. 근위병들의 보고를 듣는 동안, 왕의 취기도 점점 가시고 있었다. 왕은 크게 호통을 치며 몸소 그 괴변을 보러 나섰다. 밤새 보이지 않는 발굽들이 마노로 포장된 보도 위에서 시끄럽게 울렸고, 화단의 풀과 꽃 사이를 쿵쿵 질주하였다. 바람 없는 허공에서 야자수 잎들이 마치 질주하는 말 떼에 부딪치듯 마구 흔들리다가 찢기었다. 긴 줄기의 백합들과 넓은 잎의 이국적인 꽃들이 짓밟히는 게 눈에 보였다. 조툴라 왕은 발코니에 서서 정원에서 벌어지는 유령의 소동을 귀로 듣고, 자신의 진기한 화단들이 망가지는 모습을 눈으로 지켜보며 심장을 파고드는 분노와 공포를 느꼈다. 후궁과 조신과 환관 들이 왕의 뒤에서 곱송그렸고, 왕궁의 어느 누구도 잠들지 못하였다. 그런데 새벽녘이 되자, 소란스러운 발굽들이 왕궁을 벗어나 나미르하의 저택 쪽으로 사라졌다.

움마오스에 새벽빛이 완연해지자, 조툴라 왕은 근위병들을 거느리고 궁 밖으로 나와, 짓뭉개진 잔디와 부러진 줄기들이 발굽에 짓밟힌 자리에서 마치 불에 그을린 것처럼 까맣게 변해 있음을 보았다. 잔디밭과 정원 어디에나, 무수한 말들이 지나간 듯 그 흔적이 역력히 남아 있었다. 그런데 그 흔적은 화단의 끝에서 사라지고 없었다. 모두가 이 괴변을 나미르하의 소행이라고 여기긴 했으나, 그 마법사의 거주지 앞마당에는 그 어떤 증거도 남아 있지 않았다. 그곳의 잔디는 짓밟힌 흔적이 없었기 때문이었다.

"이런 짓을 한 자가 나미르하라면, 이런 염병할 놈!" 조툴라가 소리쳤다. "내가 그놈한테 무슨 해코지를 했다고 이런단 말이냐? 기필코, 저 개자식의 목을 짓밟아주겠다. 내 피처럼 붉은 소타르산(産) 백합과 내 정맥처럼 푸른 나트산 붓꽃과 사랑의 멍처럼 빨간 유카스트로그산 난초를 짓밟은 것이 지옥에서 온 말 떼라 해도, 내 기어이 놈을 형거에 묶으리라. 오냐, 놈이 설령 다사이돈이 지상으로 보낸 총독인 양 행세하고, 1만의 악마들을 거느리고 있다 해도, 내 기필코, 형거로 놈을 으깨버릴 것이며, 놈이 말라붙은 꽃들처럼 검게 시들 때까지 형거를 활활 불사를 것이다."

조툴라는 이렇게 호언했으나, 정작 그 겁박을 실행하기 위하여 어떤 명령도 내리지 않았다. 왕궁에서 나온 사람 중에서 나미르하의 집 쪽으로 움직이는 자는 없었다. 마법사의 집에서 나오는 자도 없었다. 아니, 그 집에 누가 있기는 한 것인지, 흔적도 없거니와 소리도 나지 않았다.

그렇게 하루가 저물었고, 가장자리가 약간 검게 변한 달과 더불어 밤이 찾아왔다. 그 밤은 고요하였다. 조툴라는 연석에 오랫동안 앉아서 포도주잔을 연거푸 비웠고, 분연히 나미르하를 향해 새로운 협박을 중얼거렸다. 밤이 깊어서, 변괴는 되풀이되지 않을 듯싶었다. 그러나 자정이 되었을 때, 오베사와 침실에 누워 취기로 인해 깊이 잠들어 있던 조툴라는 궁전의 주랑과 기다란 발코니에서 달리고 날뛰는 발굽의 기괴한 뗑그렁 소리에 잠을 깼다. 발굽 소리가 밤새 아치형 천장의 석조 건물 사방에서 천둥처럼 울리는 동안, 조툴라와 오베사는 베개와 이불을 꼭 끌어안고 귀를 기울였다. 궁인들은 모두 잠들지 못하고 겁에 질려서, 각자의 침실 가까이서 이는 소음을 들어야 했다. 새벽이 오기 직전, 발굽 소리가 홀연히 사라졌다. 시간이 지나 날이 밝자, 발굽 자국이 주랑과 발코니의 대리석 바닥에서 발견되었다. 그 수가 셀 수 없이 많았고, 마치 낙인이 찍히듯 깊게 또 까맣게 나 있었다.

왕이 바닥에 난 발굽 자국을 보고 있는 동안, 그의 두 뺨에도 대리석 얼룩 같은 것들이 나타나 있었다. 이때부터 공포에 사로잡힌 왕은 더욱더 술에 의지했으니, 달리 이 기괴한 출몰에서 벗어날 뾰족한 수가 없어서였다. 후궁들은 구시렁거렸고, 일부는 움마오스에서 도망치고 싶어 하였다. 낮부터 밤까지 이어지는 술판은, 황색 포도주에 짙은 잔영을 남겨놓고서 화려한 램프를 희미하게 가려버린 사악한 날개들에 의해, 어둠으로 물들었다. 그리고 또다시, 자정이 가까워질 무렵, 말발굽 소리가 조툴라의 선잠을 깨웠으니, 이번에는 왕궁의 지붕뿐만 아니라 복도와 홀 구석구석에서 날뛰는 소리였다. 이때부터 새벽까지, 말발굽들은 땡그랑 쇠붙이 소리로 왕궁을 가득 메웠고, 가장 높은 돔 지붕에서 공허하게 울리는 소리는 마치 신들의 사냥개 무리가 그곳을 뛰어다니며 하늘에서 하늘로 떠들썩한 행진을 하는 것 같았다.

침실 밖 복도 곳곳에서 섬뜩한 말발굽 소리가 들려오는 동안, 조툴라와 오베사는 죄악을 탐닉하여도 그러한 생각을 떠올려봐도 흥이 나지 않았을뿐더러, 함께 있어도 위안을 찾지 못하였다. 새벽이 오기 전의 어스름 속에서 그들은 억센 종마가 뒷발로 일어나 앞발로 마구 두들겨대듯, 침실의 빗장 지른 놋쇠 문에서 들려오는 천둥 같은 꽝음을 들었다. 그러고는 곧 말발굽 소리들은 운명의 폭풍이 잠시 숨을 고르는 듯, 침묵을 남겨두고 사라졌다. 나중에 보니 왕궁 안 어디나 환한 모자이크 무늬를 망가뜨린 말발굽 자국이 가득하였다. 금줄로 수놓인 융단과 은빛, 자줏빛 융단들은 불에 타 까만 구멍이 나 있었다. 그리고 높게 솟구친 흰색 돔 지붕마다 말발굽 자국이 천연두 자국처럼 움푹움푹 파여 있었다. 게다가 조툴라의 침실 놋쇠 문 위쪽에 말의 앞발 자국이 깊숙이 아로새겨져 있었다.

바야흐로, 움마오스는 물론이고 실라크 전역에 이 출몰 소식이 알려졌고, 저마다 해석의 차이는 있으나, 불길한 징조로 받아들이는 분위기였다. 어떤 이들은 그것이 나미르하의 소행으로, 그가 세상의 어떤 황제와 왕보다도 높은 권능을 지녔다는 징표라 하였다. 또 어떤 이들은 동쪽 끝 티나라스에서 급부상한 신예 마법사가 나미르하의 자리를 노리고 저지른 일이라고 하였다. 그리고 실라크의 신전 사제들은 이 변괴를 물리치기 위하여 별의별 의식을 거행했으니, 이는 곧 신전마다 더 많은 제물이 필요하다는 의미였다.

얼마 후, 조툴라는 홍옥수와 벽옥 바닥이 보이지 않는 말발굽에 처참히 유린당한 왕궁의 회견장으로 많은 사제와 마법사와 점쟁이 들을 불러, 이 변괴의 원인과 액막이 방법을 간하라 명하였다. 그러나 의견이 분분한 것을 본 조툴라는 몇 개 종파에 각양각색인 그들의 신들을 섬기는 데 드는 희생제 경비의 보조금을 할당해 주고 돌려보냈다. 마법사와 점쟁이 들은 왕의 뜻을 거역했다가는 참수당하리란 겁박 아래서, 나미르하의 집을 방문하여, 만에 하나 괴변의 소행이 다른 이가 아닌 진정 그의 소행인지를 알아내어야 했다.

마법사와 점쟁이 들은 나미르하를 두려워하였고, 베일에 가려진 그 저택의 섬뜩한 비밀 속으로 침입해 들어가기를 꺼렸다. 그러나 꾸물거릴 때마다 커다란 초승달 모양의 칼을 치켜드는 왕의 근위병들에게 떠밀리다시피 그곳으로 가야 했다. 패잔병의 대오처럼 하나둘 뿔뿔이 흩어진 채로, 파견단은 나미르하의 저택 정문 앞에 도착하여, 악마가 지은 그 집 안으로 사라져갔다.

그들은 지옥을 목격하고 자신들의 운명을 본 사람들처럼 창백하게 질려서, 소리 죽여 투덜거리며 또 심란해하면서 해 질 녘에 어전으로 돌아왔다. 그들이 말하길, 나미르하가 그들을 정중히 맞이하였고, 다음과 같은 전갈을 주어 돌려보냈다 하였다.

"조툴라에게 가서, 이번 변괴는 그가 오래전에 잊어버린 어떤 일로 말미암은 것이라 이르라. 그리고 변괴의 그 원인은 운명에 의해 따로 정해진 시간이 되면 그에게 밝혀질 것이다. 그 시간이 머지않았다. 그러니 나미르하는 왕과 그의 모든 신하들을 내일 오후 베푸는 대규모 주연에 초대하노라."

파견단은 전갈을 듣고서 놀라고 당황하는 조툴라에게 이제 그만 궁에서 나가게 해달라고 간청하였다. 왕이 자세히 물었으나, 그들은 나미르하의 저택에서 겪은 일들을 말하기 저어하는 것 같았다. 그뿐만 아니라, 나미르하의 비현실적인 저택에 대해 설명할 때도, 에두른 표현만 일치할 뿐, 같은 것을 보고도 제각각 하는 말이 달랐다. 결국 조툴라는 그들에게 물러가라 한 뒤, 한참을 앉아서, 응하고 싶진 않으나 거절하기엔 두려운 나미르하의 초대에 대해 골몰하였다.

그날 밤, 조툴라는 평소보다도 더 많은 술을 마셨다. 그리고 망각의 선잠에 빠져들었고, 그날 밤만은 왕궁 일대에서 그를 깨우는 말발굽의 소동이 없었다. 그날 밤, 점쟁이들과 마법사들이 움마오스에서 도망치는 그림자들처럼 조용히 스쳐 지나갔다. 아무도 그들이 떠나는 것을 보지 못하였다. 그리고 아침이 왔을 때, 그들은 실라크에서 다른 지역으로 떠나버렸고, 다시는 돌아오지 않았다.

같은 날 밤, 나미르하는 평소처럼 그를 시중 들던 심복들을 보낸 후, 대저택에 홀로 앉아 있었다. 그의 맞은편 흑석 제단에는, 아주 오래전, 어느 마성의 조각가가 '팔노크'라는 타슌의 사악한 왕을 위하여 만들었다는 다사이돈의 크고 검은 조각상이 놓여 있었다. 이 대악마는 웅장한 전투에서처럼 대못 달린 철퇴를 치켜든, 완전무장한 전사의 모습으로 조각되어 있었다. 유목민 사이에서 설왕설래하는 위치에 팔노크의 궁전이 모래에 파묻혀 있었으며, 이 조각상은 그곳에 오랜 세월 간직되어 있었다. 나미르하는 점을 쳐서 이 조각상을 찾아냈고, 그 후로 언제나 이 지옥의 다사이돈 상을 곁에 세워두었다. 종종 이 다사이돈 상의 입을 통하여 나미르하에게 신탁이 전해지거나, 질문에 대한 답이 흘러나오기도 하였다.

이 검은 갑옷의 조각상 앞에는 말머리 모양으로 만든 은 램프 일곱 개가 각각의 눈구멍에서 파란색과 자주색 그리고 심홍색으로 변하는 불길을 발산하고 있었다. 불빛까지 강렬하고 살벌한 데다, 투구 밑으로 흘겨보는 악마의 얼굴엔 악의와 더불어 색감과 질감이 끝없이 변하는, 모호한 음영으로 가득하였다. 나미르하는 뱀의 형태로 조각한 의자에 앉아서 양미간을 잔뜩 찌푸린, 험상궂은 표정으로 조각상을 바라보고 있었다. 그 이유는, 다사이돈에게 뭔가를 물어봤으나, 조각상의 입을 빌려 대답을 하곤 하던 이 악마가 이번에는 답변을 거절했기 때문이었다. 나미르하는 자존심이 상했고, 스스로 모든 마법사의 수장이자 악마 집단의 통치자라고 여겨온 터라 다사이돈에 대해 반항심을 느끼고 있었다. 그는 오랜 생각 끝에 오만불손하게, 그것도 스스로 숙명의 충성을 맹세한 무소불위의 군주가 아닌 동등한 상대에게 말하듯, 같은 질문을 되물었다.

"나는 지금까지 무슨 일이든 너를 도왔다." 조각상이 딱딱하고 당당한 어조로 말했고, 그 목소리가 일곱 개의 은 램프 속에서 금속성으로 메아리쳤다. "물론, 네가 부른다면, 죽지 않는 불과 암흑의 벌레 들이 군대처럼 나타날 것이고, 지옥의 악귀들 또한 날아올라 해를 가릴 것이다. 그러나 분명히 말하건대, 나는 네가 계획한 이번 복수를 돕지 않을 것이다. 왜냐, 조툴라 왕은 내게 잘못을 하지 않았고, 진심은 아니라 해도 나를 잘 받들어왔기 때문이다. 게다가 실라크의 주민들은 간악하다는 점에서 나의 숭배자들 중에서도 하찮은 존재들이 아니다. 그러하니, 나미르하야, 조툴라와 평화롭게 지내고, 거지 소년 나르토스에게 가해진 과거의 악행을 잊는 것이 너 자신에게 이로울 것이다. 운명의 방향은 기묘하고, 그 행함은 종종 은밀하기 때문이다. 사실, 네가 조툴라의 말에 짓밟히지 않았던들, 너는 다른 삶을 살았을 것이다. 나미르하의 이름과 명성은 꾼 적이 없는 꿈처럼 지금도 망각 속에 잠들어 있을 테니까. 그뿐만 아니라, 너는 여전히 움마오스의 거지로, 동냥에 만족하면서 살고 있을 뿐, 우팔로크의 제자가 되어 마법을 배우는 일은 없었을 것이다. 그렇다면, 나, 다사이돈 또한 나의 소임과 맹약을 받들어온 마법사들 중에서도 가장 뛰어난 군주를 얻지 못했으리라. 나미르하야, 이번 일을 숙고하여 신중히 임하라. 어찌 보면, 우리 둘 다, 너를 짓밟은 조툴라에게 빚을 지고 있는 셈이니 고마워해야 할 따름이다."

"응당, 빚이 있고말고요." 나미르하는 한 맺힌 울분을 토해냈다. "나는 기필코 내일, 계획대로 그 빚을 갚을 것이오. 나를 도와줄 자들이 있으니, 그자들은 마왕님의 분노를 산다 해도 나의 부름에 응할 것이오."

"나를 욕보이는 건 못된 짓이다." 조각상이 한참 만에 말하였다. "또한, 네가 말하는 그자들을 부르는 건 현명하지 않다. 그러나 나는 너의 의도를 잘 알고 있다. 오만하고 복수심에 불타는 고집불통 같으니. 좋다, 마음대로 하여라. 단, 그 결과를 놓고 나를 원망 마라."

이 말을 끝으로, 나미르하가 이 곡두를 앞에 두고 앉아 있던 홀 안에 침묵이 흘렀다. 말머리 램프 속에서 불길은 변화무쌍한 색으로 음산하게 타올랐다. 음영들이 사라졌다가 되돌아와서, 조각상의 얼굴과 나미르하의 얼굴 위에 불안히 드리워졌다. 이윽고 자정이 가까워지자, 마법사가 일어서서, 저택에서 가장 높은, 별자리가 보이게끔 작고 둥근 창이 하나 있는 돔을 향하여 무수한 나선형 계단을 오르기 시작했다. 창은 돔의 꼭대기에 나 있었다. 그런데 나미르하는 마지막 계단에서 올라가는 것이 아니라 밑으로 갑자기 내려가는 것처럼 마법을 부려 만들어 놓아서, 마지막 계단에 올라서면 시선이 아래로 향하고 창문을 통하여 발밑 까마득한 심연에서 지나가는 별들이 스쳐 지나갔다. 바로 이 지점에서 나미르하가 무릎을 꿇고 대리석 속에 숨겨진 비밀 태엽을 건드리자, 원형 창문이 소리 없이 뒤로 미끄러졌다. 그러고는 돔의 내부 쪽으로 납작 엎드려, 얼굴을 심연 쪽으로 향하니, 그의 긴 수염이 수직으로 늘어졌다. 그는 인류 이전의 룬 문자를 나직이 읊조려, 지옥과 속세 어디에도 속하지 않은 어떤 존재들과 대화를 나누었는데, 이들은 지옥의 악귀보다도 또 흙과 공기와 물과 불의 악마들보다도 불러내기에 훨씬 더 무시무시한 존재들이었다. 다사이돈의 뜻을 거역하면서까지 그가 그들과 계약을 맺는 동안, 그들의 목소리를 실은 공기가 그의 주변으로 빽빽이 모여들었고, 그들이 동쪽으로 내쉰 차가운 숨결에서 생긴 서리가 그의 검은 수염에 허옇게 달라붙었다.

조툴라는 취기에서 깨자 마음이 무겁고 달갑지 않았다. 눈뜨기 전부터, 햇빛은 승낙도 거절도 두려운 초대를 떠올리게 함으로써 그를 괴롭혔다. 그래도 그는 오베사에게 이렇게 말하였다.

"대체 마법사 행세를 하는 저 개자식의 정체가 뭐기에, 건방진 군주의 부름에 쪼르르 달려가는 길거리 거지새끼처럼 내가 그자의 부름에 굴종해야 한단 말이냐?"

고문자들의 섬, 즉 유카스트로그 출신으로 살결이 황금빛이고 눈꼬리가 올라간 오베사는 교묘히 용안을 살피면서 이렇게 말하였다.

"전하, 받아들이든 거절하든 그건 전하께서 보시기에 합당한 대로 결정하시면 됩니다. 사실, 가거나 가지 않는다 하여, 그 누구도 지엄하신 왕권을 비난할 수 없으니, 움마오스와 실라크의 왕에겐 별문제가 아니지요. 그러하니, 차라리 가시는 것이 낫지 않겠는지요?"

오베사는 마법사를 두려워하긴 했으나, 베일에 가려진 악마가 지었다는 저택에 호기심을 품고 있었다. 게다가 여성 특유의 마음이 동하여, 움마오스에 여전히 풍문으로만 나도는 그 유명한 나미르하의 풍채와 외모를 보고 싶었다.

"그 말에 일리가 있구나." 조툴라가 고개를 끄덕였다. "그러나 왕은 행함에 있어 늘 백성의 이로움을 생각하여야 한다. 그리고 모름지기 나랏일에는 아녀자가 감히 이해할 수 없는 문제들이 있는 법이다."

진수성찬으로 조반을 든 조툴라는 오전 늦게 궁전 관료들을 불러 의논하였다. 신하의 일부는 나미르하의 초대를 무시하라 하였고, 또 일부는 유령 말발굽보다 더 심각한 변고가 왕궁과 도시에 끼치지 않도록 초대에 응하라 하였다.

이에 조툴라는 많은 사제들을 불러들이고, 간밤에 슬그머니 도주한 마법사와 점쟁이 들을 다시 소집하라 명하였다. 후자 중에는 움마오스 전역에서 쩌렁쩌렁 호명되는 자신의 이름에 답하는 자들이 한 명도 없었으니, 이는 큰 의심을 불러일으켰다. 반면에 사제들은 전보다 더 많이 모여들어 회견장 안을 가득 메워서, 맨 앞줄은 왕좌 바로 앞까지 닿았고, 맨 끝줄은 뒷벽과 기둥까지 늘어졌다. 조툴라는 수락이냐 거절이냐를 놓고 이들과 토론을 벌였다. 사제들은 이전과 마찬가지로 나미르하와 변괴 사이엔 아무런 관련도 없다 주장하였다. 그러므로 그의 초대는 왕에게 아무런 위해가 되지 않을 뿐만 아니라, 전갈의 내용으로 미루어, 그를 통하여 조툴라에게 신탁이 전해질 것이 확실하다 하였다. 게다가 이 신탁은, 만약에 나미르하가 진정한 대마법사라면, 사제인 자신들의 신성한 지혜를 증명함으로써 교단의 성스러운 권위를 재건해줄 거라 하였다. 그리되면, 실라크의 신들은 다시금 영광을 누리게 되리라는 것이었다.

왕은 사제들의 의견을 듣고 난 뒤에 보물 관리인들을 불러, 사제들에게 새로이 공물을 나누어주라 명하였다. 그러자 사제들은 조툴라와 왕실에 이런저런 신들의 달콤한 축복을 빌어준 후 궁을 떠났다. 그렇게 하루가 저물었고, 정점을 지난 태양은 서서히 움마오스를 넘어, 바다 끝 사막이 펼쳐져 있는 오후의 공간들을 지나갔다. 그런데 조툴라는 여전히 망설였다. 포도주 시종들을 불러, 가장 독하고 좋은 것을 따르라 일렀으나, 포도주 속에는 그가 찾으려는 확신도 결단도 들어 있지 않았다.

여전히 회견장의 왕좌에 앉아 있던 조툴라, 그런데 오후 중반 무렵에, 왕궁의 입구 쪽에서 떠들썩한 고함이 들려왔다. 남자들의 통곡, 환관과 궁녀 들의 푸념이 마치 공포가 입에서 입으로 전해지듯 궁궐 안 구석구석을 침범하는 것 같았다. 그렇게 겁에 질린 소동이 궐 안을 뒤덮자, 나른한 술기운을 떨치고 일어선 조툴라가 그 원인을 알아보기 위해 시종들을 부르려고 하였다.

바로 그때, 자주색과 주홍색의 왕실 예복을 입고, 말라비틀어진 머리에 황금 왕관을 쓴, 키 큰 미라들이 회견장 안으로 밀려들었다. 그 뒤를 따라서, 마치 종복들처럼, 주황색 로인클로스를 걸친 거구의 해골들이 들어왔는데, 그들의 두개골 위쪽, 그러니까 이마와 왕관 사이에 사프란과 흑단이 마치 살아 있는 뱀처럼 감겨 있어서 저절로 머리털 역할을 하고 있었다. 미라들이 조툴라 앞에 절을 올리더니, 가늘고 마른 목소리로 이렇게 말하였다.

"우리는 광활한 타순의 옛 왕들로서, 나미르하의 축연에 참석하는 조툴라 왕의 위상을 받들고 보필코자, 호위대의 영광스러운 임무를 띠고 왔나이다."

이어서 해골들이 썩은 두개골의 메마른 이를 달각거리면서 쉿소리로 말하였다.

"소인들은 멸종된 종족의 거인 전사들로서, 역시 나미르하님의 명에 따라, 왕과 함께 축연에 참석하게 될 왕궁의 나인들을 무사히 보호하고 나아가 합당한 예를 갖춰 성대히 모시고자 대령했나이다."

이 놀라운 광경을 접한 포도주 시종들과 다른 나인들은 어좌 주변에 몸을 곱송그리거나 기둥 뒤에 숨었고, 조툴라는 핏발 선 흰자위에 휘둥그레진 눈동자와 붓고 핼쑥한 얼굴로 얼어붙은 듯 앉아 있을 뿐, 나미르하의 부하들에게 한마디 말도 하지 못하였다.

이윽고, 미라들이 앞으로 나와 메마른 어조로 말하였다.

"축연의 모든 준비를 끝내고, 조툴라 왕이 납시기를 기다리고 있나이다."

이때 미라들의 예복이 바스락거리다가 앞섶이 벌어졌는데, 역청 같은 암갈색 몸뚱이와 가증스러운 홍옥색 눈알을 한 설치류 괴물들이 쥐구멍에서 나온 쥐들처럼 미라들의 파먹힌 심장에서 몸을 일으키더니 사람의 목소리로 미라들의 말을 시끄럽게 되풀이하였다. 뒤이어 해골들이 엄숙하게 같은 말을 반복하였고, 그들의 두개골에서 검은 사프란 뱀들이 쉭쉭하면서 그 말을 복창하였다. 이 말을 마지막에 악귀 같은 소리로 되풀이한 것은, 그때까지 조툴라 왕의 눈에 띄지 않았던, 기묘한 생김새의 털 달린 생물체들인데, 이것들은 해골들의 갈비뼈가 흰색 버들로 엮은 새장인 양 그 안에 앉아 있었다.

꿈의 운명에 따르는 몽상가처럼, 왕이 옥좌에서 일어나 앞으로 나서자, 미라들이 호위하듯 그를 에워쌌다. 그리고 해골들이 저마다 불그스름한 황색 로인클로스 자락에서 기묘하게 생긴 고대의 은 피리를 꺼내 들었다. 왕이 궁 안을 지나는 동안, 더없이 감미롭고 사악한 죽음의 피리 소리가 울려 퍼졌다. 이 음악 속에는 치명적인 마력이 있었다. 궁전 관료, 궁녀, 근위병, 환관뿐만 아니라 요리사와 수라간의 하인들에 이르기까지 모든 궁인들이 헛되이 숨어 있던 내실과 벽장 속에서 나와, 몽유병자의 행렬처럼 피리 부는 해골들에 이끌리어 조툴라 왕을 뒤따랐으니 말이다. 저무는 햇살 속에서, 죽은 왕들의 수행을 받고, 은 피리를 섬뜩하게 불어대는 해골들의 입김에 휩싸이어, 나미르하의 저택으로 향해 가는 이 엄청난 인파의 행렬은 참으로 진기한 풍경이었다. 조툴라는 자신의 애첩 오베사가 옆에서 나란히 걷고 있어도, 또 나머지 후궁들이 모두 거역할 수 없는 공포의 노예처럼 바로 뒤에서 뒤따르고 있어도, 일말의 위안도 얻을 수 없었다.

나미르하의 열려 있는 정문 앞, 여기서 윗가지로 엮은 심홍색의 거대한 반룡반인(半龍半人)의 괴물이 지키고 서 있다가, 조툴라 앞에 머리를 조아리면서 윗가지를 펼치니, 마치 검은 마노 판석을 핏빛 빗자루로 쓸어내는 것 같았다. 왕이 오베사와 나란히 미라들에 둘러싸여 이 메부수수한 괴물들 사이를 지나갔고, 그 뒤로 해골들과 왕의 신하들과 나인들이 기이한 행렬을 이루어 거대한 다발 기둥의 연회장으로 들어서니, 쭈뼛쭈뼛 따라 들어온 햇빛은 천 개의 램프에서 이글거리는 유해하고 오만한 불빛에 그만 압도되었다.

조툴라는 겁에 질려 있었음에도 연회장의 크기에 탄성을 금치 못했는데, 밖에서 본 저택의 폭과 길이, 높이를 떠올리면 상상을 초월할 만큼 그 규모가 으리으리하였다. 크고 아주 높은 기둥들, 산해진미와 포도주 항아리가 가득 놓인 탁자들이 별 없는 밤하늘 아래서처럼 저 멀리의 빛과 어둠 속까지 쭉 펼쳐져 있는 광경을 아마도 위에서 내려다봤기에 그 규모가 더욱 크게 느껴진 듯하였다.

탁자 사이사이 넓은 공간마다 나미르하의 심복들과 다른 하인들이 조툴라 왕 앞에 현실화된 악몽의 환영처럼 끊임없이 이리저리 오가고 있었다. 오랜 세월로 너덜너덜해진 문돈이 어의를 걸친 왕의 송장들이 눈구멍에 우글거리는 구더기를 담고서 일각수의 유백광 뿔 잔에 핏빛 포도주를 따랐다. 세 갈래 꼬리를 지닌 라미아[38]와 젖가슴이 네 개 달린 키메라 들이 쇠갈고리 손으로, 김이 모락모락 오르는 접시들을 들고 나타났다. 개의 머리를 한 악마들이 내빈들을 안내하기 위해 불 혀를 날름거리며 달려왔다. 그리고 조툴라와 오베사 앞에 나타난 괴물, 그것은 살이 투실투실한 하반신에 커다란 흑인 여자의 엉덩이 그리고 상반신은 거대한 원숭이의 뼈로 이루어져 있었다.

조툴라가 보기엔, 그들은 이미 오래전에 지옥의 악독한 동굴 속으로 사라졌다가, 저 괴물 마법사에 의해 탁자와 기둥으로 들어찬 이 풍광 한복판으로 불려 나온 것이 틀림없었다. 그리고 연회장의 한쪽 끝에, 나머지 연석과 외떨어진 탁자 하나가 있었고, 거기 나미르하가 홀로 앉아 있었다. 그의 뒤에서 일곱 개의 말머리 램프가 이글이글 타올랐고, 그의 오른쪽 흑석 제단에는 갑옷 입은 다사이돈의 검은 조각상이 세워져 있었다. 그리고 이 제단에서 조금 떨어진 곳에, 철제(鐵製) 바실리스크[39]의 발톱으로 받쳐진 다이아몬드 거울 하나가 있었다.

나미르하가 엄격하고도 음울한 예를 갖춰 왕의 일행을 맞이하였다. 그의 눈동자는 기이하고 섬뜩한 축일 전야 기도를 하느라 대꾼해진 눈구멍에서 머나먼 별처럼 황량하고 차갑게 빛나고 있었다. 검은 기름을 바른 수염은 주황색 로브의 앞섶으로 뻣뻣하게 늘어져 있어서, 마치 몸을 곧게 편 검은 뱀들의 덩어리 같았다. 조툴라는 피가 멎고 심장이 얼어붙듯 딱딱해짐을 느꼈다. 한편, 내리깐 눈으로 힐끔거리던 오베사는,

왕에게 부여된 지엄한 왕권과 똑같이, 나미르하에게 깃든 공포를 직접 접하고는 당혹감과 공포감에 사로잡혔다. 그러나 오베사는 공포의 감정 한가운데 작은 자리를 마련해 두어, 이 남자가 여자에겐 어떤 식으로 말을 할까 하는 궁금증을 품어놓았다.

"조툴라 왕이여, 이렇게 와주시니 영광이옵니다." 나미르하의 낮고 굵은 목소리에서 숨겨진 조종(弔鐘)이 울리듯 금속성의 울림이 전해졌다. "부디, 소인과 함께 자리해 주소서."

조툴라는 나미르하의 맞은편에 흑단 의자 하나가 있음을 보았다. 그리고 그 왼쪽에, 크기와 격이 떨어지는 의자 하나가 더 있었으니, 오베사를 위한 자리였다. 두 사람은 각자의 자리에 앉았다. 조툴라는 자신의 신하들도 거대한 연회장 곳곳에서, 지옥의 망령들을 보좌하는 악마들처럼 분주히 그들을 시중하는 나미르하의 오싹한 하인들의 안내에 따라 저마다 자리에 앉는 모습을 지켜보았다.

그런데 조툴라는 크리스털 잔에 포도주를 따르는 시체의 검은 손 같은 것을 보았다. 게다가 그 손에 실라크의 왕을 상징하는, 황금 박쥐의 입에 기괴한 화단백석을 박은 반지가 끼워져 있었다. 조툴라의 집게손가락에 항상 끼워져 있는 반지와 똑같은 것이었다. 그래서 돌아보니, 오른쪽에 그의 부왕, 즉 온몸에 독사의 독이 퍼져 죽은 피다임과 닮은 자가 서 있었는데, 몸에 자주색 부종의 흔적까지 남아 있었다. 피다임의 침실에 독사를 풀어놓았던 조툴라는 죄의식에 몸을 움츠리고 벌벌 떨었다. 송장인지 아니면 나미르하의 요술로 만들어진 허상인지는 모르겠으나, 아무튼 피다임을 닮은 그것이 조툴라의 바로 옆으로 다가와, 뻣뻣하고 검게 부어서 다시는 오므릴 수 없는 손가락으로 왕을 시중 들기 위해 대기하였다. 그것의 초점 없이 불거진 눈동자, 죽음의 침묵으로 꾹 다물어진 창백한 자주색 입술 그리고 술을 따르고 고기를 올려놓기 위해 몸을 기울일 때마다 묵직한 옷소매 속에서 힐끔거리는 얼룩무늬 독사의 싸늘한 눈알, 이것을 본 조툴라는 모골이 송연해졌다. 그런데 공포의 차가운 안개 너머로 검은 갑옷의 형체가 보였으니, 마치 험상궂은 다사이돈의 조각상을 복제하여 움직이게 만든 것 같았다. 이것은 나미르하가 자신을 시중 들도록 불경한 마법으로 만들어낸 결과물이었다. 그뿐만 아니라, 정확히는 아니어도 막연하게나마, 오베사의 곁에서 맴도는, 오싹한 하인을 알아보았다. 살가죽이 벗겨지고 눈이 없는 그 시체는 바로 오베사의 첫사랑을 닮아 있었으니, 원래는 신트롬 출신의 이 청년은 조난을 당하여 고문자들의 섬까지 떠밀려 갔더랬다. 오베사가 썰물 뒤에 널브러져 있는 이 청년을 발견하여 목숨을 살린 뒤, 그녀 자신의 쾌락을 위하여 잠시 비밀의 동굴에 숨겨주고서 음식물을 가져다주었다. 그러나 나중에 싫증을 느낀 오베사가 청년을 고문자들의 손에 넘김으로써, 청년은 이 잔학무도한 족속들에 의해 죽임을 당하기 직전까지 다양한 고통과 고문에 시달리며 이들의 새로운 쾌락을 충족해 주어야 했다.

"드시지요." 나미르하가 쇠퇴기의 불길한 일몰처럼 검붉은 묘한 포도주를 단숨에 들이켰다. 그를 따라서 조툴라와 오베사도 포도주를 마셨으나, 이들의 혈관을 따라 서서히 심장을 향해 오는 건, 따뜻한 취기가 아니라 독 당근의 찬 기운이었다.

"참으로 좋은 포도주랍니다." 나미르하가 말했다. "게다가 우리의 친목 도모를 위하여 건배를 하기에도 안성맞춤인 포도주요. 왜냐, 이 포도주는 죽은 왕과 더불어 오랫동안 납골 단지 모양의 벽옥 아포라(양손잡이 항아리)에 담겨 있었으니까요. 내가 부리는 구울들이 타슌을 파헤치다가 발견했답니다."

조툴라의 혀가, 흰 독말풀이 겨울의 서리 낀 땅속에서 얼어붙듯, 입 안에서 얼어붙었다. 그는 나미르하의 공손한 말에 아무런 대꾸를 하지 못하였다.

"부디, 이 고기를 맛보시기 바랍니다." 나미르하가 말하였다. "이게 바로, 유카스트로그의 고문자들이 고문대에 잘근잘근 다져진 찌꺼기들을 먹어서 키운다는 수퇘지 고기니까요. 게다가, 나의 요리사들이 무덤 속의 강한 발삼을 곁들이고, 또 여기에다 독사의 심장과 검은 코브라의 혀로 만든 고명을 얹었답니다."

조툴라 왕은 말문이 막히었다. 오베사도 자신의 첫사랑인 신트롬 청년과 닮은, 살가죽이 벗겨진 가련한 괴물을 시종으로 택한 나미르하의 비열함에 심히 괴로워 묵묵부답이었다. 그녀는 이 마법사가 점점 더 무서워졌다. 잊은 지도 오래된 그녀의 범죄를 알고 그 유령을 불러냈으니, 그 어떤 마법보다도 사악해 보였다.

"허허, 이제 보니, 두 분의 입맛에 고기가 맞지 않고 포도주 또한 취기가 오르지 않는 것 같아 걱정입니다. 그렇다면 이 축연의 흥을 돋우기 위해 가수와 연주자 들을 불러야겠지요."

그가 조툴라와 오베사가 알아들을 수 없는 한마디의 말을 하자, 마치 천 개의 목소리가 그 말을 목청껏 복창하여 긴 여운을 남기듯이, 거대한 연회장 안에 울려 퍼졌다. 곧이어 가수들, 그러니까 몸은 면도를 하고 다리에는 털이 난 여자 구울들이 길고 누런 송곳니로 너덜너덜한 썩은 고기를 하이에나처럼 물고서 나타났는데, 고깃덩어리가 그들의 입에서 턱까지 늘어져 있었다. 그 뒤를 따라서 등장한 연주자들, 이들 중 일부는 남자 악마들로서, 검은 말의 엉덩이 부분에 똑바로 서서, 나트

식인종들의 뼈와 힘줄로 만든 수금을 흰색 원숭이 같은 손가락으로 연주하고 있었다. 나머지 연주자들은 얼룩덜룩한 반인반수의 사티로스, 이들은 검둥이 여왕의 젖가슴 살과 코뿔소의 뿔로 만든 오보에를 염소 같은 뺨에 대고 불고 있었다.

그들은 기괴한 예법으로 나미르하에게 절을 올렸다. 그러고는 지체 없이, 여자 구울들이 더없이 고약하고 역겨운 울부짖음을 시작하니, 마치 썩은 고기 냄새를 맡은 자칼의 울음소리 같았다. 사티로스와 악마들 또한 금단의 후궁실을 지나는 모래바람의 신음과도 같은 만가를 연주하였다. 조툴라가 와들와들 떨었는데, 그 이유는 노랫소리가 그의 뼛속까지 냉기를 채우고, 연주 소리가 그의 심장에 세월의 쇠발굽 아래 무너지고 짓밟힌 제국들의 황량함을 남겨두었기 때문이다. 무엇보다, 이 사악한 음악이 계속되는 가운데, 시든 정원을 가로지르는 모래 알갱이의 소리와 옛 시절 화려했던 침상의 썩은 비단을 바스락 스치는 바람 소리 그리고 무너진 기둥들의 밑동에서 똬리를 튼 뱀들이 쉭쉭 소리가 들려오는 것 같았다. 또한 움마오스의 영광이 시뭄에 쓰러진 기둥들처럼 몰락하는 것 같았다.

"멋진 음악이었습니다." 나미르하가 음악이 멈추고 여자 구울들의 울부짖음도 그치자 이렇게 말하였다. "하지만 폐하께서 여흥에 지루해하시니 걱정이군요. 그런 고로, 무희들을 불러 폐하를 위해 춤추라 하겠나이다."

그가 드넓은 연회장을 바라보며, 오른손 손가락으로 허공에 의문의 신호를 보냈다. 그 신호에 따라서, 무채색의 안개가 높은 천장에서 내려앉더니, 순식간에 휘장처럼 연회장을 가렸다. 휘장 너머에서 혼란스럽고 억눌린 온갖 소리들이 들려왔고, 무수한 비명이 멀리서처럼 희미해져갔다.

이윽고 섬뜩한 안개가 걷히자, 조툴라는 음식 가득했던 탁자들이 사라진 것을 보았다. 기둥 사이 너른 공간에 그의 신하와 환관 그리고 나인과 후궁은 물론이고 일행 전부가 화려한 깃털의 가금류처럼 가죽 끈에 묶인 채 바닥에 쓰러져 있었다. 때마침 들려온 수금과 피리 연주에 맞춰, 해골 한 무리가 발가락뼈를 경쾌하게 달각거리며 조툴라의 일행 위로 빙빙 돌았다. 미라 무리는 뻣뻣하게 몸을 굽혔고, 나미르하의 다른 피조물들도 기이하게 껑충껑충 뛰어올랐다. 그들 모두가 불길한 사라반드의 리듬에 맞춰 조툴라의 일행을 짓밟으며 이리저리 날뛰었다. 스텝을 한 번씩 밟을 때마다 그들은 더 커지고 육중해져서, 나중에는 날뛰던 미라들이 아나킴의 미라들처럼 되었고, 해골들은 거인처럼 거대해졌다. 음악 소리 또한 더욱더 커져서, 조툴라의 일행들이 힘없이 지르는 비명을 집어삼켰다. 여전히 커져만 가던 춤꾼들은 거대한 기둥들 사이, 둥근 천장까지 솟구치니, 쿵쿵 하는 발소리들이 연회장 안을 천둥처럼 울리었다. 그들의 춤사위에 짓밟힌 조툴라의 일행은 가을 수확기에 짓이겨지는 포도나 다름없었고, 바닥은 시뻘건 포도즙으로 흥건해졌다.

조툴라는 한밤중의 역겨운 늪에 빠져드는 기분이었는데, 불현듯 나미르하의 목소리가 들려왔다.

"폐하께서는 무희들도 탐탁지 않은가 봅니다. 그렇다면 이번에는 가장 웅장한 볼거리를 선사해야겠군요. 이번 볼거리는 왕국 전체를 무대로 삼아야 하니, 일어나서 나를 따르시지요."

조툴라와 오베사는 몽유병자처럼 의자에서 일어섰다. 두 사람은 자기 일행들이 유령이 되어 있는, 그리고 춤꾼들이 여전히 날뛰고 있는 연회장 쪽으로 눈길 한 번 주지 않은 채, 나미르하를 따라서 다사이돈의 제단 뒤쪽의 후미진 곳으로 향하였다. 거기서 위쪽으로 구불구불한 계단을 따라 오르니, 마침내 도착한 곳은 조툴라의 왕궁을 마주 보는 넓고 높은 발코니, 여기서 일몰을 배경으로 펼쳐진 도시의 지붕들이 내려다보였다.

지옥의 축연과 여흥이 벌어진 지 몇 시간은 지난 것 같았다. 하루가 저물기 직전으로, 왕궁 너머 시야를 벗어난 태양이 핏빛 광선으로 거대한 하늘에 줄무늬를 새기고 있었으니 말이다.

"보시지요." 나미르하가 이렇게 말하고 나서, 무어라 다른 말을 덧붙이자 석조 발코니에서 부서진 종이 울리듯 기이한 메아리가 일었다.

발코니가 조금 움직이는가 싶더니, 조툴라는 난간 너머로 더 작아지고 더 낮아진 움마오스의 지붕들을 보았다. 발코니가 하늘을 향해 높이 솟구치는 기분이 들었고, 왕궁의 돔 지붕 너머 도시의 집과 경작지와 그 너머 사막뿐만 아니라, 사막의 가장자리로 내려앉은 거대한 태양까지 보였다. 조툴라는 점점 현기증을 느꼈다. 대기 상층권의 찬 공기가 불어왔다. 나미르하가 또 무어라 말하자, 솟구치던 발코니가 멈추었다.

"똑똑히 보시오." 마법사가 말하였다. "그대의 것이었으나 더는 그대의 것이 될 수 없는 왕국을." 그러더니 지는 해를 향하여 두 팔을 펼쳐 들고는, 입에 올리는 것이 곧 파멸을 뜻하는 열두 개의 이름을 크게 불렀고, 연달아 무시무시한 주문을 외웠다. "그나 파담비스 데봄프라 툰기스 푸리도르 아보라고몬."

곧바로 거대한 먹구름이 태양을 향하여 몰려드는 것 같았다. 지평선에 늘어선 먹구름은 머리와 몸의 일부가 말과 아주 흡사한, 거대한 괴물의 형태를 띠었다. 그것들이 무섭게 뒷발로 일어서더니, 깜부기불을 끄듯 해를 짓밟았다. 그리고 마치 거대한 원형 경기장을 질주하듯, 더 높이 더 거대하게 솟구쳐서는 움마오스를 향해 왔다. 한꺼번에 쇄도해 오는 굵고 불길한 굉음이 먼저 들려왔고, 땅이 흔들리는 것이 눈에 보였으니, 조툴라는 이것이 허상의 마술 구름이 아니라 광대한 전 세계, 전 우주를 짓밟는 실제 살아 있는 말의 무리라는 것을 깨달았다. 이 천리마들은 전방 수 킬로미터까지 자신들의 그림자를 드리우고서 악마의 군단처럼 실라크로 진격해 왔고, 그 발굽에 짓밟힌 먼 오아시스와 황무지의 마을 들은 흡사 산사태를 맞은 것 같았다.

무수한 포탄처럼 휘몰아치는 괴물들 앞에서 세상은 그 무게에 기울고 움츠러들면서 주저앉는 것 같았다. 조툴라는 여전히 대리석처럼 뻣뻣하게 굳어서, 폐허로 변하고 있는 자신의 제국을 지켜보았다. 거대한 말들이 상상을 초월하는 속도로 점점 더 가까이 다가오는 동안, 천둥 같은 그 발굽 소리가 더욱 요란해졌고, 어느새 움마오스의 서쪽으로 수 킬로미터까지 펼쳐져 있는 초록의 들판과 과수원이 뿌옇게 얼룩지기 시작하였다. 이내 말들의 그림자가 일식의 사악한 어둠처럼 움마오스를 뒤덮을 때까지 허공으로 솟구쳐 올랐다. 조툴라 왕이 올려다보니, 마구 치솟는 적운(積雲) 너머에서 지상을 내려다보는 재앙의 태양처럼 말들의 눈알이 땅과 천정 중간에서 번뜩이고 있었다.

그때, 점점 짙어지는 어둠 속에서, 발굽들의 천둥소리를 압도하는 나미르하의 목소리가 광기 어린 승리감을 표출하였다.

"조툴라야, 보라, 내가 심연의 제왕인 다모고르고스의 말들을 불러내지 않았느냐. 저 말들이 너의 제국을 짓밟을 것이다. 네놈의 말이 과거에 나르토스라는 거지 소년을 짓밟았듯이 말이다. 알아두어라. 나, 나미르하가 바로 그 소년이었음을."

광기의 허세로 가득한 나미르하의 눈동자가 정점에 오른 사악하고 해로운 별들처럼 표독하게 이글거렸다.

공포와 소동으로 얼이 빠진 조툴라에게 마법사의 말은 이 파멸의 폭풍우에서 가장 높고 날카로운 배경음에 불과하였다. 그러니 말뜻을 이해했을 리도 만무하였다. 튼튼한 지붕들이 부서지고, 단단한 대리석들은 순식간에 균열이 생겨 무너지는 가운데, 말발굽이 무섭게 움마오스를 유린하였다. 아름다운 돔 신전들은 전복의 껍데기처럼 박살 났고, 위풍당당한 저택들은 호리병박처럼 부서져 땅바닥에 나뒹굴었다. 집이 하나둘 붕괴되면서, 도시는 온 세상이 혼돈에 빠진 것처럼 쑥대밭으로 변해 갔다. 까마득히 아래, 어두운 거리에서 사람들과 낙타들이 갈팡질팡하는 개미 떼처럼 도망쳤으나 파멸을 피할 수는 없었다. 도시의 절반이 폐허가 될 때까지, 그렇게 밤이 끝날 때까지 무자비한 말발굽들이 솟구쳤다가 떨어졌다. 내려다보이는 조툴라의 왕궁은 짓뭉개졌으며, 말들의 앞다리가 나미르하의 발코니와 같은 높이에서 어른거리기 시작했고, 그 머리들은 까마득히 위에 솟아 있었다. 말들이 금방이라도 뒷발로 일어서 마법사의 저택까지 짓밟을 것만 같았다. 그런데 그 순간, 말들이 좌우로 갈라졌고, 일몰의 구슬픈 빛이 비치었다. 말들은 움마오스의 나머지를 짓밟으며 계속 동진(東進)하였다. 조툴라와 오베사와 나미르하는 사금파리 파편 더미처럼 변해 버린 폐허의 도시를 내려다보면서, 동쪽의 실라크를 향하여 멀어져가는 말발굽의 굉음을 듣고 있었다.

"참으로 멋진 장관이로군." 나미르하가 말했다. 그러고는 조툴라 왕을 쳐다보면서 사악하게 덧붙였다. "너와의 볼일이 이것으로 끝났다고, 또 이 운명이 절정을 지났다고는 생각 마라."

발코니가 이전의 위치로 낮아지는 것 같았으나, 여전히 폐허를 내려다볼 만큼 높았다. 나미르하가 왕의 팔을 움켜잡고는 발코니에서 저택의 내실로 끌었고, 오베사는 묵묵히 그 뒤를 따랐다. 왕의 마음은 이 엄청난 파멸로 인해 갈가리 찢기었고, 저주받은 밤 어느 땅에서 길 잃은 사람의 어깨에 올라탄 부정한 인큐버스처럼 절망이 그를 짓눌렀다. 그는 내실의 문간에서 오베사가 다른 곳으로 끌려간 것도 눈치채지 못하였다. 그림자처럼 나타난 나미르하의 수족들이 오베사를 끌고 계단을 내려가면서 자기들이 걸치고 있던 썩은 수의로 그녀의 비명을 틀어막았다.

그 내실은, 나미르하가 가장 불경한 의식과 연금술을 행할 때 사용하는 공간이었다. 방을 비추는 램프의 불빛은 흘러넘친 악마의 영액처럼 붉은색이었다. 불빛에 모습을 드러낸, 알루델과 도가니 그리고 아타노르(연금술용 화덕)와 증류기, 대체 이런 물건들이 어디에 사용되는 것인지는 한낱 인간으로서는 알 수 없는 노릇이었다. 마법사는 차가운 별빛의 검은 액체가 가득 담긴 증류기 하나를 가열했고, 조툴라는 그 모습을 무심히 바라보았다. 이윽고 액체가 끓으면서 소용돌이 증기가 피어오르자, 나미르하는 그것을 황금 테두리의 쇠 잔에 붓고는 잔 하나를 조툴라에게 건네고 다른 잔은 자신이 들었다. 그리고 조툴라에게 거역하기 어려운 엄중한 목소리로 말하였다. "그 액체를 단숨에 마셔라."

조툴라는 그것이 독일 거라 여기고 망설였다. 마법사가 독기 어린 눈으로 그를 쏘아보면서 호통을 쳤다.

"나처럼 하기가 두려운 건가?"

그 말과 함께 쇠 잔을 입술에 가져갔다.

왕이 죽음의 천사가 내린 명령에 따르듯 강요에 못 이겨 잔을 들이켜자, 곧 암흑이 그의 감각을 뒤덮었다. 그러나 그 암흑이 모든 것을 덮어버리기 직전, 그는 나미르하도 자신의 잔을 들이켜는 모습을 보았다.

곧바로 이루 말할 수 없는 고통 속에서 조툴라는 숨을 거두는 것 같았다. 그리고 그의 영혼이 자유로이 떠다녔다. 그는 다시금 육체가 없는 눈을 통하여 방 안을 보았다. 그는 육체가 없는 상태로 붉은 불빛 속에서 시체처럼 누워 있는 자신의 육체 옆에 서 있었고, 가까이에 엎드린 자세의 나미르하와 두 개의 쇠 잔이 놓여 있었다.

그는 그렇게 선 채로 기이한 광경을 목격하였다. 그 자신의 육체가 꿈틀거리다가 일어섰고, 마법사의 몸은 시체처럼 움직임이 없었기 때문이다. 조툴라는 검은 진주와 발라스 루비[40]들로 수놓인 하늘색 금란의 짧은 망토를 입고 있는 자신의 겉모습을 살펴보았다. 그리고 그의 앞쪽에서, 눈빛은 전보다 더욱 검고 사악하게 이글거리고 있으나 여전히 엎어져 있는 또 다른 몸을 쳐다보았다. 육체의 귀가 없는데도 조툴라는 앞에 일어서 있는 그 자신의 몸에서 나오는 목소리를 들었다. 그것은 이렇게 말하는, 나미르하의 힘차고 오만한 목소리였다.

"집 없는 유령아, 나를 따르라. 그리고 무슨 일이든 내가 명하는 대로 하라."

조툴라는 보이지 않는 그림자처럼 마법사를 뒤따랐고, 둘이 계단을 내려가 도착한 곳은 거대한 연회장이었다. 그들이 가서 멈춰 선 다사이돈 제단 앞, 갑옷 입은 이 조각상은 일곱 개의 말머리 램프가 타오르는 가운데 변함없이 서 있었다. 제단 위에, 조툴라의 애첩 오베사가, 이 세상에서 그의 지친 마음을 움직일 수 있는 단 한 명의 여인이 가죽끈에 묶인 채 다사이돈의 발밑에 누워 있었다. 그 뒤편으로 황폐해진 연회장엔, 파멸의 주신제가 끝나고 남아 있는 것은 없었으며, 다만 짓밟힌 흔적들이 짙은 피 웅덩이가 되어 기둥 사이를 흐르고 있었다.

나미르하는 왕의 몸을 제 몸인 양 자유자재로 부리면서 그 검은 곡두 앞에 멈춰 섰다. 그리고 조툴라의 영혼을 향해 말하였다.

"스스로 탈출하거나 움직일 힘조차 없는 상태로 이 조각상 안에 갇혀라."

마법사의 명령에 따라 순순히 조각상 안으로 들어간 조툴라의 영혼은 냉기와 함께 석관처럼 자신을 감싸는, 거대한 갑옷을 느꼈다. 그리고 투구에 거의 가려지고, 움직일 수도 없는 횡한 눈으로 밖을 내다보았다.

조각상의 눈으로 내다보니, 나미르하가 마법의 힘으로 강탈한 조툴라 자신의 몸에 변화가 일고 있었다. 짧은 금란 망토 아래, 두 다리가 갑자기 검은 종마의 뒷다리로 변하여, 지옥의 불에 달구어지듯이 빨갛게 일렁이는 말발굽까지 달려 있었다. 조툴라가 이 불가사의한 광경을 지켜보는 동안에도, 말발굽은 하얗게 이글거리다가 백열 상태까지 이르니, 그 타는 냄새가 바닥에서 위로 올라왔다.

잡종 괴물이 곧 거들먹거리며 검은 제단을 올라, 오베사에게 다가가는 동안, 그 뒤쪽으로 연기 나는 발자국이 나타났다. 그것이 오베사 옆에서 멈춰 서자, 무기력하게 누워 있던 오베사는 얼어붙은 공포의 웅덩이 같은 눈으로 그것을 쳐다보았다. 그것이 이글거리는 발굽 하나를 들어 올리더니, 홍옥으로 장식하고 금으로 줄 세공한 오베사의 아담한 브래지어 중간, 맨가슴에 올려놓았다. 오베사가 그 잔악한 발굽 아래 밟힌 채 비명을 지르니, 새로이 저주받은 영혼이 지옥에서 비명을 지르는 것 같았다. 그리고 그녀의 가슴에 찍힌 발굽 자국은 악마의 무기를 담금질하는 용광로에서 갓 끄집어낸 것처럼 눈부시게 이글거렸다.

그 순간, 견고한 조각상의 내부에 꼼짝없이 갇히어 겁에 질리고 멍해 있던 조툴라의 영혼은 무너지는 자신의 제국과 짓밟히는 백성들 앞에서도 무기력하게 잠들어 있던 남자의 기백이 비로소 꿈틀대는 것을 느꼈다. 곧 그의 영혼 속에서 엄청난 증오심과 격분이 일었고, 오른손을 들어 그 손에 쥔 철퇴를 휘두르기 위하여 안간힘을 썼다.

그때 그 자신의 내부에서, 마치 조각상이 직접 속으로 말을 하듯, 차갑고 황량하고 섬뜩한 목소리가 들려오는 것 같았다. 그 목소리가 이렇게 말하였다. "나는 다사이돈, 지하의 일곱 지옥과 지상의 인간 마음속 마흔아홉 개 지옥에 군림하는 제왕이다. 조툴라야, 쌍방 복수를 위하여 잠시 동안만 나의 힘은 너의 될 것이다. 나의 모습을 닮은 이 조각상과 인간의 영혼인 네가 완전합일을 이루라. 보라! 너의 오른손에 무적의 철퇴가 들려 있다. 철퇴를 들어 올려, 쳐라."

조툴라는 거대한 힘과 더불어 그 힘이 스며들어 자신의 의지에 기민하게 반응하는 거인의 근력을 느꼈다. 그리고 갑옷으로 무장한 오른손에서 커다란 대못이 박혀 있는 철퇴의 손잡이를 느꼈다. 인간의 힘으로는 도저히 들어 올릴 수 없는 철퇴건만, 조툴라에겐 그리 무게감이 없었다. 이윽고 그는 전투 중인 전사처럼 철퇴를 들어 올렸고, 자신의 육체에 지옥마(地獄馬)의 다리와 발굽을 달고 있는 그 괴물을 향해 치명적인 일격을 가하였다. 괴물이 푹 고꾸라지더니, 반짝이는 흑석 위에 널브러져, 부서진 두개골에서 걸쭉한 뇌수를 뿜었다. 그리고 발에 잠시 경련이 일다가 이내 잠잠해졌다. 백열을 내뿜으며 붉게 달군 쇠처럼 이글거리던 발굽들은 서서히 식어갔다.

그 놀라운 광경 앞에서 공포와 고통으로 미쳐버린 오베사의 날카로운 비명 외에 다른 소리는 없었다. 그 비명에 메스꺼워진 조툴라의 영혼 속으로 다사이돈의 차갑고 오싹한 목소리가 다시 들려왔다.

"가라. 네가 할 일은 끝났다."

그리하여 다사이돈의 조각상에서 빠져나온 조툴라의 영혼은 드넓은 허공에서 무와 망각의 자유를 발견하였다.

그러나 나미르하에게 최후의 순간은 아직 오지 않았으니, 일격을 받은 뒤 조툴라의 육신에서 빠져나온, 그의 광기와 오만에 찬 영혼은, 그 자신의 계획과는 다르게, 저주의 제식과 금기의 환생을 행하던 방으로, 거기 누워 있는 자신의 육신으로 음울하게 돌아왔다. 나미르하는 곧 극한 혼란과 부분 망각 속에서 깨어났다. 그가 저지른 불경함 때문에 다사이돈의 저주가 씌었기 때문이다.

살기 어리고 터무니없는 복수욕 외에 그가 또렷하게 생각할 수 있는 건 없었다. 그런데 복수의 이유와 그 대상이 애매한 그림자 속에 가려져 있었다. 그럼에도 그 애매한 적의가 그를 자극하고 있었다. 칼자루에 신비한 사파이어와 단백석이 장식된 마법의 검을 허리에 차고, 계단을 내려가 다시금 다사이돈의 제단 앞에 섰다. 갑옷 입은 이 조각상은 변함없이 냉담한 모습으로 서서, 움직일 수 없는 오른손에는 철퇴를 쥐고 있었고, 제단 위에는 두 개의 희생양이 있었다.

기이한 어둠의 장막이 나미르하의 감각을 뒤덮었고, 그 때문에 그는 서서히 발굽이 검게 변해 가는 반인반마의 시체를 보지 못하였다. 그리고 그 옆에 아직 살아 있는 오베사의 신음도 듣지 못하였다. 그런데 그의 시선을 잡아끄는 것이 있었으니, 그것은 제단 뒤에, 검은 철제 바실리스크의 발톱에 놓여 있는 다이아몬드 거울이었다. 그리로 간 그는 거울에서 자신의 얼굴이 아닌 다른 얼굴을 보았다. 눈은 어둠에 물들고, 머리는 착란의 기만적인 거미줄로 가득했기에 그는 그 얼굴을 조툴라 왕의 얼굴로 여겼다. 그의 마음속에서 오랜 원한이 지옥의 불길처럼 탐욕스레 타올랐다. 마법의 검을 빼 들고 거울 속의 얼굴을 내리치기 시작했다. 그에게 걸려 있는 저주 때문에 그리고 그 자신이 행했던 불경한 환생술 때문에 그는 순간순간 자신이 마법사와 싸우고 있는 조툴라라고 여기기도 했고, 어느 틈에는 광기의 기만 속에서 왕을 내리치는 나미르하라고 여기기도 하였다. 그러다가 문득 정체불명의 적과 싸우고 있는 자신을 발견하기도 했다. 마법의 검이 가공할 만한 마법으로 단련된 것이긴 하나, 얼마 지나지 않아 칼자루가 두 동강이 나버렸고, 나미르하는 여전히 멀쩡하게 남아 있는 거울 속의 얼굴을 보았다. 그는 그 자신의 망각 때문에 쓸모없어진, 더없이 무시무시하나 이제는 절반만 기억하는 룬 문자의 저주를 크게 외치며 묵직한 칼자루로 거울을 후려쳤다. 결국에는 칼자루에 장식된 신비의 사파이어와 단백석이 깨져서 작은 파편으로 그의 발치에 흩어졌다.

제단에서 죽어가던 오베사는 거울 속의 자신과 싸우고 있는 나미르하를 쳐다보다가 깨진 수정 종 소리 같은 광기의 웃음을 터뜨렸다. 그녀의 웃음을 삼키고, 또 나미르하의 주문을 삼키며, 다모고르고스의 거대한 천리마 군단들이 내는 천둥의 발굽 소리와 거센 태풍 소리가 들려왔으니, 실라크를 관통하여 움마오스를 지나 심연으로 돌아가던 발굽들은 먼젓번에 남겨놓았던 저택 한 채를 마저 짓밟고 갔다.

....

35) 스미스가 구사하는 어휘 때문에 영어권 독자들로서는 제목부터 사전을 찾게 만드는 작품 중 하나라고 한다. 원제인 'Dark Eidolon'에서 'Eidolon'은 유령(apparition, phantom, ghost) 혹은 이상적인 인물을 뜻한다. 그래서 유령이나 환영보다는 이 두 가지 의미를 지닌 우리말 '곡두'로 번역했다.

36) 시뭄(Simoom): 북아프리카와 아랍 사막지대에서 부는 바람으로 매우 덥고 건조하다. 시문(Simoon)이라고도 한다.

37) 카스트라토(Castrato): 변성 전의 고음을 유지하기 위해 거세된 가수. 여기서는 환관(내시)에 더 가깝다.

38) 라미아(Lamia): 주로 그리스 신화에 등장하며, 아름다운 여성의 상반신과 뱀의 하반신을 하고 있다.

39) 바실리스크(basilisk): 유럽의 신화와 전설에 등장하는 상상의 동물. 모든 뱀의 왕으로, 이것의 노란 눈을 쳐다보기만 해도 죽음에 이른다고 한다. 닭의 머리에 뱀의 몸을 지닌 생김새로 알려져 있다.

40) 발라스 루비(balas-ruby): 원래는 스피넬이라는 보석이지만, 생김새 때문에 루비라고 알려지기도 했다.

XEETHRA

지트라

작품 노트

1934년 3월에 완성, 1934년 《위어드 테일스》 12월 호에 실렸다.

《위어드 테일스》는 '소설이라기보다 산문시'라는(「백색 벌레의 출현」 등을 거절할 때와 같은) 이유로 이 작품을 거절한다. 물론 잇따른 거절 그것도 시적이라는 이유는 작품에 대한 스미스의 자신감을 떨어뜨린다. 이것은 스미스가 덜레스에게 보낸 편지에도 드러나 있다. "(편집장) 라이트는 일반 독자들이 시적인 작품에 대해 식견이 없을 뿐만 아니라 적대적이기까지 하다고 했는데, 그 말이 정말 맞는지도 모르겠습니다. 이 나라에서 시 문학은 이미 문학 조폭들의 손에 넘어갔으니 말입니다."

「지트라」는 조티크 연작 중에서 가장 온화한 작품에 속한다. 그로테스크한 공포와 음산한 마법의 자리를 고요한 갈망과 회한이 채우고 있다. 그러면서도 조티크의 핵심 주제라고 할 수 있는 파멸과 상실을 유려하게 그려 보이고 있다. 젊은 목동 지트라를 상실감에 빠뜨리고 파멸로 이끄는 것은 자신이 한때 왕이었다는 찬란한 기억이다. 이 기억이 없었더라면 지트라의 비루하나 평화로운 목동으로서의 삶이 그리 나쁘지는 않았을 것이다. 지트라의 기억은 불행의 근원이니, 무지와 망각이 오히려 축복이다. 이것은 러브크래프트의 작품 전반을 꿰뚫은 주제 의식의 하나이기도 하다. 나아가 이 작품은 러브크래프트의 「이라논의 열망」과 유사성이 종종 거론되기도 한다.

병든 부모님을 간병하느라 경제적으로 쪼들리던 스미스는 「지트라」에 많은 수정을 가했고, 《위어드 테일스》는 이 수정본을 받아들인다. 한때 키츠와 셸리에 버금간다는 찬사를 받았으나 빠르게 세인의 주목에서 사려져간 비운의 천재 시인. 「지트라」의 영롱한 기억과 상실에 클라크 애슈턴 스미스의 굴곡진 삶이 중첩되는 이유인지 모르겠다.

출생에서 죽음까지 또 죽음에서 죽음까지 많은 생을 통하여 자신의 희생양을 뒤쫓는 악마, 그의 그물은 미묘하고도 복잡하다.
—『카르나마고스의 유고』

야생의 최동단 신코, 이곳의 미크라시안 산맥 앞에 웅크리고 있는 암갈색 언덕에서 파괴적인 여름이 드세고 팔팔한, 붉은 종마와도 같은 태양을 오래도록 방치하고 있었다. 정상에서 자란 급류는 가는 실개천이 되거나 더 작게 갈라져서 말라붙은 웅덩이가 되었다. 화강암 표석은 열기에 의해 표면이 벗겨졌다. 맨땅은 금이 가고 갈라졌다. 작고 빈약한 수풀들은 뿌리까지 타들어갔다.

사정이 이렇다 보니, 포르노스 삼촌의 검고 얼룩덜룩한 염소들을 돌보는 소년, 지트라는 깊고 험한 산골짜기와 언덕 정상에서 나날이 고된 일을 해야 했다. 늦여름의 어느 오후, 지트라는 지금까지 한 번도 가본 적이 없는 깊고 험한 계곡에 도착하였다. 여기에 시원하게 웅달진 호수가 숨겨진 수원으로부터 물을 공급받고 있었다. 게다가 호수를 둘러싸고 돌출한 비탈은 아직 싱그러운 초록빛을 간직한 풀과 나무로 덮여 있었다.

놀라고 황홀해진 소년은 깡충거리는 염소 떼를 몰아 이 안전한 낙원으로 인도하였다. 포르노스의 염소들이 이렇게 훌륭한 목초지를 벗어나 길을 잃을 가능성은 적었다. 그래서 지트라는 애써 염소들을 지켜보느라 고생하지 않았다. 주변의 풍광에 매혹된 소년은 황금빛 포도주처럼 반짝이는 호수의 깨끗한 물로 갈증을 달랜 뒤, 계곡 탐사에 나섰다.

소년의 눈에 비친 이곳은 진정한 정원이자 공원이었다. 이미 멀리까지 왔다는 것도, 만약 젖 짜는 시간을 어기고 늦게 돌아간다면 포르노스의 불호령이 떨어진다는 것도 잊은 채, 소년은 계곡을 호위하는 구불구불한 바위산으로 더 깊숙이 들어갔다. 사방의 바위들은 점점 더 험하고 거칠어졌다. 계곡이 좁아졌다. 소년은 얼마 지나지 않아 울퉁불퉁한 벽으로 가로막힌 계곡 끝에서 멈춰 섰다.

소년이 왠지 모를 실망감을 느끼며 돌아가려던 그때, 가파른 벽 밑에서 이상한 동굴의 입구가 눈에 띄었다. 소년이 도착하기 직전에 바위가 갈라진 것 같았다. 왜냐하면, 그 갈라진 틈의 윤곽은 아주 선명한 반면, 바위의 다른 표면에 난 금들은 어디에나 수북하게 자란 이끼에 가려서 보이지 않았기 때문이다. 빠끔히 벌어진 동굴의 입구에서 지지러진 나무 한 그루가 방금 부러진 뿌리를 허공으로 뻗고 있었다. 그리고 단단한 원뿌리는 지트라의 발치에 있는 바위 속에 박혀 있었는데, 나무가 원래 서 있던 자리가 분명해 보였다.

소년이 이상하기도 하고 궁금하기도 하여 유혹하는 듯한 동굴 속 어둠을 엿보자, 설명할 수 없는 은은한 향기가 풍겨 나오기 시작했다. 허공으로 퍼진 묘한 냄새에서 사원의 향처럼 싸한 느낌과 함께 아편의 무력감과 쾌감 같은 게 느껴졌다. 냄새가 지트라의 오감을 어지럽혔다. 그와 동시에 은혜롭고 경이로운 것들을 보여주겠노라 유혹하였다. 소년은 주저하면서 언젠가 포르노스로부터 들었던 전설을 더듬어보았다. 포르노스가 실수로 들어갔던 비밀 동굴에 관한 것이었다. 그러나 소년의 기억은 가물가물해져서 위험하고 금기시되는 마법에 관한 것이라는 희미한 잔영만 남아 있었다. 소년은 동굴이 미지의 세계로 가는 관문이라고 생각하였다. 그 관문이 지금 들어와도 좋다고 열린 것이라고 말이다. 모험가와 몽상가의 기질을 둘 다 지니고 있던 소년이었기에 다른 사람이라면 느꼈을 법한 두려움에 굴하지 않았다. 그래서 강한 호기심을 이기지 못하고, 나무에서 떨어진, 송진이 많은 가지 하나로 횃불을 만들어 냉큼 동굴 안으로 들어갔다.

동굴로 들어서자, 기괴한 용의 목구멍처럼 아래로 기울어지는, 투박한 아치형의 통로가 소년을 에워쌌다. 미지의 지하에서 강하게 불어오는 포근하고 향기로운 바람에 뒤로 획 젖혀진 횃불이 너울대면서 연기를 뿜었다. 동굴은 위태로울 정도로 가팔랐다. 그러나 지트라는 계단처럼 생긴 모퉁이 돌과 돌출한 돌을 디디고 내려가면서 탐험을 계속하였다.

꿈속에서도 꿈을 꾸는 사람처럼 지트라는 우연히 발견한 미스터리에 흠뻑 빠져들었다. 까맣게 잊고 있는 염소지기로서의 책임은 안중에도 없었다. 동굴을 내려가는 데 얼마나 시간이 걸렸는지도 관심 밖이었다. 그런데 갑자기, 짓궂은 악마의 날숨처럼 후끈한 돌풍이 불어와 횃불을 꺼뜨렸다.

지트라는 갑작스러운 공황 상태에 빠져든 채, 어둠 속을 비틀거리며 위험한 내리막 통로에서 안전하게 발 디딜 곳을 찾아 더듬거렸다. 꺼진 햇불을 다시 밝히려다가, 동굴 속의 어둠이 그리 짙은 것이 아니라, 저 아래서 비치는 희미한 황색 빛에 물들어 있음을 알아챘다. 그 때문에 방금 전의 위기감도 잊어버리고는 신비한 빛을 향해 다시 내려가기 시작했다.

기나긴 내리막이 끝나는 바닥, 이곳에서 지트라는 낮은 동굴 입구를 지나 햇빛처럼 밝은 광휘 속으로 들어섰다. 처음엔 눈이 부시고 어리둥절해져서 지하를 헤매다가 결국엔 지상으로, 다시 말해 미크라시안 산간지대의 낯선 지역으로 빠져나온 거라 생각하였다. 그런데 눈앞에 펼쳐진 지역은 여름에 짓눌린 신코의 일부가 아니었다. 언덕도 산도 보이지 않았고, 노쇠하면서도 포악한 태양이 조티크 왕국에 무자비한 가뭄을 일으키며 이글거리는, 짙은 청옥 색깔 하늘도 보이지 않았기 때문이다.

소년이 서 있는 곳은, 무한정 아치를 그리는 황금빛 창공 아래 끝없이 황금빛으로 펼쳐진 비옥한 들녘의 초입이었다. 몽환적인 광휘 사이로 저 멀리서 첨탑과 돔과 성벽 같은 건물들이 아련하게 모습을 드러내고 있었다. 발아래 펼쳐진 평원은 싱그러운 초록빛을 띤, 곱슬곱슬한 잔디로 빼곡히 뒤덮여 있었다. 그리고 잔디밭 군데군데 생물의 눈알처럼 이리저리 움직이는, 기이한 꽃들이 수놓여 있었다. 평원 너머 가까이에 과수원처럼 키 크고 우람한 나무들이 모여 있었고, 푸른 잎 사이로 검붉은 열매들이 무수한 불덩어리처럼 매달려 있었다. 평원 어디에도 인적은 없었다. 나뭇잎의 한숨 소리 — 무수히도 많은 작은 뱀들이 숨어서 내는 듯한 쉭쉭 소리 — 말고는 정적이 흘렀다.

가뭄에 찌든 산간 마을에서 온 이 소년의 눈앞에 펼쳐진 왕국이야말로 경험하지 못한 기쁨의 에덴동산이었다. 그러나 모든 것이 너무도 낯설어서 또 풍경 속속들이 스며들어 있는 기이하고도 초자연적인 생명력이 느껴져서 잠시 동안은 우두커니 서 있었다. 하늘에서 불꽃들이 내려와 물결치는 허공에서 녹는 것 같았다. 풀밭은 벌레의 꿈틀거림으로 소용돌이치는 것 같았다. 꽃처럼 생긴 눈알들이 또다시 소년을 뚫어지게 응시하였다. 나무들은 속에서 수액 대신에 힘찬 영액이라도 흐르고 있는 것처럼 고동쳤다. 나뭇잎 사이에서 독사처럼 쉭쉭 소리가 점점 더 크고 날카로워졌다.

지트라를 망설이게 만든 유일한 것은 너무도 아름답고 비옥한 이곳이 질투심 많은 소유주의 것이라서 그의 침입에 화를 낼지 모른다는 생각이었다. 소년은 인적 없는 평원을 아주 꼼꼼하게 살폈다. 이윽고 누구에게도 들킬 염려는 없겠다 판단하고서, 붉고 화려한 열매를 본 뒤로 마음속에 솟구쳤던 갈망을 채우기로 마음먹었다.

소년이 가장 가까운 나무를 향해 달려가는 동안, 발에 밟히는 잔디가 생명체처럼 부드럽고 유연했다. 나뭇가지들은 반짝이는 공 모양의 열매를 매달고 소년의 주위에서 고개를 숙였다. 소년은 가장 큰 열매 몇 개를 따서 낡은 튜닉의 앞섶 안쪽에 알뜰히도 챙겨 넣었다. 그러곤 더는 식욕을 참지 못하고 열매 하나를 게걸스레 먹어치우기 시작했다. 껍질이 부드럽게 씹히더니, 넘치는 술잔을 쏟아붓듯 특제 포도주의 달콤하고 강렬한 맛이 입안에 가득했다. 소년은 금방이라도 질식할 것처럼 목구멍과 가슴속에서 빠르게 퍼지는 열기를 느꼈다. 기이한 열정이 소년의 귓가에 노래했고 격한 감정을 일으켰다. 이 열기는 곧 사라졌고, 소년의 멍한 정신을 화들짝 깨우는 것이 있었으니, 마치 하늘 저 높이서 떨어지는 듯한 목소리였다.

소년은 그것이 사람들의 목소리가 아님을 금세 알아챘다. 목소리들은 불길하게 울려 퍼지는, 사악한 북소리처럼 소년의 귓전을 때렸다. 한편으로는, 낯선 언어로 말을 하는 것 같기도 했다. 굵은 나뭇가지 사이로 올려다본 소년은 무서운 광경을 목격했다. 산간 마을의 망대만큼 키가 크고, 근처 나무의 우듬지들이 간신히 허리춤에 닿을 정도로 거대한 거한 둘이 서 있는 것이었다. 그들은 마법에 의해 푸른 초원에서 혹은 황금빛 하늘에서 홀연히 나타난 것 같았다. 수풀은 그들의 덩치에 비하면 작은 덤불이나 마찬가지여서 지트라가 그들을 못 보고 지나치는 건 불가능했다.

그들이 입고 있는 검은 갑옷은 광택 없는 음침한 것이어서, 깊이를 알 수 없는 지하 세계의 제왕, 즉 다사이돈의 명을 받들 때 악마들이나 입을 만한 것이었다. 지트라는 그들에게 들키고 말았구나 생각하였다. 어쩌면 알아들을 수 없는 거인들의 대화도 지트라에 관한 것인지 몰랐다. 소년은 자기가 지니[41]의 정원을 침범했다는 생각이 들자 오들오들 떨었다. 겁에 질려 슬며시 곁눈질을 한 결과, 자기를 향해 숙여 있는 검은 투구의 이마 장식 밑으로는 드러나 있는 것이 없었다. 그래도 눈동자를 닮은 황적색 불덩어리가 얼굴이 있어야 할 빈 그늘 속에서 늪지의 반딧불처럼 이리저리 쉴 새 없이 움직이고 있었다.

지트라는 자신이 너무도 경솔하게 침범해 버린 이 땅의 관리자가 바로 두 거인이라 생각했고, 아무리 풍성한 나뭇잎 아래 몸을 숨긴다 해도 거인들의 추적을 피하지 못할 것 같았다. 소년은 죄의식 때문에 의기소침해졌다. 쉭쉭 소리를 내는 나뭇잎, 북소리처럼 울리는 거인의 목소리, 눈알처럼 생긴 꽃에 이르기까지 모든 것이 소년의 침입과 도둑질을 나무라는 것 같았다. 게다가 자기가 진짜 누구인지 헷갈리는, 기묘하고도 독특한 느낌 때문에 당황스러웠다. 어쨌거나 이 눈부신 정원을 발견하고 검붉은 열매를 따 먹은 것은 염소지기 지트라가 아닌…… 다른 누군가였다. 이 낯선 자아는 이름도, 이렇다 할 기억도 지니고 있지 않았다. 그저 소년의 불안한 마음속 어둠 한복판에는 깜박이는 혼돈의 빛과 알아들을 수 없는 목소리들의 웅얼거림이 있었다. 소년은 열매를 게걸스레 먹게 만들었던 기이한 흥분, 다시 말해 빠르게 온몸을 휘감는 열기 같은 것을 다시 느꼈다.

소년을 이런 생각에서 퍼뜩 깨운 것은 나뭇가지를 지나 자신을 향해 내리꽂히는, 검푸른 섬광이었다. 맑은 하늘에서 번개가 내리친 것인지 아니면 갑옷을 입은 거인 중에서 하나가 커다란 칼을 휘두른 것인지, 소년은 나중에 아무리 곱씹어봐도 확신이 서지 않았다. 번쩍이는 빛이 시야를 가로막자, 소년은 더럭 겁이 나서 움찔했고, 자기도 모르는 사이에 탁 트인 잔디밭을 정신없이 달려가고 있었다. 앞에는 색깔들이 소용돌이쳤고, 그 사이로 깎아지른 듯 끝없이 솟구친 절벽과 눈에 익은 동굴 입구가 나타났다. 등 뒤에선 여름의 우레 같은, 아니 거인들의 웃음소리 같은 긴 울림이 들려왔다.

지트라는 거침없이 동굴 입구에 놔두었던, 아직 불붙은 횃불을 집어 들고 어두운 동굴 속으로 뛰어들었다. 지옥과도 같은 어둠 속을 뚫고 위태로운 경사를 더듬더듬 올라갔다. 방향을 틀 때마다 휘청거리다 비틀거렸고, 온몸에 멍이 든 끝에 드디어 신코 언덕 뒤편에 숨겨진 계곡과 지상의 출구에 도착하였다.

놀랍게도 소년이 동굴 저편의 세상에 가 있는 동안, 지상엔 땅거미가 진 후였다. 계곡을 둘러싼 험준한 바위 위로 별들이 모여 있었다. 상앗빛 초승달이 뾰족한 끝으로 기진맥진한 자줏빛 하늘을 찌르고 있었다. 거인 감시자들이 쫓아오진 않을까 여전히 무서운 데다 포르노스 삼촌의 불호령까지 걱정이 된 지트라는 서둘러 산속의 작은 호수로 돌아가 염소들을 모은 뒤, 곧바로 길고 어두운 길을 따라 집으로 향하였다.

집으로 오는 동안, 소년의 마음속에서 열기가 이따금 기이한 환상과 더불어 불타올랐다가 사그라지기를 반복하였다. 포르노스에 대한 두려움을 잊었고, 자신이 비천하고 볼품없는 염소지기 지트라라는 것마저 잊었다. 소년은 진흙과 나뭇가지로 지은, 누추한 포르노스의 오두막이 아니라 다른 집으로 향하고 있었다. 높고 둥근 지붕으로 이루어진 도시, 이곳의 윤기 나는 철문이 소년을 향해 활짝 열릴 것이고, 향긋한 허공에선 불타는 듯한 형형색색의 깃발들이 나부낄 것이다. 그리고 천 개의 기둥이 있는 홀에서 은 나팔과 금발의 후궁들과 흑인 시종들이 소년을 왕으로 맞이할 것이다. 그를 둘러싼 왕실의 호화로운 전통 행렬은 물과 빛처럼 익숙한 것이고, 새로운 왕으로 등극한 소년, 즉 아메로 왕은 선왕인 자신의 아버지와 마찬가지로 동쪽 바닷가 칼리즈 왕국을 다스릴 것이다. 난폭한 남쪽 부족들이 털북숭이 낙타를 타고 그의 왕국으로 찾아와, 야자수 포도주와 사막의 사파이어를 진상할 것이다. 또한 새벽빛 너머의 여러 섬에서 갤리선들이 반년마다 바치는 공물, 즉 온갖 향료와 기묘한 염료로 물들인 직물 들을 가져와 부두에 쌓아놓을 것이다.

몰려왔다가 물러나는 망상의 그림처럼, 그러나 일상의 기억처럼, 생생한 광기가 소년을 찾아왔다가 사라졌다. 또다시 소년은 뒤늦게 염소를 몰고 돌아가는 포르노스의 조카가 되었다.

지트라가 포르노스의 염소를 기르는, 투박한 목제 축사에 다다랐을 때, 붉은 달이 아래를 내리꽂는 칼날처럼 어두운 언덕을 가르고 있었다. 지트라가 예상한 대로, 늙은 삼촌이 한 손에는 진흙 초롱을 다른 한 손에는 가시나무 몽둥이를 들고 축사 문 앞에서 기다리고 있었다. 삼촌은 아직은 다 쇠하지 않은 기운으로 조카에게 욕설을 퍼부으면서 늦게 돌아왔다며 몽둥이질을 하려고 했다.

지트라는 몽둥이를 겁내지 않았다. 상상 속에서 그는 다시금 칼리즈의 젊은 왕, 아메로가 되어 있었다. 당황하고 놀란 소년은 흔들리는 초롱불을 앞세운 채 버티고 서서 더럽고 고약한 노인의 냄새를 풍기는 정체불명의 상대를 바라보았다. 포르노스의 말을 거의 알아들을 수 없었다. 그 남자의 분노가 어리둥절했지만 무섭진 않았다. 감미로운 향기만 맡아왔던 사람처럼 염소의 악취를 견딜 수 없었다. 그뿐만 아니라, 지친 염소 떼의 음매 소리를 난생처음 들어보는 것 같아서, 깜짝 놀란 눈빛으로 윗가지 축사와 그 뒤쪽의 오두막을 빤히 쳐다보기도 하였다.

"이 꼴을 보자고 비싼 돈 들여서 고아나 다름없는 조카 녀석을 키운 줄 아느냐?" 포르노스가 소리쳤다. "빌어먹을 백치 같은 놈! 배은망덕한 놈! 만약에 젖염소 한 마리 아니 새끼 염소 한 마리라도 없어졌다가는 네놈의 살가죽을 벗겨놓겠다."

소년의 침묵을 그저 반항이라고 여긴 포르노스가 몽둥이로 소년을 때리기 시작했다. 몽둥이질을 당하자, 찬란한 구름이 지트라의 마음 밖으로 흩어져버렸다. 지트라는 두 번째 몽둥이질을 잽싸게 피하면서 산속에서 새로운 목초지를 발견했다고 말하려 했다. 그러자 노인이 몽둥이를 거두었고, 지트라는 이상한 동굴을 통하여 신기한 정원까지 갔다 왔다고 말하였다. 그리고 자신의 말을 증명하고자 튜닉의 앞섶 안쪽에서 검붉은 열매를 꺼내려 했으나, 어찌 된 일인지 열매는 사라지고 없었다. 어둠 속 어딘가에서 잃어버렸는지 아니면 열매에 내재된 마법 같은 힘에 의해 저절로 사라졌는지는 알 길이 없었다.

평소처럼 잔소리를 하면서 소년의 말을 중간마다 끊던 포르노스는 노골적으로 못 믿겠다는 표정을 지었다. 그러나 소년이 얘기를 계속할수록, 점점 더 잠자코 듣더니, 얘기가 끝났을 때는 떨리는 목소리로 이렇게 소리치는 것이었다.

"네가 마법에 홀려 헤맨 걸 보니 오늘이 그날이로구나. 이 지역 산에는 네가 말한 호수 같은 건 없다. 그뿐만 아니라, 이런 절기에 어떤 목동도 네가 말한 목초지 같은 걸 발견한 적이 없다. 그건 다 너를 타락시키려는 망상이야. 그리고 그 동굴, 그건 자연적인 동굴이 아니라 지옥으로 들어가는 문이다. 이 지역 땅 밑에 일곱 지하 세계의 왕 즉 다사이돈의 정원이 있다는 얘기가 조상 대대로 전해져 왔다. 동굴들은 훨씬 더 오래전부터 관문처럼 열려 있었고, 그곳이 어딘지도 모르고 정원을 침범했던 인간의 후손들은 열매의 유혹을 이기지 못하고 그걸 따 먹었지. 그러나 그로 인해 광기와 많은 슬픔과 긴 파멸이 생긴다. 왜냐하면, 열매 한 개를 도둑맞아도 절대 잊는 법이 없는 악마가 끝끝내 그 대가를 받아낼 것이기 때문이야. 아! 아! 그 마법의 목초지에서 풀을 뜯게 했으니 앞으로 한 달 꼬박 염소의 젖에서 신맛이 나겠구나. 결국 네놈을 먹이고 보살피는 건 부담이 될 테니, 염소를 칠 만한 애송이나 새로 알아봐야겠다."

삼촌을 말을 듣고 있는 동안, 지트라의 마음에 또다시 타는 듯한 구름이 자리 잡았다.

"노인장, 나는 댁을 모르오." 지트라가 당황한 기색으로 말하였다. 그리고는 포르노스가 알아듣기 어려운, 정중하고 온화한 표현으로 말을 이었다. "내가 길을 잃었나 보오. 부디, 칼리즈 왕국이 어디인지 알려주겠소? 나는 그곳의 왕으로서, 왕국을 천 년간 다스렸던 선왕들의 뒤를 이어, '샤타르'라는 고도의 도시에서 얼마 전에 즉위식을 올렸소."

"어이구! 어이구!" 포르노스가 탄식하였다. "이놈이 실성을 했구나. 악마의 사과를 먹었으니 저런 소리를 지껄이지. 헛소리 집어치우고 염소 젖 짜는 거나 도와라. 너는 내 누이동생 아클리의 자식일 뿐이다. 네 아비 아우토스가 이질로 죽은 19년 전에 나한테 보내진 거라고. 네 어미까지 얼마 있다가 죽는 바람에 내가 너를 염소 젖을 먹여가며 아들처럼 키웠다."

"나는 왕국을 찾아야 하오." 지트라가 고집스레 말하였다. "어둠 속에서 또 거친 상황 속에서 길을 잃었고, 어쩌다가 이곳까지 왔는지 기억이 나지 않소. 노인장, 내게 하룻밤만 먹을 것과 잠자리를 주면 좋겠소. 새벽에 동쪽 바닷가 샤타르를 향해 떠나겠소."

포르노스는 투덜거리고 고개를 절레절레 흔들면서 진흙 초롱을 소년의 얼굴 앞으로 들어 올렸다. 크고 불안한 눈동자에서 황금 램프의 불빛이 반짝이는 소년은 어딘지 낯선 사람처럼 보였다. 지트라의 태도가 막된 것은 아니었고, 약간 거만하고 초연한 정도였다. 너덜너덜한 튜닉을 입고 있긴 한데 묘한 기품이 흘렀다. 그렇다 해도 실성한 것이 분명하였다. 태도도 그렇거니와 하는 말도 이해할 수 없었기 때문이다. 포르노스는 계속 투덜거리면서도 지트라에게 젖 짜는 일을 도우라고 강요는 더 하지 않고, 혼자서 축사 쪽으로 돌아섰다.

* * *

새벽에 일찍 눈을 뜬 지트라는 갓난아이 때부터 살아온 오두막의 진흙 벽을 휘둥그레진 눈으로 힐긋거렸다. 모든 것이 낯설고 당혹스러웠다. 특히 자신이 걸치고 있는 누추한 옷과 햇볕에 그을린 황갈색 피부가 그러했다. 그 자신이라고 믿고 있는, 젊은 아메로 왕에겐 어울리지 않았다. 이런 상황을 도무지 이해할 수 없었다. 자신의 왕국으로 속히 떠나야겠다는 절박감이 들었다.

지트라는 마른풀로 만든 침상에서 조용히 일어났다. 한쪽 구석에선 포르노스가 아직 노년의 잠에 빠져 있었다. 지트라는 그를 깨울까 봐 조심하였다. 그 고약한 늙은이 때문에 난처하고 불쾌했다. 늙은이는 간밤에 형편없는 수수 빵과 염소의 걸쭉한 젖과 치즈를 그에게 먹으라 했고, 접대랍시고 악취 나는 오두막에 재웠다. 애초부터 포르노스의 불평과 심한 꾸중에는 신경을 쓰지 않았다. 그러나 이 늙은이는 지트라가 왕이라는 말을 의심했을 뿐만 아니라, 그를 다른 사람으로 착각하고 있었다.

지트라는 오두막을 나선 뒤, 바위산 중에 동쪽으로 구불구불 나 있는 작은 길을 따라갔다. 그 길이 어디로 향하는지는 알지 못하였다. 다만, 칼리즈 왕국이 조티크 대륙의 최동단이니, 떠오르는 태양 바로 아래쪽 어딘가에 있으리라 짐작할 뿐이었다. 눈앞에 칼리즈의 푸른 계곡과 아침 뭉게구름처럼 동쪽에 쌓아 올린 샤타르의 돔 지붕들이 아름다운 신기루처럼 아른거렸다. 그 모습들이 어제의 기억처럼 새맑았다. 어쩌다가 왕국을 떠나왔는지 기억할 수 없으나, 그곳이 그리 멀지 않다고 확신할 순 있었다.

길이 바뀌어 산세가 점점 부드러워지더니, 이내 도착한 '시트'라는 명칭의 소촌, 원래 이곳 주민들은 지트라를 알고 있었다. 그런데 막상 와보니, 낯설었다. 지저분한 오두막들이 둥그렇게 모여 있는 마을에 불과한 데다, 오두막들은 폭염을 견디느라 여기저기 망가져 있었다. 지트라의 이름을 부르며 모여든 사람들이 칼리즈로 가는 길이 어디냐는 물음에 빤히 쳐다보다가 얼뜨기들처럼 웃어댔다. 아무도 칼리즈 왕국이나 샤타르 도시를 들어본 적이 없는 것 같았다. 사람들은 지트라의 이상한 행동거지로 보나 하는 말로 보나 미쳤다고 여기고는 놀려대기 시작했다. 아이들은 지트라에게 마른 흙과 자갈을 던졌다. 그렇게 시트에서 쫓겨난 지트라는 신코에서 '젤'이라는 인근의 저지대 마을로 이어지는 동쪽 길을 따라갔다.

청년은 자신의 잃어버린 왕국을 마음에 그리면서 몇 달 동안 조티크 전역을 방황하였다. 사람들은 왕이라는 그의 말과 칼리즈에 관한 질문을 조롱하였다. 그러나 광기를 신성한 것으로 여기는 대다수 사람들은 그에게 음식과 잠자리를 제공하였다. 젤 마을의 멀리까지 펼쳐진 비옥한 포도밭을 지나, 무수한 도시 속으로, 거기서 또다시, 초가을부터 눈이 쌓이는 이모스의 높은 고갯길을 넘고, 소금처럼 하얀 디르 사막을 가로질러, 지트라는 자신의 기억에만 남아 있는 찬란한 제국의 꿈을 좇아갔다. 때로는 광인 덕에 행운이 오기를 바라는 카라반들과 섞이어, 그러나 대부분은 고독한 여행자로 그가 가는 길은 언제나 동쪽이었다.

잠깐씩 꿈마저 그를 저버릴 때가 있었고, 그때마다 그는 타향에서 길 잃은 한낱 염소지기로 돌아가, 신코의 헐벗은 산을 그리워하였다. 그러다가 또다시 자신의 왕국과 샤타르의 화려한 정원과 자랑스러운 궁전들 그리고 선왕 엘다마크의 뒤를 이어 그에게 충성했던 신하들의 이름과 얼굴을 기억해 냈다.

* * *

한겨울, '샤-카라그'라는 머나먼 도시에서 지트라는 우스타임 출신의 부적 판매상들을 만났다. 그들은 칼리즈로 가는 길을 묻는 지트라에게 묘한 미소를 지었다. 지트라가 자신이 왕이라고 말하자, 자기들끼리 눈짓을 주고받은 상인들은 칼리즈가 샤-카라그 너머 수백 킬로미터를 가면 동쪽 해 바로 밑에 있다고 말했다.

"오, 왕이시여." 그들은 짓궂게 예를 갖추어 말하였다. "부디 샤타르를 오래도록, 복되이 다스리소서."

지트라는 처음으로 잃어버린 왕국에 관한 말을 듣고, 그것이 꿈도 광기의 파편도 아닌 현실이라 여기고 매우 기뻐하였다. 그래서 지체 없이 샤-카라그를 떠나 발길을 힘껏 재촉하였다.

봄을 알리는 희미한 초승달이 뜬 어느 밤, 지트라는 목적지에 가까이 왔음을 직감하였다. 언젠가 샤타르의 왕궁 테라스에서 본 것과 똑같이, 동쪽 하늘 저 높이서 카노푸스[42]가 환하게 빛나면서 그보다 작은 별들 사이에서 위풍당당하게 떠 있었기 때문이다.

귀국의 기쁨에 가슴이 북받쳤다. 그러나 지나가는 곳마다 황폐한 불모의 땅이라 적잖이 놀랐다. 칼리즈를 오가는 여행자들이 전혀 없는 것 같았다. 중간에 마주친 사람이라고는 두세 명의 유목민이 다였고, 그들마저 황야의 짐승들처럼 다가가는 그를 피해 도망쳤다. 도로는 잡초와 선인장으로 뒤덮인 채 겨울비에 파인 자국만 남아 있었다. 게다가 얼마 후에 도착한 곳은 칼리즈의 서쪽 경계를 표시하는, 뒷발로 선 사자의 석상이었다. 사자의 얼굴은 부서져 있었고, 앞발과 몸통은 이끼로 뒤덮여, 오랫동안 아무렇게나 방치되어 온 것 같았다. 지트라의 마음에서 싸늘한 절망감이 일었다. 그의 기억이 맞는다면, 1년 전만 해도 아버지 엘다마크와 함께 이 사자 상을 지나 하이에나 사냥에 나섰고, 그때 본 사자 상은 새것이나 다름없었다.

경계의 높은 산등성이에 올라간 지트라는 바닷가에 긴 두루마리처럼 수풀이 펼쳐져 있었던 칼리즈를 내려다보았다. 드넓은 들판이 가을날처럼 메말라 있으니, 기이하고 충격적이었다. 강물은 가는 물줄기로 흘러가다가 사막에서 저절로 사라져버렸다. 언덕들은 납포로 싸지 않은 미라의 갈비뼈처럼 앙상하였다. 봄을 맞아 자란 사막의 빈약한 수풀 외에 푸른 기운이라고는 찾아볼 수 없었다. 저 멀리, 자줏빛 바다 근처에서 샤타르의 대리석 돔들이 반짝이는 것 같았다. 혹시 사악한 마법에 의해 왕국에 마름병이 퍼진 것은 아닐까, 그는 불안한 마음으로 발길을 서둘렀다.

봄날 하루 종일 비탄에 잠겨 돌아다녔으나, 왕국 곳곳이 사막에 점령 당해 있었다. 들판은 텅 비었고, 마을엔 사람이 없었다. 오두막들이 조개무지처럼 폐허로 무너져 있었다. 비옥했던 과수원들은 오랜 가뭄에 시달린 듯, 몇 그루의 검게 썩어가는 그루터기만 남아 있었다.

늦은 오후에 도착한 샤타르, 이곳은 동쪽 바다의 순백한 연인처럼 아름다운 도시였다. 그러나 지금은 거리와 항구 어디나 비어 있었고, 부서진 지붕과 무너진 벽마다 침묵이 자리 잡고 있었다. 거대한 청동 오벨리스크[43]들은 오랜 세월에 녹이 슬어 있었다. 칼리즈의 신을 모시는, 거대한 대리석 사원들은 기울고 무너져 금방이라도 붕괴할 조짐을 보였다.

예상한 것을 확인하기가 두려운 사람처럼 지트라는 마지못해 왕궁으로 들어섰다. 드높은 대리석의 웅장함이 흐드러진 아몬드 꽃과 월계수와 높이 솟구치는 분수에 절반은 가려져 있던 기억과는 달리, 시든 정원 한복판에 완전히 폐허가 된 왕궁이 그를 기다리고 있었다. 덧없는 환영처럼 황혼이 왕궁의 돔을 비추니, 거대한 무덤처럼 창백하였다.

왕궁이 얼마나 오랫동안 버려져왔는지는 알 길이 없었다. 혼란해진 마음에 크나큰 상실감과 절망감이 그를 짓눌렀다. 폐허 한복판에서 그를 맞아줄 사람은 없는 것 같았다. 그런데 서쪽 별관의 정문 근처에서 주랑 현관 밑의 어둠이 저절로 떨어져 나온 듯, 펄럭이는 그림자들이 보였다. 너덜너덜한 옷을 입은 정체불명의 존재들이 갈라진 보도 위에 서 있던 지트라의 앞까지 미끄러지고 기어 왔다. 그들이 움직인 자리에 옷 조각이 떨어져 있었다. 그리고 그들 주변에서 형용할 수 없이 불결하고 처참한 병마의 공포가 떠돌았다. 그들이 다가왔을 때, 지트라는 그들 대부분이 팔다리 혹은 이목구비의 일부가 없고, 모두가 나병의 고통에 시달리고 있음을 알았다.

지트라는 욕지기가 치밀어 말을 할 수 없었다. 그런데 나환자들은 거친 함성과 쉰 목소리로 반겼으니, 지트라를 폐허 속에서 그들과 함께 지내려고 찾아온 부랑자로 여기는 것 같았다.

"나의 샤타르 왕궁에 사는 그대들은 누군가?" 지트라가 마침내 입을 열었다. "보라! 나는 엘다마크의 아들, 아메로 왕이다. 내가 칼리즈를 다시 다스리기 위해 머나먼 타지에서 돌아왔다."

이 말을 들은 나환자들 사이에서 기분 나쁜 킬킬거림이 들려왔다. "우리가 칼리즈의 왕이다." 그들 중 하나가 지트라에게 말하였다. "이 땅은 수백 년 전에 사막이 되었고, 샤타르 도시 또한 오래전에 인적이 끊어져, 다른 곳에서 쫓겨 온 우리 같은 사람밖에 없다. 젊은 친구, 우리와 이 왕국을 나눠 갖고 싶다면 얼마든지 환영한다. 왕이 하나 더 는다고 해서 문제 될 건 없으니까."

그러자, 나환자들이 음탕한 웃음과 함께 지트라를 야유하고 조롱하였다. 지트라는 꿈의 검은 파편 한가운데 서서 아무 대꾸도 하지 못하였다. 그런데 사지와 얼굴이 거의 없어지다시피 한, 가장 늙은 나환자 한 명이 희희낙락하는 동료들과는 다르게, 골똘한 표정을 짓고 있었다. 그가 마침내 검은 구덩이 같은 입에서 나오는 걸걸한 목소리로 지트라에게 말하였다.

"나는 칼리즈의 역사에 관하여 들은 게 있소. 아메로와 엘다마크, 그 이름들도 들어봤소. 지난 시대엔 왕들의 이름이 그런 식으로 불리었으니까. 하지만 둘 중에 누가 아버지고 누가 아들인지는 모르겠소. 아마도 두 사람 다, 이 왕궁의 깊은 지하 납골당에 다른 왕족들과 함께 묻혀 있을 것이오."

잿빛 어스름 속에서 또 다른 나환자들이 어두운 폐허에서 빠져나와 지트라 주변에 모여들었다. 지트라가 사막 왕국의 왕이라는 주장을 들은 나환자의 상당수는 자리를 떴다가 금세 돌아왔는데, 저마다 썩은 물과 곰팡내 나는 음식을 그릇에 담아 와 지트라에게 바치며 시종이 왕에게 하듯 야단스레 절을 올렸다.

지트라는 굶주리고 목이 말랐으나 혐오감 때문에 그들에게 등을 돌렸다. 그는 시든 정원과 메마른 분수와 먼지 이는 뜰을 내달렸다. 뒤에서 나환자들의 오싹한 웃음소리가 들려왔다. 그러나 웃음소리는 점점 희미해졌고, 그들이 뒤따라오는 것 같지도 않았다. 거대한 왕궁을 빙돌아 도망치는 동안, 마주친 나환자는 더 없었다. 남쪽과 동쪽 별관의 정문은 어둡고 텅 비어 있었으나, 안으로 들어가고 싶진 않았다. 왕궁의 내부라고 해서 이곳의 유일한 거주자들이 보여주는 삭막함보다 더 나을 건 없을 것이기 때문이었다.

더없는 괴로움과 절망 속에서 지트라는 좀 더 동쪽에 있는 건물까지

가서 그 어둠 속에 멈춰 섰다. 멍하고 꿈결 같은 괴리감 속에서, 불현듯 자신이 서 있는 곳이 지난 여정 동안 종종 기억나던 바다 위 테라스라는 걸 깨달았다. 오래된 화단은 메말라 있었다. 깨진 화분 속의 나무들은 썩어 문드러져버렸다. 보도의 거대한 포석들은 다 부서져 있었다. 황혼의 베일이 부드럽게 이 폐허에 드리워져 있었다. 그리고 자줏빛 수의 아래서 바다가 옛 시절을 탄식하였다. 밝은 별 카노푸스가 동쪽에서 떠올랐고, 그 주변의 작은 별들은 아직 희미하였다.

지트라는 쓰라린 마음으로 자신이 헛된 꿈에 농락당한 몽상가라고 생각하였다. 그는 견딜 수 없이 눈부신 불길 앞에 선 것처럼 카노푸스의 광휘에 움츠러들었다. 그런데 그가 돌아서기 직전, 밤보다 더 검고 어떤 구름보다도 더 짙은 기둥 하나가 테라스에서 솟구쳐 오르더니 그 눈부신 별을 가리었다. 단단한 돌기둥은 점점 더 높고 거대해졌다. 그런데 그것이 갑옷 입은 전사의 모습을 띠기 시작했다. 전사가 까마득히 높은 곳에서, 푹 눌러쓴 투구의 그림자에 가려진 얼굴에서 불덩이처럼 이글거리는 눈으로 그를 내려다보는 것 같았다.

오래전의 꿈을 떠올리듯 혼란스러워진 지트라는 폭염에 찌든 산간에서 염소를 치던 한 청년을 기억해 냈다. 그리고 그 청년이 어느 날엔가 이상하고 경이로운 정원의 왕국으로 들어가는 관문, 즉 그렇게 열려있는 동굴을 발견했다는 것도 기억해 냈다. 정원을 배회하던 청년은 검붉은 열매를 따 먹은 뒤, 정원을 지키는 검은 갑옷의 거인들이 무서워 도망쳤다. 지트라는 다시 그 청년이 되었다. 그와 동시에, 수많은 지역을 헤매며 자신의 잃어버린 왕국을 찾아 나선 아메로 왕이기도 했다. 마침내 찾아낸 왕국, 그러나 거기엔 폐허의 혐오만 있었다.

염소지기로서의 불안감에 빠진 지금, 지트라의 영혼 속에선 도둑질과 무단침입이라는 죄의식 이면에 왕으로서의 자부심이 서로 충돌하고 있었다. 이때, 봄날 밤의 높은 구름을 뚫고 나오는 천둥처럼 허공을 쩌렁쩌렁 울리는 목소리가 있었다.

"나는 다사이돈의 전령, 지하의 관문을 넘어 다사이돈의 정원에서 열매를 맛본 자들은 누구를 막론하고 나의 방문을 받는다. 그 열매를 먹은 자는 예전의 모습으로 살아갈 수 없다. 다만, 그 열매가 어떤 자에겐 망각을, 또 어떤 자에겐 기억을 가져다준다. 너는 영겁을 거슬러 올라가는 과거의 다른 생에서 진정 아메로 왕이었다. 너에게 강하게 되살아난 기억이 현생의 기억을 지우고 너의 옛 왕국을 찾아다니게 만든 것이다."

"그것이 사실이라면, 저는 두 번의 삶을 다 잃은 셈입니다." 지트라가 처량히 그림자 앞에 조아리고 말하였다. "아메로인 저는 왕관과 왕국을 잃었습니다. 그리고 지트라인 저는 순박한 염소지기로서의 의무와 만족을 다시 얻을 수 없습니다."

"방법이 있으니, 잘 들어라." 그림자는 먼바다의 웅얼거림처럼 목소리를 낮추고 말하였다. "다사이돈은 모든 마법사의 주인으로서, 그분을 군주로 모시고 감사하는 자들에게 마법의 재능을 선사하신다. 충성을 맹세하고, 그분에게 네 영혼을 바치겠노라 서약하라. 그리한다면, 마왕 님은 네게 필히 보답할 것이다. 네가 원한다면, 그분이 사라진 과거를 마법으로 깨울 것이다. 그리하여 너는 다시 아메로 왕이 되어 칼리즈를 통치할 것이다. 모든 것들이 사라진 과거의 모습 그대로 복원될 것이다. 죽은 이들이 되살아나고, 사막이 된 들판에 다시금 꽃이 만발하리라."

"계약을 받아들이겠습니다." 지트라가 말했다. "다사이돈 님에게 충성을 맹세합니다. 또한 그분이 제게 왕국을 돌려주신다면, 제 영혼을 바치겠다고 서약합니다."

"네가 알아둘 것이 더 있다." 그림자가 말했다. "너는 다른 생을 전부 기억하는 것이 아니라, 지금의 젊은 시절에 해당하는 시간만을 기억할 뿐이다. 다시 아메로가 되어 사노라면, 충성의 맹약을 후회하게 될지 모른다. 만약에 그런 후회를 극복하지 못하고 왕의 책무를 저버리게 된다면, 그땐 모든 마법이 끝나고 연기처럼 사라질 것이다."

"알겠습니다." 지트라가 말하였다. "그것 또한 계약의 일부로 받아들이겠습니다."

그 말이 끝나자, 카노푸스 별을 가리고 섰던 그림자가 홀연히 사라지고 없었다. 카노푸스는 아무 일도 없었다는 듯 원래의 강렬한 광휘로 빛나고 있었다. 그런데 변화와 변이의 느낌이 전혀 없었음에도 불구하고, 별을 보고 있던 지트라는 아메로 왕이 되어 있었다. 염소지기 지트라와 전령 그리고 다사이돈에 바친 서약은 애초에 있지도 않았던 일 같았다. 샤타르에 닥쳤던 파멸은 어느 미친 예언자의 꿈에 불과하였다. 아메로의 코끝에 엷은 꽃향기와 바다 냄새가 풍기어 왔기 때문이다. 귓전에는 바다의 장중한 속삭임이 와 닿았고, 간간이 수금의 애잔한 선율과 그의 뒤편 궁전에서 들려오는 시녀들의 시끌벅적한 웃음소리가 섞이었다. 야심한 도시의 소음들, 그의 백성들이 축제를 즐기고 있었다. 아련한 아픔과 미묘한 기쁨 속에서 카노푸스를 등지고 돌아섰을 때, 아메로는 선왕의 궁전의 환하게 불 밝힌 출입문과 창문 들을 보았다. 그리고 멀리서 타오르는 천 개의 횃불은 샤타르 위로 지나가는 별빛을 희미하게 만들었다.

* * *

그리고 멀리서 타오르는 천 개의 횃불은 샤타르 위로 지나가는 별빛을 희미하게 만들었다. 고대의 기록에 따르면, 아메로 왕의 치하에서 도시는 오랫동안 번성하였다. 칼리즈 전역이 평화와 풍요를 누렸다. 사막에서 가뭄이 덮쳐 오지 않았고, 바다에서 강풍이 불어오지 않았다. 정해진 절기마다 속국과 속토로부터 아메로에게 공물이 바쳐졌다. 아메로는 화려한 애러스 벽걸이가 드리워진 홀에서 호화로이 살면서, 왕에 걸맞은 진수성찬과 주연을 즐기며, 류트 연주자들과 시종들과 후궁들의 찬사 속에서 크게 흡족하였다.

젊음의 한창때를 조금 넘겼을 때, 이 행운아에게 정해진 순서처럼 권태가 이따금 찾아들었다. 이때마다 아메로는 궁전의 신물 나는 흥겨움에서 등을 돌리고, 꽃과 잎과 옛 시인들의 시구에서 즐거움을 찾았다. 그렇게 그는 권태에 사로잡혀갔다. 그러나 그에게 부과된 왕의 책무가 그리 과하지 않았기에 아직은 왕이라는 지위를 즐거이 받아들이고 있었다.

그러던 늦가을, 칼리즈를 비추는 별빛이 불길해지기 시작했다. 가축의 전염병과 식물의 마름병 그리고 사람의 역병이 보이지 않는 용의 날개에 올라탄 듯이 삽시간에 도시 전역을 유린하였다. 왕국의 해안은 해적선들에 포위되어 모질게 시달렸다. 서쪽에서는 칼리즈를 드나드는 카라반들이 무시무시한 도적 떼의 공격을 받았다. 일부 포악한 사막 거주자들이 칼리즈의 남쪽 변경에 있는 마을들을 상대로 전쟁을 일삼기도 하였다. 바야흐로 이 땅은 소동과 죽음, 통곡과 고통으로 채워졌다.

아메로는 시름이 깊어지는 가운데, 날마다 전해지는 비참한 탄원을 들을 수밖에 없었다. 통치력이 부족했고 시련에도 전혀 단련되지 않았던 그가 그나마 조신들에게서 구할 수 있는 것은 그릇된 조언뿐이었다.

그가 왕국의 시련을 극복하기에는 역부족이었다. 통제에서 벗어난 황야의 폭도들은 점점 더 대담해져갔고, 해적들은 바다의 독수리 떼처럼 몰려들었다. 기아와 가뭄이 역병의 지원을 받으며 그의 왕국을 갈라놓았다. 아메로는 뼈아픈 혼란 속에서 이 고난들에 맞서기엔 불가항력이라고 생각하였다. 왕관은 그에게 성가신 짐이 되었다.

아메로는 자신의 무능과 왕국의 처참한 시련을 잊고자 밤마다 주색에 빠져들었다. 그러나 술에는 망각이 없었고, 육욕엔 쾌락이 없었다. 그리하여 다른 도락을 찾아, 낯선 시인과 배우와 어릿광대 들을 불러들였고, 외국의 가수와 천한 악기 연주자 들까지 모았다. 그는 날마다 포고를 내려, 누구든지 그의 근심을 덜어내고 기쁨을 주는 자에겐 큰 상을 주겠다고 알렸다.

불멸의 음유시인들이 그에게 옛날의 거친 노래와 마술적 속요를 들려주었다. 북쪽 출신의 황갈색 팔다리를 지닌 흑인 여성들이 기이하고도 음탕한 춤을 추었다. 키메라의 뿔을 부는 자들이 은밀한 광기의 곡조를 연주하였다. 미개한 고수들은 사람의 가죽으로 만든 북을 두드려 어수선한 리듬을 전하였다. 한편, 전설적인 괴물들의 비늘 조각과 생가죽으로 옷을 만들어 입은 사람들이 괴상하게 뛰고 기면서 연회장을 누볐다. 그러나 그 누구도 왕의 심각한 마음을 달래지는 못하였다.

지트라가 연회장에 힘없이 앉아 있던 어느 오후, 거친 누더기 옷을 입은 피리 연주자 한 명이 나타났다. 이 사내의 눈은 방금 휘저은 깜부기불처럼 빛났고, 얼굴은 먼 나라의 햇볕에 타다 남은 재처럼 까맣게 그을려 있었다. 비굴한 태도로 아메로를 요란스레 찬양한 사내는 자신에 대해서 해가 지는 곳 너머 산간지대에서 샤타르를 찾아온 염소지기라고 소개하였다.

"폐하, 소인은 망각의 멜로디를 알고 있나이다." 사내가 말하였다. "상을 바라지는 않으나 폐하를 위하여 연주를 바치겠나이다. 다행히 소인이 폐하의 기분을 풀어드린다면, 나중에 적당한 시기가 됐을 때 상을 받겠나이다."

"연주해 보라."

아메로는 피리 부는 사내의 당찬 말에 약간 흥미를 느꼈다.

갈대 피리를 들고 앞으로 나온 흑인 염소지기가 연주를 시작하자, 고요한 계곡물이 떨어져 잔물결을 일으키듯, 바람이 쓸쓸한 산꼭대기를 스쳐 지나가듯 음악이 흘렀다. 미묘한 피리 소리는 일곱 겹의 자주색 지평선 너머에 있는 자유와 평화와 망각을 일깨웠다. 감미로운 연주에서 전해지는 것은 쇠발굽이 아니라 미풍에 스치는 꽃잎처럼 사뿐한 걸음으로 하루하루가 지나가는 어떤 장소였다. 그곳에선 세상의 소동과 시련이 한없는 침묵 속으로 녹아들고, 왕국의 근심 걱정은 깃털처럼 날아가 사라졌다. 그곳의 고즈넉한 산에서 염소를 치는 목동은 군주들의 권력보다도 더 달콤한 평온을 누리고 있었다.

아메로는 피리 소리에 귀를 기울이는 동안, 마음을 휘감아오는 마법의 힘을 느꼈다. 왕의 고단함, 근심과 당혹감까지 레테의 강물에 쓸려 꿈결처럼 떠내려갔다. 그의 눈앞엔 음악이 일으킨, 양지바른 초원과 고요 그리고 그 속에 자리 잡은 황홀한 계곡이 펼쳐져 있었다. 그리고 그 자신이 염소지기가 되어, 풀밭 오솔길을 따라 걷거나 두런거리는 계곡 물가에 누워 낮잠을 청하기도 하였다.

아메로는 나지막한 피리 소리가 끝났다는 것도 알아채지 못하였다. 눈앞이 어둠에 물들자, 염소지기의 평화를 꿈꾸었던 그는 다시금 번민에 찬 왕이 되었다.

"피리를 계속 불어라!" 아메로가 흑인에게 소리쳤다. "원하는 것은 다 줄 터이니, 연주하라."

저녁 무렵의 어두운 궁전에서 염소지기의 두 눈이 깜부기불처럼 타올랐다. "오랜 시간이 지나고 왕국이 무너지기 전까지는 보상을 청하지 않겠나이다." 피리 부는 사내가 수수께끼 같은 말을 하였다. "그러나 폐하를 위하여 한 번 더 피리를 불겠나이다."

그렇게 아메로 왕은 오후 내내, 평온과 망각의 머나먼 땅을 연상시키는 마법의 피리 소리에 취해 있었다. 연주가 되풀이될 때마다 그를 사로잡는 마법의 힘이 점점 더 강해지는 것 같았다. 그럴수록 왕이라는 신분이 지긋지긋해졌다. 궁전의 웅장함도 그를 짓누르고 숨통을 죌 뿐이었다. 보석으로 화려하게 치장된 동시에 굴레인, 왕좌를 더는 견딜 수 없었다. 염소지기의 근심 걱정 없는 삶이 미치도록 부러웠다.

땅거미가 지자, 아메로는 동석했던 조신들을 물리친 뒤, 피리 부는 사내와 독대하였다.

"네가 사는 곳으로 짐을 데려가달라." 아메로가 말하였다. "순박한 목동으로 살 수 있는 곳으로 말이다."

아메로 왕은 평복 차림으로 궁인들의 눈을 피해, 피리 부는 사내와 함께 경비병이 없는 왕궁 뒷문으로 빠져나왔다. 도시 너머에 웅크린 어둠은 형체 없는 괴물 같았고, 초승달은 괴물의 내려뜨린 뿔 같았다. 그러나 거리에서는 어둠이 무수한 쇠 초롱의 불빛에 밀려나 있었다. 아메로와 길잡이는 도시 밖 어둠을 향해 가는 동안 아무런 제지도 받지 않았다. 왕은 자진해서 내려놓은 왕관에 미련을 두지 않았다. 도시에서 역병에 희생된 시체들이 들것에 실려 꼬리를 물고 지나갔고, 왕의 비겁을 비난하듯 굶주림에 야윈 얼굴들이 어둠 속에서 불쑥 고개를 들었으나, 관심도 후회도 없었다. 그의 눈에 보이는 것이라고는 파괴와 혼란으로 흘러간 시간의 흙탕물 속에서 잃어버린 땅과 그곳의 푸른 침묵이었기 때문이다.

피리 부는 흑인을 따라가던 아메로는 갑자기 멍한 기분을 느꼈다. 그리고 기묘한 의혹과 당혹감 속에서 멈칫했다. 깜박이는 거리의 불빛들이 곧 어둠에 잠겨버렸다. 도시의 떠들썩한 소음은 거대한 침묵 속으로 가라앉았다. 종잡을 수 없는 꿈의 장면들이 바뀌듯, 이번에는 무너진 고층 건물들과 그 부서진 벽에 반짝이는 별빛이 있었다. 아메로의 생각과 감각은 혼란으로 가득했고, 마음속엔 파멸의 음산한 냉기가 들어찼다. 그는 자신이 오랜 공허의 시간이 흘러갔다는 것을 알고 있으며, 고결한 광채를 잃어버린 것도 알고 있는 기분이 들었다. 그리고 자신이 지금 시간과 부패의 정점에 서 있다는 것도……. 한밤에 오랜 폐허에서 풍기는 마른 곰팡내 같은 것이 그의 코끝에 와 닿았다. 그제야 이것이 예고된 일이라는 것을 어렴풋이 떠올렸다. 요컨대, 이 사막이 바로 그가 그토록 자랑스러워하던 샤타르였다.

"나를 어디로 데려가는 것이냐?"

아메로가 피리 부는 사내에게 소리쳤다.

들려온 대답이라고는 천둥처럼 울리는 조롱의 웃음소리뿐이었다. 칭칭 싸여 있던 염소지기의 몸이 어둠 속에서 점점 더 거대해지더니, 검은 갑옷을 입은 거인으로 바뀌었다. 아메로의 마음에 기이한 기억들이 쇄도해 들어왔고, 다른 생이라고 할까 그런 것이 흐릿하게 떠오르는 것 같았다. 어쨌거나, 어딘가에서, 그는 한때 자신이 꿈꾸던 염소지기였다. 걱정도 불평도 없는…… 어쨌거나, 어딘가에서, 그는 처음 보는 눈부신 정원에 들어갔고 열매를 따 먹었다. 검붉은……

그때, 지옥의 번개가 번뜩이듯 그는 모든 것을 기억해 냈고, 지옥의 테르미누스[44]처럼 버티고 선 그 거대한 그림자의 정체를 알아차렸다. 그가 서 있는 곳은 바다 쪽 테라스의 깨진 바닥이었다. 그리고 검은 전령 위로 반짝이는 것들은 카노푸스보다 먼저 떠오른 별들이었다. 그러나 카노푸스는 악마의 어깨에 가려 보이지 않았다. 먼지 이는 어둠 속 어딘가에서 나환자 하나가 한때 칼리즈의 왕들이 살았던 폐허의 왕궁 주변을 기웃거리며 귀에 거슬리게 웃고 기침을 해댔다. 모든 것이 지옥의 힘을 빌려 사라진 왕국을 되살려내고자 계약을 맺었던 그 직전의 모습 그대로 남아 있었다.

불 꺼진 화장용 장작의 잿더미와 겹겹이 쌓인 폐허의 파편들이 기도를 막은 것처럼 지트라의 가슴은 고통으로 막혀왔다. 악마가 교활하게 또 갖은 수단을 동원하여 그를 파멸로 이끈 것이었다. 이 모든 일이 꿈인지 마법인지 아니면 현실인지 확실하지 않았다. 또한 이런 일이 단 한 번 일어났는지 아니면 종종 일어났는지 종잡을 수가 없었다. 결국에 남은 것은 먼지와 결핍뿐이었다. 두 번의 저주를 받은 지트라는 자신이 잃어버린 것들을 영원히 기억해야 하고, 영원히 후회해야만 하였다.

그는 전령을 향하여 소리쳤다.

"다사이돈과 맺은 계약을 잊고 있었습니다. 그러니, 내 영혼을 가져가, 끝없이 타오르는 황동 왕좌의 다사이돈 앞에 바치시오. 기필코 내가 한 약속을 지킬 테니까."

"네 영혼을 가져갈 필요는 없다." 전령이 황량한 밤에 잠잠해지기 시작하는 폭풍의 불길한 소리처럼 말하였다. "나병자들과 여기 남아 있든 아니면 포르노스와 염소 무리에게 돌아가든 그건 네 마음대로 해라. 문제 될 건 없으니까. 언제든 어디에 있든 너의 영혼은 다사이돈의 어두운 왕국에 속해 있을지어다."

41) 게니이(genii): 아랍 신화에서 병이나 램프의 요정 또는 마신 전체를 칭하는 말.

42) 카노푸스(Canopus): 용골자리의 1등성.

43) 오벨리스크(obelisk): 고대 이집트에서 태양신앙의 상징으로 세워진 기념비.

44) 테르미누스(Terminus): 로마 신화에 등장하는 경계를 다스리는 신.

포세이도니스 연작
지카프 연작
화성 연작

포세이도니스는 침몰한 아틀란티스 대륙에서 마지막까지 남아 있던 가상공간이다. 조티크와 마찬가지로 스미스가 신지학 이론에서 영감을 얻어 창조한 공간이다. 여기에 수록된 「이중 그림자」 외에 4편, 합해서 총 5편의 단편과 시 3편으로 구성된다.

지카프는 기존의 공간과 지리적으로 또 역사적으로 연결 고리가 없는 외계 행성이다. 지카프는 배경을 포함하여 소설에서 모든 것을 창조해 낼 때 큰 행복을 맛본다고 했던 스미스가 오롯이 상상으로만 설정한, 그래서 자기 방식에 가장 근접했던 가상공간이라 하겠다. 그러나 정작 이 연작에 속하는 작품은 여기에 수록된 「마법사의 미로」와 속편 격인 「화녀 The Flower-Woman」, 단 두 편밖에 없다. 두 작품 모두 이례적으로 인물(마알 드웨브)을 중심으로 이야기가 전개된다. 지카프는 두 편이라는 적은 작품에서도 구체적인 묘사가 없어서, 마알 드웨브라는 마법사이자 폭군이 지배하는 유사 철기 문명과 부족 단위의 공간 정도로 요약된다.

화성 연작은 화성을 배경으로 하는 초기 SF의 연장선 상에 있다. 스미스 생전에 미국 작가 에드거 라이스 버로스가 이미 화성 연대기를 선보이고 있었으나, 스미스의 화성은 약간 차이가 있다. 모험의 무대였던 버로스의 화성과는 달리, 스미스의 화성은 고딕풍의 분위기에 기묘한 공포들로 가득하다. 이곳엔 '아이하이'라는 화성인이 거주하고, 멸망한 '요리'라는 종족이 불길하고도 음습한 문명의 폐허를 남겨놓았다. 이곳을 식민지화한 인간이 화성인과 공존하고 있다. 이 연작은 여기에 수록한 「요-봄비스의 지하 납골당」 외에 「심연의 거주자 The Dweller in the Gulf」, 「불숨 Vulthoom」의 총 3편으로 이루어져 있다.

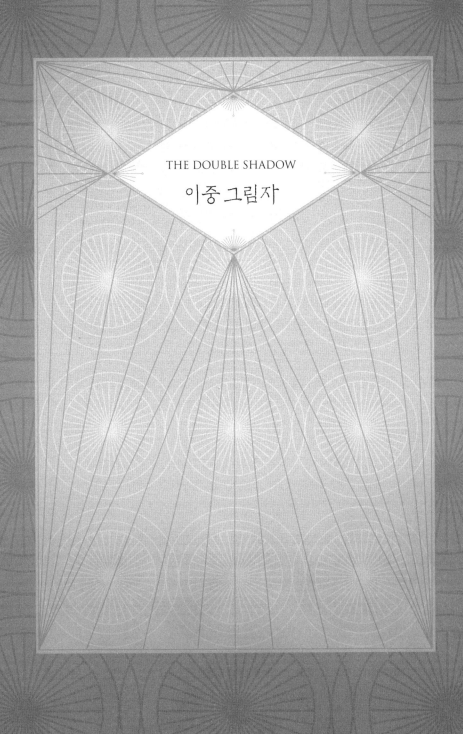

THE DOUBLE SHADOW

이중 그림자

작품 노트

1932년 3월에 완성, 1933년에 자비로 출판한 『이중 그림자와 다른 판타지 작품선 The Double Shadow and Other Fantasies』에 수록되었다.

「이중 그림자」는 《위어드 테일스》의 계속된 거절과 원고를 사기로 약속했던 《스트레인지 테일스》의 폐간으로 인해 스미스의 활동 무대였던 펄프 잡지 어디에도 실리지 못한 작품이다. 특히 《스트레인지 테일스》의 폐간으로 그나마 팍팍했던 수입원이 감소하면서, 스미스는 절박한 상황까지 치닫게 되었다. 궁여지책으로 결심한 것이 지역 신문 《오번 저널》을 통한 자비출판이었다. 그 결과 스미스의 첫 작품집이 출간되었고, 스미스는 표제로 선택한 「이중 그림자」의 광고 문안을 "결과를 예측할 수 없는데도 인류 이전의 섬뜩한 주문을 사용한 두 아틀란티스 마법사의 기이한 이야기."라고 직접 작성했다. 그러나 이 작품집은 별다른 성과 없이 절판되었고, 득을 본 쪽은 아이러니하게도 《위어드 테일스》였다. 러브크래프트와 로버트 E. 하워드의 죽음으로 곤경에 처해 있던 《위어드 테일스》의 편집장 라이트는 스미스의 첫 작품집에서 곶감 빼 먹듯 작품을 골라낼 수 있었다. 라이트가 자신이 최종 거절했던 작품은 재고하지 않는다는 나름의 원칙을 깨면서까지(라이트는 이미 고인이 된 러브크래프트의 소설과 시 중에서 과거에 거절한 작품들을 대거 수용했다.) 《위어드 테일스》에 실은 (1939년 2월 호) 작품이 「이중 그림자」였고, 이것은 해당 호에서 독자가 뽑은 최고 인기작이 되었다.

이 작품은 명실공히 스미스의 걸작 중 하나다. 마법의 저주를 영리하게 설정함으로써 다가오는 파멸의 긴장감을 높였고, 특유의 언어 선택과 마법의 문학적 표현이 정점에 달한 작품이다. 저주의 그림자에 쫓기는 두 인물의 운명과 포세이도니스의 예정된 운명이 절묘하게 겹친다.

러브크래프트는 미국 과학소설 작가 도널드 완드레이에게 보낸 편지에서 "「이중 그림자」는 장엄한 작품입니다. 생생한 색채와 오싹한 위협으로 가득합니다."라고 찬사를 보냈다. 스미스 자신도 완드레이에게 보낸 편지에서 "최근에 쓴 작품 중에서 단연 악마적입니다. 개인적으로 가장 좋아하는 작품이지요."라며 만족감을 나타냈다.

나를 아는 포세이도니스 사람들 사이에서 나의 이름은 파르페트론이다. 그러나 현자 아빅테스의 마지막이자 가장 촉망받는 제자인 나조차도 이 이름으로 내일이 오기 전에 어떤 운명을 맞이할지 알지 못한다. 고로, 언제나 요란하고 거친 바다 위에 있는 스승의 대리석 집에서 점점 약해지는 은 등잔에 의지하여, 돈으로도 구할 수 없는 잿빛의 고대 용 양피지에 마법사의 잉크로 서둘러 이 글을 적는다. 글을 다 쓰고 나면, 혹여 내 손으로 폐기해 버릴지 모를 상황에 대비하여 이것을 밀폐된 오리칼쿰[45] 원통에 넣어 높은 창문 너머 바다로 던질 것이다. 트리레메스(삼단 노의 갤리선)를 타고 레파라에서 출항한 선원들이 움브와 프네오르를 지나다가 이 원통을 발견할 것이다. 아니면 어부들이 삼베로 만든 후릿그물로 이것을 건져 올릴 것이다. 이 이야기를 읽고서 사람들은 진실을 알게 되고 경계로 삼을 것이다. 그리하여 어느 누구도 아빅테스의 창백하고 악마로 들끓는 이 집에 얼씬도 하지 않을 것이다.

　6년 동안 나는 늙은 스승과 함께 외진 이곳에서 비밀을 연구하느라, 젊음과 그 나이에 어울리는 욕구를 잊고 살아왔다. 우리는 우리보다 앞서 간 그 누구보다도 더 깊숙하게 금기의 지식을 파고들었다. 인류 이전의 공식들이 숨겨진, 난해한 상형문자들을 해독하였다. 선사시대의 망자들과 대화를 나누기도 하였다. 공간 너머의 오싹한 심연, 그 밀폐된 토굴에 거주하는 자들을 불러내기도 하였다. 이 황량하고 바람 센 바위산으로 우리를 애써 찾아오는 사람은 극히 드물었다. 그러나 이름 없는 다수의 방문자가 시공간의 끝에서 우리를 찾아왔다.

무덤처럼 오싹하고 창백하며, 망자의 기억보다도 오래되었으며, 사람이 지었는지 아니면 신화의 기록에도 없는 악마가 지었는지 모를 저택, 이곳에 우리가 살고 있다. 저 아래, 검게 벌거벗은 암초 위로 북부의 바다가 올라와 완강히 으르렁거리기도 하고, 당황한 악마의 군대처럼 끝없이 중얼거리며 물러가기도 한다. 그리고 이 집은 언제나 공허한 울림의 묘지처럼 떠들썩한 목소리의 음산한 메아리로 가득하다. 바람이 이곳의 높은 탑 주위에 무서운 분노를 전하지만, 그렇다고 탑이 흔들리진 않는다. 바다 방면으로 저택은 수직 절벽에 깎아지른 듯 서 있다. 반면에 반대편엔 비좁은 단구(段丘)가 있고, 여기에서 점점 왜소해지고 뒤틀리는 삼나무들이 언제나 바람살에 고개를 주억이고 있다. 거대한 대리석 괴물들이 육지 쪽 입구를 지킨다. 그리고 거대한 대리석 여성들이 바다 위 해협 주랑을 수호한다. 그뿐만 아니라, 강대한 조각상들과 미라들이 방마다 또 복도를 따라 어디에나 서 있다. 그러나 이런 것들과 우리가 소환한 정령들을 제외하면 우리는 단둘뿐이다. 우리의 일상 생활을 시중 드는 것은 시체와 그림자 들이다.

누구나 아빅테스의 명성을 익히 알고 있다. 검은 돌탑에 거하면서 마법으로 수스란 전역을 폭압했던 말리그리스[46], 그의 제자 중에서 유일한 생존자가 바로 아빅테스다. 말리그리스가 죽은 지 수년이 지났을 때까지도 사람들은 그가 살아 있다고 믿었다. 그는 그렇게 누워서 썩어 문드러져가는 입술로 여전히 강력한 마법과 무서운 신탁을 내놓았다. 그러나 아빅테스는 말리그리스와 같은 방식으로 속세의 권력을 탐하진 않았다. 연륜 있는 마법사들로부터 가능한 것을 전부 배우고 익힌 뒤에, 그는 포세이도니스를 떠나 더 거대하고 다른 권력을 찾아 나섰다. 나, 젊은 파르페트론은 아빅테스의 말년에 이르러 그와 함께 이 고독의 삶을 살아도 좋다는 허락을 받았다. 그때부터 나는 그의 고행과 불침번과 접신(接神)을 공유하였다. 그리고 오늘에 이르러서도 나는 그가 소환한, 기묘한 운명을 공유해야 한다.

처음 이곳에 왔을 때 나는 두려움 속에서 (인간의 목숨은 유한한 것이기에) 아빅테스의 명을 받드는 역겹고도 무서운 얼굴들을 바라보았다. 바다와 땅, 별과 하늘의 마귀들이 아빅테스의 대리석 홀을 이리저리 지나다녔다. 화로의 자욱한 연기에서 나온 반(半)현세의 괴물들이 시커멓게 몸부림치는 광경 앞에선 소름이 돋았다. 우리가 일곱 색깔로 그린 원 한복판에 서 있을 때, 잿빛의 불결하고 거대한 그러나 일정한 형태가 없는 뭔가가 원 속의 우리를 침범하겠다고 극악한 위협을 가할 때, 나는 겁에 질려 비명을 지르고 말았다. 시체가 따라주는 포도주를 마실 때 또 유령들이 차린 빵을 먹을 때 역겨움을 느끼지 않을 수 없었다. 그러나 습관과 관행은 이상함을 무디게 만들었고, 공포를 깨뜨렸다. 머잖아 나는 아빅테스가 모든 마법과 구마술에 통달했을 뿐만 아니라 자신이 소환한 존재들을 한 치의 오차도 없이 다시 해산시키는 최고수라고 철석같이 믿게 되었다.

아빅테스가 아틀란티스와 툴레[47]에서 전해진 전설 혹은 뮤와 마야판[48]에서 입수한 지식에 만족했더라면 그 자신에게도 또 나에게도 좋았을 것이다. 이것만으로도 충분했는데 말이다. 왜냐하면, 상아색 종이로 된 툴레의 책에는 다섯 번째와 일곱 번째 행성의 악마들을 소환하는 ─ 이 행성들이 솟아오르는 시간에 큰 소리로 읊으면 악마를 불러낼 수 있다 는 ─ 피로 쓴 룬 문자가 있었기 때문이다. 그뿐만 아니라 뮤의 마법사 들은 먼 미래의 문을 여는 과정에 대해 기록해 놓기도 하였다. 그리고 우리의 조상 즉 아틀란티스인들은 원자 사이의 통로와 먼 행성으로 가 는 길을 알고 있었고, 태양의 정령들과 대화를 나눌 수도 있었다. 그러 나 아빅테스는 더욱 어두운 지식과 더욱 심오한 능력을 갈망하였다. 그 러던 중, 그러니까 내가 그의 제자로 입문한 지 3년이 되는 해에 그는 전설의 사인족[49]이 남긴, 유리처럼 반짝이는 서판을 손에 넣었다.

우리가 그 서판을 발견한 것은 기이하고도 예기치 못한 일처럼 보였 다. 가파른 바위에서 썰물이 물러갈 무렵이면, 우리는 동굴에 숨겨진 계단을 따라, 아빅테스의 저택 쪽에서 돌출한 곳 뒤편에 있는, 낭떠러 지로 에워싸인 초승달 모양의 해변까지 내려가곤 하였다. 거품이 있는 파도 너머 암갈색으로 젖어 있는 모래사장에는 종종 어느 해안에서 표 류해 온 낡고 신기한 물건들과 태풍이 바다 깊은 곳에서 끌어 올린 수 집품들이 놓여 있었다. 우리는 이곳에서 자주색과 혈홍색의 커다란 조 가비, 날것 그대로인 용연향 덩어리, 영원히 지지 않는 산호의 흰 꽃, 머 나먼 극북의 섬에서 출항한 어느 갤리선의 이물 장식이었던 야만적인 놋쇠 조각상 따위를 발견하곤 하였다.

바다를 밑바닥까지 헤집어놓을 정도로 엄청난 태풍이 지나간 것 같 았다. 우리가 그 서판을 발견한 그 운명의 날, 태풍은 아침과 함께 사라 졌고, 하늘은 구름 한 점 없이 청명하였다. 악마의 바람도 높고 험준한 바위산과 그 틈바구니에서 숨을 죽이고 있었다. 그리고 바다는 모래사장을 줄달음질치는 여자들의 금란 드레스 자락이 살랑거리듯 낮은 소리로 웅얼거렸다. 뒷걸음질 치는 파도 바로 뒤에서 적갈색 해초와 뒤엉키어 눈부신 햇살처럼 번쩍거리는 물건 하나가 우리의 눈에 띄었다. 파도가 다시 밀려오기 전에 후딱 달려 나간 나는 그것을 해초 더미에서 집어 들고는 아빅테스에게 가져다주었다.

그 서판은 절대 녹이 슬지 않는 정체 모를 금속으로 만들어진 것으로, 제법 묵직하였다. 생김새는 삼각형, 부피는 사람의 심장보다 컸다. 한쪽 면엔 아무것도 없었다. 아빅테스와 나는 그 반들반들한 표면에서 시체의 얼굴처럼 창백하게 일그러진 우리 자신의 얼굴을 차례차례 비추어보았다. 다른 쪽 면에는 작고 구불구불한 기호가 몇 줄에 걸쳐 금속 깊숙이 새겨져 있었는데, 강산(强酸)을 이용한 것 같았다. 이 기호들은 모든 언어에 능통한 스승이 보기에도 또 내가 보기에도 상형문자나 알파벳 문자는 아니었다.

서판의 연대와 기원도 오리무중이었다. 우리가 알고 있는 지식은 모두 쓸모가 없었다. 이날 이후 오랜 시간을 우리는 그 기호를 연구하면서 성과 없는 논의를 거듭하였다. 밤이면 밤마다 그치지 않는 바람 때문에 꽉 막아놓은 위층 방에서 길고 곧게 타오르는 은 등잔의 불빛에 의지하여 그 눈부신 삼각형에 골몰하였다. 아빅테스는 그 풀리지 않는 꼬부랑 기호 속에 진기한 지식(어쩌면 외계 혹은 태고의 마법 비밀)이 있을 거라 여겼다. 우리의 학식이 쓸모없게 되자, 내 스승은 다른 신통력을 모색하면서 마법과 교령에 의지하였다. 그러나 처음에는 우리의 소환에 응한 악마와 유령 들도 서판에 관해 아무것도 말해 주지 못하였다. 다른 사람도 아닌 아빅테스가 결국 좌절에 빠졌다. 만약에 그가 좌절에 빠져 서판의 해독을 포기했더라면, 그랬더라면 좋았을 것을…….

검은 바위에 바닷물이 천천히 포효하면서, 흰 탑 주위로 바람이 난폭하게 불어대면서 그렇게 달이 지나고 해가 지나갔다. 우리는 여전히 기존의 탐구와 마법을 이어갔다. 나날이 공간과 정령의 어두운 영역 속으로 깊숙이 파고들었다. 그러다가 우연히 여러 겹의 무한 중에서 제일 가까운 부분을 여는 방법을 터득하기도 하였다. 이따금씩 아빅테스는 바다에서 발견한 서판에 대해 다시금 골똘해지곤 하였다. 아니면 시공의 다른 영역에서 온 일부 방문자들에게 서판의 해석에 대해 묻곤 하였다.

그러던 중, 시시한 실험을 하는 과정에서 우연히 어느 주문 하나를 사용하여 아빅테스는 선사시대로부터 한 마법사의 희미하고 엷은 유령을 소환하였다. 그런데 그 유령은 투박한 사어(死語)로 나지막이 우리에게 그 서판의 글자는 바다—나중에 하이퍼보리아가 솟구치게 될 그 바다—에 가라앉은 원시 대륙에 살았던 사인족의 언어라고 알려주었다. 그러나 이 유령은 그 의미에 대해서는 아는 게 없었다. 그가 살던 시대에서도 사인족은 반신반의하게 만드는 전설이었기 때문이다. 더구나 인류 이전의 심오한 사인족의 지혜와 마법은 인간에 의해 복원될 수 없다 하였다.

아빅테스가 소장하고 있는 마법서에는 전설의 사인족을 그 까마득한 과거의 시대에서 불러올 수 있는 마법 같은 건 없었다. 그러나 난해하고 불확실한 레무리아의 주문, 다시 말해 망자의 영혼을 그 자신의 시대보다 과거로 보냈다가 얼마 뒤에 다시 소환하는 주문이 있었다. 실체가 없는 망자의 영혼은 시간 이동을 해도 아무런 해를 입지 않으며, 마법사가 시간 여행에서 알아 오도록 지시한 정보들을 기억해 낼 것이라 하였다.

그리하여 아빅테스는 선사시대의 마법사인 이비스라는 유령을 다시 불러, 아주 강한 수지와 타기 쉬운 화석목의 조각들을 독특하게 배합하였다. 그리고 스승과 나는 주문을 외워, 이비스의 엷은 영혼을 사인족의 머나먼 시대로 보냈다. 스승은 충분하다고 판단할 때까지 기다렸다가 이비스를 다시 소환하는, 신기한 마법 의식을 거행하였다. 그 의식은 성공적이었다. 그 결과 이비스는 사라져가는 밤처럼 갈색의 증기로 우리 앞에 다시 서 있었다. 이비스 유령은 가물가물해지는 기억의 마지막 여운처럼 불분명한 말로 원시의 과거에서 알아낸 서판 해독의 단서를 말해 주었다. 이후 우리는 이비스에게 더 자세히 질문하지 않고 잠과 망각 속으로 그를 돌려보냈다.

작고 구불구불한 기호의 접근법을 알게 된 우리는 곧바로 서판을 읽어가며 음역을 하였다. 사인족 언어의 음성학도 그렇거니와 서판에 새겨진 기호와 의미가 인류의 언어 방식과는 상당히 이질적이어서 음역 과정은 고되고 힘겨웠다. 드디어 서판을 해독하고 보니, 그것은 사인족의 마법사들이 사용했던 특정한 소환 주문이었다. 그러나 소환의 목적은 적시되어 있지 않았다. 그뿐만 아니라, 소환에 응하는 대상이 무엇이고 누구인지 아무런 단서도 없었다. 더구나 구마 또는 해산 주문에 관한 내용도 없었다.

아빅테스는 인간의 기억이나 예지를 능가하는 지식을 얻었노라 크게 기뻐하였다. 나의 만류에도 불구하고, 그는 이 주문을 발견한 것이 단순한 우연이 아니라 처음부터 예정된 숙명이라고 주장하며, 이 마법을 사용하겠다고 하였다. 그는 어떤 용도이고 어떤 특성이 있는지 전혀 모르는 이 마법으로 인해 우리가 처하게 될 위험 같은 것은 안중에도 없는 듯하였다.

"왜냐," 아빅테스가 말하였다. "평생을 마법과 함께 살아오면서 신이 건 악마건 또 악령이나 시체 혹은 그림자건 간에 내가 통제하지 못하고 해산하지 못한 상대를 소환한 적이 없기 때문이다."

나는 그의 완강함을 알았기에 또 모든 면에서 그를 나의 스승으로 받아들인 터라 극한 불안감이 없진 않았으나 실험을 돕겠다고 찬성하였다. 그리하여 우리는 별들의 배열을 기준으로 특정한 시간에, 서판에서 의식에 사용하라고 지시한 이런저런 진기한 재료들을 준비하여 마법의 방에 모였다.

우리가 무엇을 했는지 또 어떤 매개자들을 사용했는지 이런 것은 밝히지 않는 것이 좋겠다. 물론, 이 의식의 시작을 알리는 영창 그러니까 뱀의 자손이 아닌 종족들이 발음하기가 녹록지 않은, 날카로운 마찰음도 여기에 기록하지 않겠다. 막바지에 접어들자, 우리는 새의 신선한 피로 대리석 바다에 삼각형을 그렸다. 아빅테스가 한 꼭짓점에 서고 내가 다른 꼭짓점에 섰다. 아틀란티스 전사의 앙상한 암갈색 미라, 즉 오이고스라는 이름의 미라가 마지막 꼭짓점에 섰다. 그렇게 위치를 잡고서 아빅테스와 내가 시체에서 뽑아낸 기름으로 만든 양초를 양손에 들고 손가락 사이에 촛농이 떨어질 때까지 기다렸다. 반면에 오이고스의 미라는 바닥이 얕은 향로처럼 두 손바닥을 모아 오므렸고, 이 손바닥에 우리만 아는 비밀의 불로 태운 활석과 아스베스토스(석면)가 떨어졌다. 삼각형의 한쪽 변에 감히 입에 올릴 수도 없는 움모르의 열두 표식을 반복한 뒤 이것을 끝없이 연결함으로써 파괴되지 않는 타원형을 그려놓았다. 만약에 방문자가 적대적이거나 통제하기 어려울 경우에 이 타원형 안으로 피신하기 위함이었다. 우리는 서판의 지침대로 극지의 별들이 나타나기를 기다렸다. 이윽고 불에 덴 우리의 손가락 사이로 촛농이 다 떨어졌을 때, 그리고 미라의 타고 남은 손바닥에서 활석과 아스베스토스가 다 연소하고 났을 때, 아빅테스가 자기 혼자만 의미를 아는 한 단어를 말하였다. 그리고 마법에 의해 생기를 띠고 우리의 의지에 복종하게 된 오이고스가 일정한 간격을 두고 무덤 속처럼 공허한 목소리로 그 단어를 따라 말하였다. 그리고 내가 마지막으로 그 단어를 되풀이해 말하였다.

우리는 의식을 시작하기에 앞서 마법의 방에 있는 바다 쪽 작은 창 하나와 육지 쪽 홀로 통하는 높은 문 하나를 열어놓았는데, 이렇게 한 것은 우리의 소환에 응하는 방문자가 특정한 공간으로 입장하는 방식을 취할지 몰라서였다. 의식이 진행되는 동안, 바다는 잔잔했고 바람도 불지 않아서 마치 만물이 섬뜩한 기대감 속에서 정체 모를 방문자를 숨죽이고 기다리는 것 같았다. 그런데 의식을 다 거행하고 오이고스와 내가 마지막 말을 복창했음에도 불구하고 눈에 띄는 신호나 다른 현현 같은 것은 없었다. 등잔들이 자정의 방에서 조용히 타오르고 있었다. 우리 둘과 오이고스 그리고 복도를 따라 늘어선 거대한 대리석 여인상들의 그림자 외에는 없었다. 게다가 교묘히 설치해 둔, 보이지 않는 것을 비춰주는 마법의 거울들도 그 어떤 숨결의 기운이나 흔적을 보여주지 않았다.

충분히 기다렸던 아빅테스는 마법이 실패했다고 보고 매우 낙담하였다. 같은 생각이었던 나는 내심으론 적잖이 안도하고 있었다. 우리는 망자 특유의 감각을 지니고 있는 오이고스의 미라에게 혹시 방에서 산 자는 식별하지 못하는 특정 존재의 징후나 모호한 증거 같은 것을 감지했는가 물었다. 미라는 교령의 방식을 통하여 그런 것은 없었다고 대답하였다.

"계속 기다려봐야 부질없는 짓이 분명하다." 아빅테스가 말하였다.

"필시 우리가 서판의 의미를 상당 부분 곡해하였거나 아니면 마법에 사용된 재료들을 적절히 준비하지 못했거나 그것도 아니라면 영창을 정확하게 읊지 못했나 보다. 아니면, 영겁의 세월이 흐르는 동안, 과거엔 소환에 응했던 상대가 이미 오래전에 사멸했거나 그 특성이 변하여 마법이 이젠 쓸모없어진 것일 게다."

나는 이 말에 두말없이 동의하면서 내심 이 문제가 일단락되기를 바랐다. 피로 그린 삼각형과 움모르의 표식을 연결하여 만든 신성한 타원형을 지웠고, 오이고스를 다른 미라들 사이의 원래 자리로 돌려보낸 뒤, 우리는 잠자리에 들었다. 그리고 그날 이후로 평소의 연구 활동을 다시 시작한 우리는 기이한 삼각형 서판이나 쓸모없는 주문에 관해서는 서로 언급을 하지 않았다.

평소와 같은 시간이 흘러갔다. 바다는 절벽에 하얀 분노의 포말을 집어던지며 노호하였고, 바람은 음산한 분노 속에서 울부짖었으며, 검은 삼나무는 악의 신 타아란의 숨결에 절을 하는 마녀들처럼 줄기를 굽혔다. 새로운 실험과 주술의 놀라움 속에서 나는 그 무효한 주문을 잊었고, 아빅테스 또한 그렇게 보였다.

모든 것이 예전처럼 우리의 마법적 인식력 안에서 포착되고 움직였다. 그리하여 우리가 왕들의 권력보다도 더 높다고 여기는 우리의 지혜와 권력과 평온을 해치는 것은 전혀 없었다. 천궁도로 읽어낸 우리의 앞날에 불길한 전조는 전혀 없었다. 우리가 사용하는 흙 점이나 다른 예언의 방법 어디에도 우리에게 드리워진 재앙의 그림자는 없었다. 또한, 우리의 종복들은 보통 사람들의 시선에는 소름 끼치고 무시무시한 존재겠으나 주인인 우리에게만큼은 전적으로 순종하였다.

그러던 어느 청명한 여름 오후, 우리는 평소처럼 저택 뒤쪽의 대리석 단구로 산책을 나갔다. 우리는 자청색 로브를 입고 바람에 휘청거리는 나무 사이를 걸었다. 이리저리 거니는 동안, 나는 아빅테스와 나의 파란 그림자가 대리석에 드리워진 것을 보았는데, 그 두 개의 그림자 사이에서 삼나무와는 다른 윤곽 하나가 있었다. 나는 소스라치게 놀랐으나 아빅테스에게는 아무 말도 하지 않고 은밀하게 그 미지의 그림자를 관찰하였다.

나는 그것이 일정한 거리를 두고 아빅테스의 그림자를 바짝 따라가는 것을 보았다. 그것은 바람에도 나부끼지 않고서 뭔가 진하고 걸쭉하게 썩은 액체가 흐르듯이 움직였다. 그것의 색깔은 청색도 자색도 흑색도 아니었고, 인간의 눈에 익숙한 그 어떤 색도 아닌, 이계의 고름 같은 색을 띠고 있었다. 그 형태 또한 기괴하여, 짐승이나 악마 그 어느 쪽과도 유사성이 없는 낮고 폭이 넓은 머리와 길고 물결치는 몸을 지니고 있었다.

아빅테스는 이 그림자를 눈치채지 못하였다. 그것이 스승을 따라다니는 것이 불길하다고 생각하면서도 여전히 나는 말을 하기 두려웠다. 그래서 나는 아빅테스와 좀 더 가까이 걸으면서, 의문의 그림자를 드리우고 있는 투명체를 만져보거나 다른 감각을 사용하여 찾아내려고 하였다. 그런데 그림자를 기준으로 태양이 있는 방향의 허공에 아무것도 없었다. 또한 그런 식으로 그림자를 드리우는 기존의 특정 존재들을 떠올리면서 면밀히 탐색했으나, 태양 반대쪽 허공뿐만 아니라 어떤 방향에서도 보이는 것이 없었다.

얼마 후에 우리는 평소처럼 소용돌이 계단과 괴물 상이 서 있는 출입문을 지나 낭떠러지의 저택으로 돌아왔다. 그 이상한 그림자는 섬뜩하게 분리되지 않는 발걸음으로 계단을 오르고 거대한 괴물 상들의 음영과는 극명하고 독립된 차이를 보여주면서 아빅테스의 그림자를 줄기차게 뒤쫓았다. 그리고 햇빛이 들지 않는 어두운 홀에서 다시 말해 그림자가 생기지 않는 공간에서도 그 역겹게 일그러진 얼룩이 유해하고 정체 모를 색을 띠고서 마치 아빅테스의 사라진 그림자를 대신하듯이 유유히 뒤따라가는 것을 보고는 덜컥 겁이 났다. 그날 하루 종일, 우리가 어디를 가든 이를테면 유령들의 시중을 받는 식당에서나 미라가 지키고 있는 서재에서나 그것은 나환자에 달라붙은 나병처럼 아빅테스를 따라다녔다. 그런데도 스승은 여전히 그것의 존재를 눈치채지 못하였다. 나 또한 여전히 스승에게 그것에 대해 경고하기를 삼간 채 그저 그것이 홀연히 나타났던 것처럼 적당한 시간에 사라져주기를 바랐다.

그런데 자정이 되어 우리가 은 등잔을 밝히고 하이퍼보리아의 피로 쓴 룬 문자에 골몰해 있는 동안, 나는 그 그림자가 아빅테스의 의자 뒤쪽 벽 그러니까 거대한 여인상과 미라 중간에 드리워지더니 아빅테스의 그림자와 아주 가까워진 것을 보았다. 게다가 그것은 납골당의 오염된 분비물 같은 것을 흘리기 시작했는데, 그 불결함이란 지옥의 검은 부패보다도 더 심한 것이었다. 나는 더는 견딜 수 없었다. 공포와 역겨움 속에서 비명을 질렀고, 스승에게 그것의 존재를 알렸다.

그제야 그림자를 본 아빅테스는 묵묵히 그것을 자세히 살폈다. 그의 깊게 주름진 얼굴에는 공포도 외경심도 그렇다고 질색하는 기색도 보이지 않았다. 그가 마침내 이렇게 말하였다.

"이것은 내 지식이 닿지 않는 불가사의로다. 그러나 지금까지 내가 마법을 행함에 있어 소환하지 않은 그 어떤 것도 나타난 적이 없다. 또한 우리의 마법 하나하나에 응답이 있었으니, 이 그림자는 필시 우리가 무용지물이라고 생각했던 사인족 마법사들의 주문에 응하여 나타난 것일 게다. 그러니 당장 마법의 방으로 가서 이 그림자의 태생과 목적에 대해 심문을 해봐야겠다."

우리는 마법의 방으로 가서 필수적인 부분과 필요하다고 짐작되는 것들을 준비하였다. 질문 준비를 마치자, 미지의 그림자는 아빅테스의 그림자에 더욱더 가까이 다가왔고, 그 결과 두 그림자 사이의 간격은 마술지팡이의 두께 정도로 좁혀졌다.

드디어 우리는 우리 자신의 입을 통하여 또 미라와 조각상 들의 입을 빌리는 등 가능한 방법을 다 동원하여 그림자에게 질문을 던졌다. 그러나 확정적인 대답은 없었다. 그뿐만 아니라, 우리의 종복인 악마와 유령 들까지 불러내 이들의 입을 통하여 질문을 하였으나, 아무런 결실도 없었다. 그동안, 마법의 거울들도 그림자가 드리우고 있을 존재의 흔적을 전혀 비추지 않았다. 우리의 대변자인 존재들은 하나같이 이 방에서 아무것도 탐지해 내지 못하였다. 이 방문자에게 영향을 미칠 수 있는 주문은 없는 것 같았다. 아빅테스는 난관에 봉착하였다. 그래서 어떤 악마도 영혼도 침범하지 못하는 움모르의 타원을 피와 재로 바닥에 그린 뒤에 그 안으로 피신하였다. 그러나 썩은 액체처럼 흘러 다니는 그 그림자가 아빅테스의 그림자를 따라 타원 안까지 들어갔다. 이제 두 그림자 사이의 간격은 마법사의 펜이 간신히 지나갈 정도로 좁아졌다.

마침내 아빅테스의 얼굴에 공포로 인해 새로이 새겨진 주름들이 나타났다. 그의 이마에 식은땀이 맺혔다. 나조차도 그것이 모든 자연법칙을 초월하는 재앙과 악의 전조임을 알고 있었으니, 그가 모를 리 없었기 때문이다. 그가 떨리는 목소리로 내게 소리쳤다.

"이것이 무엇인지, 내게 무슨 의도를 지녔는지 모르겠구나. 내겐 이것을 막을 힘이 없다. 당장 내 곁을 떠나라. 내 마법이 패하고 그 결과 내게 닥칠 운명을 누구에게도 보이고 싶지 않다. 이 그림자의 먹이가 되어 위험에 처하지 않으려면, 시간이 있을 때 떠나라."

나는 가장 깊은 영혼까지 공포의 마수에 걸려들었으나, 아빅테스를 놔두고 떠나는 건 내키지 않았다. 그러나 언제든 어떤 것이든 스승의 뜻에 따르겠다고 약속한 나였다. 아빅테스가 무력한 상황이었으니, 내가 그 그림자에 맞서기엔 더더욱 역부족이었다.

결국 스승에게 작별을 고한 나는 온몸을 부들부들 떨면서 그 마귀 들린 마법의 방을 나왔다. 문지방에서 뒤돌아보니, 이계의 그림자가 유독한 얼룩처럼 바닥을 기어서 아빅테스의 그림자를 건드렸다. 그 순간, 스승은 악몽을 꾸는 사람처럼 크게 비명을 질렀다. 그의 얼굴은 아빅테스의 얼굴이 아니라 보이지 않는 인큐버스와 싸우는 무력한 광인의 그것처럼 일그러지고 경련을 일으켰다. 나는 시선을 거두고 어둠침침한 외부 홀을 따라 도망쳐, 단구로 난 문을 지나갔다.

불길하게 이지러진, 붉은 달이 단구와 바위산 위로 기울어 있었다. 삼나무의 그림자들이 달빛에 길게 늘어진 채, 마법사의 휘날리는 망토처럼 돌풍 속에서 흔들렸다. 나는 돌풍에 몸을 곱송그리고 단구를 지나, 외부 계단을 향해 달려갔다. 그 계단은 아빅테스의 저택 뒤편에 있는 바위와 골짜기를 가파르게 누비는 길과 연결되어 있었다. 공포에 쫓겨 정신없이 달려서 단구 가장자리에 가까워졌다. 그러나 외부 계단의 꼭대기까지 오를 수 없었다. 아무리 뛰어올라도 대리석 계단이 탐구자 앞에서 자꾸만 멀어지는 옅은 지평선처럼 발밑에서 물결처럼 미끄러졌기 때문이었다. 멈추지 않고 뛰면서 숨을 헐떡였으나, 단구의 가장자리까지 끝끝내 거리가 좁혀지지 않았다.

나는 미지의 마법이 아빅테스 저택의 주변 지형을 바꾸어놓아서 그 누구도 육지 쪽으로 탈출할 수 없다고 판단하고 결국은 도주를 단념해 버렸다. 그래서 앞으로 무슨 일이 벌어지든 간에 받아들이겠다는 자포자기의 심정으로 발길을 되돌렸다. 바위산에 갇힌, 희미하고 평온한 달빛 속에서 흰 계단을 올라가다가, 단구의 관문에서 나를 기다리는 형체 하나를 보았다. 다른 것은 불분명했으나 길게 늘어진 자청색 로브만 봐서는 아빅테스였다. 얼굴은 이제 사람의 온전한 얼굴이 아니라, 지상에 존재하지 않는 괴물과 인간의 특징이 뒤섞인 역겨운 액체 혼합물이었다. 그 변형은 죽음보다도 또 부패로 인한 변화보다도 더 무시무시하였다. 게다가 얼굴은 이미 그 기이한 그림자의 썩고 곪은 정체불명의 색으로 물들어 있었고, 윤곽만 봐서는 그림자의 낮고 폭이 넓은 옆얼굴과 일부분 닮아 있었다. 그 형체의 손은 지상의 어떤 생명체와도 달랐다. 로브 속의 몸뚱이는 역겨운 물결처럼 유연하게 길어져 있었다. 달빛이 비치는 얼굴과 손가락에서 썩은 분비물 같은 것이 뚝뚝 떨어졌다. 걸쭉한 물결 형태의 병균처럼 집요했던 그림자가 아빅테스의 그림자를 감고 비틀어서 도저히 설명할 수 없는 방식의 이중 그림자로 변해 있었다.

울부짖고 싶었고 큰 소리로 말하고 싶었다. 그러나 공포는 말과 소리의 샘을 말라붙게 만들었다. 한때 아빅테스였던 괴물이 살아 움직이며 썩어가는 입술로 아무 말 없이 나를 불렀다. 그리고 이젠 역겨운 분비물이 흐르는, 눈이 아닌 눈으로 나를 빤히 처다보고 있었다. 그것이 나환자의 흐물흐물한 손가락으로 내 어깨를 움켜잡더니 역겨움에 기절 직전인 나를 이끌고 홀을 지나 오이고스의 미라가 있는 방으로 들어갔다. 세 번씩 주문을 외워야 하는 사인족의 마법 의식을 도왔던 오이고스는 동료 미라들과 함께 있었다.

창백하고 은은하게 또 쉼 없이 타오르는 등잔 불빛 속에서 미라들은 벽을 따라 각자의 위치에 똑바로 서서, 기다란 그림자를 드리운 채 생기 없는 휴식에 빠져 있었다. 그런데 대리석 벽에 드리워진 크고 앙상한 오이고스의 그림자 곁에는 어느 모로 보나 스승을 따라다니다가 결국은 합체까지 한 그 사악한 괴물의 그림자가 함께 있었다. 나는 오이고스가 의식을 함께 거행하였고 아빅테스의 순서에 이어서 두 번째로 의미를 알 수 없는 일정한 단어를 복창했음을 떠올렸다. 그렇다면 괴물이 복창의 순서에 따라 이번엔 오이고스에게 접근한 것이었고, 산 자에게 했던 것과 똑같이 죽은 미라에게도 보복을 하겠다는 의도였다. 우리가 주제넘게 소환했던 이 불결한 미지의 괴물이 스스로 모습을 드러낸 방식 자체가 그것을 의미하고 있었기 때문이다. 우리는 무시무시한 주문을 경솔하게 사용함으로써 가늠할 수 없는 시공의 심연에서 그것을 끄집어냈다. 그리고 그것은 자신이 선택한 시간에 나타나, 소환자들에게 극히 역겨운 방식으로 자신의 존재를 새겨놓았다.

그렇게 그날 밤은 썰물처럼 물러갔고, 두 번째 날은 질금질금 스미는 공포의 더딘 분비물처럼 흘러갔다. 나는 아빅테스의 육신과 그림자가 그 기이한 그림자와 완전히 한 몸이 된 것을 보았다. 그리고 또 다른 그림자가 오이고스의 마른 그림자와 시든 역청질의 몸에 저절로 섞이면서 서서히 잠식해 가는 것을, 그래서 아빅테스가 변한 괴물과 비슷하게 되어가는 것을 지켜봐왔다. 미라는 그림자의 침입에 의해 또 한 번의 죽임을 당해야 하는 고통 속에서 살아 있는 사람처럼 공포의 비명을 질렀다. 첫 번째 공포처럼 그마저 잠잠해진 지 오래, 나는 그것의 생각 혹은 의도를 알지 못한다. 정말이지 우리를 찾아온 이 괴물이 하나인지 혹은 여럿인지 알지 못한다. 또 이 괴물이 자기를 불러낸 셋만 상대하고 다시 잠잠해질 것인지 아니면 더 많은 이들을 침범할 것인지 알지 못한다.

그러나 이런 의문과 그 밖에 다른 것들까지 곧 알게 될 것이다. 그림자가 이미 순서에 따라 나의 그림자를 바짝 뒤쫓고 있으니까. 공기는 보이지 않는 공포로 얼어붙어 있다. 우리의 종복들은 이 저택에서 도망쳤다. 벽을 따라 늘어선 커다란 대리석 여인상들도 떨고 있는 것처럼 보인다. 그러나 아빅테스였던 괴물과 오이고스였던 괴물은 나를 떠나지 않았고 공포에 떨지도 않았다. 그들은 눈이 아닌 눈으로 내가 그들처럼 변할 때까지 음침하게 기다리며 지켜보고 있다. 그들의 정적이 나를 갈기갈기 찢는 것보다도 더 무섭다. 기이한 목소리들이 바람에 실려 오고, 이계의 포효가 바다에서 일고 있다. 사면의 벽들은 먼 심연을 건너오는 검은 한숨에 얇은 베일처럼 떨리고 있다.

시간이 얼마 남지 않았음을 알기에 나는 두루마리와 책으로 둘러싸인 방에 처박혀 이 글을 쓰고 있다. 우리의 파멸을 가져온 눈부신 삼각 서판을 창문 너머 바다로 던지면서 그 누구도 이것을 발견하지 않기를, 그래서 우리의 전철을 밟지 않기를 바란다. 이제 이 글을 끝내고 오리칼큠 원통에 밀봉하여 파도에 실어 보내야 한다. 내 그림자와 괴물의 그림자 사이가 아주 좁아져서…… 마법사의 펜이 간신히 지나갈 만한 간격만 남았으니 말이다.

....

45) 오리칼큠(orichalcum): 플라톤의 「크리티아스」에서 아틀란티스를 묘사한 대목에서 나오는 전설의 금속. 그리스와 로마에서는 금과 유사한 구리 합금을 일컫는 말이었다고 한다.

46) 말리그리스(Malygris): 포세이도니스 연작에 등장하는 마법사이자 폭군으로 포세이도니스의 수도 수스란을 지배한다. 스미스의 작품에서 인물이 중시되고 연속성을 띠는 경우는 드문데, 말리그리스 외에 가스파르 뒤 노르(아베르와뉴 연작과 하이퍼보리아 연작)와 마알 드웨브

(지카프 연작)가 이런 예외에 속한다. 말리그리스는 포세이도니스 연작 세 편에 등장하여, 사랑하는 옛 여인을 잊지 못하여 그 기억으로 오히려 상처를 받기도 하고(「마지막 주문 The Last Incantation」), 죽음까지 초월해 강력한 힘을 발휘하는 마법사(「말리그리스의 죽음 The Death of Malygris」)의 모습을 보여준다.

47) 툴레(Thule): 극북의 땅. 라틴어 '울티마 툴레'는 세계의 경계 너머, 멀리 떨어진 장소를 의미했다.

48) 마야판(Mayapán): 멕시코, 유카탄 주에 있는 마야 유적.

49) 사인족(Serpent people): 선사시대에 지상, 특히 튜리안 대륙에 거주했던 종족. 마이오세기에 하이퍼보리아에 식민지를 건설하여, 신기한 건축물과 바벨탑과 같은 고층 탑을 세웠다. 염소족과 일부 쇼고스의 섬김을 받았다. 사인족은 인간보다 위대한 마법사들이었다. 사인족의 극소수가 부르미사드레스 산 동굴에 잔존하고 있으나, 이들이 다른 동물로 둔갑하는 능력이 있다는 점을 고려하면, 다른 산간지대에도 생존해 있을 가능성이 있다.

THE VAULTS OF YOH-VOMBIS

요-봄비스의 지하 납골당

작품 노트

1931년 9월에 완성, 1932년 《위어드 테일스》 5월 호에 실렸다.

「요-봄비스의 지하 납골당」은 화성을 배경으로 SF와 호러를 결합한 작품이다. 작품마다 기발한 제목을 선호했던 스미스가 원래 구상했던 작품명은 「아보미의 지하 납골당 The Vaults of Abomi」이었고, 배경이나 등장인물도 화성과는 관련이 없는 '멸망해 가는 세계'와 '미지의 종족'이었다. 나중에 「화성의 실생 식물 Seedling of Mars」을 집필하면서 화성에 대한 관심과 자극이 생긴 것 같다. 화성보다는 지구를 배경으로 하는 것이 나을 것 같다는 덜레스의 의견에 대해 스미스는 "외계 공간은 취향의 문제로 보입니다. 내 입장에서는 지구 외부 공간이어서 훨씬 더 흥미롭습니다. 특히 이 소설은 일반적인 SF와는 관련이 거의 없거나 아예 없으니까요."라고 반박했다.

이 작품은 SF, 호러, 판타지를 혼합하여 분류하기 힘든 장르로 재탄생시키는 스미스의 능력을 여실히 보여준다. 또한 스미스가 보여주는 공포의 백미이자 최고봉으로도 꼽힌다. 미국 작가 린 카터는 나중에 출간된 스미스의 작품집 『지카프』의 서문에서 이 작품에 대해 '스미스식 독특한 장르의 이상적인 전범', 도널드 시드니-프라이어는 '스미스 작품 중에서 가장 완벽한 호러'라고 평했다. 아울러, 스미스의 문체와 주제를 처음 접하는 독자들에겐 여러모로 최적의 작품이라 하겠다.

《위어드 테일스》의 요구대로 도입부 상당 분량을 삭제했는데, 타의에 의해 작품을 수정하는 것을 고통스러워했던 스미스가 차후 작품집에 이 수정본을 선택한 것으로 봐선 이례적으로 수정본을 마음에 들어 한 것 같다.

서문

　이그나르의 지상 병원에서 수련의로 있던 나는 로드니 세번이라는 ── 요-봄비스로 향했던 옥타브 원정대의 유일한 생존자인 ── 독특한 환자를 담당했고, 그의 구술에 따라 이 이야기를 기록했다. 세번은 원정대의 화성인 길잡이들에 의해 병원으로 후송되었다. 머리 가죽과 이마에 열상과 염증이 심각했고, 대부분의 시간 동안 난폭한 착란 상태에 빠졌는데, 극단적인 쇠약 상태임을 감안하면 더더욱 설명할 수 없는, 폭력적인 광증의 발작이 반복됐기에 침대에 결박할 수밖에 없었다.

　이 이야기를 통해서 밝혀지겠지만, 열상들은 주로 자해에 의한 것이었다. 열상들은 칼에 의한 자상과 쉽게 구별되는 ── 그리고 규칙적인 원형으로 배열된 ── 다수의 작고 동그란 상처들과 뒤섞여 있었고, 이 동그란 상처들을 통하여 세번의 머리 가죽에 정체불명의 독이 주입된 상태였다. 이 상처들이 어떻게 생겼는지에 대해 설명하기란 녹록지 않았다. 세번의 얘기가 사실이라고 믿지 않는 한, 다시 말해 그것이 병증에서 비롯된 그저 헛소리는 아니라고 믿지 않는 한 더더욱 그랬다. 나로 말하자면, 그 후에 벌어진 일에 비추어 볼 때 그의 말을 믿는 수밖에 없었다. 이 붉은 행성(화성)에는 기이한 것들이 있다. 그리고 앞으로 있을 탐험들에 대해 이 불운한 고고학자가 내비친 소망에 나도 전적으로 동감할 따름이다.

세번이 내게 얘기를 모두 들려준 날은 다른 의사가 당직을 섰는데, 그는 그날 밤에 앞서 잠깐 언급한 광증 상태에서 병원을 탈출하고 말았다. 장시간에 걸쳐 오싹한 얘기를 끝난 터라 어느 때보다 쇠약해진 상태였고, 한 시간 단위로 그의 사망을 예상하고 있던 상황이었기에 너무도 충격적인 일이었다. 더욱더 놀라운 것은, 그의 맨발 자국이 요-봄비스로 향하는 사막에서 발견됐으며, 가벼운 모래 폭풍에 의해 흔적이 사라질 때까지 계속 이어져 있었다는 점이다. 하지만 세번의 행방은 여전히 오리무중이다.

로드니 세번의 이야기

의사들의 예측이 맞는다면, 나는 화성 시간으로 고작 두세 시간 정도만 살 수 있을 것이다. 이 짧은 시간 동안, 나는 우리의 행로를 답습하게 될 이들에게 경고를 하고자 우리 원정대가 요-봄비스의 폐허 한복판에서 최후를 맞게 된, 독특하고도 섬뜩한 사건을 밝혀야 할 것이다. 어떡해서든, 이 임종의 순간에도 그 이야기를 해야만 한다. 나 말고는 얘기할 수 있는 사람이 없으니까. 하지만 그 일을 얘기한다는 건 힘겹고 괴로운 과정일 것이다. 내가 이야기를 다 끝내고 나면, 광증이 재발할 것이고, 나의 두뇌에 침투한 유해하고 악의적인 바이러스의 강요에 의해 내가 병원을 벗어나 멀고 먼 사막을 건너 그 역겨운 지하로 돌아가지 못하도록 몇 명이 달려들어 나를 제압하고 감금할 것이다. 혹시 내가 죽는다면, 태양계의 정상적인 행성들 어디에도 없는 그 공포의 끝없는 지하 미로로 나를 잡아끄는 이 지긋지긋한 강제력에서 벗어날 수 있을지 모르겠다. 혹시라고 말한 건…… 내가 본 것을 기억하는 한, 죽는다고 해서 이 굴레에서 벗어날 수 있을 것 같지가 않아서다…….

지구와 행성 간 탐사 경험이 어느 정도씩은 있는 전문 고고학자 여덟 명이 원주민 길잡이들과 함께 영겁 동안 버려진 그 고대 도시를 조사하기 위해 화성의 상업 중심지, 이그나르에서 출발했다. 그 누구보다 화성 고고학 분야에 정통한 앨런 옥타브가 원정대의 공식 대장을 맡았다. 그리고 윌리엄 하퍼와 조나스 할그렌 같은 다른 대원들은 옥타브와 함께 여러 차례 탐사 활동을 벌인 경험이 있었다. 나, 로드니 세번은 화성에서 보낸 시간이 고작 두세 달 정도인 신참에 가까웠다. 더구나 내가 진행해 온 태양계 탐사의 대부분은 금성에 국한되어 있었다.

나는 애매하고 신빙성도 없는, 요-봄비스에 관한 얘기를 종종 들어봤으나, 직접 가본 적은 없었다. 신출귀몰하는 옥타브마저도 그곳엔 가보지 못했다. 화성의 후반 쇠퇴기에 자취를 감춘 어느 멸종 종족에 의해 건설된 이 도시는 누구도 근접하지 못한 아련하고도 매혹적인 수수께끼로 남아 있다. 그리고 나는 이 수수께끼가 인간의 힘으로는 영원히 풀리지 않을 거라 믿고 있다. 두 번 다시는 그 누구도 우리의 전철을 밟지 않기를…….

지금까지 우리가 들어온 화성의 이야기와는 다르게, 이 전설의 폐허 도시는 이그나르와 그 식민지 및 관할지에서 그리 멀지 않았다. 해면질의 가슴을 지닌 알몸의 원주민들은 끝없이 소용돌이치는 모래 폭풍으로 가득한 그 거대한 사막에 가지 말라고 만류하면서, 그 사막을 통과하면 틀림없이 요-봄비스에 닿을 거라고 말했다. 큰 보수를 약속했음에도 불구하고 안내인을 구하기가 어려웠다. 우리는 식량을 충분히 준비했고, 장기간의 여정에서 발생할 수 있을 위급 상황에도 철저히 대비했다. 그렇다 보니, 이그나르의 남서쪽으로 나무 한 그루 없는 평평한 주황색 불모지를 터벅터벅 횡단한 지 일곱 시간 만에 그 폐허에 도착했을 때 놀랍기도 하고 기쁘기도 했다. 약한 중력 덕분에 화성의 조건에 익숙하지 않은 사람들이 예측한 것보다는 한결 수월한 여정이었다. 그러나 히말라야처럼 희박한 공기와 심장에 미칠 부담을 고려하여 서두르지 않고 신중하게 여정을 밟아갔다.

요-봄비스는 갑작스럽고도 장엄하게 우리 앞에 나타났다. 깊숙이 침식된 돌로 이루어진 5킬로미터가량의 완만한 비탈을 오르자, 목적지의 부서진 성벽들이 눈앞에 나타났다. 가장 높은 건물은 아지랑이처럼 떠도는 가는 모래 입자 사이로 강렬한 심홍색 빛을 이글거리는 작고 먼 태양을 살짝 가리고 있었다. 잠깐 동안은, 반구형 지붕이 없는 삼각 형태의 건물들과 부서진 기둥들이 우리가 찾는 도시가 아니라 다른 현세 도시의 일부라고 생각했다. 그런데 폐허의 배치, 요컨대 완만한 편마암 고지대의 전역에 걸쳐서 활처럼 굽은 형태로 자리 잡은 것과 건축 형태로 볼 때 마침내 목적지를 발견했다고 확신하기에 이르렀다. 화성의 고대 도시 중에서 이런 형태로 배치된 곳은 없었다. 그리고 두꺼운 벽에 전설적인 아나킴의 계단처럼 생소한 다수의 계단형 버팀벽을 설치한 것은 요-봄비스를 세운 선사시대 종족의 특징적인 방식이기도 했다.

게다가 요-봄비스는 우리가 앞서 조사했던 이그나르 인근의 소수 파편들을 제외하고는 이런 건축 형태를 띠고 있는 유일한 예였다.

나는 황량한 안데스 한복판에서 하늘에 닿을 듯 솟구쳐 있는 마추픽추의 고색창연한 성벽과 멕시코 정글에 묻혀 있는 고대 신전을 본 적이 있다. 그리고 어둠에 잠겨 있는 금성의 반구에서 툰드라에 세워진 워캠[50]의 얼어붙은 거대한 총안과 성가퀴도 보았다. 그러나 이런 것들은 최소한 삶의 기억이나 모방을 간직한 과거의 유물인 반면, 요-봄비스에 스며들어 있는 놀랍고도 치명적인 태고성은 장구한 세월에 걸친 완전한 불모의 숙명 같은 것이었다. 이곳의 전 지역이 화성 표면의 생명력과는 거리가 멀었고, 그 너머 환경에서도 유해한 동식물군조차 거의 발견되지 않았다. 우리는 이그나르를 떠난 이후로 생명체를 목격하지 못했다. 그런데 이곳, 영원한 불모와 고독의 땅에서는 생명이 아예 존재한 적도 없는 것 같았다. 이렇게 침식되고 단단한 돌들을 세워 원시 황야의 기괴한 구울과 악마 들의 거처로 사용하기까지 아마도 죽음과도 같은 중노동이 필요했으리라.

묽은 피고름처럼 창백한 황혼이 음산하고 거대한 폐허에 내려앉는 동안, 말없이 서서 폐허를 지켜보던 우리는 아마도 같은 인상을 받았을 것이다. 나는 호흡할 수 없는 죽음의 냉기가 공기에 스며들어 있는 것처럼 조금 숨을 헐떡였던 기억이 난다. 그리고 나와 마찬가지로 다른 대원들의 거칠고 힘겨운 숨소리가 들려왔다.

"이집트의 묘지보다 더 오싹하군." 하퍼가 말했다.

"이집트보다 훨씬 더 오래된 곳이 분명해." 옥타브가 맞장구를 쳤다. "믿을 만한 전설에 따르면, 요-봄비스를 세운 요리 종족은 현재의 지배 종족에 의해 최소한 4만 년 전에 멸망했거든."

"왜, 그 얘기 있잖아?" 하퍼가 말했다. "정체불명의 뭔가가, 그러니까 너무 섬뜩하고 기괴해서 신화에도 언급되지 않는 뭔가가 요리의 마지막 유적까지 깡그리 없애버렸다는 얘기."

"물론, 들어봤지." 옥타브가 말했다. "이 폐허 속에서 그 전설이 맞는지 틀린지 증거를 찾게 될지도 모르지. 어쩌면 요리 종족이 궤멸한 건 야쉬타 페스트 같은 무서운 전염병 때문일 거야. 치아와 손톱부터 시작해서 온몸의 뼈를 모조리 먹어치운다는 녹색 곰팡이의 일종 말이야. 하지만 요-봄비스에 미라가 남아 있다고 해도, 병에 걸릴까 봐 걱정할 필요 없어. 그 박테리아는 희생자들처럼 모두 죽었을 테니까. 행성의 건조기가 몇 번이나 지나간 후잖아. 아무튼, 우리가 알아내야 할 것이 많을 거야. 아이하이는 늘 이곳을 피해왔어. 이곳에 와본 건 극소수에 불과해. 그리고 내가 아는 한, 지금까지 이 폐허를 제대로 조사한 사람은 없어."

태양은 기분 나쁠 정도로 빠르게, 정상적인 일몰의 과정이라기보다 요술처럼 사라지듯이 내려앉았다. 우리는 곧 청록색 어스름의 냉기를 느꼈다. 그리고 위쪽 대기는 어두운 얼음으로 만든 거대하고 투명한 돔 지붕 같았고, 무수한 별들의 삭막한 빛을 머금고 반짝이고 있었다. 우리가 당시에 입고 있던 화성의 모피로 된 외투와 헬멧은 밤에는 반드시 착용해야 하는 복장이었다. 성벽의 서쪽으로 이동하다가, 한쪽 구석에 캠프를 세웠는데, 그 위치에서라면 자아르 — 새벽 전에 늘 동쪽에서 불어오는 모진 사막 바람 — 를 조금은 피할 수 있을 터였다. 곧 취사용으로 가져온 알코올램프에 불을 붙이고 옹기종기 모여 앉아서 저녁을 먹었다.

저녁 식사 후에 피곤해서라기보다는 심신의 안정을 위해 일찍 각자의 침낭으로 들어갔다. 길잡이인 두 명의 아이하이는 잿빛의 바사 천[51]을 수의처럼 몸에 감았는데, 영하의 날씨에서도 그들의 가죽질 피부를 보호하기 위해 그 정도면 충분한 것 같았다.

나는 두꺼운 이중 침낭 속에서도 여전히 매서운 밤바람에 힘들었다. 꽤 오랫동안 잠을 이루지 못한 것도, 결국엔 선잠이 들었으나 그마저 불안하게 깨곤 했던 것도 아마 밤바람 때문이었을 것이다. 물론, 당시의 낯선 상황 그리고 영겁의 성벽과 건물에 가까이 있다는 기이한 느낌도 나의 불안감에 상당 부분 영향을 미쳤을 것이다. 그렇긴 해도 경고나 위험의 불길한 예감 같은 건 전혀 느끼지 못했다. 게다가 요-봄비스에, 망자들의 유령마저 이미 오래전에 흔적도 없이 사라진, 이 꿈에도 상상하기 어려운, 놀라운 만고의 폐허 한복판에 일말의 위험이 도사리고 있다면 나는 분명 웃고 말았을 것이다.

그러나 한없이 오랜 시간 동안 지속되었다는 느낌 외에, 그 얕은 노루잠에 빈번히 끼어들었던 것들은 거의 기억이 나지 않는다. 내가 기억하는 것은, 자정을 향해 갈수록 창공에 부는 뼛속까지 시린 바람과 그것이 사막에서 불어와 더 오랜 태고의 사막으로 향해 가는 동안, 가는 우박처럼 내 얼굴을 때리던 모래였다. 그리고 흩날리는 영겁의 모래에 가려 한동안 빛을 잃어가던, 여전히 완고한 별들도 기억난다. 곧 바람이 지나갔다. 나는 다시 어리마리 졸기 시작했다. 그렇게 졸다가 얼핏 포보스와 데이모스(작은 쌍둥이 달)가 떠올라 폐허에 거대하고 으스스한 그림자를 드리우고, 침낭에 뒤덮인 동료들의 모습에 잿빛을 던지는 것을 보았다.

설핏 잠이 들었었나 보다. 내가 본 것이 꿈처럼 미심쩍으니 말이다. 늘어지는 눈꺼풀 사이로 작은 달들이 지붕 없는 삼각 건물 위에 떠 있는 것을 보았다. 그리고 동료 고고학자들의 몸에 닿을 듯 길게 뻗은 그 림자들을 보았다.

모든 장면은 굳어버린 정물화 같았다. 잠든 동료 중에서 아무도 움직 이지 않았다. 이윽고 다시 눈꺼풀이 감기려는 순간, 얼어붙은 어둠 속 에서 뭔가 움직이는 느낌을 받았다. 그림자의 맨 앞쪽이 저절로 떨어져 나와, 폐허 쪽으로 가장 가까이 누워 있던 옥타브를 향해 기어가는 것 같았다.

나는 묵직한 기면 상태에서도 부자연스럽고 불길하기까지 한 뭔가 의 경고에 동요했다. 벌떡 일어나 앉았다. 바로 그때, 정체불명의 그림 자 물체가 뒤로 물러가더니 커다란 그림자와 다시 합쳐졌다. 그 물체가 사라진 것에 소스라치게 놀라 잠이 확 깼다. 하지만 내가 과연 그것을 진짜 봤는지 확신이 서지 않았다. 스치듯 본 마지막 그것의 모습은 검 은색의 꾸깃꾸깃한 천이나 가죽의 둥그런 조각 같았고, 지름이 30 내지 35센티미터 정도로, 자벌레처럼 몸을 접었다 폈다 하는 놀라운 방식으 로 지면을 따라 달려갔다.

한 시간 가까이 다시 잠들지 못했다. 살을 에는 추위가 아니었다면, 당연히 일어나서 내가 과연 기괴한 물체를 본 것인지 아니면 그저 꿈이 었는지 확인했을 터이다. 그것이 뒤섞여 사라진, 새까만 그림자를 바라 보고 있자니, 변덕스러운 의혹들이 머릿속에서 해괴한 행렬처럼 꼬리 를 물고 떠올랐다. 퍽 심란하기는 했으나, 그때까지도 실제적인 공포나 혹시 모를 위기감 같은 건 전혀 없었다. 나는 점점 더 그 물체가 너무도 터무니없이 기괴하여 꿈의 파편에 불과하다고 스스로 다짐하기 시작 했다. 그러다가 마침내 꾸벅꾸벅 선잠으로 빠져들었다.

들쭉날쭉한 성벽을 건너온 자아르의 차갑고 악귀 같은 숨결에 잠을 깨고 보니, 희미한 달빛에 무채색의 박명이 스며들어 있었다. 우리 모두 일어나서, 알코올램프 불에도 불구하고 점점 더 곱아가는 손가락으로 아침 식사를 준비했다. 오들오들 떨면서 아침을 먹는 동안, 태양이 곡예사의 저글링 공처럼 지평선 위로 뛰어올랐다. 그림자나 빛의 변화가 없는 가운데, 거대하고 삭막한 폐허가 희미한 빛 속에서 마치 원시 거인들의 묘지처럼 우리 앞에 웅크린 채, 어둠에 갇힌 영겁을 견뎌내며 죽어가는 천체의 마지막 여명과 마주하고 있었다.

간밤에 있었던, 기묘한 시각적 경험은 더욱더 환등 같은 비현실성을 띠었다. 나는 간밤의 일을 그저 헛된 상념이라 치부하고 동료들에게 말하지 않았다. 그러나 선잠의 희미하고 뒤틀린 그림자들이 깨어 있는 시간에도 자꾸 떠올랐고, 그래서인지 나도 모르게 묘한 분위기에 젖곤 했다. 이런 분위기에서 주변 환경은 인간 이외의 이질적인 느낌을 주었고, 폐허의 음산하고 한없는 태곳적 시간은 견딜 수 없을 정도의 중압감이 되었다. 이런 기분은 거대하고 비현세적인 건축물에서 무수히 새어 나온, 눈에 띄진 않지만 감지할 순 있는 으스스한 암시에서 비롯된 것 같았다. 이 암시가 무덤에서 잉태한 인큐비처럼 나를 짓눌렀으나, 인간의 사고방식으로 이해할 수 있는 형태와 의미 같은 건 없었다. 탁 트인 야외가 아니라 밀폐된 지하 묘지의 숨 막히는 어둠 속에서 움직이는 기분이었다. 공기 중에 가득한 살기 때문에 또 영겁의 부패에서 뿜어지는 독기 때문에 숨이 막혀왔다.

동료들은 폐허를 탐사하고 싶어서 안달이 나 있었다. 나는 당연히 불합리하고 근거도 없는 내 기분에 대해 입도 뻥긋하지 않았다. 인간이 지구 이외의 다른 세계에 있을 때, 종종 그 환경에서 발산되는 신기하고 생경한 힘들에 의해 초조해지고 이런저런 심리적인 증상들을 겪기 마련이다. 이것을 감안하더라도, 동료들과 함께 예비 탐사를 위하여 건물로 다가가는 동안, 나는 얼마간 꼼짝도 못하고 숨도 쉴 수 없는 공황 상태에 빠져서 뒤처져 있었다. 음산하고 싸늘한 냉습함이 내 머리와 근육 속속들이 파고들어서 신체의 가장 내적인 기능을 중지해 버린 것 같았다. 잠시 후에 그런 상황에서 벗어났고, 그제야 자유롭게 움직이면서 일행을 뒤쫓았다.

두 명의 화성인 길잡이가 우리와 동행하지 않겠다고 한 것은 이상했다. 무감정하고 과묵한 그들은 분명한 이유를 대지 않았다. 분명한 건, 무슨 수를 써도 그들을 요-봄비스로 들어가게 하지 못할 거라는 점이었다. 그들이 폐허를 무서워하는 것인지 아닌지는 우리로선 확실치 않았다. 작고 비스듬한 눈과 나팔꽃처럼 커다랗게 벌어진 콧구멍을 지닌, 수수께끼 같은 그들의 얼굴엔 인간이 이해할 수 있는 공포라든가 다른 일체의 감정도 드러나지 않았다. 그들이 우리의 질문에 답한 것이라고는, 아이하이 부족은 아주 오래전부터 그 폐허에 발을 들여놓지 않았다는 정도였다. 이 장소와 관련된 기묘한 터부 같은 것이 있음이 분명했다.

예비 탐사 때 우리가 가져간 장비는 쇠지레 하나와 채굴기 두 대뿐이었다. 다른 장비들과 고성능 폭약은 나중에, 표층 조사를 끝낸 후에 필요할 때 사용할 목적으로 캠프에 남겨두었다. 대원들 중에서 한두 명은 자동 권총도 소지하고 있었으나, 그것 또한 캠프에 놔두었다. 그 폐허 속에서 혹여 생물체와 마주친다는 건 터무니없는 상상이었기 때문이다.

옥타브는 탐사를 시작하면서 눈에 띄게 흥분했고, 연신 감탄사를 섞어 자신의 생각을 떠벌렸다. 나머지는 의기소침해져서 말이 없었다. 대원 중에서 상당수가 나와 똑같은 감정을 어느 정도는 공유하고 있는 것 같았다. 거석의 폐허에서 전해지는 음울한 경외감과 불안감을 떨쳐내기는 불가능했으니까.

폐허를 상세히 묘사할 시간이 없으니 서둘러 본론을 말해야겠다. 사실, 묘사할 수 없는 것이 많았다. 도시의 핵심부는 탐사되지 않고 그대로 남겨질 운명이었기 때문이다.

우리는 독특한 건축양식과 어울리는 지그재그 형태의 거리를 따라 삼각형의 계단형 건물들 사이로 꽤 깊숙이 들어갔다. 건물 대부분은 정도의 차이는 있으나 붕괴한 상태였다. 장기간에 걸쳐 바람과 모래에 깊이 침식된 흔적이 어디서나 눈에 띄었고, 대체로 견고한 벽면의 날카로운 귀퉁이들이 둥그렇게 마모되어 있었다. 높고 비좁은 통로를 따라 일부 건물의 내부까지 들어가봤으나, 아무것도 없었다. 건물에 나름의 가재도구들이 있었겠지만 이미 오래전에 한 줌 먼지로 부서졌을 것이고, 그 먼지는 구석구석 미치는 사막의 강풍에 의해 날아가버렸을 것이다. 외벽의 일부분에 벽화나 문자의 흔적이 남아 있었다. 그러나 모두 세월에 닳고 지워져 극소수의 단편적인 윤곽만 가늠할 뿐이지 그마저 무슨 의미인지 도저히 알 길이 없었다.

마침내 도착한 넓은 도로, 그것은 거대한 테라스가 있는 벽에 막혀 끝나 있었는데, 벽은 어림잡아도 길이가 수백 미터, 높이가 40미터에 육박했고, 그 너머로 중심 건물들이 마치 요새 혹은 성처럼 모여 있었다. 부서진 계단은 어떤 인간보다 심지어 늘씬한 현대 화성인보다 긴 보폭에 맞게 만들어진 것으로, 테라스를 향해 나 있었다. 테라스는 높은 비탈을 그대로 깎아내어 만든 것처럼 보였다.

여기서 멈춰 선 우리는 다른 건물보다 더 많이 노출되고 더 파손되어 황폐해진 이 고층 건물들을 나중에 조사하기로 결정했다. 십중팔구 고

생에 비해 얻을 건 거의 없어 보였다. 옥타브는 요-봄비스의 역사를 밝혀줄 유사 이전의 유적이나 벽화에서 아무것도 발견하지 못한 것에 실망감을 감추지 않았다.

그런데 우리는 계단의 오른쪽으로 약간 떨어진 벽에 태고의 파편으로 반쯤 막혀 있는 입구를 발견했다. 파편 더미 너머, 지하로 내려가는 계단이 보였다. 어둠 속에서 원시의 부패로 인한 악취와 퀴퀴한 곰팡내가 눈에 보이는 물결처럼 입구를 통해 치밀었다. 첫 번째 계단은 검은 심연 위에 떠 있는 것 같았고, 그 밑으로 아무것도 볼 수 없었다.

옥타브와 나를 포함하여 몇 명이 만일에 대비해 손전등을 지니고 있었다. 그곳은 요-봄비스의 지하실 혹은 지하 묘지라는 생각이 들었는데, 화성 후반기의 도시에서도 지상보다는 지하를 더 넓게 만드는 예가 흔했다. 게다가 그런 지하 공간이라면 요리 문명의 자취를 볼 수 있을 것 같았다.

옥타브는 어둠의 구덩이를 향해 손전등을 비추면서 계단을 내려가기 시작했다. 그가 들뜬 목소리로 우리를 향해 어서 따라오라고 소리쳤다.

다시금 근거 없는 공포가 내 감각들을 마비시키는 동안, 나는 뒤에서 동료들이 앞으로 가라며 밀치는데도 머뭇거리고 있었다. 곧, 얼마 전처럼 공포가 지나갔다. 공포든 뭐든 그렇게 엉뚱하고 불합리한 것에 굴복하다니, 나 자신이 한심스러웠다. 나는 옥타브를 좇아 계단을 내려갔고, 동료들이 뒤따라왔다.

높고 불편한 계단을 다 내려가자, 지하의 현관처럼 길고 넓은 공간이 나타났다. 바닥에는 가늠할 수 없는 세월의 먼지가 켜켜이 쌓여 있었다. 그리고 군데군데 무더기를 이루고 있는 굵은 회색 가루, 그것은 아마도 화성의 수로 밑 지하 묘지에서 자라는 균류가 부패한 결과로 보였다. 이런 균류가 한때 요-봄비스에 서식했을 가능성은 충분했다. 다만, 장기간의 극한 건조기를 겪으면서 오래전에 죽었을 것이다. 숱한 세월 동안 이토록 건조한 지하에서 균류를 비롯해 그 어떤 것도 살아남을 순 없었다.

오늘날 화성의 대기보다 덜 희박했던 태곳적 대기의 찌꺼기가 이 정체된 어둠 속에 고여 있는 것처럼 공기가 아주 갑갑했다. 외부의 공기보다도 더 숨 쉬기가 힘들었다. 알 수 없는 악취로 가득했고, 걸음을 옮길 때마다 앞에 먼지가 일면서 가루가 된 미라의 먼지처럼 희미한 과거의 부패를 흩날렸다.

지하 끝에서 손전등 불빛에 나타난 것은 크고 얕은 항아리 혹은 접시였는데, 정육면체 형태의 짧은 다리 위에 놓여 있었고, 금속과 자기류를 기괴하게 합성한 것처럼 칙칙하고 검푸른 재질로 만들어져 있었다. 이 항아리의 지름은 약 1미터 20센티미터, 두터운 테두리 장식에는 정체불명의 꿈틀거리는 형태들이 산성 물질 같은 것으로 깊게 아로새겨져 있었다. 항아리 바닥에 검은 숯 같은 부스러기들이 강한 악취를 내는 유령처럼 쌓여 있었다. 그 가장자리 너머로 몸을 구부렸던 옥타브가 냄새를 들이마시고는 기침과 재채기를 해댔다.

"이거, 뭔지 모르겠지만, 아주 강한 훈증제 같아." 그가 말했다. "요-봄비스인들이 이 지하를 소독하는 데 훈증제를 썼나 봐."

그 항아리 뒤쪽의 통로로 들어서자, 좀 더 넓은 공간이 나타났고, 바닥은 먼지가 비교적 적은 편이었다. 검은 돌바닥에 여러 가지 도형 무늬와 황토색 광석이 장식되어 있었고, 이 장식 한복판을 이집트의 카르투슈[52]처럼 상형문자와 대단히 구체적인 그림들이 에워싸고 있었다.

우리가 해독할 수 있는 것은 극히 드물었다. 다만 그림 상당수는 요리족 자신들을 묘사한 것만은 틀림없었다. 아이하이처럼 요리도 키가 크고 말랐으며 가슴은 커다란 바람통 같았다. 그리고 그림의 묘사에 따르면, 가슴에서 뻗어 나온 팔 하나가 더 있었다. 이 독특한 세 번째 팔은 아이하이 사이에서도 종종 그 흔적이 발견되곤 한다. 우리가 판단했을 때, 귀와 콧구멍은 현대 화성인에 비해 그리 크거나 넓게 벌어져 있지 않았다. 그림에 묘사된 요리족은 모두 알몸 상태였다. 다만, 다른 것에 비해 급하게 마무리한 듯한 카르투슈 한 곳에서 긴 원뿔형의 두개골을 지닌 두 개의 개체가 터번 같은 것을 머리에 두르고 있었는데, 이들은 터번을 곧 벗으려는 것인지 아니면 고쳐 쓰려고 하는 것인지 헷갈리는 동작을 취하고 있었다. 이 그림을 그린 예술가는, 그림 속의 개체들이 구불구불하고 관절이 네 개인 손가락으로 터번을 잡고 있는 동작을 유난히 강조하고 있는 것 같았다. 그리고 전반적인 자세가 이상할 정도로 뒤틀려 있었다.

지하 2층부터 통로가 사방으로 분기하더니, 지하 묘지임이 분명한 곳으로 우리를 이끌었다. 크고 불룩한 — 앞서 보았던 훈증용 항아리와 재질은 같지만 사람의 키보다 더 높고 돌출 손잡이가 달린 마개로 닫혀 있는 — 단지들이 벽면을 따라 늘어서 있어서, 두 사람이 나란히 걷기에도 비좁았다. 우리가 간신히 그 커다란 마개를 열자, 단지의 입구 가장자리까지 재와 그을린 유골이 들어차 있었다. 요리는 (지금도 화성의 풍습이기도 한) 가족 전체의 시신을 하나의 단지 안에서 화장했음이 분명했다.

이 단지들 사이를 걷는 동안, 옥타브마저도 말이 없었다. 좀 전의 흥분 상태에서 벗어나 묵상의 경외감 같은 것에 사로잡힌 모양이었다. 내가 보기에는, 나머지 대원들도 가늠할 수 없는 태고의 견고한 슬픔에 완전히 압도당한 것 같았다. 그리고 우리는 한 발 한 발 그 슬픔 속으로 더 깊숙이 들어가고 있었다.

우리 앞에서 유령 박쥐 떼의 괴상망측한 날갯짓처럼 어둠이 펄럭였다. 어디를 보나, 미세 분자 같은 세월의 먼지와 오래된 망자들의 유골이 담겨 있는 납골 단지 외에 아무것도 보이지 않았다. 그런데 나는 좀 더 깊숙한 곳의 높은 천장에 매달려 있는, 동그란 형태의 검고 주름진 물체, 뭐랄까 시든 균류 같은 것을 보았다. 그 물체가 달린 천장까지는 손이 아예 닿지 않았다. 우리는 그 물체를 힐긋거리고 별의별 억측을 하면서 계속 안쪽으로 들어갔다. 그때 내가 간밤에 보았던 아니면 꿈꾸었던 주름지고 어두운 물체를 곧바로 떠올리지 못했으니, 참 이상한 일이었다.

막다른 곳에 도착했을 때는 우리가 과연 얼마나 깊숙이 들어왔는지 감조차 잡히지 않았다. 그 잊힌 지하 세계에서 몇 년 동안 헤매고 다닌 느낌만 들었다. 더 탁해지고 숨 쉬기가 힘들어진 공기는 부패한 퇴적물처럼 갑갑하고 눅눅해져서 우리는 돌아가기로 결정했다. 그런데 납골 단지가 길게 늘어서 있던 지하 묘지의 끝에 느닷없이 텅 빈 벽이 가로막고 있었다.

바로 이 지점에서 우리는 가장 기이하고도 가장 신비한 것을 발견하기에 이른다. 그것은 믿기 어려우리만큼 건조된 상태로 그 막다른 벽에 기대고 서 있던 한 구의 미라였다. 미라의 신장은 2미터가 훌쩍 넘었고, 색깔은 흑갈색이었으며, 머리를 덮고 양쪽으로 주름져 흘러내린 검은 두건 같은 것을 제외하곤 알몸이었다. 세 팔과 전체적인 모습으로 봐서 고대 요리족이 분명했다. 어쩌면 요리 중에서 육체가 고스란히 남아 있는 유일한 개체였을 것이다.

우리 모두는 이 오그라든 미라의 어마어마한 세월에 형용할 수 없는 전율을 느꼈다. 지하의 건조한 공기 속에서 화성의 역사적, 지리적 온갖 변화를 견디고, 사라진 시대와의 연결 고리로 남아 있는……

곧 손전등으로 자세히 살펴보던 우리는 미라가 왜 서 있는 자세로 남아 있는지 그 이유를 알아냈다. 발목과 무릎, 허리와 어깨 그리고 목에 묵직한 금속 족쇄가 채워진 채 벽에 고정되어 있었던 것이다. 족쇄가 어찌나 녹슬고 거무스름해졌는지, 처음에는 미라의 일부분처럼 구분이 되지 않았다. 반면에 미라의 머리에 덮여 있는 이상한 두건은 자세히 보면 볼수록 당혹스러운 것이었다. 그것은 태고의 거미줄처럼 지저분하고 먼지가 낀 채로 미세한 곰팡이 같은 다발로 덮여 있었다. 그 주변에 뭔가가 있었는데, 나는 그것의 정체를 모르면서도 역겨움과 불쾌감을 느꼈다.

"허! 이거야말로 진짜 발견이야!" 옥타브가 미라의 얼굴에 손전등을 비추면서 소리쳤다. 그런데 미라의 깊숙한 눈구멍과 세 개의 커다란 콧구멍에서 그리고 두건에 감긴 채 위로 솟아 있는 귀 쪽에서 어둠이 살아 있는 생물처럼 움직이는 것이었다.

옥타브는 손전등을 들어 올린 자세에서 다른 손으로 미라를 살짝 건드려보았다. 살짝 건드린 것뿐인데, 원통 같은 몸통의 하반신과 다리, 손과 팔뚝이 한꺼번에 가루가 되어 부서져 내렸고, 머리와 상반신과 팔은 여전히 금속 족쇄에 매달려 있었다. 남아 있는 신체 부위들은 손상된 흔적이 없었고, 부서지는 과정이 이상하게도 고르지 않았다.

어찌할 줄 몰라 소리를 지르던 옥타브는 갈색 가루 먼지에 에워싸이자, 기침과 재채기를 하기 시작했다. 나머지 대원들은 모두 가루를 피해 뒤로 물러섰다. 그때 나는 부옇게 퍼지는 가루 위로 기상천외한 것을 보았다. 미라의 머리에 있던 검은 두건이 사방으로 구불거리고 썰룩거리더니, 마치 해충의 움직임처럼 꿈틀꿈틀 시든 두개골에서 떨어져 나와, 허공에서 격렬하게 오그라들었다가 펼쳐졌다가 하는 것 같았다. 그러더니 그것이 부서진 미라 때문에 벽 쪽에서 쩔쩔매고 있던 옥타브의 맨머리에 떨어지는 것이었다. 그 엄청난 공포가 시작되는 순간, 나는 쌍둥이 달 아래서 요-봄비스의 그림자로부터 저절로 떨어져 나왔다가, 내가 눈을 뜨는 순간 선잠의 꿈처럼 물러가버린 그 물체를 기억해냈다.

꽉 끼는 옷처럼 그 물체는 옥타브의 머리와 이마와 눈을 감쌌고, 옥타브는 도와달라며 마구 소리를 지르면서 미친 듯이 손으로 그것을 잡아뗐으나 소용이 없었다. 이때부터 그의 비명은 지옥의 고문 도구에 짓눌린 것처럼 고통스럽고 광기 어린 크레셴도로 높아져갔다. 급기야 이리저리 막무가내로 뛰어다니기 시작하자, 우리 모두가 그를 붙잡아 그 기이한 접착물을 떼어내려고 했는데, 그때마다 그는 이상하리만큼 민첩하게 우리를 피해 가곤 했다. 그 사건은 악몽처럼 불가사의했다. 그러나 옥타브의 머리에 붙어 있는 물체는 분명히 화성의 생명체에 포함되지 않은 종이었고, 기존의 과학 법칙과는 정반대로 원시 이래의 지하묘지에서 생존해 왔다. 어떡해서든 그것의 수중에서 옥타브를 구해내어야 했다.

우리는 원정대의 미쳐 날뛰는 대장을 붙잡아보려고 최선을 다했다. 사실, 마지막 납골 단지와 벽 사이의 공간은 전혀 넓은 편이 아니어서 그를 붙잡는 게 어려울 리 없었다. 그런데 그가 제정신이 아닌 상황임을 감안하면 더더욱 이해할 수 없을 정도로 쏜살처럼 우리 주변을 맴돌다가 지하 묘지들이 얽히고설킨 바깥쪽 미로 방면의 납골 단지 사이로 사라져버렸다.

"젠장! 대체 무슨 일이 벌어진 거야?" 하퍼가 소리쳤다. "옥타브가 하는 짓이 뭐에 홀린 사람 같잖아."

그 수수께끼를 풀자고 토론할 여유는 없었다. 우리는 어안이 벙벙한 상태에서도 최대한 빠르게 옥타브를 쫓아갔다. 어둠 속에서 그의 행방을 놓쳐버린 채, 지하 묘지의 첫 분기점에 다다랐고, 그가 어느 쪽으로 갔는지 아리송해하던 차에 지하 묘지의 맨 왼쪽 끝에서 날카로운 비명이 몇 차례 반복해서 들려왔다. 비명에서 전해지는 기이하고 비현실적인 느낌, 그것은 아마도 오랜 세월 정체된 공기 아니면 사방으로 뻗어 있는 동굴의 독특한 음파 때문이었을 터이다. 그러나 나는 그것이 인간의 입에서 튀어나오는 소리라고는, 적어도 살아 있는 인간의 입에서 나오는 소리라고는 생각할 수 없었다. 마치 악마에게 점령당한 시체에서 나오는 소리처럼 영혼이 없는, 기계적인 고통의 비명이라고 할까.

우리는 앞에서 다급히 흩어지는 그림자들을 향해 손전등을 비추면서, 늘어서 있는 거대한 납골 단지 사이를 따라 질주했다. 비명은 묘지의 침묵 속에서 희미해져갔다. 그러나 달음질치는 가볍고 둔탁한 발소리가 멀리서 들려왔다. 우리는 앞뒤 안 가리고 그 소리를 따라갔다. 그러나 옥타브의 모습은 발견하지 못한 채, 오염되고 독기 어린 공기 속에서 숨을 헐떡이며 속력을 늦춰야 했다. 묘지를 휘감는 유령의 발걸음처럼 아주 희미하게, 훨씬 더 멀어진 거리에서 사라져가는 발소리가 들려왔다. 이윽고 발소리가 그쳤다. 우리의 거친 숨소리 외에는 그리고 일정한 경고의 북소리처럼 뛰어오르는 관자놀이의 맥박 외에는 아무 소리도 들려오지 않았다.

통로가 셋으로 갈라지는 지점에 도착하여 우리는 세 팀으로 나눠 계속 이동했다. 하퍼와 할그렌 그리고 내가 중앙 통로를 맡았다. 오랜 시간을 이동하는 동안, 옥타브의 흔적조차 보이지 않았다. 무수한 세대의 유골을 담고 있을 거대한 납골 단지들이 천장까지 쌓여 있는 후미진 곳을 지나자, 바닥에 도형 무늬가 있는 거대한 방이 나타났다. 얼마 지나지 않아, 이곳에서 다른 대원들과 합류했으나, 그들도 역시나 사라진 대장의 행방을 찾는 데 실패했다.

우리가 아직 살펴보지 못한 납골당을 포함하여 무수한 곳을 다시금 몇 시간에 걸쳐 수색했던 이야기는 자세히 해봐야 부질없겠다. 생명의 흔적이 있는가를 기준으로 했을 때, 모든 공간이 텅 비어 있었다. 내가 기억하기엔, 천장에 검고 동그란 물체가 붙어 있던 납골당을 다시 한 번 지나갈 때, 소름 끼치게도 그 물체가 사라지고 없었다. 그 지하 미로에서 우리가 길을 잃지 않은 건 기적이었다. 마침내 오그라든 미라를 발견했던, 마지막 지하 묘지로 돌아왔다.

그곳에 가까워지는 동안, 쩽그렁 쩽그렁 하는 소리가 일정하게 되풀이되었다. 우리의 처지에선 더없이 불안하고 불가사의한 소리였다. 마치 구울들이 잊힌 무덤을 두드려대는 소리 같았다. 좀 더 가까워졌을 때, 손전등 불빛에 드러난 것은 전혀 예상치 못했고 설명할 수도 없는 광경이었다. 크기와 모양이 소파 쿠션처럼 부풀어 오른 물체에 머리가 뒤덮인 사람 비슷한 형체가 우리를 등지고 미라의 잔해 가까이 서서 끝이 뾰족한 쇠막대로 벽을 두드리고 있었다. 옥타브가 언제부터 그곳에 있었는지, 또 쇠막대를 어디서 찾아냈는지 우리로선 알 수 없는 일이었다. 아무튼 그의 맹렬한 공격에 맨벽이 부서져 나갔고, 바닥에는 시멘트 같은 부스러기들이 떨어져 쌓이고 있었다. 그리고 납골 단지와 훈증

항아리처럼 모호한 재질로 만들어진 작고 비좁은 문 하나가 모습을 드러내고 있었다.

아연실색해진 우리는 그 순간 어떻게 해야 할지 결정을 내릴 수 없었다. 사건이 워낙 기괴하고 섬뜩했고, 옥타브는 일종의 광기에 사로잡힌 것이 분명했다. 나는 옥타브의 머리에 달라붙은 채 이상하게 비대해져서 목까지 늘어져 있는 그 역겨운 물체를 알아보고는 극심한 메스꺼움을 느꼈다. 그것이 비대해진 이유를 짐작해 볼 엄두조차 나지 않았다.

대원 중에서 누구 하나 정신을 차리기도 전에, 옥타브는 쇠막대를 집어던지고는 뭔가를 찾아 벽 속을 더듬거리기 시작했다. 숨겨진 개폐 장치를 찾고 있는 게 분명했다. 물론, 그가 어떻게 개폐 장치의 위치나 존재 여부를 알고 있었는지는 알 길이 없었다. 삐걱거리는 둔중하고 오싹한 소리에 이어, 노출되어 있던 문이 두껍고 육중한 묘의 석판처럼 안쪽으로 열렸고, 그 입구에서 한꺼번에 밀려 나오는 영겁의 부패가 지하의 어둠을 물들이는 것 같았다. 그 순간, 무슨 영문인지 우리의 손전등 불빛이 깜박이다가 희미해졌다. 그리고 이내 억겁 동안 부패한 지하 세계에서 부는 바람처럼 숨 막히는 악취가 진동했다.

옥타브가 우리를 향해 돌아서더니, 신성한 임무를 완수한 사람처럼 열린 문 앞에 서서 한시름 놓은 태도를 보이고 있었다. 맨 처음 멍한 상태에서 벗어나 정신을 차린 사람은 바로 나였다. 나는 커다란 —— 그나마 내가 가지고 있는 장비 중에서 무기라고 할 만한 —— 접칼을 빼 들고 옥타브를 향해 달려갔다. 그가 뒤로 물러섰지만, 나를 피할 만큼 빠르지는 않았다. 나는 10센티미터의 칼날로 그의 윗머리 전체를 감싸고 눈까지 늘어진 그 검은 종기 같은 덩어리를 푹 찔렀다.

그 물체의 정체가 무엇이었는지, 설령 추측할 수 있다고 해도 나는 하지 않겠다. 거대한 괄태충처럼 일정한 형태도 머리나 꼬리도 심지어 눈에 띄는 기관조차 없었다. 종기처럼 지저분하게 부풀어 오른 피질 덩어리였고, 앞서 말한 대로 균류 같은 가는 털로 뒤덮여 있었다. 칼로 찔렀을 때 이 괴물은 썩은 양피지가 찢어지는 것처럼 길게 상처가 나더니, 터진 방광처럼 가라앉았다. 곧이어 그 상처에서 녹다가 만 머리카락으로 보이는 검은 잎사귀 모양의 덩어리와 녹은 뼈처럼 흐물흐물한 젤라틴 덩어리 그리고 약간의 엉겨 붙은 흰색 물질과 뒤섞여 인간의 피가 역겹게 쏟아져 나왔다. 그와 동시에 옥타브가 비틀거리다가 벌러덩 쓰러져버렸다. 그가 쓰러지는 바람에 미라의 가루가 소용돌이 구름처럼 그의 주변에서 피어올랐고, 그 아래서 그는 죽은 듯 가만히 누워 있었다.

나는 역겨움을 참고서 숨 막히는 먼지 속에서도 옥타브에게 몸을 숙이고 그의 머리에서 흐물흐물 흘러내리는 괴물을 잡아 뜯었다. 뜻밖에도 흐늘거리는 누더기를 잡아떼는 것처럼 쉬웠다. 하지만 차라리 그냥 놔두었더라면 좋았을 것이다. 그것을 떼어내고 보니, 옥타브의 두개골은 거기 없었다. 모조리, 심지어 눈썹까지 갉힌 상태였고, 절반이 먹혀버린 뇌가 훤히 드러나 있었다. 그때 갑자기 정체불명의 괴물이 축 늘어지는 통에 나는 손가락 사이에서 그것을 놓쳐버렸다. 그것이 떨어지면서 뒤집혔기 때문에 반대편까지 고스란히 드러났는데, 핏기 없는 — 신경과 흡사한 섬유로 뒤덮여 있는 — 원반이 보이고 그 주변에 분홍색을 띤 무수한 빨판들이 동그랗게 둘러싸고 있는 것으로 봐서 망상 조직의 일종인 것 같았다.

나머지 동료들이 내 뒤로 바짝 다가왔으나, 한참 동안 모두가 꿀 먹은 벙어리 같았다.

"죽은 지 얼마나 되는 것 같아?"

그 섬뜩한 질문을 나지막이 내놓은 사람은 할그렌이었다. 그리고 그 질문은 우리 모두가 궁금해하는 것이기도 했다. 누구도 대답하지 못하는 것 같았고, 그러고 싶지도 않은 것 같았다. 우리는 그저 무시무시하고 초시간적인 주술에 홀린 듯이 옥타브를 바라보고 있을 뿐이었다.

마침내 나는 옥타브에게서 시선을 거두려고 애썼다. 그래서 아무 데나 고개를 돌리다가, 족쇄에 묶여 있는 미라의 유골을 보게 되었다. 그때 처음으로, 무의식적이고 비현실적인 공포에 사로잡힌 상태에서 말라빠진 미라의 두개골 절반이 어떻게 사라졌는지를 눈여겨보고 말았다. 그때 한쪽 옆에 열려 있던 두 번째 문으로 시선이 옮겨 갔으나, 처음에는 무엇이 내 시선을 잡아끌었는지는 알지 못했다. 곧 손전등 불빛에 드러난, 문 너머 지옥의 구덩이 같은 저 아래에서, 득시글거리는 어마어마한 수의 그림자들이 벌레처럼 꿈틀거리며 기어오는 광경이 보였다. 그것들은 어둠 속에서 부글부글 끓어오르는 것 같았다. 그리고 삽시간에 납골당의 넓은 문지방을 넘어서 무수히 많은 해충 군단이 쏟아져 나왔다. 그것들은 내가 옥타브의 머리에서 떼어냈던 악귀 같은 괴물 거머리와 흡사했다. 어떤 것들은 가늘고 납작해서 마치 헝겊이나 가죽을 동그란 모양으로 덧댄 것이 몸부림치는 것 같았다. 또 어떤 것들은 꽤 투실투실한 생김새로 배가 불러 느릿느릿 기고 있었다. 밀폐된 영원의 암흑 속에서 어떻게 먹이를 찾아 배를 불렸는지 알 길이 없었다. 아니, 나는 앞으로도 영원히 알 수 없기를 소망한다. 내가 공포에 감전되고 역겨움에 치를 떨며 뒤로 펄쩍 물러나자, 그 검은 군대는 공포에 물든 지옥에서 게워낸 징그러운 토사물처럼 밀폐된 심연으로부터 악몽처럼 빠르게, 끝없이 접근해 왔다. 그것들이 꿈틀거리는 물결로 옥타브의 시체를 뒤덮고 우리를 향해 쇄도해 오는 동안, 한쪽에 뒤집힌 채 죽은 줄로만 알았던 괴물체가 꿈틀거리더니 일어서서 자기네 무리와 합류하려고 징그럽게 몸부림을 치기 시작했다.

그러나 나도 다른 동료들도 그것들을 더는 지켜보고만 있을 수 없었다. 우리는 돌아서서 거대한 납골 단지들 사이를 뛰기 시작했고, 미끄러지듯 다가오는 악마 거머리들에게 쫓기어 첫 분기점에 다다랐을 때, 극한 공황 상태에 빠져 뿔뿔이 흩어지고 말았다. 모두가 도망치는 데만 급급하여 여러 방향의 길로 저마다 정신없이 뛰어든 것이었다. 등 뒤에서 누군가 미친 비명처럼 욕설을 내뱉으면서 넘어지는 소리가 들려왔다. 그러나 내가 멈춰서 되돌아간다면, 우리 대원 중에서 맨 뒤에 처져 있던 그 누군가와 똑같이 처참한 운명과 맞닥뜨릴 터였다.

나는 그때까지 손전등과 펼쳐진 접칼을 꽉 움켜쥐고 달렸다. 좁은 통로, 그러니까 바닥 장식이 있는 외부 쪽 넓은 공간으로 가는 직선로라고 판단한 그 통로를 따라갔다. 당시에 나는 혼자였다. 다른 대원들은 계속해서 중심 묘지 쪽으로 향하고 있었다. 몇 명이 추격자들에게 붙잡혔는지, 멀리서 억눌리듯 뒤섞이는 광기의 비명이 들려왔다.

내가 필시 방향을 잘못 잡았던 모양이다. 통로가 낯선 형태로 구부러지고 비틀어지는 데다 교차 지점이 무수히 많았으니 말이다. 나는 곧 가늠할 길 없는 세월 동안 인간의 발길이 닿은 적 없는, 먼지투성이 검은 미로에서 길을 잃고 말았다. 이 뼈들의 미로는 여전히 광활했고, 완전한 침묵 속에서 거인의 코 고는 소리처럼 크게 헐떡이는 나 자신의 격한 숨소리가 들려왔다.

계속 이동하고 있는데, 손전등 불빛에 난데없이 나타난 것이 있었으니, 어둠 속에서 나를 향해 다가오는 한 사람이었다. 충격이 채 가시기도 전에, 그 사람은 안쪽 납골당으로 돌아가려는 것처럼 길고 기계적인 보폭으로 나를 지나쳐 갔다. 키와 체격으로 봤을 때 하퍼 같았다. 그러나 눈과 윗머리가 검게 부풀어 오른 두건에 가려지고, 창백한 입술은 고문 아니 죽음의 침묵에 빠진 것처럼 굳게 다물어져 있어서, 하퍼라고 단정할 수도 없었다. 그가 누구건, 손전등을 가지고 있지 않았다. 그리고 그는 풀려난 공포의 근원을 찾아서, 섬뜩한 뱀파이어의 충동에 휩싸여 칠흑 같은 어둠 속을 무작정 달려가고 있었다. 이미 인간의 힘으로 그를 돕는 건 불가능한 상태였다. 나는 그를 붙잡아 세울 엄두조차 내지 못했다.

나는 부들부들 떨면서 다시 도망치기 시작했고, 중간에 또 다른 동료 두 명과 마주쳤다. 그들은 모두 기계적인 민첩성과 확신 아래, 그 악귀 같은 거머리를 뒤집어쓰고는 성큼성큼 나를 지나쳐 갔다. 나머지 동료들은 마주치지 못한 것으로 봐서 중심 통로를 거쳐 되돌아간 것이 분명했다. 그들과는 두 번 다시 만날 수 없으리라.

나머지 탈출 과정은 극심한 혼란에 가려져 가물가물하다. 외부 동굴에 가까이 왔나 싶었는데 또 길을 잃었고, 우리가 탐사한 영역 너머로 멀리까지 뻗어 있음 직한 지하 공간에 끝없이 늘어선, 기괴한 납골 단지 사이를 달려갔다. 그새 몇 년이 지난 것 같았다. 영겁 동안 죽은 공기에 폐가 막혔고, 두 다리는 금방이라도 쓰러질 것처럼 후들거렸다. 바로 그때, 아득히 멀리서 축복처럼 한낮의 작은 점이 보였다. 뒤에서 몰려드는 이질적인 어둠의 공포에도 불구하고, 앞에서 펄럭이는 저주스러운 그림자들에도 불구하고 나는 그 빛을 향해 뛰었다. 그리고 마침내 지하 납골소가 야트막하게 부서진 입구에서 끝이 나 있음을 보았고, 그 주변의 잡석들 위에 떨어지는 엷은 햇빛을 보았다.

그것은 우리가 이 죽음의 지하 세계에 발을 들여놓았던 곳과는 또 다른 입구였다. 내가 그 입구와 3미터 정도 거리까지 다가갔을 때, 소리도 그렇다고 특별한 조짐 같은 것도 없이 위쪽 천장에서 뭔가가 내 머리로 떨어지더니 순식간에 팽팽한 그물처럼 이마와 머리 가죽을 뒤덮었다. 그와 동시에 무수한 바늘에 찔리는 것 같은 통증이 몰려왔고, 그 고통은 시시각각 배가되어 온몸의 뼛속을 후벼 파면서 가장 깊은 머릿속으로 집중되는 것 같았다.

　그 순간의 공포와 고통은 속세의 광기나 망상과는 비교할 수 없을 만큼 최악이었다. 잔악한 죽음이 아니 죽음보다 더한 것이 더러운 뱀파이어처럼 나를 쥐어틀고 있는 것 같았다.

　손전등을 떨어뜨렸나 보다. 그래도 오른손에는 펼쳐놓은 접칼이 아직 들려 있었다. 본능적으로 ― 나 자신의 의지에 따라 움직일 수 없는 상황이다 보니 ― 접칼을 들어 올려, 나를 맹렬하게 감싸고 있는 괴물을 마구 찌르고 또 찔렀다. 내 살갗도 십여 군데 찢어졌으니, 칼날이 달라붙은 괴물을 몇 번이고 관통했을 터이다. 괴물 때문에 욱신거리는 통증이 어찌나 크던지, 칼에 찔린 상처들은 아프지도 않을 정도였다.

　드디어 나는 햇빛을 보았고, 이마에서 헐거워진 검은 줄 하나가 내 피를 뚝뚝 떨어뜨리며 내려와 뺨에 매달리는 것을 보았다. 나는 매달려서도 조금씩 꿈틀거리는 그것을 잡아뗐고, 이마와 머리에서 괴물의 나머지를 벗겨냈을 때는 분비물과 피로 범벅이었다. 이윽고 입구를 향해 휘청거리며 걸어갔다. 비틀거리다가 동굴 밖에서 쓰러졌을 때, 희미한 햇빛은 멀리 물러가면서 붉게 너울거렸다. 그 붉은 빛은 내가 내려갔던 혼돈과 망각의 의뭉스러운 입구로 우주의 마지막 별처럼 줄행랑쳤다.

　내가 잠시 동안 의식불명이었다는 말을 들었다. 정신을 차렸을 때,

두 화성인 길잡이가 뜻 모를 표정으로 나를 내려다보고 있었다. 머리가 쿡쿡 쑤셨고, 절반만 기억나는 공포들이 몰려드는 하피[53]들의 그림자처럼 내 정신을 뒤덮었다. 몸을 굴려 동굴의 입구 쪽을 돌아보았다. 거기서 나를 발견한 화성인들이 조금 떨어진 곳으로 끌고 온 모양이었다. 동굴의 입구는 외부 건물의 계단형 구조물 모서리 아래 있었고, 캠프에서도 보이는 위치였다.

나는 섬뜩한 매혹에 홀려서 그 검은 입구를 바라보다가, 얼핏 어둠 속에서 꿈틀거리는 그림자를 보았다. 어둠으로부터 쇄도해 나오려는 괴물들의 꿈틀거리는 불결한 움직임, 그러나 햇빛 속으로 나오지는 않았다. 다른 세계의 밤과 세월에 밀폐된 부패의 피조물들, 그것들은 태양을 견딜 수 없는 게 분명했다.

결정적인 공포이자 광기가 나를 덮친 것은 바로 그때였다. 스멀거리는 혐오감과 역겨움 때문에 꿈틀거리는 동굴 입구에서 도망치고 싶다는 간절함과 동시에 다시 그곳으로 돌아가고 싶은, 가증스럽고 상반된 충동이 함께 일었다. 다른 동료들이 그랬듯이, 지하 납골소를 구석구석 누비며 되돌아가고픈…… 인간이 경험한 적 없는 상상 초월의 운명과 저주로부터 절대 구원받을 수 없는 곳으로 내려가고픈…… 저 밑에서 인간의 사고로는 그려볼 수 없는 지하 세계를 찾아보고픈 이 지독한 욕망. 그렇게 내 머릿속 지하에는 검은빛이 있었고 소리 없는 부름이 있었다. 그것은 속속들이 스며든 마법의 독처럼 내 안에 주입된 괴물의 소환장이었다. 그것이 나를 지하의 문으로 오라고 유혹했다. 반을 먹어 치운 망자의 뇌에 자신의 혐오스러운 생명력을 접목하는 그 악귀 같은 불사의 거머리, 그 검은 기생충들을 가두기 위해 요-봄비스들이 죽어가면서도 밀폐해 놓은 그 문으로 오라고 유혹했다. 그것이 오라 유혹하는 저 깊은 지하, 그곳엔 살벌한 요괴들이 살고 있으니, 이들에겐 뱀파이어와 악마의 무시무시한 힘을 지닌 거머리들마저 가장 미천한 수족에 불과할 터…….

내가 지하로 돌아가지 못하게 막은 이는 두 명의 아이하이였다. 해면질의 팔로 나를 제지하는 그들에 맞서 나는 미친 듯이 대항했다. 결국 나는 그날의 초인적인 탐사로 인해 기진맥진한 상태라 다시금 의식을 잃었다. 그 깊디깊은 망각에서 한참 만에 깨어나보니, 사막을 건너 이그나르로 옮겨지고 있었다.

이 정도가 사건의 전모입니다. 정상성에 치명타가 될 예측불허의 위험을 무릅쓰고 구체적이고 일관되게 말하려고 노력했어요. 곧 있을 아니 이미 시작되고 있는 광기에 다시 굴복하기 전에 말해야겠기에…….
그렇소. 나는 말했소. 선생은 다 받아 적었겠지요? 이제 요-봄비스로 돌아가야 합니다. 다시 사막을 거슬러, 지하 납골소를 누비고 더 아래로, 더 커다란 지하로 말이오. 내 머릿속에서 명령하는 뭔가가 나를 이끌어 갈 거요……. 나는 가야 합니다…….

---

50) 워갬(Uogam): 정확한 의미를 알 수 없으나, 가상의 유적지로 보인다.

51) 바사 천(bassa-cloth): 스미스가 만들어낸 가상의 직물로 보인다.

52) 카르투슈(cartouche): 판지의 양쪽 끝이나 한쪽 끝이 말려 올라간 것 같은 모양의 무늬. 바로크 건축의 장식 디자인으로 유행하였다.

53) 하피(Harpy): 그리스 신화의 하르피이아(Harpyia). 약탈하는 여자, 마음을 빼앗는 동물이라는 뜻으로 사람의 얼굴을 한 독수리의 모습이다. 긴 머리칼을 풀어 헤치고 바람보다 더 빠르게 날아다녔다고 한다.

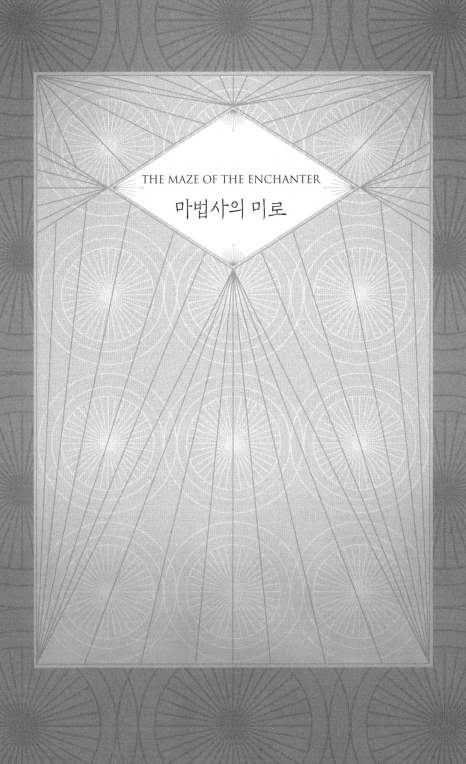

THE MAZE OF THE ENCHANTER

마법사의 미로

작품 노트

1932년에 완성, 1933년 자비로 출판한 작품집 『이중 그림자』에 이어 「마알 드웨브의 미로 The Maze of Maal Dweb」라는 제목으로 1938년 《위어드 테일스》 10월호에 실렸다.

이 작품은 「백색 벌레의 출현」, 「이중 그림자」와 똑같은 이유, 즉 문체가 시적이고 묘사가 세밀하다는 이유로 오랫동안 발표 기회를 잡지 못했다. 스미스는 원제(무울 드웨브의 미로)를 '마법사의 미로'로 바꾸고, 무울 드웨브를 마알 드웨브로 바꾸는 등 여러 차례 수정을 거듭하면서 자괴감을 느꼈던 것 같다. 이 작품이 계속 거절당하자 덜레스에게 보낸 편지에서 펄프 잡지들이 점점 퇴행하고 몰락해 간다고 한탄하면서 착잡한 심정을 토로했다. "(「마법사의 미로」에서) 그래머스쿨 5학년생이 힘들어할 만한 단어, 표현을 모두 삭제하려고 노력했습니다. 펄프 작가들이 잘 사용하지 않는 단어들을 내가 사용하는 유일한 이유는 정확성, 다양성, 농밀함을 위해서입니다. 단어는 그 자체를 돋보이게 하려고 추가되는 것이 결코 아니라, 내가 원하는 의미의 미묘한 음영이나 어감을 표현하기 위함이지요. 그럼에도 나는 이 모든 것이 (잡지사들의 주장처럼) 일반 독자에겐 난해하다고 여길 수밖에 없습니다. 일반 독자들이 나보다 더 많은 교육을 받았을 터인데 말입니다."

이 작품에서 기괴하고도 다양한 식물들은 미로의 복잡하고 섬뜩한 분위기를 전달하는데 효과적으로 묘사되고 있다. 사랑하는 여인을 찾아 악인(마알 드웨브)의 미로로 뛰어든 티그라리가 주인공으로 보이지만, 후반으로 갈수록 오히려 마알 드웨브 쪽으로 무게중심이 이동한다.

「마법사의 미로」는 스미스의 작품 중에서 시 「체리-스노 The Cherry-Snows」에 이어 두 번째로 학교 교과서에 실렸다.

빛이라고는 각각의 위상은 다르나 이지러져가기는 매한가지인 네 개의 작은 달뿐인 지카프, 이곳의 바닥 없는 수름 늪지엔 파충류가 살지 않고 용이 내려오진 않으나 새카만 개흙이 살아 있는 생물처럼 끊임없이 요동치며 몸부림치고 있는데, 지금 이 늪지를 건너는 자가 있으니, 바로 티그라리다. 그는 이 늪지를 가로지르는 높고 흰 강옥석 방죽을 조심스레 피하여, 발밑에서 젤라틴처럼 떠는 사초들로 무성한 이 섬에서 저 섬으로, 한없이 위험한 길을 누비고 갔다. 단단한 뭍에 이르러 키 큰 종려나무 숲으로 둘러싸인 안전한 곳이 나타나자, 옅은 색 반암 계단이 아찔한 골짜기의 틈바구니와 유리처럼 반반하고 가파른 비탈을 지나 위쪽으로 마알 드웨브의 불가사의하고 무시무시한 집까지 구불구불 나 있었으나, 이번에도 그는 이 계단을 피해 갔다. 방죽과 계단엔 그가 마주치고 싶지 않은 자들이 지키고 있었다. 바로 마알 드웨브의 말 없고 거대한 무쇠 부하들이었다. 팔 끝 부분에 담금질한 쇠로 만든 긴 초승달 모양의 칼날이 달린 이 부하들은 주인의 허락 없이 이곳에 들어온 자는 누구든 무자비하게 베었다.

티그라리의 알몸은 머리에서 발끝까지, 지카프의 모든 동물이 질색하는 정글 식물의 수액으로 더러워져 있었다. 이 덕에 폭군 마알 드웨브의 저택과 절벽 정원을 맘껏 어슬렁거리는 원숭이를 닮은 맹수들을 피해 무사히 지나갈 수 있기를 바랐다. 그는 산을 오르는 데 사용할 목적으로 나무뿌리를 엮고 한쪽 끝에 놋쇠 구슬을 매단, 아주 튼튼하고 가벼운 밧줄을 가져왔다. 옆구리에 찬 키메라 가죽의 칼집엔 날개 달린 독사의 맹독을 묻힌 예리한 칼이 들어 있었다.

티그라리보다 앞서서 많은 이들이 너도나도 폭군을 처단하겠다는 숭고한 꿈을 품고서 새카만 늪을 건너고 금기의 비탈을 올랐다. 그러나 아무도 돌아오지 않았다. 마알 드웨브의 산상 궁전에 실제로 도착한 이들이 어떤 운명을 맞았는지를 두고 설왕설래가 오갔다. 생사를 떠나 이들을 다시 본 사람이 없기 때문이었다. 그러나 사납고 간악한 맹수들을 죽이는 데 이골이 난 밀림의 사냥꾼, 티그라리는 섬뜩한 예감 그 이상의 어떤 장애물에도 발길을 늦추지 않았다.

이 산을 오르는 것은 지카프의 태양 세 개가 비추는 백주 대낮에도 지극히 위험한 곡예였다. 티그라리는 야간에 비행하는 익수룡처럼 예리한 눈으로 돌출한 구석 돌 주변에 밧줄을 던졌다. 그리고 원숭이처럼 유연하게 위험천만한 발판을 디디며 올라갔다. 마침내 마지막 절벽 밑의 비좁은 측벽까지 닿았다. 이 측벽을 이용하여, 마알 드웨브의 정원 쪽에서 언월도 같은 잎을 매달고 낭떠러지 쪽으로 기울어 있는 나무 한 그루의 비틀린 가지에 밧줄을 던지는 것은 식은 죽 먹기였다.

밧줄을 건 나무가 그의 무게에 휘어지면서 날카로운 금속과도 같은 나뭇잎들이 내리칠 듯 밑으로 늘어졌다. 티그라리는 그것을 피해, 드디어 무시무시한 전설의 암석 지대에 올라섰고, 여전히 경계를 늦추지 않았다. 풍문에 따르면, 이곳에서 악마와도 같은 마법사이자 과학자가 인간의 도움 없이도 지금보다 더 높았던 고산의 정상을 깎아 벽을 만들었고, 둥근 천장과 작은 탑을 세웠으며 그 주변에 거대한 평지를 조성하였다. 곧바로 이 거대한 평지에 마법으로 만든 옥토를 깔았다. 그리고 이 옥토에 지카프의 세 개 태양 너머 외부 세계에서 가져온 독성 나무들과 더불어, 풍성하고 왕성한 지옥의 품종으로 보이는 꽃들을 심었다.

이 정원에 관하여 실제로 알려진 것은 거의 없었다. 다만, 왕궁의 남쪽과 북쪽 그리고 서쪽에서 자라는 식물들은 세 개 태양의 여명을 마주보고 있는 동쪽 식물에 비해 덜 치명적이라는 소문이 있었다. 이 동쪽 식물의 상당수는, 전설에 따르면, 한번 들어가면 빠져나올 수 없는 악랄하리만큼 독창적이고도 끝이 없는 미로의 형태로 재배되고 조경되었다. 더구나 이 미로의 꼬불꼬불한 길마다 악독한 다이달로스[54]에 의해 고안된, 더없이 치명적이고 잔악한 함정들과 예측불허의 운명이 숨겨져 있다고 한다. 이 미로를 염두에 둔 티그라리는 세 겹의 저녁놀이 지는 서쪽으로 향하였다.

그가 서쪽 정원의 그림자 속에 웅크리고 들어갔을 때, 두 팔은 길고도 고된 등반으로 욱신거렸고 숨은 가쁘게 오르내렸다. 주변의 어스름속에서 묵직한 두건 모양의 꽃들이 악의를 드러내며 음울하게 구부러져 있기도 했고, 반대로 그를 향하여 살랑거리며 꽃부리를 열고는 마취성 향기를 뿜거나 광기의 꽃가루를 흩뿌렸다. 꽃 뒤편에서는 마알 드웨브의 나무들이 피를 얼어붙게 만들고 머릿속을 악몽으로 물들게 만드는 변칙적이고 복잡한 실루엣을 드리우며 모여들어 공모를 꾸미는 것 같았다. 어떤 나무들은 깃털 달린 비단뱀처럼 또 어떤 것들은 갓털 달린 용처럼 꾸불꾸불 일어서 있었다. 또 가지들을 방사상으로 뻗고 웅크린 나무들은 거대한 절지동물의 털북숭이 다리를 연상시켰다. 나무들이 은밀한 움직임으로 티그라리를 향해 다가오는 것 같았다. 가시와 큰 낫 모양의 잎을 위협적인 창살처럼 흔들었다. 아라베스크 무늬처럼 서로 뒤엉키어 네 개의 달을 가려버렸다. 맞물린 방패를 앞세운 군대처럼 거대한 나뭇잎을 앞세우고 얽히고설킨 뿌리로 일어서 있었다.

티그라리는 쉴 새 없이 경계하고 계산하면서 이 괴식물 군단의 울타리에서 허점을 찾기 시작했다. 줄곧 긴장 상태에 있던 그의 신체 능력은 심각한 공포에 더욱 기민해졌고, 강렬한 혐오감에 더욱 강화되었다. 공포는 그 자신이 아니라 애슬 때문이었다. 그가 사랑하는 여인이자 부족 중에서 가장 아름다운 애슬은 마알 드웨브의 부름을 받고 바로 어젯밤에 강옥석 방죽과 반암 계단을 홀로 걸어갔다. 어떤 남자도 본 적이 없고, 그의 궁전에 들어간 어떤 여자도 돌아온 적이 없는, 세상에서 가장 강하고 가장 무서운 마알 드웨브, 이 폭군을 향한 티그라리의 증오심은 용감한 남자이자 격분한 연인의 증오심 바로 그것이었다. 마알 드웨브는 철의 목소리로 먼 도시와 더욱더 먼 정글까지 들리도록 말하였다. 그는 뇌석보다 더 빨리 떨어지는 불로 반역자와 항명자를 벌하였다.

마알 드웨브는 지카프 행성에서 가장 아름다운 처녀들을 데려갔다. 그의 불가사의한 감시망에서 벗어날 수 있는 철옹성의 요새도 머나먼 미개의 동굴도 이 세상엔 존재하지 않았다. 30여 년의 폭정 동안, 최소 50명의 여성들을 골랐다. 선택된 여성들은 저마다 연인과 동족에게 마알 드웨브의 화가 미칠 것을 두려워하여, 자발적으로 하나둘 산상 요새로 향했고, 비밀의 성벽 뒤로 자취를 감추었다. 이들은 늙어가는 마법사의 첩처럼 천 개의 거울로 그들의 아름다움을 부풀린 공간에 사는 것으로 알려져 있었다. 또한 이들을 시중 드는 황동으로 만든 여자 하인과 무쇠로 만든 남자 하인들은 사람과 똑같이 말하고 움직인다 하였다.

티그라리는 애슬 앞에서 세련되지 못한 연정과 투박한 수렵물들을 쏟아부었으나, 많은 경쟁자 사이에서 자신이 과연 그녀의 호감을 얻고 있는지 여전히 확신하지 못하였다. 문주란처럼 냉정하고 냉정한 만큼 공평한 애슬은 그의 숭배뿐만 아니라 다른 남자들의 숭배도 모두 받아 주었는데, 그중에서도 전사인 모케어가 가장 만만찮은 경쟁자로 보였다. 어제 사냥에서 돌아오는 길에 티그라리는 비탄에 빠진 부족을 발견하였다. 이윽고 애슬이 마알 드웨브의 첩이 되기 위해 떠났다는 것을 알고는 곧장 추적에 나섰다.

마알 드웨브의 귀가 사방에 깔려 있어서 그는 부족민들에게 자신의 뜻을 전하진 못하였다. 그렇다 보니, 모케어를 비롯한 다른 남자들이 그보다 앞서서 무모한 추적에 나섰는지 여부도 알지 못하였다. 아무튼 모케어의 흔적은 보이지 않았다. 그렇다고 모케어가 벌써 이 산의 어둡고 섬뜩한 위험 속으로 뛰어든 것 같지는 않았다.

이런 생각은 티그라리로 하여금 독성의 파충류 같은 꽃과 얽히고설킨 뿌리에도 아랑곳하지 않고 무턱대고 달려가게 만들었다. 얼마 후에 오싹한 숲 속의 갈라진 틈에 도착했을 때, 마알 드웨브의 궁전 아래층 창문에 비치는 샛노란 불빛이 보였고, 별자리를 위협하듯 솟구친 돔과 작은 탑 들이 음산하게 군집을 이루고 있었다. 불빛은 잠들지 않는 용들의 눈알처럼 표독스럽고 빤한 눈길로 그를 주시하는 것 같았다. 그러나 티그라리는 틈을 건너 그 불빛을 향해 뛰어들었고, 곧바로 등 뒤에서 기다란 칼처럼 생긴 나뭇잎들이 쨍그랑 소리를 냈다.

앞에 펼쳐진 빈 풀밭은 그의 발밑에서 무수한 벌레들처럼 꿈틀거리는, 기이한 풀로 뒤덮여 있었다. 그는 그런 풀밭에도 개의치 않고 미끄러지듯 불빛을 향해 뛰어갔다. 풀밭엔 발자국이 없었다. 그러나 왕궁의 주랑 가까이에서 누군가 한쪽으로 치워놓은 가는 밧줄 한 사리를 보고는 모케어가 그보다 앞서 갔음을 알게 되었다.

궁전 주변에는 얼룩덜룩한 대리석 길과 괴물 조각상의 목구멍에서 피처럼 꼴깍거리는 폭포와 분수 들이 있었다. 열린 정문은 무방비 상태였고, 건물 전체가 잔잔한 램프 불빛으로 밝혀진 거대한 능묘처럼 고요하였다. 환한 황색 창가 너머에서 움직임은 포착되지 않았다. 높은 탑과 궁릉 사이에서 어둠이 잠자고 있었다. 그러나 이 정적과 잠든 기운을 크게 불신한 티그라리는 궁전에 더 가까이 접근하기에 앞서 한동안 주변의 길을 따라 움직였다.

몸집이 상당히 크고 생김새가 불분명한, 다시 말해 티그라리가 마알 드웨브의 원숭이 괴물이라고 여긴 동물들이 어둠 속에서 그의 곁을 지나갔다. 그것들은 털북숭이에다 메부수수했으며, 머리가 한쪽으로 기울어져 있었다. 그중에서 일부는 네발짐승처럼 달려갔고, 어떤 것은 유인원처럼 반직립 자세를 유지하였다. 그것들은 티그라리에게 위협을 가하진 않았다. 오히려 개처럼 낑낑거리면서 그를 피하듯이 슬금슬금 꽁무니를 뺐다. 이 모습을 본 티그라리는 그것들이 진짜 짐승이고, 그래서 그의 팔다리와 상반신에 밴 냄새를 견디지 못하는 거라 생각하였다.

마침내 그는 다발 기둥들로 이루어진, 캄캄한 주랑에 잠입하였다. 여기서부터 언제나 불가사의하고 변함없는 공포의 대상이었던 마알 드웨브의 궁전 속으로 정글의 뱀처럼 조용히 미끄러져 들어갔다. 어둠에 물든 기둥들 너머로 문 하나가 열려 있었다. 그리고 그 문 뒤로 어렴풋이 드러난 홀은 텅 비어 있었고, 끝없이 펼쳐져 있는 것 같았다.

티그라리는 경계심을 더욱 조이면서 벽걸이가 드리워진 벽을 따라 움직이기 시작했다. 어딘지 께느른하고 졸리게 만드는, 정체불명의 향기가 가득하였다. 사랑의 밀실에 피워놓은 향로에서 미묘하게 풍기는 냄새라고 할까. 그는 그 향기가 마음에 들지 않았다. 게다가 궁전 깊숙이 들어갈수록 침묵 때문에 점점 더 신경이 곤두섰다. 어둠 속에는 들리지 않는 숨결이 가득한 것 같았고, 보이지 않고 불길한 움직임들로 부산한 것 같았다.

커다란 황색 눈알이 떠지듯, 홀을 따라 걸려 있는 거대한 구리 램프에서 황색 불길이 일었다. 티그라리는 육중한 벽걸이 뒤에 몸을 숨겼다. 불안하게 동태를 살폈으나, 홀은 여전히 비어 있었다. 이윽고 다시 이동하기 시작했다. 주변에는 온통 장엄한 벽걸이로 가득했고, 새빨간 들판을 배경으로 자주색 남자들과 하늘색 여자들이 수놓인 이 벽걸이들이 티그라리는 느낄 수 없는 바람에 의해 살랑거리는 것 같았다. 램프들은 변함없이 빛나는 눈알로 그를 주시하고 있었다. 그러나 마알 드웨브의 흔적은커녕 쇠로 만든 부하들도 여자 첩들도 보이지 않았다.

흑단과 상아 문짝으로 절묘하게 구성된 홀의 양쪽 문들은 모두 닫혀 있었다. 그런데 저쪽 끝, 칙칙한 색깔의 이중 벽걸이에서 불빛이 새어나왔다. 티그라리가 아주 조심스럽게 벽걸이를 걷자, 크고 환한 방에 언뜻 마알 드웨브의 첩으로 보이는, 수십 년에 걸쳐 불려 온 여자들이 전부 모여 있는 것 같았다. 실제로도 수많은 여자들이 화려한 소파에 기대거나 누워 있었고, 권태 아니면 공포에 젖어 서 있었다. 티그라리는 그중에서 피부가 사막의 소금보다도 흰 옴무-자인 종족의 여자를 알아보았다. 그뿐만 아니라, 숨 쉬고 고동치는 물보라에서 태어난 유트마이 종족의 호리호리한 여자들, 적도 부근의 잘라 종족 출신으로 독특한 황갈색 피부를 지닌 여자들, 아담한 체구와 갓 빚어낸 청동색의 피부를 지닌 일라프의 여자들도 거기 있었다. 그러나 아무리 찾아봐도 백합처럼 아름다운 애슬의 모습은 보이지 않았다.

그는 여자들의 수가 그렇게 많다는 것에 또 그들이 각양각색의 자세를 취하고 있음에도 쥐 죽은 듯 조용하다는 것에 몹시 놀랐다. 깜박거리는 눈꺼풀 하나, 밑으로 향하는 손 하나 없었고, 다물거나 여는 입술 또한 없었다. 그들은 모두 대리석에 교묘히 색칠한, 살아 있는 조각상 같거나 아니면 영원한 마법의 홀에서 잠든 여신 같았다.

티그라리는 두려움을 모르는 사냥꾼이었으나 이때는 외경심을 느꼈고 무서웠다. 눈앞의 광경은 마알 드웨브의 전설적인 마법을 방증하고 있었다. 이 여자들은 ― 조각상이 아니라 진짜 여자가 맞는다면 ― 영원한 잠이라는 죽음의 마법에 걸린 것이리라. 보이지 않는 견고한 침묵의 매개체가 방 안에 가득하여 여자들 주변에 자리 잡고 있는 것 같았다. 이 침묵 속에서 어떤 인간도 숨을 쉴 수는 없을 것 같았다.

그래도 마알 드웨브와 애슬을 계속해서 찾아 나서려면, 이 마법의 방을 반드시 지나가야만 했다. 문지방을 넘는 순간 대리석처럼 단단한 잠에 빠질 거라 예감하면서 티그라리는 숨을 참고 은밀한 표범처럼 움직였다. 영원한 침묵 속에서 각양각색의 표정과 자세를 취하고 있던 여자들이 순간적으로 공포, 경이, 호기심, 허영, 권태, 분노, 욕정 등등의 감정을 느끼는 것 같았다. 처음의 예상보다는 여자들의 수가 적었고, 방도 작았으니, 벽면마다 설치된 금속 거울로 인해 수가 많고 공간이 커 보이는 착시 현상이 생긴 것이었다.

티그라리가 반대편 벽에서 또 하나의 이중 벽걸이를 발견하고 그것을 살며시 걷어봤으나, 어둠뿐이었다. 어둠을 뚫고 찬찬히 살펴보노라니, 형형색색의 빛과 피가 증발하는 듯 빨간 증기를 내뿜는 향로 두 개가 어둠침침한 방 하나를 희미하게 드러내기 시작했다. 높은 삼각대에 얹힌 두 개의 향로는 멀리 구석 자리에서 마주 보고 있었다. 그리고 향로 중간에, 여자의 머리칼을 땋은 것처럼 술 장식을 단 검은 캐노피 아래, 은색 새들이 금색 뱀 떼와 싸우는 그림으로 장식된 자줏빛 침상 하나가 있었다. 이 침상에 수수한 옷차림의 한 남자가 피곤한 것인지 아니면 잠든 것인지 모르게 기대어 있었다. 남자의 얼굴은 모호한 그림자들 속에서 불가사의한 가면처럼 희미하기만 하였다. 그러나 티그라리는 그 남자가 무시무시한 폭군, 즉 그가 죽이려는 마법사 이외의 다른 누구라고는 생각하지 않았다. 저자가 바로 마알 드웨브라고, 육신의 형태를 띤 그를 본 인간은 없으나 그 권능만큼은 만인에게 알려진 지카프의 신비하고 전지전능한 통치자라고, 티그라리는 확신하였다. 왕 중의 왕이며, 세 개의 태양과 그것의 모든 달과 위성까지 거느린 최고의 영주, 그자가 바로 그 마알 드웨브였다.

마알 드웨브의 위엄과 이 공포의 제국을 상징하는 여러 형상들이 유령 보초들처럼 티그라리 앞에 일어섰다. 그러나 애슬을 구해야 한다는 열망은 붉은 안개가 되어 이 모든 형상들을 가려버렸다. 그는 마법 궁전에 대한 그 자신의 섬뜩한 공포와 경외감을 잊었다. 그의 몸속에서 되살아난, 이별한 연인의 분노와 노련한 사냥꾼의 굶주림이 민첩하고 은밀한 그의 걸음을 인도하였고, 그의 강인한 근육을 단단히 지탱시켰다. 방 안에는 침상에서 미동도 하지 않고 나른하게 누운 남자 외에 아무도 없었다. 티그라리는 의식이 없는 마법사에게 다가갔다. 그의 손은 독사의 독을 묻힌, 바늘처럼 예리한 칼을 단단히 움켜쥐고 있었다.

눈앞에 누워 있는 남자는 두 눈을 감은 채였고, 입가와 눈꺼풀엔 아리송한 피곤의 그림자가 있었다. 남자는 아득한 기억 또는 깊은 몽상의 미로를 배회하는 사람처럼 잠들어 있기보단 명상에 잠겨 있는 듯 보였다. 주변의 벽면엔 거무스름하고 애매한 무늬가 있는, 음울한 벽걸이들이 드리워져 있었다. 위쪽으로는 한 쌍의 향로가 짙은 빛을 발하면서 졸린 몰약 성분을 방 안에 퍼뜨리고 있었다. 이 몰약 때문에 티그라리는 기이한 어스름 속을 헤엄치는 기분을 느꼈다.

새와 뱀이 그려진 장식 옆에 호랑이처럼 웅크린 티그라리가 일격을 벼르고 있었다. 그는 곧 향기의 미묘한 현기증을 이겨내고 일어섰다. 그러곤 묵직하면서도 유연한 독사의 움직임으로 전광석화처럼 폭군의 심장에 칼을 꽂았다.

그런데 강철 벽을 찌르는 느낌이 들었다. 께느른하게 누워 있는 마법사의 앞쪽과 위쪽 허공에서 티그라리의 눈엔 보이지 않으나 꿰뚫을 수 없는 물질이 칼에 부딪쳤다. 칼끝이 부러져 바닥에 떨어졌다. 어리둥절해진 티그라리는 자신이 죽이고자 했던 남자를 노려보았다. 마알 드웨브는 꿈쩍도 하지 않았고 눈을 뜨지도 않았다. 얼굴엔 찌푸린 인상도 그렇다고 미소도 드러나 있지 않았다. 다만, 수수께끼 같은 피곤의 그림자에 어딘지 애매하고 잔인한 즐거움 같은 것이 섞여 있었다.

티그라리는 사태를 파악하기 위하여 다급히 두 손을 뻗었다. 혹시나 했는데, 역시나 연기를 내는 향로 사이에는 침상도 캐노피도 없었다. 거기 있는 것이라고는 수직으로 아주 반들반들 광택이 나는 표면뿐이었고, 거기에 그 모든 장면이 비치고 있었다. 티그라리는 이번에는 거울의 이미지를 노렸다. 그러나 한층 더 당황스럽게도 그 자신의 모습은 거울에서 보이지 않았다.

그는 마알 드웨브가 분명히 방 안 어딘가에 있을 거라 생각하면서 몸을 획 돌렸다. 몸을 돌리는 순간에도 음울한 벽걸이들이 보이지 않는

손에 의해 잡아당겨지는 것처럼 사악하면서도 우아하게 스르륵 나부
꼈다. 방 안이 갑자기 환해지더니, 벽면이 한없이 뒤로 물러갔다. 그리
고 팔다리와 상반신이 연고를 바른 것처럼 암갈색으로 빛나는 벌거숭
이 거인들이 사방에 위협적인 자세로 서 있었다. 거인들의 눈은 정글의
야수처럼 이글거렸다. 게다가 저마다 끝이 부러진, 거대한 칼을 하나씩
들고 있었다.

티그라리는 이것을 무서운 마술이라고 생각한 뒤, 덫에 걸린 동물처
럼 잔뜩 긴장하면서 삼각대 밑에 웅크리고는 거인들의 공격을 기다렸
다. 그런데 거인들이 동시에 웅크리면서 티그라리의 동작을 하나하나
따라 하는 것이었다. 이쯤 되자, 티그라리는 눈앞의 거인들이 마알 드
웨브의 거울을 통하여 수적으로 늘어나고 크기가 기괴하게 확대된 자
기 자신의 반사체라는 생각이 들었다.

그는 다시 돌아섰다. 술 장식이 달린 캐노피, 그림 장식이 있는 짙은
자줏빛 침상, 수수한 옷차림으로 누워서 꿈을 꾸는 남자, 이 모든 것이
사라지고 없었다. 그가 본 것 중에서 남아 있는 것이라고는 그 자신의
모습을 비추는 반들반들한 벽과 그 앞에서 연기를 뿜는 두 개의 향로뿐
이었다.

사냥꾼의 혼란한 머리에서 당혹감과 공포감이 하나로 합쳐졌다. 모
든 것을 꿰뚫어 보는 전지전능한 마법사, 마알 드웨브가 그를 상대로
게임을 하면서 정교한 복제술로 현혹하고 있다는 생각이 들었다. 하찮
은 힘과 사냥 기술로 이토록 초자연적인 능력과 악마의 술수를 지닌 존
재와 대적하려 하다니, 참으로 무모한 짓이었다. 티그라리는 꼼짝도 할
수 없었다. 숨을 쉴 수조차 없었다. 기괴한 반사체들이 포획한 난쟁이
를 감시하는 오거들처럼 그를 지켜보았다. 거울들 속에 숨겨진 램프가

비추는 듯한 불빛은 더욱 냉혹하고 급박한 탐욕을 띠었고, 저절로 소리 없는 공포를 몰고 와 그에게 빛을 집중하고 있었다. 착시를 일으키며 넓어진 방은 끝이 없어 보였다. 저 멀리 어둠 속에서 수증기들이 모여 사람의 얼굴을 만들었다가 다시 흩어졌다 했는데, 단 한 번도 같은 얼굴을 보여주지 않았다.

오싹한 불빛은 더욱더 밝아졌다. 점점 더 멀어지는 시야에서 지옥의 연기 같은 얼굴들이 움직이지 않는 거인들 뒤에서 저절로 흩어졌다가 다시 합쳐지기를 반복하고 있었다. 정적의 뒤안길에 들리지 않는 웃음, 독살스러운 비웃음이 숨어 있는 것 같았다. 얼마나 오랫동안 그렇게 서 있었는지, 티그라리는 알지 못했다. 그 방의 눈부시게 얼어붙은 공포는 시간을 초월한 것이었다.

그때, 환한 허공에서 목소리가 들려오기 시작했다. 단조롭고 신중하나 육체에서 분리된 목소리였다. 그리고 어딘지 경멸하는 말투였다. 조금은 피곤하고 약간은 잔인했다. 그 목소리의 출처를 알아내기란 불가능했다. 티그라리의 심장박동처럼 가까이서 들려오는가 싶으면, 어느새 아득히 멀리서 들려왔다.

"티그라리, 무엇을 찾느냐?" 목소리가 말하였다. "마알 드웨브의 궁전에 들어오고도 무사할 줄 알았더냐? 많은 이들이 너와 똑같은 의도로 너보다 먼저 이곳에 왔으나, 그들 모두 만용의 대가를 치렀다."

"애슬이라는 여자를 찾고 있소." 티그라리가 말하였다. "그 여자한테 무슨 짓을 한 거요?"

그는 자신의 목소리가 타인의 것처럼 또 아주 멀리서 들려와 낯설었다.

"애슬은 매우 아름다운 여자다." 목소리가 답하였다. "그 여자의 아름다움을 이용하는 건 마알 드웨브의 의지다. 맹수를 사냥하는 사냥꾼 따위가 관여할 문제가 아니다. 어리석구나, 티그라리."

"애슬은 어디에 있소?" 사냥꾼도 물러서지 않았다.

"애슬은 자신의 운명을 찾으러 마알 드웨브의 미로에 갔다. 얼마 전에, 모카에라는 전사가 그녀를 뒤쫓아 나의 왕궁에 들어왔고, 내가 알려준 대로, 절대 끝나지 않는 미로의 굽잇길 한복판으로 들어갔다. 티그라리, 너도 당장 그녀를 찾으러 가라……. 나의 미로에는 많은 미스터리가 있다. 무엇보다도 네가 찾고자 하는 대상이 거기 있는 것 같구나."

사냥꾼은 유리 벽에 나 있는 문 하나가 열려 있는 것을 보았다. 거울의 깊숙한 곳에서 마알 드웨브의 금속 노예 둘이 나타났다. 사람보다 키가 크고, 광택을 낸 칼처럼 머리부터 발끝까지 빛이 나는 이 노예들이 티그라리를 향해 다가왔다. 둘 다 오른손에 초승달 모양의 낫을 들고 있었다. 사냥꾼은 뒤 한 번 돌아보지 않고 서둘러 열린 문으로 빠져나갔다. 그의 등 뒤에서 문이 쾅 닫혔다.

지카프 행성의 짧은 밤이 아직 끝나지 않았다. 네 개의 달은 모두 졌다. 그러나 티그라리 앞에, 기괴한 궁륭 천장과 나뭇잎 무성한 아케이드에 랜턴처럼 매달린 발광성의 동그란 열매들에 의해 환하게 밝혀진, 전설적인 미로의 초입이 나타났다. 그는 조요하고 스산한 빛을 따라서 미로 속으로 들어갔다.

처음에는 꼬마 요정들의 환상과 변덕으로 만들어진 장소에 불과하였다. 요상하게 뒤집힌 연단, 가늘고 기괴한 나무 기둥들, 익살스럽게 곁눈질하는 난초로 장식한 격자 구조물들에 이어서 숨겨진 악귀의 밀실 같은 곳이 불쑥불쑥 나타났다. 외곽의 꼬부랑길은 그저 눈요기로 현혹하기 위해 만들어놓은 것 같았다.

이윽고 사냥꾼이 계속 나아갈수록, 미로 설계자의 의중이 어딘지 음산하게 변한 것처럼 분위기가 불길하고 해로워졌다. 길을 따라 줄지어 선 나무들은 고문당하고 몸부림치는 라오콘[55]처럼 비틀리고 뒤엉킨 가지를 뻗고 있었다. 그리고 불경한 촛불을 들어 올린 생김새의 거대한 균류들이 나무에 빛을 비추고 있었다. 길 자체는 밑으로 줄달음질 치다가, 짓궂게 기울어진 계단을 따라 올라가기도 하면서 잎이 무성한 동굴을 지나갔는데, 잎맥이 촘촘한 잎들은 놋쇠로 만든 용의 비늘처럼 반짝이고 있었다. 모퉁이마다 길이 갈라졌다. 꾸불꾸불한 갈림길은 갈수록 그 수가 더 많아졌다. 밀림에 익숙한 티그라리마저도 자신이 어느 쪽으로 가고 있는지 또 어느 쪽으로 되돌아갈 수 있는지 도저히 알 길이 없었다. 그저 우연하게라도 애슬을 만날 수 있기를, 그는 그 희망으로 계속 걸어갔다. 몇 번이고 애슬의 이름을 소리쳐 불렀으나, 멀리서 돌아오는 대답은 조롱의 메아리거나 마알 드웨브의 이 미로에서 길을 잃은 어느 짐승의 구슬픈 울음소리뿐이었다.

나무로 만든 동굴 모양의 공간에서 기분 나쁜 물웅덩이가 나타났고, 마녀의 불이 소용돌이치며 타올라 칙칙한 물속을 밝히고 있었다. 시체의 푸르스름하게 부푼 손 같은 것들이 변화하는 인광 빛의 웅덩이 수면에서 튀어나왔다. 그런데 수면으로 애슬의 익사한 얼굴이 스쳐 간 것 같았다. 그는 얕은 웅덩이 속으로 뛰어들었다. 그러나 악취 나는 개흙과 그의 몸 밑에서 느릿느릿 꾸물거리는 부풀고 역겨운 괴물 한 마리밖에 없었다.

다음에는 악성 히드라들이 자라고 있는 나무를 기어올랐고, 그동안 히드라들이 그의 주변에서 거칠게 몸을 말았다 폈다 하였다. 그쪽으로 갈수록 점점 밝아졌다. 밤이 되면 반짝이던 열매와 꽃 들은 마녀 집회에서 꺼져가는 촛불처럼 희미한 병색을 띠었다. 세 개의 태양 중에서 하나가 제일 먼저 떠올랐다. 자황색 햇빛이 주름진 독성 덩굴의 흉측하고 촘촘한 틈으로 스며들었다.

멀리서, 미로의 어느 높은 곳에서 내려오는 듯한——종소리 혹은 징소리 같으면서도 귀에 거슬리는——합창 소리가 들려왔다. 무슨 소리인지는 분간이 가지 않았다. 다만, 억양으로 미루어 엄숙하고 불길한 선언이었다. 합창 소리엔 신비한 결말과 성스러운 운명의 기운이 가득했다. 그 소리가 그쳤다. 그리고 흔들리는 식물의 쇳소리와 부스럭거림 외에 아무런 소리도 들려오지 않았다.

티그라리는 계속 나아갔다. 고달픈 미로는 더욱 험하고 더욱 변칙적으로 변해 갔다. 돌과 금속으로 만든 것처럼 종잡을 수 없는 조각이나 건축물처럼 층층이 자라는 식물들도 있었다. 뿌리가 달린 살덩어리를 연상시키는 육욕의 괴식물들이 악취 나는 분비물 속에서 서로 뒹굴고 싸우고 짝짓기를 하였다. 창병에 걸려 지저분한 꽃식물들이 지옥의 오벨리스크에서 과시욕에 사로잡혀 있기도 했다. 기생식물인 심홍색의 이끼들은 저주받은 누각의 기둥 뒤에서 잔뜩 부풀어 오른 괴식물들의 몸에 붙어서 기어 다녔다.

이때부터 사냥꾼의 발걸음이 예정되고 지시받은 것처럼 움직이기 시작했다. 그는 더 이상 자기가 갈 길을 선택할 수 없었다. 마주치고 싶지 않은 괴물들이 길목마다 득시글거렸다. 또 길의 일부분은 선인장이 무시무시한 쇠살문처럼 가로막고 있거나 다랑어보다도 큰 거머리들이 우글거리는 웅덩이로 끝이 나버렸다. 지카프의 두 번째 해와 세 번째 해가 떴다. 그러나 에메랄드 색과 카민 색[56] 햇빛은 티그라리를 에워싼 함정의 공포만을 밝혀줄 뿐이었다.

식물성 뱀들이 기어 다니는 계단을 오르기도 했고, 알로에들이 이리 저리 흔들거리며 와락 덮치곤 하는 비탈을 천천히 오르기도 했다. 올라 왔던 아래쪽이든 올라가고 있는 위쪽이든 간에 미로의 모습을 제대로 볼 수 없었다. 막다른 길에서 마알 드웨브의 원숭이를 닮은 괴물 하나 와 마주쳤다. 그 검은색의 난폭한 동물은 숨겨진 어느 웅덩이에서 멱을 감았는지, 젖은 수달처럼 미끈거리고 윤기가 흘렀다. 그것은 거칠게 울 면서 그의 곁을 지나가다가, 앞서 다른 동족들이 그의 몸에 묻은 수액 을 피해 도망쳤듯이 슬그머니 줄행랑을 쳤다. 그러나 어디서도 애슬은 물론이고 그보다 앞서 미로로 들어갔다는 전사 모카에도 보이지 않았다.

곧 그가 도착한 곳은 거무스름한 얼룩 마노로 이루어진, 타원형의 작 고 신기한 도로였다. 전체적으로 타원형이었으나, 그가 다가가는 방향 에만 거대한 꽃들이 있었다. 이 꽃들은 청동 피리 같은 줄기와 키메라 의 상스럽고 얼룩덜룩한 머리통처럼 크고 기우뚱한 불알을 지니고 카 민 색 목구멍을 드러내고 있었다. 이 독특한 울타리의 틈을 지나 도로 에 올라선 티그라리는 갑자기 멈춰 서더니, 빽빽한 꽃들을 우두커니 바 라만 보았다. 거기서 길이 끝난 것 같아서였다.

발밑의 마노는 뭔지 모를 끈적끈적한 액체로 젖어 있었다. 그는 지금 까지 지나온 놀랍고도 기이하고 복잡하고도 혼란스러운 공포에 그만 얼떨떨해졌다. 그래도 마음속 어딘가에서 위험을 알리는 경고가 요동 쳤다. 그래서 방금 들어왔던 틈으로 돌아섰으나, 다시 빠져나가기엔 이 미 늦은 후였다. 키 큰 꽃식물들의 줄기 밑 부분에서 풀어놓은 청동 철 사처럼 기다란 덩굴손들이 뻗어 나오더니, 삽시간에 그의 발목을 휘감 았다. 그는 빽빽한 그물의 한복판에서 속수무책으로 서 있었다. 이윽고 그가 부질없이 몸부림을 치는 동안, 거대한 줄기들이 그를 향해 구부러지면서 꽃의 카민 색 아가리들이 해롱거리는 괴물들처럼 그의 무릎 가까이 다가왔다.

아가리들이 닿을 듯 가까워졌다. 그 두툼한 입에서 처음에는 투명한 무색의 액체가 천천히 떨어지더니, 곧이어 작은 실개천처럼 그의 발과 발목과 정강이에 흘러내렸다. 정확히 표현할 순 없어도, 액체가 묻은 살이 근질거렸다. 그러더니 일순간 독특한 마비 증상이 일었다. 그다음엔 무수한 곤충에 쏘인 것처럼 욱신거렸다. 그는 몰려든 꽃 머리들 사이로 자신의 다리에 신기하고 섬뜩한 변화가 생긴 것을 보았다. 원래 많았던 털이 더 수북해졌고, 원숭이의 털처럼 검고 북슬북슬해졌다. 정강이는 저절로 짧아져 있었다. 반면에 발은 점점 더 길어졌고, 발가락은 투박한 손가락처럼 생겨서 흡사 마알 드웨브의 동물들처럼 변해 버렸다.

이루 말할 수 없는 불안과 공포 속에서 그는 끝이 잘린 칼을 빼 들고 꽃을 후려치기 시작했다. 이미 울리고 있는 기괴한 쇠 종들을 치는 것 같았고, 무장한 용의 머리통을 가격하는 것 같았다. 칼은 손잡이가 두 동강이 났다. 꽃들이 섬뜩하게 솟구치더니, 그의 허리 가까이 숙이고는 묽고 사악한 침으로 그의 엉덩이와 허벅지를 적셨다.

그의 머리와 몸이 무기력하게 빠져들고 있던 기상천외의 악몽 저편에서 한 여자의 놀란 비명이 들려왔다. 울타리의 틈으로 기이한 광경이 보였으니, 지금까지 볼 수 없었던 미로가 마법에 의한 것처럼 갈라진 채 드러나 있었던 것이다. 마노 도로와 수평으로 15미터 거리에 타원형의 연단, 아니 낮고 흰 돌 제단이 있었는데, 반암 보도가 솟구치면서 미로에서 돌 제단 한복판으로 모습을 드러낸 애슬이 충격에 빠진 자세로 서 있었다. 그리고 제단 위로 거대한 대리석 도마뱀이 일어서서 발톱으로 원형의 커다란 금속 거울을 애슬의 앞쪽에 치켜들고 있었다. 이 도마뱀 괴물의 머리는 거울에 가려져 보이지 않았다. 아름다운 광경에 홀린 사람처럼 애슬은 쇠로 만든 원형 거울 속을 뚫어져라 쳐다보았다. 티그라리는 눈이 휘둥그레진 그녀의 옆얼굴을 볼 수 있었다. 반면에 거울 자체는 예리한 각도로 틀어져 있는 도마뱀의 몸뚱이와 구불구불한 미로에 가려져 제대로 보이지 않았다. 마노 도로와 타원형 돌 제단 중간에 여섯 개의 가는 놋쇠 기둥이 있었는데, 기둥마다 꼭대기에 조각된, 흉포한 테르미누스를 닮은 두상(頭像)들이 각각 넓은 간격을 두고 티그라리와 여자를 번갈아 쳐다보았다.

티그라리는 애슬을 소리쳐 부르려고 했다. 그러나 그 순간, 애슬이 보고 있는 것에 이끌리듯 거울 쪽으로 한발 다가서는 것이었다. 그러자 타원형의 거울이 내부의 백열광으로 눈부시게 환해지는 것 같았다. 그 예리한 광선 때문에 티그라리는 일순간 눈이 멀었고, 애슬은 그 빛에 휘감겨 얼어붙은 듯 서 있었다. 강렬한 광선이 야릇한 색의 반점으로 소용돌이치다 사라지자, 시력을 되찾은 티그라리는 조각상처럼 뻣뻣하게 굳어서 여전히 휘둥그레진 눈으로 거울을 보고 있는 애슬을 발견하였다. 그녀는 움직이지 않았다. 놀란 표정이 그녀의 얼굴에 굳어 있었다. 불현듯 티그라리는 애슬 또한 마알 드웨브의 궁전에서 마법의 잠에 빠져든 다른 여자들과 마찬가지라고 생각하였다. 이런 생각을 하고 있는데, 기둥 꼭대기의 두상들이 쇳소리로 합창했다.

"애슬은 영원의 거울 속에서 자신의 모습을 보았다." 목소리들이 엄숙하고 무서운 투로 말하였다. "그리하여 시간의 변화와 부패를 영원히 초월하였다."

티그라리는 거대하고 무시무시한 꿈의 늪 속으로 빨려들고 있는 것만 같았다. 애슬에게 무슨 일이 일어난 것인지 도저히 이해할 수 없었다. 그 자신의 운명 또한 단순한 사냥꾼의 이해력이 미치지 못하는, 어둡고 섬뜩한 수수께끼였다.

어느새 그의 어깨까지 올라온 꽃들이 그의 팔과 몸을 적셨다. 그 오싹한 마법으로 인해 그의 몸은 계속 변해 갔다. 점점 통통해지는 상반신에서 긴 털이 솟았다. 팔은 길어져 원숭이처럼 변하였다. 두 손은 두 발과 생김새가 흡사해졌다. 목부터 발까지, 티그라리의 모습은 정원의 원숭이들과 별반 다르지 않았다.

그는 무기력하고 절망적인 공포 속에서 자신의 변형이 다 끝나기를 기다렸다. 그러는 동안 서서히, 수수한 옷을 입고서 눈과 입에는 아리송한 피곤으로 가득했던 남자가 앞에 서 있는 것을 알아차렸다. 그 남자 뒤에는 하인인 양 낫을 든 무쇠 기계 두 대가 서 있었다.

남자가 퍽 나른한 목소리로 알아들을 수 없는 단어를 내뱉었고, 그것은 허공에서 길고도 신비한 여운으로 떠돌았다. 둥그렇게 모여들어 몸을 숙이고 있던 꽃들은 티그라리로부터 물러나더니, 좀 전처럼 똑바로 서서 기묘한 울타리를 이루었다. 그리고 빳빳한 덩굴손들도 그의 발목에서 떨어져 나가 그를 자유롭게 놔주었다. 자신이 풀려난 것도 알지 못한 티그라리는 쇳소리를 듣고서, 그것이 마치 기둥들이 말을 하는 것처럼 악마의 두상들이 말하는 것임을 어렴풋이 알아차렸다.

"사냥꾼 티그라리는 태초의 생명인 꽃들의 감로에 몸을 씻었다. 고로 목에서 발끝까지 속속들이 그가 사냥해 왔던 짐승들과 똑같이 되었다."

그 엄숙한 합창이 끝나자, 수수한 옷을 입고 피곤에 젖은 남자가 가까이 다가와 말하였다.

"나, 마알 드웨브는 모카에를 비롯해 많은 사람들을 대했던 것과 똑같이 너를 대하고자 했다. 모카에는 네가 미로에서 만난 짐승이니, 그 자는 꽃들의 감로에 젖어 아직까지 윤기가 흐르는 새 털을 선사받았다. 너는 또한 궁전 주변에서 모카에보다 앞서 온 자들도 보았다. 하지만 내 마음이 늘 한결같지는 않구나. 티그라리, 너는 다른 자들과 다르게 목 위쪽은 최소한 사람으로 남게 될 것이다. 또한 네가 원한다면 미로의 방황을 다시 시작할 수 있으며, 할 수 있다면 도망쳐도 좋다. 나는 너를 다시 보지 않았으면 한다. 내가 원래 인간을 대하는 시각이 있으나 이와는 다른 이유에서 네게 관용을 베푸는 것이다. 당장 가거라. 미로에는 네가 아직 가보지 못한 길이 많다."

티그라리는 섬뜩한 경외감을 느꼈다. 그의 타고난 야성과 난폭한 결기는 마법사의 나른한 의지로 길들여졌다. 그는 겁이 나고 궁금하여 굳어버린 애슬의 모습을 한번 돌아보았다. 그러고는 마법사의 말에 순종하여 커다란 원숭이처럼 구부정한 자세로 물러났다. 세 개의 태양 아래서 축축하게 반짝이는 털로 뒤덮인 티그라리, 그는 그렇게 미로의 구불구불한 길 속으로 사라졌다.

마알 드웨브는 쇠로 만든 노예들을 거느리고 아직까지도 놀란 눈으로 뻣뻣하게 거울 속을 바라보고 있는 애슬에게로 갔다.

"몽 루트." 마알 드웨브는 자신의 뒤를 따르는 자동기계 중에서 좀 더 가까이에 있는 것에게 말하였다. "너도 알거니와, 여자들의 연약한 아름다움을 영원한 것으로 만든 것은 바보 나의 변덕이다. 내가 이 산으로 불러, 정교한 미로를 탐사토록 보낸 다른 여자들과 마찬가지로 애슬 또한 거울을 들여다보고 그 돌연한 광휘에 살이 돌로 변했으니, 대리석보다 아름다운 돌이 되어 영원불멸하는구나. 너도 또 알 것이다. 인공 꽃의 풍부한 분비물로 인간들을 짐승으로 만들되, 그 겉모습이 각자의 본성과 정확히 일치하도록 한 것이 나의 변덕임을 말이다. 몽 루트야, 내가 그리한 것이 잘못이냐? 내가 누구냐, 모든 지식과 모든 권력을 지닌 마알 드웨브가 아니더냐?"

"그러하옵니다. 주인님." 자동기계의 쇳소리가 메아리쳤다. "주인님은 세상의 모든 지혜와 모든 권력을 지니신 마알 드웨브입니다. 그리고 주인님이 행하신 일들은 잘된 것입니다."

"그러나 가장 경탄할 만한 마술도 여러 번 반복하다 보면 지루해지는 법. 여자든 남자든 또다시 이런 방식으로 행하면 안 될 것 같구나. 몽 루트야, 앞으로 나의 마법에 변화를 주려 한다면 그것이 잘못한 것이냐? 내가 누구냐, 무엇이든 창조할 수 있는 마알 드웨브가 아니더냐?"

"그러하옵니다. 주인님이 바로 마알 드웨브입니다." 자동기계가 맞장구를 쳤다. "주인님의 마술을 다양화하는 것은 잘된 일입니다."

마알 드웨브는 본디 자동기계가 하는 대답을 불쾌하게 받아들이지 않았다. 쇳덩어리 노예들이 내는 쇳소리의 메아리에 불과하고 언제나 그가 하는 말에 무조건 동의함으로써 그저 논쟁의 피로를 덜어줄 뿐인, 그런 대화 자체에 그는 관심이 없었다. 이조차도 피곤할 때가 있어, 그는 굳어버린 여자들과 스스로 더는 사람이라고 할 수 없는 짐승들의 침묵을 더 좋아했는지도 모르겠다.

....

54) 다이달로스(Daedalus): 그리스 신화에 나오는 건축가. 크레타 섬의 미궁을 지었다고 한다.

55) 라오콘(Laocoon): 그리스 신화에서 아폴론의 점술사이자 신관. 독신을 지키겠다는 서약을 어기고 자식을 낳은 것도 모자라 그리스인들이 놓고 간 목마를 성내에 들여놓지 말라고 트로이인들에게 경고하여 아폴론 신의 노여움을 샀다. 그 결과, 아폴론 신이 보낸 두 마리의 대형 바다뱀에 깔려 쌍둥이 아들들과 함께 죽었다.

56) 카민 색(carmine 色): 연지벌레의 암컷에서 뽑아낸 붉은 색소로 양홍(洋紅)이라고도 한다.

SF&호러

THE ABOMINATIONS OF YONDO

욘도의 흉물들

작품 노트

1925년 2월에 완성, 1926년 《오버랜드 먼슬리》 4월 호에 실렸다.
스미스가 러브크래프트의 권유를 받고 쓴 이 작품은 소설의 습작 단계를 넘어 본격적으로 위어드 픽션의 세계를 보여준 출발점에 해당한다. 러브크래프트는 스미스의 부탁을 받고 흔쾌히 이 작품을 《위어드 테일스》의 편집장 라이트에게 보낸다. 그러나 라이트는 이 원고를 거절한다.
스미스의 멘토였던 스털링은 이 작품에 대해 '상상력의 근사한 연습'이라면서도 이렇게 덧붙였다. "하지만 이런 것을 쓰느라 시간을 많이 빼앗기지 않았으면 좋겠네. 이런 허망한 것에 허비하기엔 자네의 능력이 너무 뛰어나니까." 《위어드 테일스》로부터 거절을 당한 스미스가 이번엔 스털링에게 《오버랜드 먼슬리》(당시 스털링이 정기적으로 칼럼을 기고하고 있던)의 의견을 알아봐달라고 청한다. 스털링은 청을 받아들이면서도 다시금 조언을 덧붙인다. "학자연하는 사람들은 모두 이 '욘도' 같은 작품을 진부하고 유치하다고 생각할 걸세. (중략) 돼지는 진주를 원하는 게 아니야. 옥수수를 원하지. 그렇다고 이들의 입맛을 바꾸고 싶어 한다면 그건 어리석은 짓일세."
반면, 스미스는 자신의 멘토에게 이견을 보일 정도로 이 작품에 자신감을 보였다. 그는 스털링에게 이렇게 회신을 보낸다. "저는 시든 다른 장르든 '위어드(weird)'가 한물갔다고 생각하는 지식인들에게 동의하지 않습니다. 모두가 기계화된 상상력에 병들어 있습니다. 저는 이 시대의 무미건조하고 세속적인 풍조에 순응하지 않겠습니다. 낭만의 시대가 조만간 부흥할 거라 확신합니다. 기계화와 과도한 사회화에 대한 반발이 일 겁니다. 그렇지 않다면, 저는 차라리 다음 생에는 더 행복하고 자유로운 행성에서 태어나길 빌겠습니다. 이 북적이는 거리의 윤리나 미학은 제게 아무런 감흥도 주지 못하니까요."
이 작품은 나중에 아컴 출판사에서 출간된 스미스의 네 번째 작품집에 표제작으로 수록되었다.
이 작품은 최소한의 플롯과 유려한 문체 속에서 이야기 자체가 공포와 경이감으로 전개된다. 특히 첫 도입부는 스미스 특유의 시적 문체가 그로테스크한 공포와 어떻게 결합하고 왜 강렬한 효과를 발휘하는지 그 일례로서 자주 인용된다.

욘도 사막의 모래는 다른 사막의 모래와는 다르다. 욘도는 사막을 통틀어 세상 끝에 가장 가까이 있기 때문이다. 그리고 천문학자들도 알고 싶지 않을 구덩이에서 기묘한 바람이 불어와, 부패하는 행성들의 잿빛 먼지와 소멸한 태양들의 검은 재를 황폐한 들녘에 뿌려놓는다. 주름지고 얽은 이 평원에 검은 구체처럼 솟아 있는 산들이 전부 다 욘도의 것은 아니니, 개중에는 이곳에 떨어져 깊디깊은 모래 속에 절반씩 파묻힌 소행성들이 있기 때문이다. 슬금슬금 기어드는 지하 공간의 요물들, 이런 침입은 적절하고 질서정연한 땅에서라면 신들에 의해 으레 차단되기 마련이다. 그러나 태고의 지옥들이 파괴되면서 멸종한 별들의 회백색 악귀와 노쇠한 악마 들이 떠돌이처럼 살고 있는 욘도, 이곳엔 신이 없다.

욘그의 심문관들이 나를 놔두고 간, 이 끝없는 선인장 숲에서 빠져나와, 내가 욘도의 잿빛 초입에 들어섰을 때는 어느 봄날 정오였다. 다시 말하건대, 봄날 정오였음에도, 그 기괴한 숲에서 봄의 징후나 기억은 눈에 띄지 않았다. 절반은 이미 썩고 부풀어 올라서 죽어가는 황갈색의 식물들을 헤치고 나갔는데, 이 식물들은 선인장과 별반 다르지 않았으나 표현하기 어려울 정도로 혐오스러운 생김새를 하고 있었다. 공기는 고여 있는 썩은 내로 가득했다. 갈수록, 징그러운 이끼들이 검은 땅과 황갈색 식물들을 얼룩덜룩 뒤덮었다. 옅은 초록색 독사들이 꺾어진 선인장 줄기 너머로 머리를 치켜들고는 눈꺼풀도 동공도 없는 짙은 황토색 눈알로 나를 쳐다보았다. 이 독사들은 이미 몇 시간 전부터 나를 불안하게 만들었다. 게다가 산속의 악취를 풍기고 눅눅한 호숫가에서 자라는, 기괴한 이끼류들이 무채색의 줄기에서 독살스러운 담자색 머리를 까닥거리는 것도 마음에 들지 않았다. 그 불길한 고갯짓의 물결이 나의 도착을 알리듯 누런 수면 위로 퍼져 나가는 광경 또한, 입에 담을 수 없는 고문에 시달린 뒤 여전히 신경이 곤두서 있던 내게는 위안이 되지 않았다. 마침내, 얼룩덜룩하고 메스꺼운 선인장들의 수와 크기가 줄어들고 그 대신 잿빛 모래의 가장자리가 슬그머니 주변을 에워쌀 무렵, 나는 나의 이단 행위가 온그의 사제들에게 얼마나 큰 증오심을 불러일으켰는지 또 그 앙갚음의 살기가 얼마나 극에 달했는지 생각하기 시작했다.

머나먼 타지 출신의 태평한 이방인이었던 나를, 사자 머리의 온그를 숭배하는 섬뜩한 마법사와 대사제의 마수에 걸려들게 만든, 경솔한 행위에 대해선 자세히 말하지 않으련다. 그 경솔함과 체포되기까지의 과정을 되새기기엔 너무 고통스럽다. 게다가 용의 창자와 분말 응고제를 섞어 만든, 그러니까 벌거벗긴 사람들을 대자로 눕혀놓는 그 형틀에 대해서는 기억조차 떠올리고 싶지 않다. 그뿐만 아니라, 15센티미터 크기의 창문과 창턱으로 근처 지하 묘지에서 몰려든 투실투실한 구더기들이 우글거리던, 그 컴컴한 감옥도 떠올리고 싶지 않다. 심문관들이 온갖 오싹하고 기괴한 고문들을 가한 후에 눈을 가린 나를 낙타 등에 태워서 하염없이 끌고 다니다가 어스름한 새벽 무렵에야 이 불길한 숲에 풀어줬다고, 이 정도만 말해도 충분할 것이다. 그들은 내게 어디든 가고 싶은 대로 가라 말했다. 그리고 온그의 자비를 증명하듯, 식량이랍시고 형편없는 빵 한 조각과 썩은 물이 담긴 가죽 통 하나를 주었다. 내가 욘도의 사막에 도착한 것은 같은 날 정오였다.

썩어가는 선인장이, 아니 그 속에 도사리고 있는 흉물들이 무서워 좀처럼 돌아갈 생각은 하지 못했다. 그런데 문득 이 땅에 얽힌 흉흉한 전설이 떠올라 발길을 잡아 세웠다. 욘도는 일부러 또 자발적으로 찾아오는 사람이 거의 없는, 그런 곳이다. 그나마 여기에 발을 디딘 사람 중에서 돌아온 사람은 더 적었으며, 돌아와서도 미지의 공포와 기이한 보물들에 대해 횡설수설했다. 이 극소수의 귀환자들은 평생 중풍에 걸려서 쇠약해진 팔다리를 떨었고, 하얗게 센 눈썹과 속눈썹 아래 휑한 눈은 광기의 빛을 띠었으니, 누구도 이들의 전철을 되풀이하려고 들지 않았다.

그렇게 나는 잿빛 사막의 가장자리에서 망설였고, 이미 비틀려버린 오장육부에 전해지는 또 다른 불안을 느꼈다. 계속 가기도 두려웠고, 돌아가기도 두려웠다. 돌아갈 것을 대비하여 사제들이 내게 식량을 준비해 준 것이라는 확신이 들었다. 그래서 기분 나쁘게 부드러운 모래를 밟을 때마다 노래를 부르며 얼마간 앞으로 나아가는데, 선인장 사이에서 봤던 다리 긴 곤충들이 내 뒤를 따라오는 것이었다. 이 곤충들은 일주일쯤 지난 시체의 색을 띠었고, 크기는 타란툴라[57]만 했다. 그런데 뒤돌아서서 제일 앞에 있는 놈을 짓밟았더니, 색깔보다도 더 역겨운 악취가 몰칵 풍겼다. 할 수 없이 당분간은 놈들을 가능한 무시하기로 마음먹었다.

사실, 그런 것들은 내가 처한 곤경 중에서 사소한 공포에 불과했다. 내 앞에, 메스꺼운 주홍색의 커다란 태양 아래, 대마초에 취한 꿈속의 땅처럼 온도가 검은 하늘을 배경으로 끝없이 펼쳐져 있었다. 그리고 맞은편 끝자락에 내가 앞에서 말한 구체 모양의 산들이 솟아 있었다. 그런데 산 어디를 봐도 잿빛으로 황량하고 섬뜩할 정도로 휑뎅그렁하여, 나무 한 그루 없는 낮은 산들이 마치 반은 파묻혀 있는 괴물들의 등짝 같았다. 힘겹게 계속 걸어가는 동안, 유성들이 떨어지면서 생긴 거대한 구덩이들을 보았다. 그리고 여러 색깔의 이름 모를 보석들이 흙더미 속에서 반짝이고 있었다. 부서진 능(陵) 사이에서 말라 죽은 삼나무들, 입에 왕가의 진주를 물고 이끼 긴 대리석 위를 기어 다니는 살찐 카멜레온. 야트막한 골짜기에는 성한 기둥 하나 남아 있지 않은 도시들 — 거대한 태고의 도시들 — 이 산산이 티끌로 변하여 가없는 쓸쓸함을 거들고 있었다. 나는 고문으로 쇠약해진 다리를 끌고 한때 당당한 신전이었던, 거대한 폐물 더미를 넘어갔다. 떨어진 신상(神像)들이 부서져가는 사암 속에서 인상을 찌푸리거나 발치의 쪼개진 반암 속에서 곁눈질을 던지고 있었다. 사방천지를 뒤덮은 불길한 침묵을 깨는 건 하이에나의 간악한 웃음소리와 죽은 가시덤불 아니면 쐐기풀과 현호색[58]에 자리를 양보한 옛 정원에서 독사들이 부스럭거리는 소리뿐이었다.

둔덕과 유사한 산등성이 한 곳에서 기묘한 호수가 나타났는데, 색깔은 공작석처럼 오묘한 흑록색이었고, 반짝이는 소금이 모래사장처럼 펼쳐져 있었다. 호수는 발밑 저 아래, 컵처럼 생긴 분지 안에 담겨 있었다. 그런데 물살에 씻긴 기슭에 서 있던 내 발에 닿을 듯한 높이까지 오래된 소금 더미로 뒤덮여 있었다. 그제야 호수가 한때 바다의 일부였으나 지금은 처량히 쇠락한 찌꺼기에 불과하다는 걸 알았다. 나는 기슭을 따라 그 검은 호숫가까지 내려가, 손을 씻기 시작했다. 그런데 그 태고의 소금물에서 날카롭게 톡 쏘는 기운이 느껴져서 재빨리 멈추고, 칙칙한 수의처럼 나를 둘러싸고 있는 모래로 손을 마저 씻었다. 여기서 잠시 쉬기로 했다. 게다가 허기가 져서, 사제들이 노잣돈인 양 던져준 초라한 식량의 일부를 먹어야 했다. 힘이 닿는 한, 욘도의 북쪽 땅까지 계속 갈 생각이었다. 그곳도 물론 황폐하지만, 욘도보다는 덜했다. 유목민 중에서 일부 부족이 간헐적으로 그쪽 땅에 들른다는 소문도 있었다. 운이 따라준다면, 그 부족민과 만날 수도 있을 터였다.

빈약한 식량이 기력을 되찾아주었고, 속수무책이었던 몇 주 만에 처음으로 실낱같은 희망의 속삭임이 들려왔다. 시체의 색깔을 띤 곤충들도 이미 오래전부터 내 뒤를 따라오지 않고 있었다. 무덤의 침묵 같은 으스스함과 시간을 초월한 폐허의 흙더미에도 불구하고, 그 곤충의 반만큼이라도 무서운 것과는 마주치지 않았다. 그래서 욘도의 공포가 퍽 과장된 것은 아닐까 하는 생각이 들기 시작했다. 그런데 그때 위쪽 산중턱 어딘가에서 사악한 낄낄거림이 들려왔다. 내가 혼비백산할 정도로 느닷없이 들려온 웃음소리는 그 후로 계속되었고, 백치 악마의 키득거림 같은 독특한 음색에도 변화가 없었다. 고개를 돌리자, 녹색 종유석들이 송곳니처럼 나 있는 검은 동굴의 입구가 보였는데, 그제야 동굴이 있다는 걸 처음 알았다. 웃음소리가 그 동굴의 내부에서 새어 나오는 것 같았다.

나는 겁에 질려서 그 검은 동굴의 입구를 잔뜩 노려보았다. 낄낄거림이 더 커졌으나, 한동안 아무것도 보이질 않았다. 이윽고 어둠 속에서 희끄무레한 빛이 보였다. 곧이어 악몽의 아찔한 속도처럼 빠르게 괴물이 나타났다. 달걀 모양의 몸뚱이는 창백했고, 크기는 새끼를 밴 암염소만 했다. 그리고 몸뚱이를 지탱하고 있는 아홉 개의 흐늘거리는 긴 다리가 있었고, 또 다리마다 거대한 거미의 그것처럼 무수한 돌기들이 붙어 있었다. 그 괴물이 내 곁을 지나 물가로 달려갔다. 이상하게 기울어진 얼굴에 눈알이 없었다. 그 대신에 칼처럼 생긴 두 개의 귀가 머리 위로 우뚝 솟아 있었고, 가늘고 주름진 코가 입을 지나 늘어져 있었다. 시종일관 벌어져 있는, 흐물흐물한 입술 사이에서 킬킬거림이 멈추지 않았고, 드러나 있는 이빨은 박쥐의 그것을 닮아 있었다. 괴물은 쓰디 쓴 물을 험악하게 들이켜 갈증을 달래고는 돌아섰는데, 그때 나의 존재를 알아챘는지, 주름진 코를 내가 있는 쪽으로 치켜들고 킁킁 소리를 냈다. 놈이 도망을 쳤을지 아니면 나를 공격했을지는 알 수 없었다. 왜냐하면, 나는 그 모습을 더는 보고 견딜 수 없어서 부들거리는 다리로 거대한 표석들과 소금밭을 가로질러 호숫가를 달려갔기 때문이다.

숨이 턱까지 차올라 결국 멈춰 섰지만, 괴물이 쫓아오지 않는다는 걸 확인하고서 여전히 떨리는 몸으로 어느 표석의 그림자 속에 철퍼덕 주저앉았다. 하지만 약간의 휴식도 취할 수 없었으니, 소문으로 들어온 광기의 전설들을 모조리 믿게 만드는, 두 번째 기괴한 모험이 잇달아 시작되었기 때문이다. 사악한 킬킬거림보다 더 충격적인 비명이 들려온 곳은 아주 가까운 그러니까 소금이 뒤섞인 모래사장이었다. 극한 고통 때문인지 아니면 악마의 손아귀에 무기력하게 붙잡혀 있는 것인지 아무튼 어느 여자의 비명이었다. 그리고 내가 본 것은 진짜 비너스였다. 실오라기 하나 걸치지 않은 희디흰 알몸의 그녀는 누군가의 눈에 띌지도 모르는 두려움보다 배꼽까지 모래 속에 파묻힌 공포를 드러내고 있었다. 겁에 질려 휘둥그레진 두 눈으로 내게 애원했고, 살려달라며 간절하게 연꽃 같은 두 손을 펼쳐 들었다. 나는 그녀의 곁으로 달려갔다. 내가 거기서 보고 만진 것은 대리석 석상이었다. 석상의 눈꺼풀은 죽음의 한 주기처럼 불가해한 꿈속에 잠겨 있었고, 두 손은 자신의 아름다운 엉덩이와 넓적다리와 함께 파묻혀 있었다. 그때 나는 새로운 공포에 휘청거리며 도망쳤다. 다시금 여자의 고통스러운 비명이 들려왔으나, 이번에는 나도 그 애원하는 눈과 손을 보려고 고개를 돌리지 않았다.

호수의 북쪽으로 긴 기슭을 올라갔더니, 푸른 녹이 슨 금속 파편들과 날카로운 형태의 현무암 표석들이 뒤섞여 있었고, 이 바위 턱에서 그 저주스러운 호수가 주춤하고 있었다. 소금 구덩이 속을 버둥거리며 지나자, 억겁에 걸쳐 물의 수위가 낮아지면서 생긴 단구들이 나타났다. 나는 악령의 밤에 악몽 사이를 널뛰는 사람처럼 달려갔다. 간간이 귓전을 스쳐 가는 차가운 속삭임, 그것은 내가 뛰면서 일으킨 바람의 소리는 아니었다. 위쪽 단구 한 곳에 다다라서 뒤를 돌아봤을 때, 나와 똑같은 속도로 달려오는 독특한 그림자 하나가 있었다. 그것은 사람이나 원숭이는 물론 이 세상에 알려진 어떤 짐승의 그림자도 아니었다. 머리는 기괴할 정도로 길고 가늘었으며, 땅딸막한 몸은 너무도 불룩했다. 그뿐만 아니라, 그 그림자가 다섯 개의 다리를 가지고 있는 것인지 아니면 다섯 번째는 그저 꼬리인 것인지조차 분간이 가지 않았다.

공포에 쫓겨 다시 힘을 냈고, 단구의 맨 위에 올라갔을 때 비로소 용기를 내어 한 번 더 뒤를 돌아보았다. 그런데 그 기괴한 그림자가 여전히 나와 같은 속도로 다가오고 있었다. 게다가 이번에는 이상하고 아주 메스꺼운 악취, 뭐랄까 납골당의 썩은 곰팡이 한가운데 매달려 있는 박쥐의 냄새 같은 것이 풍겼다. 내가 수 킬로미터를 더 달리는 동안, 붉은 해는 소행성으로 만들어진 산들의 서쪽으로 기울었다. 그리고 나의 그림자처럼 길어진 그 기괴한 형체는 언제나 나와 같은 거리를 유지하면서 다가왔다.

해 지기 한 시간 전, 질그릇 조각들이 거대한 무더기처럼 쌓여 있는 폐허에 도착했는데 뜻밖에도 부서지지 않은 상태의 작은 기둥들이 원형으로 서 있는 곳이 나타났다. 그 기둥 사이를 지나갈 때, 구슬픈 울음소리 그러니까 어떤 맹수가 분노와 공포 사이에서 우는 듯한 소리가 들려왔다. 그런데 그림자가 기둥의 원 안으로까지 나를 쫓아오지 못하는 걸 알았다. 나는 원 안에 멈춰 서서, 이 불청객이 들어오지 못하는 성역을 발견했다고 생각했다. 그림자 괴물의 행동을 보고 더욱 그렇게 확신했다. 괴물이 망설이다가 기둥의 원을 따라 이따금씩 멈춰 서면서 빙빙돌기만 했기 때문이다. 그동안 계속되던 울음소리가 마침내 멀어지더니, 일몰 방향의 사막 어딘가에서 사라져버렸다.

30분 동안 나는 꼼짝도 하지 못했다. 또 다른 공포의 가능성들을 지닌 밤이 임박해 있기에 가능한 북쪽으로 가야 한다는 절박감이 들었다. 내가 있는 곳은 윤도의 한복판, 기둥의 성역마저 두려워하지 않을 악마 혹은 곡두들이 사는 중심지였기 때문이다. 어쩔 줄 몰라 힘겨워하는 동안, 이미 햇빛은 이상하게 변해 있었다. 작은 산들이 늘어선 지평선 가까이에 태양이 내려앉으면서 독기 머금은 안개층 속에서 연기가 났기 때문이었다. 그 안개 속에는 윤도의 부서진 신전과 공동묘지 전역에서 떠오른 먼지들이 이 세상 끝단 너머의 거대한 검은 심연에서 꼬불꼬불 솟구치는 사악한 증기와 뒤섞이고 있었다. 이 기묘한 햇빛 속에서 폐허 전체와 둥그스름한 산들 그리고 뱀처럼 생긴 언덕과 무너진 도시들이 환영의 분위기를 자아내며 점점 짙어지는 진홍색으로 뒤덮여 있었다.

그때, 여러 그림자들이 모여 있던 북쪽에서 기묘한 제3의 형체 그러니까 사슬 갑옷으로 완전무장한 키 큰 — 실제로도 사람의 모습에 가까운 — 남자가 나타났다. 그 형체가 나를 향해 다가오는 동안, 파편으로 가득한 바닥에서 걸음마다 땡그랑 소리가 음산하게 들려왔고, 황동으로 만든 갑옷에 동청(銅靑)이 슬어 있는 게 보였다. 그리고 재질이 같은 여러 개의 소용돌이 뿔과 하나의 볏 장식이 있는 황동 투구가 그것의 머리 위로 높이 솟아 있었다. 그것의 머리라고 말한 이유는 일몰의 어스름이 짙어져서 아무리 가까운 거리에서도 또렷하게 볼 수 없어서였다. 그런데 그 유령이 내 시선과 수평의 위치로 들어왔을 때 보니, 기괴한 투구 아래 얼굴이 없었고, 희미해지는 햇빛 아래서 순간적으로 텅 빈 윤곽이 스쳐 갔다. 그 형체는 여전히 땡그랑 소리를 음산하게 울리며 다가오다가 이내 사라져버렸다.

그러나 그 뒤를 이어서, 해가 다 지기에 앞서 나타난 또 하나의 유령이 붉은 일몰 속에서 믿기 어려운 보폭으로 성큼성큼 걸어오다가, 나와 부딪치기 직전에 멈춰 섰다. 고대의 왕이었던 것으로 보이는 이 기괴한 미라는 변색되지 않은 황금 왕관을 쓰고 있긴 했으나, 내가 보기엔, 벌레에 갉힌 지도 언제인지 모를 만큼 아주 오래된 몰골이었다. 뼈만 남은 다리에서 풀어진 붕대가 펄럭였고, 사파이어와 주황색 홍옥으로 장식한 왕관 위에서 검은색의 뭔가가 오싹하게 흔들리고 까닥였으나, 처음에는 그것이 무엇인지 짐작조차 할 수 없었다. 그런데 그것의 중간에서 비스듬한 두 개의 자주색 눈알이 열리더니 지옥의 석탄처럼 이글거렸고, 뱀의 송곳니 같은 이빨 두 개가 원숭이처럼 생긴 입에서 번뜩였다. 통통하고 털 없는, 뭐라 말하기 어려운 생김새의 그 머리통이 아주 가는 목을 쭉 늘이고는 미라의 귀에 뭐라고 속살거렸다. 그러자 곧 이 거대한 시체가 한걸음에 내 코앞까지 다가왔고, 너덜너덜한 누더기 옷단에서 뼈다귀 팔 하나를 뻗치고는 번쩍이는 보석 반지들을 낀 마수의 뼈다귀 손가락으로 내 목을 움켜잡으려고 더듬거렸다.

나는 광기와 죽음의 영겁을 거슬러 뒤로, 또 뒤로, 거꾸로 곤두박질 치듯 도망쳤고, 그 더듬거리는 손가락들은 바로 등에 닿을 듯 어스름 속에서 계속 따라붙었다. 나는 한없이, 아무 생각 없이, 아무 망설임 없이 뒤로, 뒤로 내가 지나쳐 왔던 그 흉물들을 향해 돌아갔다. 점점 짙어지는 어둠 속에서 정체 모를 파편들의 폐허, 으스스한 호수, 사악한 선인장의 숲을 지나 결국 나의 귀환을 기다리고 있던 온그의 잔인하고 냉소적인 심문관들 앞으로.

---

57) 타란툴라(tarantula): 독거밋과의 대형 거미.
58) 현호색(fumitory): 현호색과의 식물. 키가 90센티미터가량이며 기어오르는 형태로 자란다.

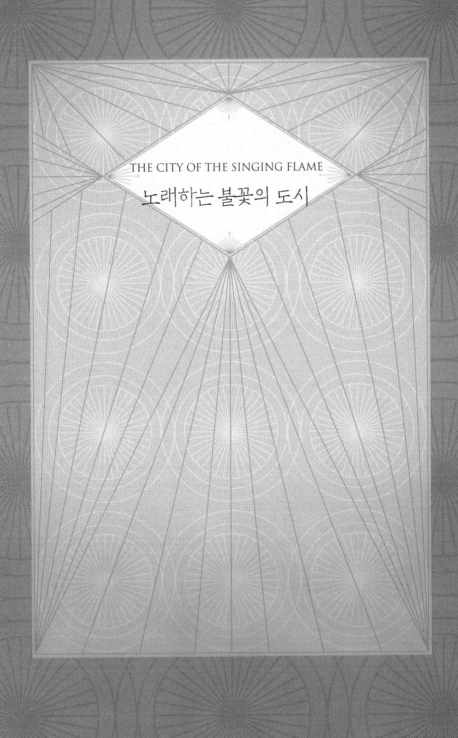

THE CITY OF THE SINGING FLAME

노래하는 불꽃의 도시

작품 노트

1931년 1월에 완성, 1931년 《원더 스토리스》 7월 호에 실렸다.

이 작품은 스미스가 지인들과 함께 오번 인근의 크레이터 리지에 놀러 갔다가 신비하고 초자연적인 경험을 한 것이 계기가 되었다. 오번 인근 수 킬로미터까지 바위와 표석 들이 깔려 있었고, 스미스는 이런 환경에서 원시 조각의 파편과 선사시대의 석상, 비밀의 문자 등을 상상하면서 작품에 활용하였다. 기묘한 돌을 주워 조각에 응용하거나 지인들에게 선물했는데, 러브크래프트도 이런 암석 선물을 받고 무척 기뻐했다고 한다.

암석 선물에 이어 이 작품을 읽어본 러브크래프트는 스미스에게 이렇게 편지를 보냈다. "크레이터 리지에 관한 묘사는 배경으로서 더없이 생생한 효과를 줍니다. 반면에 서사 부분은 보다 깊은 근원에 관하여 불안감을 야기하더군요. 신기한 환상의 광활하고 음산한 추측을 절제한 부분이 좋았습니다. 만약에 편집장 라이트가 이 작품을 거절한다면, 나는 그에게 남은 존경의 마지막 조각까지 잃게 될 겁니다."

스미스는 《위어드 테일스》가 아닌 《원더 스토리스》에 원고를 보냈다. 이 소설은 큰 인기를 끌었고, 같은 잡지 11월 호에 후속작인 「노래하는 불꽃 너머 *Beyond the Singing Flame*」가 실렸다. 《원더 스토리스》는 1935년 신년 호에 지금까지 자사에서 발표된 소설 중 최고 인기작 10선을 뽑아 실었는데, 그중에 「노래하는 불꽃의 도시」가 7위로 수록되었다.

스미스가 다른 작품에서 죽음을 강조했다면, 이 작품에서는 죽음과 삶이 충돌하고 다투는 양상에 초점을 두고 있다. 특히 이 작품은 레이 브래드버리와 할란 엘리슨이 작가의 길을 걷게 한 결정적인 계기를 준 것으로 알려져 있다. 레이 브래드버리는 "《원더 스토리스》에 발표된 스미스의 「소행성의 주인 *Master of Asteroid*」과 「노래하는 불꽃의 도시」는 프랭크 R. 폴이 그린 삽화와 함께 평생 기억에 남아 있다. 이 소설과 그림이 내가 작가가 되는 데 중요한 요인이었다. (중략) 자신의 삶을 영원히 어루만지고 변화시키고 흥분시키는 누군가가 있다는 사실. 나는 이것을 늘 감사해야겠다." 라고 밝혔다. 한편 할란 엘리슨도 "가장 좋아하는 작품이 스미스의 「노래하는 불꽃의 도시」이고, 이 작품을 읽자마자 판타지와 SF 소설을 쓰기 시작했다."라고 밝혔다.

서문

거의 2년 전에 자일스 앵가트가 실종됐을 당시, 우리는 십년지기 친구였고, 나는 그 누구보다도 그를 잘 알고 있었다. 그러나 당시에 그의 실종은 다른 사람들뿐만 아니라 내게도 미스터리였고, 지금까지도 미스터리로 남아 있다.

다른 사람들처럼 나 또한 그와 에본리가 난해하고 엄청난 장난을 벌이기로 작당한 결과라고 생각하곤 했다. 그들은 지금까지 어딘가에 살면서 그들의 실종에 당혹해하는 세상을 조롱하고 있을 거라고 말이다. 내가 마침내 크레이터 리지까지 가서 앵가트가 말한 두 개의 표석을 찾아보기로 결심할 때까지 실종된 두 남자의 행방은 오리무중이었고, 그들에 대한 어렴풋한 소문마저 들려오지 않았다. 그래서 이때까지만 해도 이들의 실종 사건은 가장 독특하고도 분통 터지게 만드는 수수께끼로 남아 있었던 것 같다.

판타지 소설 작가로 이미 상당한 명성을 누리고 있던 앵가트는 그해

시에라 산맥에서 여름을 보내는 중이었고, 화가인 펠릭스 에본리의 방문을 받을 때까지 혼자서 생활하고 있었다. 나와는 일면식도 없었던 에본리는 상상력 넘치는 회화와 드로잉으로 유명했고, 앵가트의 소설 몇 편에 삽화를 그리기도 했다.

주변에서 야영을 하던 사람들이 두 사람의 실종이 장기화되면서 불안감을 느끼고, 단서를 찾고자 앵가트의 오두막을 뒤진 끝에 탁자에서 발견한 꾸러미 하나를 내게 보내왔다. 나는 두 사람의 실종과 관련해 많은 언론의 추측 기사들을 읽고 난 후에 때마침 그 꾸러미를 받게 되었다. 꾸러미는 가죽 장정을 한 작은 노트 한 권이었는데, 노트 여백에 앵가트가 다음과 같이 적어놓았다.

하스테인, 자네가 원한다면 언제든 이 일지를 출판할 수 있을 걸세. 사람들은 이것을 내 소설 중에서 마지막이자 최고의 걸작이라고 여길 거야. 물론 자네의 작품이라고 생각하지 않는다면 말이지. 나든 자네든 누구의 작품으로 출간이 돼도 좋아. 잘 있게.

여불비례,
자일스 앵가트

이 일지는 앵가트가 예상한 평판을 얻을 수 있을 듯했으나, 나는 이것이 사실인지 허구인지 확신이 서지 않아서 출판을 미루었다. 지금은 내가 직접 경험한 일을 바탕으로 이 일지가 사실이라고 확신하고 있기에, 나의 경험담과 함께 출간할 생각이다. 이번의 동시 출간은 앵가트가 현실 세계로 돌아오기에 앞서서 단순한 환상을 능가하는 이 이야기의 전모를 받아들이는 데 도움이 될 것이다.

그럼에도 나 자신의 의혹을 떠올릴 때마다 혹시나 하는 생각이 든다. 그러나 독자들이 스스로 판단할 것이다. 우선 자일스 앵가트의 일지부터 펼쳐놓겠다.

1. 차원 너머

1938년 7월 31일

일기를 꾸준히 써본 적이 없다. 기록에 남길 만한 것이 거의 없는, 지극히 평범한 생활 방식 때문이다. 그런데 오늘 아침에 벌어진 일은 너무도 이상하고, 현실계의 법칙 따위와는 너무도 동떨어진 것이어서 나 자신의 이해력과 능력이 닿는 한 최대한 기록해야겠다는 충동을 느꼈다. 또한, 경험이 혹시 또 반복되고 지속될 수 있으니 기록을 계속해야 할 것이다. 이렇게 한다고 해서, 이 기록을 읽는 사람 중에서 아무도 이것을 믿으려 하지 않을 것이기에 전혀 문제 될 것도 없고 별 탈도 없을 것이다.

정상에서 가까운 내 오두막에서 북쪽으로 1.5킬로미터 정도 펼쳐져 있는 크레이터 리지까지 산책을 나갔더랬다. 크레이터 리지는 주변의 평범한 풍광과는 눈에 띄게 다르긴 해도, 내가 가장 좋아하는 곳 중에 하나다. 이곳은 해바라기와 까치밥나무 수풀 그리고 바람에 휜 억센 몇 그루의 소나무와 나긋나긋한 낙엽송 외에는 식물이 거의 없어서 유난히도 헐벗고 황량하다.

지질학자들은 크레이터 리지가 화산으로부터 기원되었다고 여기지 않는다. 그럼에도 불구하고 이곳의 거친 단괴 형태의 암석과 거대한 잡석 더미의 노두는 스코리아(화산 분출물의 일종)의 흔적을 지니고 있다. 적어도 나의 비과학적인 시선으로 보면 그렇다. 마치 선사시대에 쏟아져 나온, 거대한 용광로의 화산재와 찌꺼기들이 차가워지고 단단해져서 기암괴석을 이루고 있는 것 같다.

이런 암석 중에는 원시의 얕은 돋을새김이나 선사시대 작은 신상(神像)과 조상(彫像)의 부스러기를 연상시키는 것들이 있다. 또 어떤 암석에는 해독할 수 없는 고대 문자 같은 것들이 새겨져 있다. 길고 메마른 능선 한쪽 끝에 뜻밖에도 작은 호수 하나가 펼쳐져 있는데, 이 호수가 얼마나 깊은지는 알려져 있지 않다. 이곳은 화강암층과 험준한 바위산 그리고 전나무로 뒤덮인 협곡과 계곡 사이에 기묘한 중간지대를 이루고 있다.

바람이 불지 않는 청명한 아침이어서 사방팔방의 다양하고 웅장한 풍광을 감상하느라 자주 멈춰 섰다. 캐슬 피크의 거대한 성가퀴, 도너 피크의 거친 자태, 멀리 네바다 산맥의 녹음 그리고 발밑 계곡으로 부드럽게 펼쳐진 녹색 버드나무 숲. 초연하고 조용한 이 세계에서 들려오는 소리라고는 까치밥나무 수풀 사이에서 나는, 마르고 파삭한 매미의 울음소리뿐이었다.

지그재그 형태의 길을 따라 꽤 멀리까지 걷다가, 능선 곳곳에 흩어져 있는 잡석 지역 한 곳에 도착했고, 여기서 혹시나 기념품 삼아 가져갈 만한 색다르고 기괴한 돌이 있을까 싶어 땅을 유심히 살피기 시작했다. 전에도 산책을 나왔다가 몇 개를 발견한 적이 있었다. 그런데 갑자기 잡석 가운데서 아무것도 자라지 않은 빈터가 나타났다. 빈터는 인공적으로 만든 원처럼 둥글었다. 그리고 빈터 한복판에 기묘하게 생긴 표석 두 개가 서로 1미터 50센티미터 정도의 간격을 두고 놓여 있었다.

멈춰 서서 표석을 살펴보았다. 두 개의 표석은 흐릿한 녹색을 띤 회색으로, 주변의 다른 돌과는 다르게 보였다. 나는 곧 표석들이 사라진 기둥의 주춧돌, 다시 말해 가늠할 수 없는 세월 동안 닳고 닳아서 밑부분만 간신히 남은 것이라는 기이하고 근거 없는 공상을 떠올렸다. 완벽한 원형과 일관성은 분명히 독특한 것이었고, 지질학 지식이 일천한 내가 보기에도 표석의 반들반들하고 미끈거리는 재질을 판정하기란 불가능했다.

상상에 들뜬 나머지 더욱 과열된 공상으로 빠져들기 시작했다. 그러나 아무리 황당한 공상을 했다고 해도, 내가 두 표석 사이의 공간에 한 발을 들여놓자마자 벌어진 일에 비하면 아무것도 아니었다. 그게 무슨 일이었는지 능력껏 묘사해 보겠다. 단, 인간 경험계의 정상적인 범위를 넘어서는 사건과 감각을 묘사하는 데 인간의 언어는 당연히 부족하겠지만 말이다.

걸음을 옮길 때 발이 내려가는 각도가 틀어지는 것만큼 불안한 일도 없다. 그렇다면, 탁 트인 평지에서 앞으로 발을 내딛는데 발아래 아무것도 닿지 않는다고 가정해 보라! 빈 심연 속으로 빨려드는 느낌이었다. 그뿐만 아니라, 눈앞의 풍경들이 부서진 이미지로 빙빙 돌면서 사라졌고 곧 시야는 완전한 어둠에 잠겨버렸다. 매서운 북극의 추위가 느껴졌고, 이루 말할 수 없는 메스꺼움과 현기증이 몰려들었는데 이것은 심각한 균형 상실에서 비롯됐음이 분명했다. 내가 추락하는 속도 때문인지 아니면 다른 이유 때문인지는 몰라도, 숨을 쉬기가 극도로 힘들었다.

생각과 느낌은 완전히 혼란스러워졌고, 내려가는 동안 대체로 아래가 아니라 위쪽으로 떨어지는 느낌이랄까 아니면 수평이나 빗각으로 미끄러지는 것 같았다. 그러다가 완전히 공중제비를 도는 기분이 들었다. 곧이어 다시금 단단한 땅에 서 있게 됐는데, 약간의 충격도 충돌도 없었다. 까맣게 가려졌던 시야도 깨끗해졌으나 여전히 어지러워서 잠시 동안 내가 받아들이는 시각적 이미지들은 모두 뒤죽박죽이었다.

마침내 인지능력을 회복하고 나자, 주변을 제대로 볼 수 있게 되었다. 그런데 나는 예고 없이 외계 행성의 해변에 내던져진 사람처럼 정신적 혼란에 빠졌다. 이런 상황에서 느낄 법한 철저한 상실감과 고립감도 들었다. 현기증과 엄청난 당혹감도 여전했고, 우리의 삶에 색과 형태와 명확성을 줄 뿐만 아니라 우리의 인성 자체를 결정짓는 기존의 익숙한 환경으로부터 완전히 차단됐다는, 섬뜩한 고립감까지…….

나는 크레이터 리지와는 전혀 다른 풍경 한복판에 서 있었다. 보랏빛 풀로 뒤덮이고 군데군데 크기와 형태가 단일한 돌 구조물들이 흩어져 있는 길고 완만한 비탈이 아래로 물결치듯 펼쳐져 드넓은 평원까지 닿았다. 이 평원에는 구불구불한 풀밭과 주로 자주색과 노란색의 정체 모를 식물들로 이루어진 높고 웅장한 숲들이 있었다. 평원 끝에는 침범할 수 없는 황금빛 안개 장벽이 가로막고서 유령처럼 솟구쳐, 이글거리는 호박색 하늘과 닿았고, 하늘엔 태양이 없었다.

이 놀라운 풍광의 앞쪽에는, 그러니까 5킬로미터 남짓한 거리에 붉은 돌의 위풍당당한 탑과 거대한 성벽으로 이루어진 도시 하나가 어렴풋이 모습을 드러내고 있으니, 아나킴이 세웠을 법한 도시였다. 솟구친 벽 위에 또 벽을 올리고, 거대한 첨탑 위에 또 첨탑을 세워서 하늘에 닿을 듯 솟아 있었고, 어디를 봐도 수직 건축물의 엄정한 윤곽이 유지되고 있었다. 도시는 깎아지르는 험준한 바위산처럼 보는 이를 금방이라도 덮치고 짓눌러버릴 기세였다.

도시를 보고 있는 동안, 실제적인 공포가 뒤섞인 경외감 속에서 처음에 느꼈던 낭패감과 고립감은 잊고 있었다. 그와 동시에 불분명하면서도 깊은 매력이 불가사의한 속박 마법처럼 나를 사로잡는 것 같았다. 그러나 한동안 도시를 보고 나자, 엄청난 기이함과 예상치 못한 상황의 당혹스러움이 되살아났고, 어서 이곳의 숨 막힐 듯 광기 어린 기괴함에서 벗어나 현실로 돌아가고 싶다는 간절한 생각만 들었다. 동요를 억누르면서 도대체 내게 무슨 일이 벌어졌는지 알아내려고 애썼다.

나는 차원 이동에 관한 소설을 많이 읽었고, 한두 편을 직접 쓰기도 했다. 게다가 인간의 감각에는 보이지 않고 감지되지 않는 다른 세계 혹은 물질계가 우리와 같은 공간에 존재할 가능성에 대해서도 종종 생각해 왔다. 내가 그런 차원에 빠져들었다는 것을 금세 깨달았다. 두 개의 표석 사이에 발을 내디뎠을 때, 공간의 틈 같은 곳으로 떨어져서 이 낯선 영역의 바닥으로 나온 것이 틀림없었다. 다시 말해 완전히 다른 공간으로 들어온 것이다.

말은 단순하게 들릴지 모르나, 골치 아픈 수학 연산처럼 간단한 게 아니었다. 정신을 차리려고 더욱 집중하면서 주변 상황을 살펴보았다. 그러고 보니, 앞서 말한 단일한 돌 구조물들의 배열이 인상적이었는데, 그것들은 아주 규칙적인 간격을 두고 두 열로 나란히 언덕을 따라 내려가고 있었다. 이것은 마치 자주색 풀밭으로 가려진 고대 도로를 나타내고 있는 것 같았다.

돌 구조물의 오름길을 시선으로 좇아가자, 내가 서 있는 곳 바로 뒤쪽에 두 개의 기둥이 크레이터 리지의 기이한 표석과 똑같은 간격으로 세워져 있는 것이 보였다. 그 돌도 매끈매끈했고 초록빛이 도는 회색이었다. 돌기둥은 대략 2미터 70센티미터의 높이였으나, 둘 다 꼭대기가 부서져 떨어진 것으로 봐서 전에는 더 높았을 터였다. 돌기둥보다 약간 높은 지점에서 오르막 비탈은 시야에서 사라지더니, 멀리 평원을 에워싸고 있는 황금빛 안개와 똑같은 거대 장벽으로 가로막혔다. 그러나 돌기둥은 더 보이지 않았고, 내 뒤쪽의 돌기둥 두 개가 도로의 끝을 표시하는 것 같았다.

나는 당연히 이 새로운 차원의 돌기둥과 현실 세계의 표석 간에 모종의 관계가 있을 거라고 추측하기 시작했다. 둘의 유사성을 단순한 우연으로 넘길 수 없었다. 혹시 돌기둥 사이에 발을 디딘다면, 추락한 것과 반대로 인간세계에 돌아갈 수 있진 않을까? 만약 그렇다면, 낯선 시공간에서 나와 두 세계의 관문처럼 돌기둥과 표석을 세운 미지의 존재들은 과연 누구인가? 누가 이 관문을 사용할 수 있으며, 또 그렇게 하는 목적은 무엇인가?

이런 질문들이 열어놓은, 어마어마한 추측과 예상 앞에서 현기증이 일었다. 그러나 가장 걱정스러운 문제는 크레이터 리지로 돌아가는 것이었다. 완전한 기이함, 인근에 있는 도시의 기괴한 성벽, 이국적인 풍광의 부자연스러운 색과 형태, 이런 것들을 인간의 신경으로 감당하기는 무리여서 더 머물다가는 미쳐버릴 것만 같았다. 게다가 계속 머물러 있다간 살기 어린 어떤 괴물이나 존재를 만나게 될지 장담할 수도 없었다.

내가 보기에 비탈과 평원에는 생물체가 없었다. 반면에 거대 도시는 생물체의 존재 가능성을 방증하고 있었다. 내 소설에서 5차원 또는 마계(魔界)를 대담하게 찾아가는 주인공들과는 달리, 나는 모험심이라고는 아예 없던 터라, 그저 미지의 영역 앞에서 뒷걸음질 치는 인간의 본능으로 움츠러들었다. 어렴풋한 도시와 높게 솟구친 식물로 가득한 대

평원을 겁에 질려 힐끔거린 나는 두 개의 기둥 사이로 뒷걸음질 쳤다.

곧바로 전과 똑같이 아무것도 보이지 않는 상태에서 냉기 어린 심연으로 빠져들었고, 그 새로운 차원으로 떨어졌을 때처럼 불분명한 추락과 회전이 이어졌다. 마침내 극도의 현기증과 혼란 속에서 초록빛이 도는 회색 표석 사이, 그 온전한 지점에 돌아와 있었다. 내 주변에서 크레이터 리지가 지진에 휩싸인 것처럼 소용돌이치고 격동하는 바람에 평정을 찾을 때까지 일이 분 정도 앉아 있어야 했다.

나는 꿈을 꾸는 사람처럼 오두막으로 돌아왔다. 이 경험은 거짓말 같고 비현실적이었고 지금까지도 여전히 그렇다. 그런데도 이것은 다른 모든 일들을 하찮게 만들면서 내 생각을 온통 색칠하고 지배했다. 내가 겪은 일을 기록함으로써 어쩌면 조금은 벗어날 수 있을지 모르겠다. 평생의 어떤 경험보다도 혼란스러웠고, 이 세상마저 내가 너무도 우연하게 빠져들었던 세상만큼이나 비현실적이고 악몽처럼 느껴졌다.

8월 2일

지난 이틀 동안 많은 생각을 했고, 깊이 생각하고 의심할수록 모든 것은 더욱더 불가사의해졌다. 그 공간의 틈은 공기와 에테르, 빛과 물질이 스며들지 않은, 완벽한 진공일 텐데, 어떻게 내가 그 속으로 떨어질 수 있었을까? 떨어졌다가, 그것도 우리 세계와는 다른 영역으로 떨어졌다가 어떻게 다시 나올 수 있었을까?

그러나 이론적으로는 하나의 과정이 쉬웠다면 다른 과정 또한 쉬울 것이다. 그러나 중요한 난점이 있으니 이것이다. 즉, 진공상태에서 어떻게 위아래, 앞뒤로 움직일 수 있느냐는 것이다. 모든 것이 아인슈타인의 이론과 상충하고 있으니, 내가 지금 올바른 해법에 접근하고 있기나 한 것인지도 의심스럽다.

그 일이 진짜 벌어진 것인지 확인하기 위해 그곳으로 다시 가보고 싶은 유혹과 싸우고 있다. 그런데 가지 말아야 할 이유가 있는가? 어느 누구에게도 주어진 적 없는 기회가 내게 허락되었고, 내가 보게 될 경이와 알게 될 비밀은 상상을 초월하는 것이리라. 이런 상황에서 불안해하고 무서워하다니, 나 자신이 유치하고 면목 없다.

2. 거대 도시

8월 3일

오늘 아침, 권총으로 무장하고 그곳에 다시 갔다. 이것이 중요하다고 생각하지 않았다면, 두 개의 표석 사이 정중앙에 발을 들여놓지 않았을 것이다. 단언하건대, 전에 비해서 하강은 더 길고 격렬했으며, 대부분은 나선형으로 공중제비를 돌았던 것 같았다. 그 결과 현기증에서 회복하기까지 몇 분은 족히 걸렸고, 마침내 정신을 차리고 보니, 보랏빛 풀밭에 누워 있었다.

이번에는 자주색과 황색의 괴식물 사이에 최대한 몸을 숨기면서 용감하게 비탈을 내려가, 어렴풋한 도시를 향해 은밀하게 접근해 갔다. 주변은 정적에 휩싸여 있었다. 낯선 나무들 사이에서 바람 한 점 불지 않았고, 높이 수직으로 솟은 나무줄기와 수평의 잎들은 거석 건축물의 엄격한 윤곽을 모방하고 있는 것 같았다.

그리 멀리 가지 않아, 숲 속 도로에 도착했다. 도로는 어림잡아도 2제곱미터가 넘는 거대한 석조 블록으로 포장이 되어 있었다. 처음에는 도로를 사용하지 않아서 완전히 버려졌나 보다 생각했다. 그래서 용기를 내어 이 도로를 따라 걷는데 뒤에서 소음이 들려왔고, 돌아보니까 독특한 생명체 몇 개가 다가오고 있었다. 덜컥 겁이 나서 재빨리 덤불 속에 몸을 숨겼고, 그 생명체들이 지나가는 것을 보면서 혹시 나를 발견하지는 않았을까 오싹한 의구심이 들었다. 그들이 내가 숨어 있는 쪽을 아예 쳐다보지 않은 걸로 봐선 괜한 걱정 같았다.

우리에게 익숙한 사람 혹은 동물 그 어떤 것과도 완전히 달라서 그들의 생김새를 묘사하거나 시각화하는 건 녹록지 않다. 키가 3미터였고, 보폭이 엄청나게 커서 금세 길모퉁이를 넘어 사라져버렸다. 몸은 갑옷 같은 것을 입고 있는 것처럼 환하게 빛이 났고, 머리에는 위쪽으로 높이 구부러진 유백광의 부속기관이 달려서 마치 기괴한 깃털처럼 너풀거렸는데, 어쩌면 더듬이 종류의 진기한 감각기관일 수도 있었다. 나는 흥분과 경이감에 전율하면서 화려한 색깔의 덤불을 뚫고 계속 나아갔다. 그러다가 문득 어디에도 그림자가 없다는 것을 깨달았다. 해가 없는 호박색 하늘 전역에서 빛이 쏟아져 사방에 부드럽고 일률적인 조도가 퍼져 있었다. 모든 것은 아까처럼 움직임이 없이 고요했다. 이 불가사의한 지역 어디에도 새나 곤충, 동물의 흔적은 없었다.

그런데 도시에서 1.5킬로미터 떨어진 지점 — 물체들의 비율이 낯선 이 지역에서 원근감을 판단할 수 있게 된 지점 — 까지 도착했을 때, 처음에는 소리라기보단 진동이라고 생각한 뭔가를 감지했다. 묘한 전율이 일었다. 뭐랄까, 미지의 힘에 대한 불안한 감각 아니면 발산이 내 온몸을 꿰뚫고 지나가는 것 같았다. 그 음악을 듣기 한참 전에 이런 느낌을 감지했으나, 막상 소리를 들었을 때, 내 청각 신경은 그것을 즉시 진동으로 받아들였다.

그것은 희미하고 아련하여, 거대 도시의 중심에서 나오는 것 같았다. 멜로디는 더없이 감미로웠고, 간간이 여성의 육감적인 노랫소리와 흡사해지기도 했다. 그러나 사람의 목소리에서 그처럼 머나먼 세계의 빛과 별을 소리로 변환한 듯 비현실적인 높낮이와 강렬하면서도 영속적인 음색이 나올 리 없었다.

나는 평소 음악에 그리 민감한 편이 아니다. 음악에 감동할 줄 모른다며 핀잔을 듣곤 할 정도니까. 그러나 그 아련한 소리가 나를 사로잡기 시작할 때 나는 이미 그 독특한 정신적, 정서적인 마법에 심취해 있었다. 사이렌의 매혹 같은 것에 혹하여 내가 처해 있는 상황의 기이함과 잠재적 위험을 잊어버렸다. 게다가 머리와 감각들이 서서히 마약에 취해 가는 기분이 들었다.

어떻게 그랬는지 왜 그랬는지는 모르겠으나, 그 음악은 교묘한 방식으로 거대하지만 도달할 수 있는 공간과 높이, 초인적인 자유와 환희, 이런 생각을 내게 전달했다. 또한 음악은 내가 막연히 상상해 온 불가능의 장관을 여실히 보여주겠다고 약속하는 것 같았다.

숲은 도시의 성벽 가까이까지 펼쳐져 있었다. 마지막 수풀 너머로 몰래 살펴보니, 하늘로 치솟은 어마어마한 성가퀴가 나타났고, 거대한 돌덩어리들이 얼마나 완벽하게 연결되어 있는지 잘 드러났다. 내가 있는 곳은 거대한 도로의 근처였고, 도로가 들어서는 성문은 베헤모스[59]들도 통과할 만큼 커다란 크기로 열려 있었다. 경비병은 눈에 띄지 않았고, 몇몇 생명체들이 장신의 몸뚱이를 반짝이며 성큼성큼 성문으로 들어가고 있었다.

성벽이 엄청나게 두꺼워서 내가 있는 곳에서는 성문 내부를 볼 수 없었다. 그 신비한 성문을 통하여 더 한층 강렬하게 흘러나오는 음악은 기묘한 유혹과 상상을 초월하는 미지에의 열망으로 나를 잡아끌었다. 그 유혹을 거부하기가 어려웠다. 의지력을 발휘하여 돌아서기가 어려 웠다. 위험하다는 생각에 집중해 보았으나 그런 생각은 하찮고 괜한 걱 정이었다.

마침내 유혹을 떨쳐낸 나는 아주 느리게 우물쭈물 발길을 돌려서 음 악이 닿지 않는 곳까지 도착했다. 그곳에서도 음악의 마법은 마약의 효 과처럼 집요하게 남아 있었다. 집으로 돌아오는 내내, 발길을 돌리고픈 그래서 그 반짝이는 거인들을 따라 도시로 들어가고픈 충동이 일었다.

8월 5일

나는 새로운 차원을 또 한 번 방문했었다. 그 유혹적인 음악을 능히 물리칠 수 있을 거라 생각했고, 혹시 위험한 경우에는 귀를 틀어막으려 고 솜뭉치까지 가져갔다. 이전과 똑같이 멀리서 천상의 멜로디가 들려 오기 시작했고, 이전처럼 그쪽으로 이끌려 갔다. 그러나 이번에는, 열 려 있는 성문 안까지 들어가고 말았다!

내가 과연 그 도시를 묘사할 수 있을까? 그 거대한 보도블록에서, 셀 수 없이 많은 고층 건물 한복판에서, 그 거리와 아케이드 사이에서 나 는 한 마리 개미처럼 느껴졌다. 어디에나 기둥과 오벨리스크, 테베와 헬리오폴리스[60]의 신전들을 코딱지만 하게 만들 정도로 거대한 건축물 의 깎아지르는 탑문이 즐비했다. 그리고 이 도시의 거주자들! 그들을 어떻게 묘사하고 이름 지을 수 있으랴!

내가 처음에 봤던, 반짝이는 생명체들은 이 도시의 실제 거주자가 아 니라 나와 마찬가지로 다른 세계 혹은 차원에서 온 방문자인 것 같다. 실제 거주자들도 거구다. 다만 이들은 엄숙하고 절제된 보폭으로 천천히 움직인다. 나체인 이들의 몸은 가무잡잡하며, 여상주[61]와도 같은 팔다리는 건물의 지붕과 상인방을 지탱할 정도로 튼튼하다. 이들을 자세히 묘사하기가 저어되는데, 그 이유는 인간의 언어가 기괴하고 천한 느낌을 줄 수 있기 때문이다. 이들은 기괴한 존재들이 아니고, 우리와는 다른 진화의 법칙에 따라 발전했을 뿐이다. 환경 요인과 조건 또한 인간세계와는 다르다.

어찌 됐든, 그때 그들을 봤을 때는 두렵지 않았다. 아마도 음악이 두려움을 없앤 것 같았다. 성문 바로 안쪽에 그들 한 무리가 모여 있었고, 내가 그들을 지나가는데도 아무런 관심이 없는 것 같았다. 크고 불투명한 흑석 같은 눈은 안드로스핑크스[62]의 조각한 눈처럼 인상적이었고, 묵직하고 일직선의 무표정한 입술에선 아무런 소리도 나오지 않았다. 직사각형에 가까운 이상한 머리에 외관상 귀 같은 것이 없는 것으로 봐서 청력이 떨어지는지도 모르겠다.

여전히 멀리서 들려오는, 조금 더 음량이 커진 듯한 음악 소리를 따라갔다. 얼마 지나지 않아서, 성벽 밖 도로에서 봤던 생명체들이 나를 추월해 갔다. 그들은 재빨리 나를 지나치더니 건물의 미로 속으로 사라졌다. 그 뒤를 따라 몸집이 조금 작고 환한 비늘이랄까 갑옷도 입지 않은 또 다른 생명체들이 나타났다. 그때 상공에서 반투명의 기다란—복잡한 잎맥 구조와 골로 이루어진—핏빛 날개를 지닌 두 생명체가 나란히 날다가 사라졌다. 이 비행체들의 얼굴에는 어떤 용도인지 짐작할 수 없는 기관들이 붙어 있었고, 얼굴 생김새도 동물과는 달라서 고도로 진화한 개체라는 확신이 들었다.

내가 이 도시의 실제 거주자라고 판단한, 움직임이 느리고 색이 거무스름한 존재들을 수도 없이 많이 목격했으나, 그중에서 어느 하나도 나를 주의 깊게 보지 않는 것 같았다. 그들의 입장에선 인간보다 더 기이하고 요상한 생명체에 익숙한 모양이었다. 내가 계속 길을 가는 동안, 해괴하게 생긴 생명체 10여 개가 나를 앞서 갔는데, 모두가 사이렌의 멜로디에 홀린 듯이 나와 똑같은 방향으로 가고 있었다.

나는 아련한 천상의 마약 같은 음악에 이끌려 거대한 건축물 사이로 점점 더 깊숙이 들어갔다. 머잖아 음악 소리에서 10분 정도의 간격을 두고 완만한 강약이 느껴졌다. 그러나 미묘하긴 하나, 음악은 점점 더 감미로워졌고 가까워졌다. 어떻게 음악 소리가 무수한 석조 건물의 미로를 지나오는지 또 성벽 밖에서도 들리는지 궁금했다.

호박색 천공을 향해 층층이 솟구친 직사각형 건축물, 그 끝없는 그림자 사이를 꽤 오래 걸었던 것 같다. 드디어 이 모든 것의 핵심이자 비밀에 다가갔다. 다수의 해괴한 생명체들과 앞서거니 뒤서거니 하면서 도착한 곳은 거대한 광장, 그 한복판에 지금까지 본 것 중에서 가장 큰 신전 형태의 건물이 있었다. 많은 기둥으로 이루어진 신전 입구에서 음악이 긴박한 고음으로 쏟아져 나왔다.

그 건물의 복도로 들어설 때는 엄청난 비밀의 성지에 다가가는 사람처럼 전율을 느꼈다. 서로 다른 세계 혹은 차원에서 온 자들이 나와 나란히 혹은 앞장서서, 해독할 수 없는 룬 문자와 의문의 얕은 돋을새김이 새겨진, 거대한 열주를 따라 걷고 있었다. 피부가 검고 거구인 도시의 거주자들도 다른 이들처럼 그들 나름의 관심사에 몰두하면서 서 있거나 주위를 배회했다. 그 누구도 내게 말을 걸기는커녕 자기들끼리도 말을 하지 않았고, 몇몇 시선이 나를 무심히 바라보며 당연시하는 것 같았다.

어떤 말로도 그 이해할 수 없는 경이감을 표현할 길이 없다. 그렇다면 음악에 대해서는 표현할 수 있을까? 아니, 그 또한 불가능하다. 음악은 기적의 묘약이 음파로 변환된 것 같았다. 초인의 삶을 선물로 주고, 신들이 꿈꾸는 고원하고 장대한 꿈을 주는 묘약 말이다. 내가 음악의 숨겨진 원천에 다가가는 동안, 그 소리는 천상의 취기처럼 머릿속을 가득 채웠다. 더 가기 전에 솜으로 귀를 틀어막으라고 갑자기 경고를 보낸 것이 무엇인지는 모르겠다. 귀를 막아도 여전히 음악이 들리고 그 독특하고 침투력 강한 진동이 느껴지긴 했으나, 그 영향력만큼은 약해졌다. 이 단순하고도 시시한 예방책 덕분에 내가 목숨을 건졌다는 건 의심의 여지가 없다.

끝없이 늘어서던 기둥들이 어느 지점부터 기다란 현무암 동굴에 들어선 것처럼 점점 그 수가 줄어들었다. 그때 멀리 앞쪽에서 바닥과 기둥에 은은한 빛이 반짝이는 게 보였다. 그 빛은 곧 거대한 램프들이 신전의 중심을 밝히고 있듯 휘황찬란해졌다. 숨겨진 음악의 진동이 더욱더 강렬하게 내 신경을 파고들었다.

복도가 끝나고 어마어마하게 큰 공간이 나타났고, 벽과 지붕엔 움직임 없는 그림자들이 드리워져 있어 의뭉스러운 분위기를 자아냈다. 거대한 블록들로 이루어진 보도 한복판에 둥그런 구덩이가 하나가 있었다. 그 위로 불의 분수가 떠 있는 것처럼 계속해서 빛이 분출되었고 그 길이가 서서히 길어졌다. 그 불빛이 방 안에서 유일한 조명이자 열정적이고 비현실적인 음악의 진원지였다. 나는 애써 귀를 막았음에도 음악의 전율과 별빛 같은 감미로움에 황홀해졌다. 그뿐만 아니라, 육감적인 매혹과 숭고하고도 현란한 환희까지 맛보았다.

나는 곧바로 그곳이 성소라는 것과 나와 함께 있는 차원 간 존재들이 순례자라는 것을 알아챘다. 그 수가 수십 아니 수백을 헤아렸다. 그러나 그 모두가 광대한 공간 속에서 왜소하게만 보였다. 그들은 저마다 숭배의 태도를 취하고 불꽃 앞에 모여들었다. 제각각 색다르게 생긴 머리를 조아리거나 인간의 그것과는 다른 손과 신체의 일부분으로 신기한 몸짓을 하거나 숭배의 의미를 표현했다. 북소리처럼 깊은 저음의 목소리와 거대한 곤충의 울음처럼 날카로운 목소리가 분수의 노랫소리와 뒤섞이기도 했다.

정신이 팔린 나는 앞으로 나아가 그들과 동참했다. 음악과 치솟는 불꽃에 홀린 터라, 이국의 동료들에겐 별다른 관심을 두지 않았다. 그들이 나를 그렇게 대한 것처럼 말이다. 분수는 솟고 또 솟아, 그 뒤에 있던 왕관을 쓴 거대 석상들의 팔다리와 얼굴까지 불빛이 너울거렸다. 외계 시간의 과거에서 온 영웅들과 신들 혹은 악마들이 무한한 신비의 어스름 속에서 돌이 되어 우리를 응시하고 있었다.

초록색의 불빛은 별의 중심처럼 눈부시게 순결했다. 너무 눈이 부셔 시선을 돌리자, 허공엔 온갖 색깔의 거미줄로 가득했고, 빠르게 변하는 아라베스크처럼 어떤 인간도 본 적 없는 무수하고 비범한 색채와 무늬를 나타내고 있었다. 나는 뼛속까지 더욱 강렬해진 생명으로 채우는, 자극적인 온기를 느꼈다.

3. 불꽃의 유혹

음악은 불꽃과 더불어 높아졌다. 그제야 나는 음악의 반복적인 강약을 알아챘다. 보고 듣는 동안, 내 마음속에는 광기 어린, 요컨대 앞으로 달려 나가 노래하는 불 속으로 뛰어든다면 얼마나 경이롭고 황홀할까 하는 생각이 떠올랐다. 모든 환희와 승리감 그리고 멀리서 약속했던 모든 장엄과 광희가 한데 활활 타올라 용해되는 순간을 만끽하리라. 음악이 그렇게 말하는 것 같았다. 음악은 한편으로 나를 간곡히 달랬다. 틀어막은 내 귀에 대고 천상의 멜로디로 애원하니, 그 유혹을 뿌리칠 수 없을 지경이었다.

그러나 음악은 내게서 온전한 정신을 전부 앗아 가진 못했다. 나는 높은 낭떠러지에서 몸을 던지라고 유혹받은 사람처럼 갑작스러운 공포를 느끼고 뒤로 물러섰다. 그때 나 말고도 내 옆에 있던 몇몇이 그 죽음의 충동에 사로잡힌 것을 보았다. 앞에서 언급했던, 진홍색 날개를 지닌 두 생명체가 다른 무리와 조금 떨어진 곳에 서 있었다. 그들이 날개를 크게 펄럭이면서 촛불로 뛰어드는 나방처럼 불꽃을 향해 날아갔다. 순식간에 그들의 반투명한 날개 사이로 붉은 빛이 번쩍이는가 싶더니, 그들은 곧 백열광 속으로 사라져버렸고, 확 타올랐던 불길은 원래대로 돌아갔다.

잇따라서 아주 빠른 속도로, 생물학의 더없이 다양한 양식을 표방하는 생명체들 다수가 앞으로 뛰어나가, 불꽃 속에 몸을 던졌다. 몸이 반투명한 생명체도 있었고, 온몸이 단백석 빛깔로 반짝이는 것들도 있었다. 그뿐만 아니라, 날개 달린 거대 생명체, 축지법을 쓰듯 성큼성큼 활보하는 거인족, 날개는 있으나 생기다 만 쓸모없는 것이라서 다른 이들처럼 영광을 누리고자 기어가는 존재들……. 그러나 이들 중에 도시 거주자는 하나도 없었다. 도시의 거주자들은 여전히 무감정한 석상처럼 서서 지켜볼 뿐이었다.

분수의 높이가 최고점에 도달하더니 낮아지기 시작했다. 꾸준히 그러나 느리게 낮아져서 절반 정도의 높이까지 내려왔다. 그러는 동안,

자살 행위는 더 일어나지 않았고, 내 주변에 있던 몇몇 생명체는 죽음
의 마법을 이겨낸 것처럼 갑자기 돌아서서 가버렸다.

큰 키에 갑옷을 입은 생명체 중 하나가 자리를 뜨면서 내게 클라리온
(전쟁 나팔) 같은 목소리로 확실한 경고의 억양을 전달했다. 나는 혼란
스러운 감정 속에서 필사적으로 의지를 발휘해 그를 따라갔다. 걸음을
내디딜 때마다 음악의 광기와 광희가 살고자 하는 내 본능을 꺾으려고
들었다. 발길을 되돌린 것도 한두 번이 아니었다. 집으로 어떻게 돌아
왔는지, 마약의 황홀경에 취해 배회하는 사람처럼 기억이 가물가물하
다. 등 뒤에서 들려오는 음악은 내가 놓친 환희에 대해 말했고, 불꽃 속
에서 산화하는 찰나의 순간이 불멸의 영원한 삶보다 낫다고도 말했다.

8월 9일

새로운 이야기를 쓰고 싶지만 진전이 없다. 내가 상상할 수 있거나
언어로 표현할 수 있는 것들은 그 신비한 비밀의 세계 말고는 밋밋하고
미숙하게만 보인다. 그곳으로 돌아가고픈 유혹이 어느 때보다 강렬했
다. 음악의 부름이 사랑하는 여인의 목소리보다 더 감미로웠다. 온통
이 생각뿐이라 괴롭고, 내가 인식하고 이해하는 것이 거의 없어서 애가
탄다.

내가 존재와 방식을 그저 어렴풋이 알게 된 이 힘들의 정체는 과연
무엇인가? 그 도시의 거주자들은 누구인가? 그리고 신성시되는 불꽃을
찾아온 존재들은 누구인가? 어떤 소문 혹은 전설이 이들을 머나먼 제
국과 비밀의 행성으로부터 설명할 수 없는 위험과 파멸의 그 도시로 이
끈 것인가? 분수의 정체는 무엇이고, 그것의 유혹과 치명적인 노래의
비밀은 무엇인가? 이런 의문은 끝없는 추측을 낳지만 이렇다 할 단서

는 없다.

한 번 더 가보려고 계획 중……. 그러나 이번에는 혼자가 아니다. 그 경이로움과 위험의 증인으로서 누군가 나와 함께 가야 한다. 너무도 기이하여 믿기 어려우니까. 내가 보고 느끼고 짐작하는 것을 누군가 확인해 주었으면 한다. 게다가 다른 사람이라면 혹시 내가 놓친 것들을 이해할 수 있을지 모르겠다.

누구를 데려가지? 바깥세상에서 이곳으로 누군가를 초대해야겠다. 높은 수준의 지식과 심미안을 갖춘 사람. 친구이자 소설가인 필립 하스테인에게 말해 볼까? 그 친구는 너무 바쁠 것 같다. 가만, 캘리포니아 출신의 화가 그러니까 내 환상 소설 몇 편에 삽화를 그리기도 한 펠릭스 에본리가 있었지…….

에본리는 여건만 된다면, 새로운 차원을 기꺼이 보러 올 사람이다. 기괴하고 초현실적인 것을 좋아하는 친구다 보니, 그 평원과 도시의 장관은 물론이고 건물과 아케이드의 미로 그리고 불꽃 사원까지 그를 사로잡을 터이다. 그 친구의 샌프란시스코 주소지로 즉시 편지를 보내야겠다.

8월 12일

에본리가 왔다. 그의 취향에 맞는, 새로운 그림 소재에 대해 은근히 암시를 했더니 크게 흥분하여 내 초청을 거절하지 못했다. 내가 겪은 일을 상세하게 설명했다. 그가 조금 못 미더운 눈치를 보였으나, 그렇다고 그를 탓할 수 없는 노릇이다. 하지만 그의 불신이 그리 오래가진 않을 터이다. 내일 노래하는 불꽃의 도시에 함께 가보기로 했으니까.

8월 13일

이 혼란스러움을 가라앉히고 아주 신중하게 표현을 골라 기록해야 겠다. 이것으로 일기를 끝낼 것이고, 앞으로 어떤 글도 쓰지 않을 것이다. 일기를 끝내면, 내가 안심하고 처분을 맡길 수 있는 필립 하스테인에게 보낼 것이다.

오늘 에본리를 데리고 다른 차원으로 들어갔다. 그는 크레이터 리지에 있는 두 개의 표석을 보고 나처럼 큰 감명을 받았다.

"선사시대의 신들이 세운 기둥의 양 끝처럼 생겼군." 그가 말했다. "이제 네가 한 말에 믿음이 가기 시작하는걸."

나는 위치를 가리키며 에본리더러 먼저 가라고 했다. 그는 주저 없이 그렇게 했고, 나는 사람이 순식간에 사라지는 독특한 광경을 목격했다. 한순간 그는 거기 있었다. 다음 순간에는 빈 땅만 있었고, 그의 몸이 가리고 있던 먼 곳의 낙엽송이 보였다. 내가 그 뒤를 따라 도착해 보니, 그는 침묵의 경외감 속에서 보라색 풀밭에 서 있었다.

"이건 말이야." 그가 마침내 말문을 열었다. "내가 지금까지 그저 상상만 해온 그런 일이야. 내가 그린, 상상력이 가장 뛰어난 작품에서도 암시조차 하지 못했던 그런 일."

우리는 늘어서 있는 돌 구조물을 따라서 묵묵히 평원으로 향했다. 높고 웅장한 나무와 그 화려한 잎 들 너머로 멀리서 황갈색 증기가 갈라지며 거대한 지평선을 보여주고 있었다. 그리고 지평선 너머, 호박색 하늘에는 반짝이는 구체들과 이글거리며 날아다니는 작은 파편들이 가득했다. 마치 인간세계와 다른 우주를 가리고 있는 장막과도 같았다.

우리는 평원을 가로질러 마침내 사이렌의 음악이 들리는 곳에 도착했다. 나는 에본리에게 솜으로 귀를 틀어막으라고 경고했으나, 그는 내 말을 듣지 않았다.

"새로운 감각을 경험할 수도 있는데, 그걸 막아버리라니, 나는 싫어." 그가 말했다.

우리는 도시로 들어갔다. 에본리는 거대한 건물과 생명체 들을 보자, 진정한 예술적 환희에 사로잡혔다. 게다가 음악도 그에게 영향을 미치고 있었다. 그의 표정은 곧 마약중독자처럼 뭔가에 홀린 듯했고 몽롱해졌다.

처음에 에본리는 건축물과 우리를 스쳐 지나가는 다양한 생명체 들에 대해 많은 말을 했고, 내가 지금까지 모르고 지나쳤던 것들을 가리키며 주의를 환기했다. 그러나 불꽃의 신전이 가까워질수록, 그는 관찰자로서의 흥미를 잃어버린 채 내적인 황홀경에 점점 더 빠져드는 것 같았다. 점점 더 말수가 적어지고 그나마 단답형으로 바뀌더니, 급기야는 내가 하는 질문을 아예 듣는 것 같지도 않았다. 음악 소리에 온통 정신을 빼앗긴 모양이었다.

내가 전에 방문했을 때처럼 성지로 향하는 순례자들이 많은 반면, 그 곳에서 돌아오는 수는 극히 적었다. 대부분은 내가 이미 봤던 진화한 개체의 형태를 취하고 있었다. 개중에는 처음 보는 개체들도 있었는데, 특히 기억에 남는 것은 거대한 인시류처럼 황금색과 하늘색 날개를 지닌 화려한 생명체로서, 보석처럼 휘황찬란한 눈알은 어느 낙원의 영광을 그대로 보여주고 있는 것 같았다.

나는 먼젓번처럼 속박과 황홀경을 느꼈고, 음악이 미묘한 알칼로이드[63]처럼 내 두뇌에 작용하듯이 생각과 본능이 서서히 그러나 기분 나쁘게 왜곡되는 것 같았다. 나는 평소처럼 예방을 하고 있었기에 내게 미치는 영향력은 에본리에 미치는 그것보다는 훨씬 덜했다. 그렇기는

432

해도, 내가 여러 가지 중요한 것을 잊게 할 정도로는 영향력이 있었다. 이를테면, 에본리가 귀를 틀어막지 않겠다고 했을 때 들었던 걱정이 사라졌다. 에본리뿐만 아니라 나 자신의 위험 같은 것도 막연하고 시시하게 느껴질 뿐이어서 그리 신경이 쓰이지 않았다.

거리는 길고도 당혹스러운 악몽의 미로 같았다. 그러나 음악은 우리를 지체 없이 이끌어 갔고, 그곳엔 언제나 다른 순례자들이 있었다. 거센 격랑에 휩싸인 사람들처럼 우리는 목적지로 이끌려 갔다. 거대한 기둥들이 늘어선 홀을 따라 걸어서 불꽃 분수가 가까워질 즈음, 내 머릿속에 순간적으로 위기감이 떠올라서 에본리에게 한 번 더 경고를 하려고 했다. 그러나 아무리 항변하고 타일러도 소용이 없었다. 내 말은 쇠귀에 경 읽기였고, 그는 죽음의 음악에만 귀를 기울였다. 그의 표정과 움직임은 몽유병자의 그것이었다. 심지어 완력으로 그를 붙잡아 흔들어봤으나, 내가 누구인지 모른다는 식이었다.

숭배자들의 수는 첫 방문 때보다 더 많았다. 우리가 그곳에 들어섰을 때, 순백의 빛이 서서히 위로 솟구치면서 우주에 하나뿐인 별처럼 정열과 환희를 노래하고 있었다. 또다시 그것은 내게 형용할 수 없는 음조로 숭고하고 고양된 분위기 속에서 불나방처럼 죽는 광희에 대해, 절대의 본질과 순간적으로 하나가 되는 환희와 승리감에 대해 말했다.

불꽃이 정점에 도달했다. 내가 볼 때도 그 최면의 유혹은 거부할 수 없는 것이었다. 많은 동료가 그 유혹에 굴복했고, 그중에서도 맨 처음 불꽃에 몸을 던진 것은 거대한 인시류 개체였다. 각양각색의 진화 형태를 보이는 또 다른 네 개의 생명체가 눈 깜짝할 사이에 그 뒤를 따랐다.

나 또한 상당 부분 음악에 사로잡힌 상태에서 그 치명적인 속박을 떨쳐내고자 사력을 다했다. 에본리가 함께 있다는 것조차 거의 잊고 있었다. 그를 막아야겠다고 생각했을 때는 이미 늦은 후였다. 그는 종교 춤의 도입부처럼 엄숙하고도 광기 어린 동작으로 펄쩍펄쩍 뛰면서 달려가더니 불꽃 속에 곤두박이로 몸을 던졌다. 불꽃이 그를 휘감았다. 눈부신 녹색 빛이 한순간 확 타올랐고, 그것으로 끝이었다.

마비됐던 두뇌에서 튀어나온 공포감이 서서히 의식을 깨우는 것 같았고, 그 덕분에 위험한 최면 상태에서 벗어날 수 있었다. 많은 이들이 에본리의 뒤를 따라 산화하는 동안, 나는 발길을 돌려 그 성소에서, 그 도시에서 도망쳤다. 갈수록 공포는 줄어들었다. 점점 더 나도 모르게 에본리의 운명을 부러워했고, 그가 불꽃 속에 녹아드는 순간 어떤 감정을 느꼈을지 궁금해졌다.

이 글을 쓰고 있는 지금, 내가 왜 인간세계로 돌아왔는지 의아스럽다. 내가 보고 겪은 일 그리고 나 말고 다른 사람은 짐작조차 하지 못하는 일 요컨대 한 세계의 무한한 힘들이 내게 끼친 영향력과 그 결과 내게 생긴 변화를 말로 표현해 봐야 부질없다. 문학은 그림자에 불과하다. 단조롭고 반복적인 일상이 연장되는 삶, 그것은 내가 이룰 수 있었던 죽음, 아니 여전히 준비되어 있는 찬란한 운명에 비하면 허상이고 무의미하다.

기억 속에서 들려오는 저 집요하기 이를 데 없는 음악에 더는 맞서 싸울 힘이 없다. 더구나 맞서 싸워야 할 이유가 있을까……. 내일, 나는 그 도시로 돌아가련다.

---

59) 베헤모스(Behemoth): 성서에 나오는 하마를 닮은 거대 괴수로, '비히모스'라고도 한다. 성서에는 레비아탄(리바이어던)을 바다의 괴수, 베헤모스를 육지의 괴수로 기록하고 있다.

60) 헬리오폴리스(Heliopolis): 카이로 북동쪽에 있는 고대 이집트의 종교도시 유적.

61) 여상주(女像柱): 여인상으로 이루어진 기둥.

62) 안드로스핑크스: 머리가 남자인 스핑크스.

63) 알칼로이드(alkaloid): 질소를 함유한 알칼리성 유기물로 식물체 속에 들어 있다. 모르핀, 니코틴, 코카인, 키니네, 카페인 등의 총칭. 보통은 고체이고 일반적으로 독성이 있으며 특수한 약리 작용을 한다.

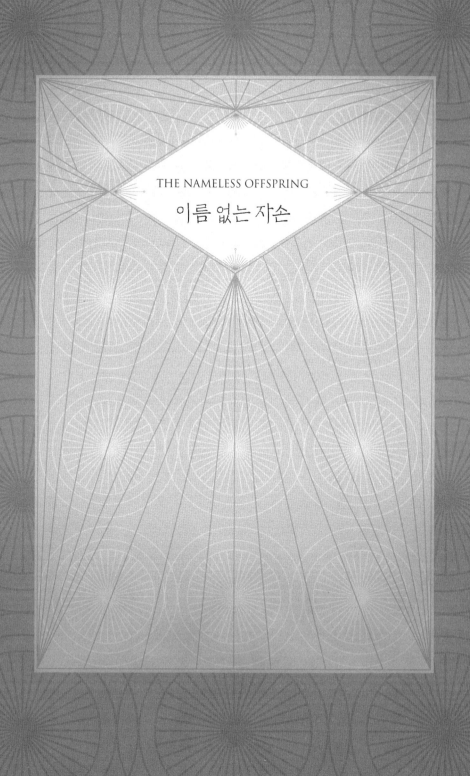

THE NAMELESS OFFSPRING

이름 없는 자손

작품 노트

1931년 11월에 완성, 1932년 《스트레인지 테일스》 6월 호에 실렸다.

인간과 비인간 사이에서 태어난 자식을 소재로 한 이 작품은 「위대한 목신」을 비롯한 매컨의 작품과 러브크래프트의 「더니치 호러」에서 영감을 받은 것으로 보인다. 스미스는 러브크래프트에게 보낸 편지에서 "판(Pan, 목신)은 너무 섬뜩한 아이디어라서 소설로 작업하기가 두려울 정도입니다."라며 매컨의 작품을 읽고 난 강렬한 인상을 전했다. 러브크래프트는 스미스의 「이름 없는 자손」을 읽고 다음과 같은 감상을 편지로 보냈다. "아직도 발톱으로 할퀴는 소리가 들리는 것 같습니다. 현실 세계에서 배경을 설정하는 당신의 능력은 뛰어납니다. 솔직히 말해서, 작품의 완성도까지 늘 최고일 순 없어도, 설정과 장치를 다루는 당신의 솜씨만큼은 언제나 탁월합니다." 러브크래프트는 한편으론 '현실 세계의 설정 부분을 줄이고 그 대신에 우주적 비정상성을 집어넣는 게' 어떠냐고 조언했다. 또한 이 작품에서 시체를 먹는 부분과 성적인 요소 때문에 꽤 까다로운 편집장 라이트가 거절할지 모르겠다고 걱정하기도 했다.

스미스가 잡지 중에서 상대적으로 섬뜩한 소재와 묘사에 개방적이었던 《스트레인지 테일스》에 원고를 보냈는데도, 잡지사 쪽에서 잔인한 묘사와 결말 부분에 대해 약간의 수정 의견을 보내왔다. 스미스는 이 작품이 매컨의 소설이나 러브크래프트의 「더니치 호러」보다는 강도가 약하다면서 불평했으나, 잡지사의 의견이 합리적이라고 받아들였다.

지구에서 원시부터 출몰해 온, 불분명한 공포들은 그 수가 많고 형태 또한 다양하다. 그들은 뒤집히지 않은 돌 아래서 잠잔다. 뿌리부터 우듬지까지 나무와 함께 일어선다. 해저와 지하 공간에서 움직인다. 가장 깊숙한 밀실에 거주한다. 밀폐된 으리으리한 청동 능과 진흙으로 막힌 낮은 무덤에서 때맞춰 나온다. 그중에는 오래전부터 인간에게 알려진 것들이 있는가 하면, 아직 미지의 상태에서 장차 섬뜩한 출현을 준비하고 있는 것들도 있다. 가장 무시무시하고 역겨운 것들은 아직 베일에 가려져 있는 것 같다. 다만 미리 모습을 드러내어 자신의 존재를 증명한 것들이 있는데, 그중에서도 특히 흉측함이 지나쳐 공개적으로 거론되지 않는 것이 하나 있다. 그것은 바로, 지하에 숨은 거주자가 인간에게 잉태시킨 새끼다.

— 압둘 알하즈레드의 『네크로노미콘[64]』 중에서

　어떤 면에서, 내가 말하는 이 이야기가 상당 부분 미확인된 흔적만 있으며 불분명한 암시와 금지된 추측으로 한정된 괴물에 관한 것이어서 다행이라 하겠다. 그렇지 않고서야, 이 괴물에 대해 인간의 손으로 결코 쓸 수 없거니와 인간의 눈으로 읽을 수 없을 것이다. 이 섬뜩한 드라마에서 나 자신의 미약한 역할은 마지막 회에 국한되어 있다. 내게 이 드라마의 이전 장면들은 그저 아득하고 소름 끼치는 전설에 불과하다. 설령 그렇다고 해도, 이 기괴한 공포의 부서진 잔영들은 중요한 일상생활의 먼 배경을 가득 채우고 있다. 이 잔영들은 열린 심연의 어둡고 바람 센 가장자리에 얽혀 있는, 연약한 거미줄 정도로 보이지만, 반쯤 열린 이 깊은 납골당에서 지상의 가장 극한 부패물들이 잠복하여 곪아가고 있다. 내가 말하려는 그 전설은 어린 시절부터 익숙한 것으로, 가족들이 쉬쉬 속삭이면서 고개를 젓게 만드는 화제였다. 존 트레모스 경이 바로 내 아버지의 학우였기 때문이다. 그러나 나는 마지막에 비극으로 끝난 그 일련의 사건들이 벌어질 때까지 단 한 번도 존 경을 만난 적 없었고, 트레모스 홀을 방문한 적도 없었다. 아버지는 갓난아기였던 나를 데리고 영국에서 캐나다로 이주했다. 아버지는 매니토바[65]에서 양봉가로 성공했고, 아버지가 돌아가신 후에는 내가 맡은 양봉장 일이 너무 바빠서, 고향을 찾아가 구석구석을 살펴보고 싶다는 오랜 숙원을 이루기까지 오랜 시간을 기다려야 했다.

드디어 내가 꿈을 실행에 옮겼을 때, 그 전설은 이미 내 기억에서 희미해져 있었다. 오토바이로 영국의 고향 땅 인근을 누비기 시작하면서 트레모스 홀은 여정에 넣지 않았다. 어떤 경우에도 나는 병적인 호기심, 이를테면 다른 사람들이라면 흥미를 느낄 만한 괴담 같은 것에 끌려본 적이 없다. 그렇다 보니, 그곳을 방문하게 된 건 순전히 우연이었다. 그곳의 정확한 위치를 잊은 지 오래여서 혹여 그 근처에 가게 될 줄은 꿈도 꾸지 않았다. 내가 미리 알았더라면, 피신처를 찾아야 하는 아무리 긴박한 상황이라 해도, 그곳의 비참한 삶을 침범하지 않고 방향을 돌렸을 것이다.

트레모스 홀에 도착한 어느 초가을 날, 나는 하루 종일 구불구불한 도로와 좁은 길을 따라 오르락내리락하는 시골을 유유자적 달리고 있었다. 그해 처음으로 황갈색과 심홍색을 띠기 시작한 도도한 산봉우리 너머로 연한 담청색 하늘이 펼쳐진, 화창한 날이었다. 그런데 오후 나절이 되자, 보이지 않는 바다에서 일어나 낮은 산들을 건너온 안개가 움직이는 유령 고리처럼 내 주변을 휘감기 시작했다. 이 헷갈리는 안개 속에서 그날 밤 묵을 예정이었던 마을로 가는 이정표를 놓치고 방향을 잃고 말았다.

다른 교차로가 나오겠지 생각하면서 아무 방향이나 한동안 계속 이동했다. 내가 택한 길은 거칠고 비좁은 데다 유난히 황량했다. 안개는 더 짙어지고 빽빽해져서 지평선을 모조리 가려버렸다. 내가 볼 수 있는 한, 그 지역은 문명의 흔적이라고는 없이 무성한 히스와 표석으로 이루어져 있었다. 평평한 산등성이에 올랐다가 길고 단조로운 비탈을 내려가는 동안, 일몰과 함께 안개는 계속 짙어져갔다. 내가 가는 방향이 서쪽일 거라고 생각했다. 그런데 어스름한 박명 속에서 기대했던 저녁놀의 희미한 빛이나 너울거리는 색이라고는 보이지 않았다. 나를 맞이한 것은 바다 습지의 냄새처럼 소금기 섞인, 몹시 눅눅한 냄새였다.

길은 급경사를 이루며 꺾였고, 구릉과 습지대 사이를 달리고 있는 것 같았다. 마치 나를 따라잡으려고 서두르는 것처럼 이상하리만큼 빠르게 밤이 몰려왔다. 영국의 여느 시골보다 더 수상쩍은 지역에서 길을 잃었다는, 막연한 걱정과 불안이 일기 시작했다. 안개와 땅거미가 싸늘하고 치명적이며 불안한 미스터리의 숨죽인 풍경을 숨기고 있는 것 같았다.

그때, 길 왼쪽 그리 멀지 않은 곳에서 슬픔과 눈물에 가려진 시야를 밝히는 것처럼 빛 하나가 나타났다. 그것은 유령 숲의 나무처럼 뿌옇고 불분명한 물체들 사이에서 빛나고 있었다. 가까이 다가가는 동안, 가장 가까운 물체는 사유지의 입구를 지키는, 작은 문지기 집으로 바뀌었다. 그 건물은 어두웠고 아무도 없는 것 같았다. 멈춰 서서 엿보다가, 돌보지 않는 주목 울타리에서 철제문의 윤곽을 찾아냈다.

주변은 온통 스산했고 접근을 막아서는 분위기가 감돌았다. 불길하고 빽빽한 안개를 뚫고 보이지 않는 습지에서 불어오는 음산한 냉기가 뼛속까지 파고들었다. 그래도 그 빛은 이 쓸쓸한 구릉지에서 가까이 사람이 있다는 의미였다. 하룻밤을 묵어갈 수도 있고, 하다못해 누군가를 만나서 마을이나 여인숙으로 가는 길이라도 물을 수 있을 터였다.

놀랍게도 철제문은 잠겨 있지 않았다. 문은 오랫동안 열린 적이 없는 것처럼 녹슬어 삐걱거리는 소리와 함께 안쪽으로 젖혀졌다. 오토바이를 밀면서 잡초 무성한 진입로를 따라 빛을 향해 나아갔다. 무질서하게 뻗어 있는 대저택 건물이 저절로 모습을 드러냈는데, 저택을 둘러싼 교목과 관목 들은 조경에 의한 인위적인 형태로, 들쭉날쭉한 주목 울타리처럼 정원사의 손길을 받았을 때보다 훨씬 기괴한 분위기를 자아내고 있었다.

안개는 차가운 가랑비로 바뀌었다. 어둠 속을 더듬다시피 해서 찾아낸 검은 문은 하나뿐인 불빛이 새어 나오는 창문에서 다소 떨어진 거리에 있었다. 세 번 노크를 하자, 드디어 느리고 힘없는 발소리가 둔탁하게 들려왔다. 경계를 하는 것인지 또는 망설이는 것인지 문이 천천히 열리더니, 내 앞에 촛불을 든 노인 한 명이 나타났다. 노인의 손이 떨리는 것은 중풍 아니면 나이 때문일 터, 그의 등 뒤로 어둠침침한 복도에서 괴이한 그림자들이 흔들리면서 불길한 박쥐의 날개처럼 그의 주름진 얼굴을 스쳐 갔다.

"무슨 일인가요?" 그가 물었다.

목소리에 떨리고 주저하는 기색이 있긴 했으나, 걱정했던 것과는 달리 거친 말투는 아니었고, 경계심과 노골적인 냉대를 드러내지도 않았다. 다만, 난처해한다고 할까 미심쩍어한다고 할까 그런 느낌이 들었다. 내가 이 한적한 집의 문을 두드리게 된 자초지종을 설명하는 동안, 노인은 나를 예리한 눈빛으로 살펴보았는데, 그 모습에서 아주 늙었다는 첫인상이 틀렸음을 깨달았다.

"이 지역이 처음이로군요." 노인이 내 말을 다 듣고서 대꾸했다. "그런데 성함을 물어봐도 될까요?"

"헨리 찰데인입니다."

"아서 찰데인 씨의 아들 아닌가요?"

나는 조금 당황하면서 맞는다고 말했다.

"아버지를 닮았군요. 찰데인 씨와 존 트레모스 경은 찰데인 씨가 캐나다로 가기 전까지 아주 막역한 사이였어요. 들어오세요. 이 집은 트레모스 홀입니다. 존 경이 오랫동안 손님을 맞은 적이 없어서 그만…… 그래도 선생이 방문했다고 가서 알려야지요. 아마 존 경도 선생을 만나고 싶어 할 겁니다."

뜻밖에도 내가 지금 어디에 있는지 알게 된 놀라움과 그렇다고 썩 기쁘지만은 않은 기분으로 노인을 따라간 곳은 서재, 책들이 즐비했고 가구들이 호화로웠으나 방치되어 있었다. 노인이 이 서재에서 지저분한 유색 갓이 달린 구식 석유램프에 불을 밝힌 뒤, 더 지저분한 책과 가구 사이에 나를 놔두고 나갔다.

희미한 황색 램프의 불빛 속에서 기다리고 있자니, 내가 진짜 침입자라는, 기묘한 거북감이 느껴졌다. 어린 시절에 아버지에게서 들은, 기이하고도 섬뜩한, 지금은 가물가물해진 이야기가 새록새록 떠올랐다.

존 경의 아내였던 애거서 트레모스 부인은 결혼 첫해에 강경증 발작으로 세상을 떠나고 말았다. 이전과는 달리 일정한 시간이 지나서도 의식을 회복하지 못했고 사후경직의 잘 알려진 흔적들이 나타났다고 하니, 세 번째 발작이 결정적인 사인으로 보였다. 애거서 부인의 시신은, 까마득히 오래전에 대저택 뒤편 언덕을 파서 만든 가족 납골당에 안치되었다. 시신을 안치한 다음 날, 의학적인 사망 선고에 대해 이상하면서도 집요한 의심이 들어 심란하던 존 경이 납골당을 다시 찾았을 때, 때마침 격한 비명을 들은 데 이어 애거서 부인이 관 속에서 일어나 앉아 있는 모습을 발견했다. 못 박은 관 뚜껑은 납골당의 돌바닥에 떨어져 있었다. 연약한 여성의 몸부림으로 관 뚜껑을 열었다고 보기엔 석연찮았다. 그렇다고 다른 설명의 가능성이 있는 것도 아니었다. 물론, 애거서 부인은 정작 자신의 이상한 부활에 대하여 별다른 설명을 할 수 없었지만.

애거서 부인은 실성하다시피 해서, 누구라도 쉽게 이해할 수 있는 극한 공포의 상태에서 종잡을 수 없는 말을 했다. 그녀는 자기가 관에서 빠져나오려고 몸부림친 것을 기억하지 못하는 모양이었다. 대신에 그녀를 주로 괴롭힌 것은 창백하고 섬뜩하며 인간이 아닌 얼굴, 요컨대 그녀가 장시간의 죽음과도 같은 잠에서 깨어나는 동안 어둠 속에서 봤다는 어떤 얼굴에 관한 기억이었다. 뚜껑이 열린 관 속에 누워 있는 동안 자신을 내려다보던 얼굴, 그것이 그녀로 하여금 그리도 격렬한 비명을 지르게 만들었다. 그 괴물은 존 경이 도착하기 전에 납골당 안쪽으로 재빨리 사라졌다. 그녀는 그것의 생김새에 대해 어렴풋이만 기억했다. 덩치가 크고 흰색이며, 사지는 인간과 유사했으나 짐승처럼 기어서 뛰어갔노라고.

물론, 그녀의 이야기는 꿈 아니면 큰 충격에서 비롯된 정신착란의 일부로 여겨졌고, 이 때문에 현실적인 공포의 기억들은 지워진 것으로 보였다. 그러나 그 무시무시한 얼굴과 몸뚱이의 기억은 그녀의 여생을 괴롭혔고, 마음을 뒤흔드는 공포의 연상을 일으킨 것 같았다. 그녀는 끝내 지병에서 회복하지 못하고 정신과 육체가 망가진 채로 살았다. 그리고 9개월 후, 첫 아이를 출산하고 숨을 거두었다.

그녀가 죽은 건 다행이었다. 아기가 인간 사이에 종종 태어나는, 이를테면, 섬뜩한 기형아 중에 하나였으니 말이다. 아기를 본 의사와 유모 그리고 하인들로부터 새어 나온 말을 바탕으로 오싹하면서도 서로 일치하지 않는 소문들이 나돌긴 했으나, 아기의 기형을 가져온 정확한 원인은 알려지지 않았다. 하인들의 일부는 이 기형아를 얼핏 본 후에 트레모스 홀을 떠나 돌아오기를 거부했다.

애거서 부인이 세상을 뜬 이후, 존 경은 세상과 담을 쌓았다. 그 결과, 그의 근황이나 섬뜩한 아기의 운명에 관해서 세상에 알려진 것이 거의 없었다. 그러나 사람들은, 아이가 창문이 쇠창살로 막힌 방에 갇혀 있으며, 이 방에는 오로지 존 경만 드나들 수 있다고 수군거렸다. 이 비극으로 인해 피폐해진 삶 속에서 존 경은 은둔자가 되어, 한두 명의 충직한 하인들과 살았고, 방치된 저택과 사유지는 심각한 퇴락을 겪었다. 나는 문을 열어준 노인이 남아 있는 하인 중에 하나라고 단정했다. 계속해서 그 오싹한 전설을 곱씹으면서 기억을 비켜 가버린 몇 가지를 되살려내려고 애쓰는데, 불현듯 느리고 힘없는 발소리가 들려오기에 하인이 돌아왔나 생각했다.

그러나 아니었다. 서재로 들어온 사람은 존 트레모스 경 본인이 분명했기 때문이다. 키가 크고 조금 구부정한 체격과 강한 산성 물질을 똑똑 떨어뜨린 것처럼 주름진 얼굴에는 아내를 잃은 슬픔과 자식의 기형이라는 이중의 상흔을 이겨낸 위엄이 어려 있었다. 그의 실제 나이를 짐작할 수 있었음에도 불구하고 나는 왠지 고령의 노인을 만나게 될 거라 예상하고 있었다. 그러나 그는 이제 막 초로에 접어들고 있었다. 야위고 창백한 얼굴과 힘없이 비틀거리는 발걸음은 중병에 걸린 사람과 다르지 않았다. 내게 인사를 건네는 말과 행동은 더없이 정중했고 인자하기까지 했다. 다만, 목소리는 일상적인 관계와 삶의 행동에서 오래전에 의미와 열정을 잃어버린 사람의 것이었다.

"하퍼가 그러길, 자네가 내 오랜 친구, 아서 찰데인의 아들이라고." 그가 말했다. "누추한 형편이라 제대로 대접할 수 없으나, 이곳에 온 걸 환영하네. 오랫동안 손님을 맞지 않았으니, 자네가 이 집을 참 음침하다고 또 나를 무례한 집주인이라고 여길까 봐 걱정이네. 그래도 최소 하룻밤은 묵고 가야 하네. 하퍼가 저녁 식사를 준비하러 갔으니까."

"고맙습니다." 내가 말했다. "하지만 폐를 끼치는 것 같아서……"

"그런 소리 말게." 그가 단호하게 말했다. "자네는 내 손님일세. 가장 가까운 여인숙도 수 킬로미터는 가야 하고, 안개가 장대비로 변하고 있어. 자네를 만나서 정말 기쁘다네. 저녁을 들면서 자네 아버지와 자네 얘기를 전부 해주게. 저녁 준비가 될 때까지 자네가 묵을 방을 찾아볼 생각인데, 함께 가세."

그가 대저택의 2층으로 나를 이끌었고, 오래된 떡갈나무 대들보와 판벽으로 이루어진, 기다란 복도를 따라 걸어갔다. 침실로 보이는 몇 개의 문을 지나쳤다. 모두 잠겨 있었고, 그중 하나는 지하 감옥에서나 쓰는 두껍고 흉한 쇠살까지 덧대어 놓았다. 나는 어쩔 수 없이 그 기형아가 감금됐다는 방을 떠올리면서 30년 가까이 지난 지금까지 혹시 그가 살아 있지는 않을까 궁금해졌다. 태어나는 순간부터 사람들의 시선을 피해 격리해야 할 정도로 인간의 모습과 다르다면, 얼마나 심각하고 징그러울 것인가! 게다가 성인이 되어서는 또 어떤 특징들이 발현했기에, 떡갈나무 문 하나만 해도 웬만한 사람이나 짐승의 공격에는 끄떡도하지 않는 튼튼한 것인데 여기에 육중한 쇠살까지 덧대야 했을까?

집주인은 그 문에는 눈길 한 번 주지 않았고, 자신의 힘없는 손에서도 거의 흔들림이 없는 촛불 하나에 의지해 계속 걸어갔다. 그 뒤를 따르며 내가 연신 떠올리던 이런저런 호기심을 멈추게 한 건, 난데없이 그 쇠살 방에서 들려온 듯한, 신경을 잡아 뜯는 단말마의 비명이었다. 비명은 길게 점점 더 높아졌는데, 처음에는 무덤에서 숨죽인 악마의 목소리처럼 아주 낮았다가, 나중에는 악마가 연속 걸음으로 무덤에서 나오듯이 소름 끼치도록 날카롭고 광포한 수준까지 치달았다. 그것은 인간의 소리도 짐승의 소리도 아니었으며, 그야말로 불가사의하고 흉악하며 섬뜩했다. 그 악마의 소리가 절정을 지나 다시금 깊은 무덤의 침묵으로 가라앉았을 때도 견딜 수 없는 오싹함은 사라지지 않아서 나는 그 두려움에 몸서리쳤다.

존 경은 그 끔찍한 소리에 아랑곳없이 시종일관 비틀거리는 걸음으로 앞장서 갈 뿐이었다. 그는 복도 끝, 그러니까 쇠살을 덧댄 문에서 두번째 방 앞에 멈춰 섰다.

"이 방일세. 내 방이랑 바로 붙어 있지." 그는 나를 쳐다보지 않고 말했다. 목소리가 이상하리만큼 단조롭고 조심스러웠다. 그가 자기 방이라고 가리킨 곳을 보니 그 무시무시한 소리가 들려왔던 방 바로 옆이어서 나는 또 한 번 몸서리쳤다.

그가 나를 위해 준비한 방은 오랫동안 사용한 흔적이 없었다. 방 안의 공기는 사방에서 풍기는 곰팡내로 퀴퀴했고, 싸늘했으며 해로웠다. 오래된 가구에는 당연히 먼지와 거미줄이 켜켜이 쌓여 있었다. 존 경이 미안하다는 말을 하기 시작했다.

"방이 이런 꼴인 줄 모르고 있었네그려. 저녁 식사 후에 하퍼에게 일러서 청소를 좀 하고 침대보도 새로 갈라고 하겠네."

나는 미안해하실 필요 없다고, 경황 없이 말했다. 낡은 대저택의 쓸쓸함과 부패, 속죄의 분위기와 수십 년간의 방치 그리고 이에 상응하는 집주인의 고독, 이런 것들이 더더욱 내 맘을 아프게 했다. 게다가 쇠살로 막힌 방의 으스스한 비밀과 여전히 내 안에서 가시지 않는 충격으로 메아리치는 오싹한 울부짖음에 대해 깊이 생각해 볼 엄두가 나지 않았다. 이 사악하고 곪은 그림자들의 집으로 나를 이끈, 기이한 우연이 벌써부터 원망스러워졌다. 당장에라도 이 집을 떠나, 모진 비바람과 어둠 속에서라도 여행을 계속하고 싶었다. 하지만 확실하고 합당한 구실이 떠오르지 않았다. 꼼짝없이 이 집에 묵을 수밖에 없었다.

하퍼라는 노인이 저녁 식사를 준비한 곳은 음산하지만 으리으리한 식당이었다. 음식들은 소박하면서도 실속이 있었고 맛이 좋았다. 게다가 식사 시중은 흠잡을 데 없었다. 하퍼가 시종이자 집사이고 가정부이자 요리사를 겸한, 유일한 하인이라는 추측이 들기 시작했다.

배가 고팠음에도, 또 집주인이 나를 위해 여러모로 마음을 써주고 있음에도 불구하고, 식사는 엄숙한 분위기여서 거의 장례식장을 방불케 했다. 아버지가 해준 이야기를 잊을 수 없었고, 밀폐된 방문과 처참한 비명을 떨쳐버릴 수 없었다. 정체가 무엇이든 간에 그 기형인은 아직 살아 있었다. 그리고 존 트레모스 경의 야위고 꿋꿋한 얼굴을 보고 있자니, 그를 저주처럼 평생 옭아매는 지옥을 떠올리게 되었고, 그 엄청난 시련을 견뎌온 그의 강고함에 새삼 존경과 연민 그리고 두려움이 뒤섞인 감정이 느껴져 착잡하고 심란하였다. 최고급 백포도주 한 병이 곁들여졌다. 이 포도주를 마시며 우리는 한 시간 넘게 앉아 있었다. 존 경은 저세상으로 떠난 줄 몰랐다며 내 아버님에 대해 한참을 말했다. 그리고 연륜이 묻어나는 세련되고 은근하면서도 능란한 언변으로 나에 대해 이것저것 물어보았다. 그러나 정작 본인에 대해서는 거의 말하지 않았고, 비극적인 가족사에 대해서는 아예 암시조차 하지 않았다.

나는 절제하는 편이라 술잔을 그리 자주 비우지 않아서 독한 포도주의 대부분은 집주인의 몫이 되었다. 자리가 파해 갈 무렵, 취기가 그의 속마음을 끄집어내는 것 같았다. 그는 자신의 외모에 고스란히 드러나 있는 병마에 대해 처음으로 말문을 열었다. 알고 보니, 그는 협심증을 비롯해 몹시 고통스러운 병에 시달리는 중이었고, 얼마 전에는 평소보다 더 위중한 심장 발작에서 간신히 회복한 상태였다.

"또 발작이 일어나면 난 죽을 걸세. 게다가 언제든, 어쩌면 오늘 밤에라도 발작이 일어날지 몰라."

그는 평범한 일상을 얘기하듯이 또는 날씨 알아맞히기 내기를 하듯이 아무렇지 않게 말했다. 그리고 잠시 침묵했다가 좀 더 심각한 어조로 말을 이었다.

"자네가 날 이상하게 생각할지 모르네만, 나는 매장이나 납골당에 편견을 가지고 있네. 나는 완전히 화장했으면 해서 꼼꼼하게 유언을 준비해 뒀지. 하퍼가 잘 처리할 걸세. 불은 가장 깨끗하고 순결할 뿐만 아니라 죽음에서 마지막 분해까지의 지겨운 과정을 줄여주거든. 곰팡내

나고 벌레가 득실거리는 무덤은 생각하기도 싫네."

그는 한동안 그런 이야기를 계속했는데, 유난히 성심을 다하고 긴장하는 태도라서 강박관념까지는 아니더라도 평소에 그런 생각을 많이 하고 병적인 흥미를 느끼는 것 같았다. 말하는 동안, 그의 퀭한 눈에서 고통스러운 빛이 스쳤고, 목소리에선 모질게 억누른 히스테리의 기운이 전해졌다. 나는 애거서 부인의 매장과 비극적인 소생 그리고 그 이야기의 불가해하고 어딘지 혼란스러운 부분을 형성하는 지하 납골당의 어렴풋한 망상의 괴물을 떠올렸다. 존 경이 매장을 극구 싫어할 만도 했다. 그러나 그의 반감을 불러온 진짜 공포와 충격이 무엇인지에 대해선 의심의 여지가 없었다.

하퍼는 포도주를 내온 후로 모습을 보이지 않았다. 내 방을 정돈하라는 지시를 받았으려니 짐작했다. 우리는 마침내 마지막 술잔을 비웠다. 집주인의 장광설도 끝이 났다. 그에게 일시적으로 생기를 불어넣었던 취기는 사라진 것 같았고, 그는 어느 때보다 병들고 초췌해 보였다. 나는 피곤하다면서 쉬고 싶다고 말했다. 그러자 그는 변함없이 정중하게, 내 방까지 함께 가서 내가 편안히 묵을 수 있는지 확인한 다음에 자신의 침실에 들겠다고 고집을 피웠다.

우리가 2층 복도로 올라갔을 때, 마침 하퍼가 다락방 혹은 3층에서 계단을 내려오고 있었다. 그의 손에 묵직한 냄비가 들려 있었고, 그 안에는 고기 부스러기 몇 점이 담겨 있었다. 그가 지나갈 때, 냄비에서 거의 썩어가는 염소고기 특유의 냄새가 났다. 혹시 그가 정체불명의 괴물에게 먹을 것을 주고 왔나 하는 의심이 갔다. 맨 위층에 나 있는 뚜껑문을 통해서 밀폐된 방으로 먹을 것을 내려보낼 수 있을 것 같았다. 그것은 충분히 일리 있는 추측이었으나, 불분명한 연상을 일으키는 그 고기 토막의 냄새 때문에 가능성과 상식의 한계를 벗어난, 또 다른 추측이 일기 시작했다. 교묘하고 알쏭달쏭한 암시들이 저절로 잔악하고 역겨운 실상을 가리키는 것 같았다. 내가 상상하고 있는 괴물은 과학적으로 터무니없는 것이라고, 그저 미신적인 마술의 창조물일 뿐이라고 스스로 타일러봤으나 그리 효과적이진 않았다. 설마 그럴 리가⋯⋯ 다른 곳도 아닌 여기 영국에서⋯⋯ 동양의 이야기와 전설에나 나옴 직한 시체 파먹는 악마⋯⋯ 구울이라니⋯⋯ 가당치도 않았다.

우리가 그 비밀의 방문 앞을 지나가는 동안, 두려움과는 달리 그 악마의 울부짖음은 다시 들려오지 않았다. 그런데 커다란 동물이 배를 채울 때처럼 조심스럽게 뭔가를 깨무는, 우두둑 소리가 들려온 것 같았다.

내 방은 여전히 쓸쓸하고 음산하긴 했으나, 켜켜이 쌓인 먼지와 뒤얽힌 거미줄은 깨끗하게 치워져 있었다. 존 경은 직접 방 안을 살펴본 후에 자신의 방으로 들어갔다. 그가 잘 자라는 인사를 하는데, 안색이 송장처럼 창백하고 기진맥진해 보여서 깜짝 놀랐다. 손님 대접을 하느라 무리를 하여 그렇잖아도 위중한 평소의 지병이 악화한 것 같아서 걱정스럽고 꺼림칙했다. 품위라는 신중한 갑옷 아래 숨겨놓은 고통과 고뇌를 알 것 같았고, 저렇게 품위를 유지하기 위해 너무도 과한 대가를 치르고 있는 건 아닐까 의구심이 들었다.

하루의 여독에다 강한 포도주의 취기까지 더해졌으니 금세 곯아떨어지는 게 당연했다. 그런데 어둠 속에서 눈을 감고 누웠는데도, 그 낡은 저택에서 나를 향해 떼 지어 몰려드는 사악한 그림자와 검은 납골당의 벌레 들이 자꾸만 떠올랐다. 견딜 수 없는 금기의 괴물들이 추악한 발톱으로 나를 할퀴고 역겨운 털로 쓸어내리는 동안, 나는 끝없는 시간을 뒤척이며 잠 못 들었고 태풍으로 검게 물든 창가의 잿빛 창틀을 쳐다보며 누워 있었다. 뚝뚝 떨어지는 빗방울, 바람의 윙윙거림과 신음, 이런 것들이 저절로 뒤섞이어 불완전한 목소리의 오싹한 중얼거림이 되었고, 이 목소리는 나의 평온을 방해하면서 악마의 언어로 정체 모를 비밀을 속살거렸다.

수백 년의 밤이 지나간 기분, 그제야 태풍이 잠잠해졌고, 수상한 목소리들도 더는 들려오지 않았다. 창문이 검은 벽 사이에서 조금 밝아졌다. 긴 불면의 공포가 상당 부분 사라진 것 같았으나, 그렇다고 잠이 오진 않았다. 나는 완전한 침묵을 느끼고 있었다. 그런데 그 침묵 속에서 기묘하고 불안한 소리가 희미하게 들려왔으니, 그 소리가 어디서 또 무슨 이유로 나는 것인지 한참을 생각해도 감이 잡히지 않았다.

그 소리는 번번이 억눌려지고 멀어졌다. 그러다가 마치 바로 옆방에서 들려오는 것처럼 가까워졌다. 나는 그 소리가 긁는 소리 같다고, 다시 말해 짐승의 발톱이 단단한 나무를 긁는 소리라고 생각했다. 침대에 일어나 앉은 채로 귀를 기울이고 있자니, 그 소리가 쇠살을 친 문에서 들려온다는, 새로운 공포감을 일깨웠다. 이상한 울림을 지닌 소리였다. 그런데 거의 들리지 않을 정도로 작아지더니 갑자기 그쳤다. 소리가 그친 동안, 아주 큰 고통 아니면 공포를 느끼는 남자가 내는, 신음 같은 것이 들려왔다. 신음의 출처가 존 경의 방이라는 건 틀림없었다. 그뿐만 아니라, 왜 긁는 소리가 들려오는지도 분명해졌다.

신음은 되풀이되지 않았다. 반면에 발톱으로 긁어대는 소리가 다시 들려왔고, 새벽녘까지 계속되었다. 그 후로는 소음을 일으킨 동물이 야행성이었는지, 희미하게 울리던 소리도 그쳤고 다시 들려오지 않았다. 나는 그때까지 둔중한 악몽의 불안 상태에서 피로와 수면 부족까지 겹쳐 멍해진 채로 괴로우리만큼 그 소리에 집중하고 있었다. 무채색의 창백한 새벽에 소리가 그치자, 나는 스르르 깊은 잠 속으로 빠져들었고, 그때부터 그 낡은 저택의 숨죽인 무형의 유령들도 나를 더는 방해하지 못했다.

나를 깨운 것은 시끄러운 — 비몽사몽 간에도 무척 다급하다는 것을 알아챌 수 있는 — 노크 소리였다. 점심때가 다 된 것 같았다. 너무 늦잠을 잤다는 미안한 마음에 허겁지겁 방문을 열었다. 늙은 하인 하퍼가 방 밖에 서 있었다. 동요와 슬픔이 역력한 그의 모습에서 말보다 앞서 뭔가 긴박한 일이 벌어졌음을 알 수 있었다.

"찰데인 씨, 어쩌죠." 그가 떨리는 목소리로 말했다. "존 경이 돌아가셨어요. 평소처럼 방문을 두드려도 인기척이 없기에 용기를 내서 그냥 들어가봤지요. 오늘 아침 일찍 돌아가신 게 분명해요."

어안이 벙벙해진 나는 동틀 무렵에 들려왔던 신음 소리를 떠올렸다. 아마 집주인은 그 순간에 죽어가고 있었으리라. 그리고 넌덜머리 나는 악몽처럼 긁어대던 소리도 떠올렸다. 신음이 육체적 고통뿐만 아니라 공포 때문은 아니었을까 하는 의심이 절로 들었다. 존 경이 그 섬뜩한 소리에 귀를 기울이느라 긴장하고 걱정한 탓에 치명적인 심장 발작을 일으킨 건 아닐까? 과연 무슨 일이 벌어졌는지는 자신할 수 없었다. 그러나 내 머릿속은 오싹하고 소름 끼치는 추측들로 들끓었다.

사람들이 이런 일을 당하면 으레 그러하듯, 나 또한 무익하고 형식적인 말로 늙은 하인을 위로하려 애쓰면서 시신 수습을 최대한 돕겠다고 말했다. 저택에 전화가 없으니 내가 시신을 확인하고 사망진단서에 서명할 의사를 부르러 가겠노라 자청했다. 노인은 크게 안도하고 고마워하는 것 같았다.

"나리, 고맙습니다." 그가 성심을 다해 말했다. 그러고는 마치 변명을 하듯이 이렇게 말했다. "존 경의 곁을 떠나고 싶지 않아서요. 무슨 일이 있어도 그분의 시신을 지켜드리겠다고 약속했거든요."

그는 이어서 존 경이 화장을 원했다고 말했다. 존 경이 저택 뒤 언덕에 화장용 장작을 쌓고 거기서 자신의 유골을 화장하여 저택에 딸린 들판에 뿌려달라고, 명확한 지시를 남긴 것 같았다. 그리고 이 지시는 그가 죽고 난 후 되도록 빨리 실행에 옮겨지도록 이 하인에게 위임되었다. 또한 하퍼와 관을 운구하기 위해 고용된 사람들을 제외하고 화장식에 아무도 참석지 말도록 했다. 그래서 하나같이 먼 타지에서 사는 존 경의 가까운 친인척들은 화장이 끝날 때까지 부음을 전달받지 못할 터였다.

하퍼가 나를 위해 아침 식사를 준비한다기에 인근 마을에서 해결하면 되니 관두라고 일렀다. 하퍼의 태도에서 어딘지 묘한 불편함이 전해졌다. 나는 그때의 생각과 감정을 이 글에서 자세히 밝히지는 않겠으나, 하퍼가 존 경의 시신을 지키겠다고 한 경야의 약속을 벌써부터 걱정하고 있음을 알아챘다.

화장식에 대해 자세히 말하는 건 지루하고 불필요한 일이 되겠다. 짙은 바다 안개가 다시 밀려왔다. 나는 축축하면서도 비현실적인 세계를 더듬어 가듯 근처의 마을을 찾아갔다. 다행히 의사를 찾아냈고, 장작을 쌓고 관을 운구해 줄 사람도 몇 명 구했다. 어디서나 기묘한 침묵이 감돌았다. 모두가 존 경의 죽음에 대해 말을 삼가는 것 같았고, 트레모스 홀과 결부된 음산한 전설에 대해서도 그랬다.

놀랍게도 하퍼는 곧바로 화장을 해야 한다고 말했다. 그러나 그건 불가능한 일이었다. 절차와 준비를 다 끝내고 나니, 안개는 줄기차게 퍼붓는 장대비로 바뀌어 화장용 장작에 불을 지필 수 없었기 때문이다.

결국 화장식을 미룰 수밖에 없었다. 나는 화장을 마무리할 때까지 저택에 남겠다고 약속했다. 불행하고도 극악한 비밀의 지붕 아래서 그렇게 두 번째 밤을 맞게 된 셈이다.

어둠은 어김없이 찾아왔다. 하퍼와 내가 먹을 저녁거리로 샌드위치를 사러 마을에 다시 갔다가, 쓸쓸한 저택으로 돌아왔다. 임종의 방으로 올라가다가 계단에서 하퍼와 마주쳤다. 하퍼는 무서운 일을 당한 것처럼 동요하는 빛이 역력했다.

"찰데인 씨, 오늘 밤 저와 함께 있어줄 수 있을지 궁금하군요. 지금 부탁드리는 일이 섬뜩한 경야이고, 또 위험할지도 모릅니다. 하지만 존 경은 분명 고마워하실 겁니다. 혹시 무기 같은 게 있으면, 가져오시면 좋겠군요."

나는 그의 청을 거절할 수 없었던 터라 즉석에서 그러마 승낙했다. 내겐 무기가 없었다. 그래서 하퍼는 자기가 가져온 낡은 권총 두 자루 중에서 하나를 내게 주며 고집스레 무장을 권했다.

"이봐요, 하퍼." 내가 존 경의 방까지 복도를 따라 걷는 동안, 퉁명스럽게 말했다. "대체 뭐가 무서워서 그러는 겁니까?"

내가 그렇게 묻자, 하퍼는 눈에 띄게 움찔하면서 대답을 피하는 것 같았다. 그런데 잠시 후에는 정직이 최선이라는 걸 깨달은 모양이었다.

"저기 막아놓은 방에 있는 괴물요. 나리도 그 소리를 들었을 겁니다. 우리가 그러니까 존 경과 내가 28년 동안 그것을 돌봐왔습죠. 그것이 혹시 문을 부수고 나올까 봐 늘 조마조마했답니다. 먹이를 배불리 주는 한, 크게 말썽을 부린 적은 없어요. 그런데 지난 사흘 밤 동안, 존 경 방의 두꺼운 떡갈나무 벽을 긁어대더군요. 전에는 그런 적이 한 번도 없었거든요. 존 경은 자신의 죽음이 가까워졌다는 걸 그것이 알고 시신을 노리는 거라 생각했습죠. 우리가 주는 음식보다 시신에 눈독을 들이고 있다고 말이죠. 찰데인 씨, 우리 두 사람이 오늘 밤 존 경의 시신을 단단히 지켜야 하는 이유가 바로 그겁니다. 벽이 튼튼하기를 기도하는 것 외에 뾰족한 수가 없어요. 그런데 저놈은 악마처럼 계속 긁어대고 있잖아요. 그 소리가 공허한 것이 꺼림칙해요. 마치 벽이 점점 얇아지고 있는 것 같아서요."

내가 가장 진저리쳤던 추측이 하퍼의 입에서 나오는 것에 깜짝 놀란 나머지, 아무 대꾸도 할 수 없었다. 사실 무슨 말을 한대도 부질없는 상황이었다. 하퍼가 대놓고 단정을 하는 바람에 그 기형인은 내게 더욱더 음산하고 침략적인 그림자이자 유력하고 포악한 위협이 되었다. 하퍼와 약속까지 한 경야를 그만두고 싶었다. 그러나 물론 그건 불가능했다.

우리가 밀폐된 방을 지나가는데, 악마처럼 흉포하게 긁는 소리가 어느 때보다도 더 광적으로 귓가를 파고들었다. 그 정체불명의 공포 때문에 하퍼가 내게 함께 있어달라고 부탁했으니, 충분히 그러고도 남았다. 그 소리는 냉혹하고 섬뜩한 집요함과 시체에 굶주린 암시를 드러내며 뭐라 표현할 수 없을 정도로 위태롭게 신경을 쥐어짰다. 우리가 임종의 방에 들어갔을 땐, 오싹하게 잡아 뜯는 진동과 함께 소리가 오히려 더 또렷해졌다.

내가 장례를 준비했던 그날 내내 그 방에 들어가지 않으려고 했던 이유는, 많은 사람들로 하여금 시신을 곁눈질하게 만드는 병적인 호기심, 그것이 내겐 별로 없었기 때문이다. 그래서 내가 존 경의 시신을 두 번째로 본 것이 곧 마지막이었다. 화장에 앞서 수의를 입고 준비를 끝낸 존 경이 애러스 벽걸이 같은 휘장이 드리워져 있는, 싸늘한 흰색 침대에 누워 있었다. 방 안은 몇 개의 기다란 초로 밝혀져 있었고, 초들은 낡아서 푸르스름한 색을 띠고 생김새도 묘한 놋쇠 촛대에 꽂혀서 작은 탁자에 놓여 있었다. 그러나 촛불은 휑뎅그렁하고 음산한 방 안의 그림자들 속에서 그저 의뭉스럽고 구슬피 너울거렸다.

나는 의지와는 반대로 시신을 쳐다보다가 그만 황급히 시선을 피했다. 돌처럼 뻣뻣하고 창백한 모습을 예상했는데, 그것 말고도 시신은 그 오랜 지옥의 세월 동안에 자신의 심장을 갉아댔을 섬뜩한 혐오감과 비인간적인 공포를 고스란히 드러내고 있었다. 존 경은 아마도 초인적인 자제력으로 그런 감정을 평생 숨겨왔을 터였다. 그 적나라한 표현이 너무도 고통스러운 것이어서 나는 차마 시신을 다시 볼 수 없었다. 한편으로 생각하면, 존 경은 죽은 것 같지 않았다. 치명적인 발작의 원인이 되었을 그 끔찍한 소리를 듣기 위해 고통스러운 집중력으로 아직도 귀를 기울이고 있는 것 같았다.

방 안에 있는 몇 개의 의자는 침대와 마찬가지로 17세기에 만들어진 것 같았다. 하퍼와 나는 작은 탁자 가까이 그러니까 끝없이 긁는 소리가 들려오는 듯한 거무스름한 나무 판벽과 침대 사이에 자리를 잡았다. 각자 공이치기를 젖혀놓은 권총을 들고 무언의 침묵 속에서 오싹한 경야를 시작했다.

앉아서 기다리는 동안, 나도 모르게 그 이름 없는 괴물의 모습을 그려보고 있었다. 형태가 없는 혹은 절반만 형태를 갖춘 납골당의 괴물 이미지들이 머릿속에서 어수선하게 꼬리를 물고 떠올랐다. 여느 때라면 관심을 두지 않았을 고약한 호기심에 사로잡힌 나는 하퍼에게 묻고 싶은 충동을 느꼈다. 그러나 호기심보다 더 강한 절제력을 발휘해 꾹 참았다. 한편, 묻지 않은 정보나 설명을 알아서 말해 줄 생각이 없던 하퍼는 중풍으로 끄덕거리는 머리에서 굳어버린 듯한, 그러나 공포를 드러내고 있는 눈으로 벽을 감시하고 있었다.

이후 이어졌던 기이한 긴장감, 오싹한 불안, 불길한 기대감, 이런 것들을 여기서 제대로 전달하기란 불가능할 것이다. 나무 벽은 매우 두껍고 튼튼해서 발톱이나 이빨만 지닌 보통 짐승의 공격에는 끄떡도 없을 것 같았다. 그런데 이 명백한 가설에도 불구하고 순간적으로 벽이 안쪽으로 부서진 느낌이 들었다. 긁어대는 소리는 그칠 줄 모르고 계속되었다. 흥분한 나의 상상 속에서 그 소리는 시시각각 날카로워지고 가까워지고 있었다. 일정한 간격을 두고, 안달이 나서 낮게 흐느끼는 개의 낑낑거림 요컨대 굶주린 짐승이 목표물에 가까워졌을 때 내는 그런 소리가 들려오는 것 같았다.

만약에 괴물이 시신을 탈취하려고 든다면 우리가 어떻게 해야 할지, 이 부분에 대해서는 서로 말해 본 적이 없었으나 암묵적인 동의 같은 것은 있었다. 그러나 나 자신도 믿기 어려운 미신 때문에 혹시 그 괴물이 총알만으로 치명상을 입을 정도의 인간적인 특징을 많이 지니고 있긴 할까 의심스러워지기 시작했다. 오히려 정체불명의 전설 속 아버지와 닮은 점이 더 많지는 않을까? 이런 의문과 의혹들은 터무니없는 것이라고 마음을 추슬러보았다. 그러나 금단의 심연에 유혹을 당하듯 자꾸만 그런 상념에 빠져들었다.

검고 완만한 물결이 흐르듯 밤은 더디게 지나갔다. 기다란 장례용 초들이 녹슨 촛대에서 야금야금 타들어갔다. 그나마 시간이 흐르고 있다는 걸 알려주는 건 이 촛불들뿐이었다. 마구잡이의 공포들이 득시글득시글 기어 다니면서 법석을 떨어대는 밑바닥으로, 끝없는 어둠의 시간 동안, 꼼짝없이 가라앉고 있는 느낌이었으니 말이다. 목재를 긁어대는 소리가 너무도 오랫동안 계속되면서 그것에 익숙해진 나머지 여전히 점점 더 날카로워지고 공허해지는 그 소리가 오히려 환청처럼 여겨졌다. 그렇게 우리의 경야는 예고 없는 파국으로 치달았다.

내가 굳은 채로 벽을 응시하면서 귀를 기울이고 있는 동안, 갑자기 요란하게 부서지는 소리가 들려오더니 벽의 일부가 길게 떨어져 나왔다. 내가 미처 정신을 차리기도 전에 또 내가 듣고 본 것을 확인하기도 전에, 벽이 육중한 충격에 의해 여기저기 쪼개지면서 커다란 반원형으로 무너지고 말았다. 그 지옥의 괴물이 나무 벽에서 튀어나오던 광경을 제대로 기억하고 있지 못하니, 어쩌면 다행인지 모르겠다. 공포 자체의 과잉 때문에 시각적인 충격은 기억에서 거의 부예져버렸다. 그래도 거대하고 희끄무레하고 털이 없는 네발짐승 비슷한 몸뚱이, 사람과 약간 비슷한 얼굴과 송곳니 그리고 팔이면서 동시에 발이기도 한 앞다리 끝에 나 있는 기다란 하이에나의 발톱은 흐릿한 인상으로 남아 있다. 그것이 나타나기에 앞서서 썩은 고기를 먹는 동물의 소굴에서 불어오는 바람처럼 납골당의 악취가 먼저 풍겼다. 그리고 곧 그것이 한 차례 성큼 뛰어서 우리 앞에 나타났다.

방 안에서 단음으로 찰칵하는, 날카롭고 원한에 사무친 하퍼의 권총 소리가 들려왔다. 그러나 나의 권총에서는 그저 녹슨 짤각거림만 났다. 약실이 너무 오래된 모양이었다. 하여간 불발이었다. 다시 한 번 방아쇠를 당기려던 나는 그만 엄청난 괴력에 의해 바닥으로 내동댕이쳐져서 작은 탁자의 육중한 밑부분에 머리를 부딪쳤다. 무수한 불꽃으로 번쩍거리는, 검은 장막이 나를 뒤덮어 방 안의 광경을 가려버린 것 같았다. 곧이어 불빛은 전부 사라졌고, 암흑만이 남았다.

나는 다시 한 번, 이번에는 서서히 불꽃과 그림자를 알아볼 수 있었다. 그런데 불꽃은 눈부시게 강렬했고 점점 더 밝아지는 것 같았다. 이

옥고 둔감하고 의심스러운 감각들이 예리하게 되살아나더니, 불타는 옷가지의 매캐한 냄새를 구별해 냈다. 방 안의 광경이 다시 시야에 들어왔을 때, 나는 뒤집힌 탁자에 널브러진 채로 존 경의 시신이 있는 침대를 쳐다보고 있었다. 초들은 촛농을 흘리면서 바닥에 떨어져 있었다. 촛불 하나는 나와 가까이 있는 카펫을 서서히 원형으로 태웠고, 다른 하나는 침대 커튼에 불을 붙여서 위쪽의 커다란 캐노피까지 빠르게 불길이 타오르고 있었다. 내가 누워서 바라보고 있는 동안에도 불붙은 캐노피 천의 새빨간 조각들이 침대 여기저기에 떨어져서 이글거리는 불꽃들이 존 트레모스 경의 시신을 둥그렇게 에워쌌다.

나는 충격으로 잠시 기절했던 여파로 현기증을 느끼면서도 비틀비틀 간신히 일어섰다. 방에는 늙은 하인만이 문가에서 작은 소리로 신음하고 있었다. 내가 기절해 있는 동안에 문으로 누군가 아니 뭔가가 나갔는지 문이 활짝 열려 있었다. 나는 분명한 의지라기보다는 불을 꺼야겠다는 본능으로 침대를 향해 다시 돌아섰다. 불길은 빠르게 번지고 더 높이 치솟고 있었으나, 나의 쓰라린 눈에서 존 트레모스 경의 손과 얼굴 — 이것을 과연 손과 얼굴이라고 칭할 수 있을지는 모르겠으나 — 을 가려버릴 정도로 빠르진 않았다. 존 경을 덮친 마지막 공포에 대해서는 직접적인 언급을 삼가야 한다. 내가 그 기억을 피해 갈 수만 있다면 기꺼이 그렇게 할 것이다. 괴물이 불길에 겁을 먹고 달아날 때까지 왜 그리도 오랜 시간이 걸렸던 것인지……

더 얘기할 것은 거의 없다. 내가 하퍼를 안고 연기 자욱한 방에서 빠져나오다가 한 번 더 뒤를 돌아봤을 때, 침대와 캐노피는 치솟는 불길에 휩싸여 있었다. 그 불행한 준남작은 그토록 원했던 화장의 소망을 자신의 침실에서 이룬 셈이었다.

우리가 그 파멸의 저택에서 빠져나온 것은 새벽 무렵이었다. 비는 그 쳤고, 하늘엔 잿빛 구름이 높이 수놓여 있었다. 늙은 하인은 차가운 공기에 정신이 드는지, 내 곁에 힘없이 서서 잠자코 있었다. 그렇게 우리는 트레모스 홀의 거무스름한 지붕에서 솟구쳐 기세등등하게 잡초 무성한 울타리에 음울한 빛을 던지는 불길을 묵묵히 지켜보았다.

온기 없는 새벽의 빛과 이글거리는 화염의 결합 속에서 우리는 가까운 곳에서 비에 젖은 땅 깊숙이 생긴 지 얼마 안 되는 반인반수의 기괴한 발자국과 기다란 갯과 짐승의 발톱 자국을 발견했다. 그 흔적들은 저택 방향에서 나와, 저택 뒤 히스가 무성한 언덕으로 향하고 있었다.

우리는 계속해서 아무 말 없이 그 발자국을 따라갔다. 발자국은 곧장 오래된 가족의 납골당 입구까지, 그러니까 존 트레모스 경의 명령에 따라 한 세대 동안 봉쇄되었던 언덕의 묵직한 쇠문까지 이어져 있었다. 쇠문은 활짝 열려 있었고, 녹슨 사슬과 자물쇠는 인간이나 짐승을 능가하는 괴력에 의해 박살이 나 있었다. 안을 들여다보니, 가장자리에 진흙 묻은 발자국들이 계단을 따라 묘지의 어둠 속으로 내려가고 있었다.

우리는 둘 다 권총을 침실에 놔두고 온 터라 비무장 상태였다. 그러나 오래 망설이지는 않았다. 하퍼는 넉넉한 양의 성냥을 가지고 있었고, 나는 주위를 둘러보다가 곤봉으로 사용할 수 있을 만한, 물에 젖은 굵은 장작 하나를 발견했다. 음산한 침묵 속에서 우리는 어떤 위험도 불사하겠다는 무언의 결의로, 끝이 없어 보이는 납골당을 샅샅이 수색하기 위하여 연달아 성냥을 켜가며 곰팡내 나는 어둠 속을 움직였다.

구울의 발자국은 깊숙한 어둠 속으로 따라갈수록 희미해져갔다. 우리가 발견한 것이라고는 지독한 습기와 거미줄 그리고 망자들의 무수한 관이었다. 우리가 찾는 괴물은 지하의 벽 속으로 녹아들기라도 했는지 감쪽같이 사라지고 없었다.

결국 우리는 입구로 돌아왔다. 창백하고 초췌한 얼굴로 환한 햇빛에 눈이 부셔 서 있는 동안, 하퍼가 드디어 느리고 떨리는 목소리로 말했다.

"오래전에 그러니까 애거서 부인이 돌아가신 지 얼마 후에 존 경과 내가 이 납골당을 샅샅이 뒤진 적이 있어요. 그러나 예상했던 괴물의 흔적은 발견하지 못했습죠. 지금도 그때처럼 찾아봐야 소용없어요. 도 저히 밝혀낼 수 없는 비밀들이 있기 마련이지요. 우리가 아는 건, 그 납골당의 자손이 납골당으로 돌아갔다는 것뿐이죠. 저 속에서 쭉 있으면 좋으련만."

나는 떨리는 가슴에 하퍼의 마지막 말과 바람을 묵묵히 되새겼다.

....

64) 네크로노미콘(Necronomicon): 러브크래프트의 가장 잘 알려진 가공의 책. 「사냥개」 (1922)에 처음으로 등장한다. 작품마다 단편적으로 등장하며 그중 「더니치 호러」에 가장 많이 언급되어 있다. 압둘 알하즈레드라는 이름은 「이름 없는 도시」(1921)에 처음으로 언급됐다. 러 브크래프트는 『네크로노미콘』을 가공의 책이라고 밝혔지만, 실제로 존재한다고 믿는 사람들이 적지 않다. 아랍의 광인 압둘 알하즈레드 역시 어렸을 때 읽은 『아라비안나이트』에서 착안한 허 구의 인물이다. 『네크로노미콘』은 크툴루와 함께 지금도 가장 많이 재생산되는 창조물 중의 하 나이다.

65) 매니토바(Manitoba): 캐나다의 다섯 번째 주로 면적은 한반도의 5.5배 정도고, 주도는 위 니펙(Winnipeg)이다.

THE SEED FROM THE SEPULCHRE

지하 무덤에서 나온 씨앗

작품 노트

1932년 2월에 완성, 1933년 《위어드 테일스》 10월 호에 실렸다.

「지하 무덤에서 나온 씨앗」은 여러 선집에 가장 많이 실린 작품이다. 그 뒤를 이어 「마법사의 귀환」, 「노래하는 불꽃의 도시」, 「아베르와뉴에서의 회합 A Rendezvous in Averoigne」 등의 순이다. 선집에 실린 횟수에 절대적인 기준이나 특별한 의미를 부여할 필요는 없으나, 스미스의 작품에 대한 호응과 인기도를 가늠하는 참고용은 될 것이다. 스미스는 1932년 덜레스에게 보낸 편지에서 "《스트레인지 테일스》에 보내려고 다른 작품 「지하 무덤에서 나온 씨앗」을 준비 중입니다. 「지하 무덤에서 나온 씨앗」은 개인적으로 볼 때 가장 높은 원고료를 받을 것 같습니다. 내용은 사람의 두개골, 눈 등에서 자라나는 괴식물체에 관한 겁니다. 그리고 사람이 아직 살아 있는 상태에서 뼈마디마다 온통 뿌리를 칭칭 감아놓지요."라고 했다. 한 달 정도 후에 작품을 완성한 스미스가 다시 이렇게 편지를 보냈다. "나는 상상력 면에서 「지하 무덤에서 나온 씨앗」이 제일 마음에 듭니다. 그러나 앞으론 이 사악한 식물 생각일랑 그만두렵니다. 자꾸 생각하고 싶지 않으니까요."

그런데 이 작품을 싣기로 한 《스트레인지 테일스》가 1933년 2월 호를 인쇄하기 직전에 파산하고, 이 작품 외에 예정작이었던 두 편까지 더해 도합 세 편이 스미스에게 반송된다. 스미스는 곧 「지하 무덤에서 나온 씨앗」을 《위어드 테일스》에 보내고, 전반적으로 너무 길다는 의견에 따라 내용을 대폭 삭제하여 10월 호에 싣는다.

"그래, 발견했다니까." 팔머가 말했다. "이상한 곳이야. 전설에 나오는 곳과 아주 비슷한." 그는 말하는 것 자체가 불쾌하다는 식으로 난로를 향해 서둘러 말을 내뱉고는 손의 눈길을 피해 얼굴을 돌리더니, 음울한 눈빛으로 베네수엘라의 어둠이 들어찬 정글을 응시했다.

　여행 내내 시달려온 열병으로 여전히 몸이 좋지 않고 어지러웠던 손은 묘한 당혹감을 느꼈다. 사흘간 못 보는 사이 팔머에게 설명할 수 없는 변화가 생긴 것 같았다. 뭐라고 꼭 집어 말하기엔 너무도 미묘한 변화라고 할까.

　반면에 아주 분명한 변화도 있었다. 팔머는 지금까지 아무리 힘든 상황에서도 또 아플 때조차 말이 많고 쾌활했다. 그런 그가 언짢은 일에 온통 마음을 빼앗기고 있는 것처럼 부루퉁하고 말이 없었으니 말이다. 뚱한 얼굴은 점점 더 멍하니 골똘해졌고, 눈매는 뭔가를 숨기듯 가늘어졌다. 손은 끝나가는 열병의 막바지 영향 때문에 괜한 착각이겠거니 그냥 넘기려 했으나, 그래도 팔머의 변화에 심란해졌다.

　"그래도 어떻게 생겼는지 말해 주면 안 되냐?" 손이 졸랐다.

"얘기할 만한 건더기가 없다니까." 팔머가 묘하게 툴툴거리는 투로 말했다. "그냥 부서져가는 벽과 쓰러져가는 기둥 몇 개."

"하지만 인디언 전설에서 황금이 있다고 한 매장지를 발견했다며?"

"맞아. 근데 보물은 없었어." 팔머의 목소리가 험악할 정도로 무뚝뚝했다. 그래서 손은 더 묻지 않기로 마음먹었다.

"그럴 줄 알았어." 손이 가볍게 말했다. "난초나 찾으러 다닐걸 그랬어. 우리 직업이랑 보물은 어울리지 않잖아. 그건 그렇고, 거기 다녀오는 동안 희귀한 꽃이나 식물 같은 건 못 봤어?"

"전혀."

팔머가 짜증스레 쏘아붙였다. 난로 불빛 속에서 얼굴은 돌연 잿빛으로 변했고, 두 눈은 공포인지 분노인지 모를 빛으로 이글거렸다.

"좀 닥쳐줄래? 얘기할 기분이 아니라니까. 하루 종일 머리가 지끈거려. 지독한 베네수엘라 열병에 걸리려나 봐. 내일 오리노코로 떠나는 게 좋겠어. 이번 여행에서 건질 건 다 건졌으니까."

난초 전문 발굴가인 제임스 팔머와 로데릭 손은 두 명의 인디언 안내인과 함께 오리노코 상류의 인적 드문 지류를 따라 여기까지 왔다. 이 지역에는 희귀한 꽃들이 많았다. 풍부한 꽃뿐만 아니라, 이 지역 어딘가에 폐허의 도시가 있다는 원주민 사이의 모호하면서도 지속적인 풍문도 이들을 이곳으로 이끄는 데 한몫했다. 요컨대, 이 멸망한 도시에 정체 모를 망자들과 함께 엄청난 양의 금은보화를 매장한 무덤이 있다는 얘기였다. 두 사람은 이 풍문의 진위를 조사해 볼 만하다고 생각했다. 이 폐허의 유적까지 하루의 여정을 남겨둔 시점에서 손이 열병에 걸리자, 인디언 안내인 한 명이 손을 돌보기로 하고, 팔머가 남은 안내인과 카누를 타고 유적지로 향했더랬다. 팔머는 떠난 지 3일째 되는 날,

해 질 무렵에 돌아왔다.

　손은 누워서 동료를 바라보다가, 팔머의 과묵과 침울이 어쩌면 보물을 발견하지 못한 실망감 때문일 거라고 생각했다. 게다가 사람의 기질에 안 좋게 작용하는 열대의 영향도 있을 터였다. 그러나 상황이 그렇다 해도 팔머가 실망하거나 침울해하는 건 어딘지 이상하다는 의심은 어쩔 수 없었다. 팔머는 입을 다문 채, 창문 밖 은밀한 어둠 속에서 불빛이 닿는 나뭇가지와 열대 덩굴의 미로 너머로 보이지 않는 뭔가를 쳐다보듯 눈을 부릅뜨고 앉아 있었다. 그의 얼굴엔 뜻 모를 두려움이 자리하고 있었다. 손은 계속해서 팔머를 지켜보았고, 감정이나 속내를 드러내지 않는 인디언들도 뭔가를 기대하듯 그를 지켜보았다. 쉽게 풀리지 않는 이 수수께끼를 곧 단념해 버린 손은 고열로 뒤척거리는 노루잠에 빠져들었고, 간헐적으로 잠에서 깨어 팔머의 굳은 얼굴을 쳐다보았다. 그때마다 사그라져가는 난롯불과 짙어지는 어둠과 더불어 팔머의 표정도 점점 더 어둡게 일그러져갔다.

　손은 아침에 한결 기운을 차렸다. 머릿속이 맑았고, 맥박도 다시 정상으로 돌아왔다. 그는 팔머의 시무룩한 얼굴을 더욱 근심스럽게 쳐다보았다. 팔머는 좀처럼 말 한마디를 하지 않고 이상하리만큼 뻣뻣하고 느리게 움직이면서 홀로 힘겹게 애쓰고 있는 것 같았다. 오리노코로 돌아가겠다고 한 자신의 말도 잊은 것 같아서 손은 출발 준비를 전부 혼자서 했다. 팔머의 상태는 점점 더 그를 난처하게 만들었다. 열도 없는 것 같았고, 증상이라고 할 만한 것들은 죄다 애매모호했다. 그래도 전반적인 상태를 보고 판단한 끝에 출발 직전 팔머에게 키니네 정제 한 알을 먹였다.

　두 척의 카누에 짐을 싣고 느린 물살을 가르며 나아갈 무렵, 정글의 나무 우듬지 사이로 옅은 황색의 무더운 새벽빛이 스며들었다. 손은 카누의 선수에, 팔머는 선미에 앉았고, 한 무더기의 난초 뿌리와 장비의 일부가 중앙을 차지하고 있었다. 두 명의 인디언은 나머지 장비와 함께 다른 카누를 타고 있었다.

단조로운 여정이었다. 끝없이 이어지는 숲의 어두운 장벽 사이에서 강물이 굼뜬 올리브색 뱀처럼 굽이돌았고, 숲에선 야생 난들이 도깨비 같은 얼굴로 곁눈질을 하고 있었다. 들려오는 소리라고는 노의 첨벙거림, 원숭이들의 성난 재잘거림 그리고 새빨간 새들의 성마른 지저귐이 전부였다. 태양은 정글 위로 높이 솟아올라, 뜨겁고 눈부신 햇빛을 퍼붓고 있었다.

손은 간간이 어깨 너머로 팔머에게 일상적인 말을 걸거나 곰살갑게 이것저것 물으면서 꾸준히 노를 저었다. 반면에 멍한 눈빛과 표정에다가 햇볕 아래서 이상스레 창백하고 수척해 보이던 팔머는 뻣뻣하게 앉아 있을 뿐 노를 젓는 둥 마는 둥하고 있었다. 그는 손의 질문에는 대답을 하지 않았고, 대신에 이따금씩 자기도 모르게 몸서리를 치면서 고개를 내젓곤 했다. 그리고 얼마쯤 지나고부터는 고통 때문인지 아니면 착란 증세 때문인지, 연신 신음을 하기 시작했다.

이렇게 노를 저어 가기를 몇 시간. 숨 막힐 듯 에워싼 정글의 벽 속에서 폭염이 점점 더 심해졌다. 손은 팔머의 신음이 더 날카로워진 것을 알아챘다. 그래서 뒤돌아보니, 팔머가 살인적인 폭염에도 아랑곳없이 모자를 벗고서 정수리를 손가락으로 미친 듯이 긁어대고 있었다. 그의 온몸에 경련이 일었고, 보기에도 역력해 보이는 고통으로 이리저리 몸부림칠 때마다 카누가 위태롭게 흔들리기 시작했다. 사람의 목소리라고는 할 수 없을 정도로 날카로운 비명이 터졌다.

손은 과감하게 결단을 내렸다. 어둠침침한 숲 가장자리 벼랑 쪽에 갈라진 곳이 있어서, 손은 그쪽으로 즉시 카누를 저었다. 인디언들도 뒤따라오면서 저들끼리 뭐라고 속삭이며 불안한 경외감과 공포의 눈빛으로 팔머를 힐끔거렸고, 이런 모습에 손은 무척 당황했다. 이 모든 과정에 무시무시한 미스터리랄까, 뭔가 불가사의한 것이 놓여 있는 느낌이었다. 팔머에게 무슨 일이 벌어진 것인지 짐작조차 가지 않았다. 악성 열대병의 온갖 증세들이 끔찍한 환상처럼 바로 자신의 눈앞에서 일어나고 있었다. 그러나 친구가 정확히 어떤 병에 걸린 것인지는 알 수가 없었다.

인디언들이 환자에게 접근하길 꺼리기에 손 혼자서 덩굴이 자라 있는 반원형의 육지에 팔머를 옮긴 뒤, 구급함에서 꺼낸 강한 모르핀 주사를 놓았다. 그 덕분에 팔머의 고통이 완화된 것 같았고, 경련도 멈추었다. 손은 이때다 싶어 팔머의 정수리를 살펴보기 시작했다.

손은 팔머의 헝클어진 머리카락 사이에서 딱딱하고 끝이 뾰족한 혹을 발견하고 깜짝 놀랐다. 끝 부분이 막 자라기 시작한 뿔처럼 생긴 혹 하나가 아직 별다른 상처가 보이지 않는 정수리 피부를 뚫고 솟아 있던 것이다. 그것은 꼿꼿하게 자라는 무한 생명력이라도 선사받은 것처럼 손이 만져보는 동안에도 계속 자라고 있는 것 같았다.

그때, 갑작스럽고도 불가사의하게 팔머가 눈을 뜨더니, 말짱하게 정신을 차리는 것 같았다. 몇 분이 지나자, 팔머는 도시의 폐허에서 돌아온 이후로 가장 평소다운 모습을 보였다. 마음을 짓누르는 부담감을 속히 덜어내고 싶은지, 손에게 말을 하기 시작했다. 그의 목소리는 유난히 걸걸하고 단조로웠으나, 손은 그 웅얼거림을 듣고 내용을 유추할 수 있었다.

"구덩이! 구덩이!" 팔머가 말했다. "지옥 괴물이 그 구덩이에 있어. 그 깊숙한 무덤에! 엘도라도의 보물을 통째로 준대도 난 다신 거기 안 가……. 내가 그 폐허에 대해 얘기를 많이 하지 않았지. 사실, 얘기하기가 힘들었어. 아니 불가능했어.

아마도 저 인디언은 그 폐허에 뭔가 이상한 것이 있다는 걸 알고 있는 것 같아. 나를 그곳까지 데려갔지만…… 그곳에 관해서는 아무 말도 하지 않더군. 내가 보물을 찾아다니는 동안, 인디언은 강가에서 기다리고 있었어.

거기엔 정글보다도 오래된 회색 벽들이 있더군. 죽음과 시간보다도 오래된 것들이지. 사라진 행성에서 온 종족들이 그 벽을 세웠을 거야. 벽들은 괴상하고 비정상적인 각도로 기울어져서 주변의 나무들을 금방이라도 덮칠 판이더군. 기둥들도 있었어. 불경스러운 형태의 두꺼운 기둥에 역겨운 조각들이 새겨져 있는데, 빽빽한 밀림마저 그것을 다 가려주진 못했지.

그 저주받은 무덤을 발견하는 건 어렵지 않았어. 무덤 위쪽의 포장 보도는 최근에 부서진 것 같더라고. 커다란 나무 한 그루가 수백 년 전에 땅 밑으로 꺼진 판석들 사이에 보아 뱀 같은 뿌리를 파묻고 있었어. 판석 중에는 위쪽 보도 위로 뒤집힌 것도 있었고, 구덩이 속으로 떨어져버린 것도 있었어. 커다란 구멍이 있었는데, 햇빛이 숲에 가려져 구덩이 속을 제대로 보긴 어려웠지. 구덩이 바닥에서 뭔가 희미하게 빛나는 것이 있긴 했어. 하지만 그게 뭔지는 모르겠더군.

너도 알다시피, 내가 밧줄 한 다발을 가져갔잖아. 밧줄 한쪽 끝을 나무의 중심 뿌리에 묶고서 다른 쪽 끝을 구덩이 속으로 늘어뜨리고 원숭이처럼 타고 내려갔지. 바닥에 내려갔을 때 처음에는 발밑 주변으로 희끄무레 빛나는 것 외엔 아무것도 보이지 않았어. 움직이려는데 발밑에서 뭔가 약하고 무른 것이 으깨지는 거야. 그래서 손전등을 비춰보니, 주변이 온통 뼈로 가득하더군. 사방에 사람의 해골이 뒹굴고 있었어. 아주 오래전에 그리로 옮겨진 것 같았지. 시체를 파먹는 구울이 된 기분으로 뼈와 먼지 사이를 뒤졌지만, 해골에 남아 있을 줄 알았던 팔찌나 반지 같은 건 고사하고 아예 값나가는 물건들은 하나도 없더라고.

진짜 무시무시한 것을 알아챈 건 구덩이를 빠져나가려던 순간이었어. 한쪽 구석 그러니까 천장의 입구 쪽에서 가까운 구석을 올려다보다가, 거미줄 쳐진 어둠 속에서 그걸 발견했지. 그것이 머리 위로 3미터 정도 높이에 매달려 있어서, 밧줄을 타고 내려올 때 하마터면 나도 모르게 그것에 몸이 닿을 뻔했던 거야.

처음에는 흰색의 격자 같은 건 줄 알았어. 그런데 격자가 일부분 사람의 뼈로 되어 있더라고. 전사처럼 아주 키가 크고 건장한 사람의 완벽한 골격 말이야. 두개골에서 뭔가 창백하게 시든, 기괴한 뿔 같은 것이 자라 있었어. 뿔 끝에 무수히 달린 길고 끈적끈적한 덩굴손 같은 것들이 위쪽으로 퍼져서 천장까지 닿아 있더군. 그러니까 덩굴손이 위쪽으로 올라가면서 두개골 아니 골격 전체가 딸려 올라갔던 거야.

손전등을 비춰봤지. 식물의 일종으로, 언뜻 보면 두개골에서 자라난 것 같았어. 뿔처럼 생긴 가지의 일부는 갈라진 정수리에서 솟았고, 또 다른 일부는 눈구멍과 입 그리고 콧구멍으로 빠져나와 위쪽으로 퍼져 올라간 거야. 반면에, 그 불경한 물체의 뿌리들은 아래쪽으로 뻗으면서 뼈 마디마디에서 서로 격자처럼 엉켜 있었어. 발가락과 손가락은 뿌리와 함께 뒤엉켜서 밑으로 축 처져 있었지. 가장 끔찍했던 건, 발가락 끝에서 나온 뿌리들이 끊어진 뿌리의 찌꺼기와 함께 바로 밑에 대롱대롱 매달려 있는 두 번째 해골에 엉켜 있던 거야. 그 구석 자리 바닥에는 위에서 떨어진 뼈의 부스러기들이 쌓여 있더군.

인간과 식물이 뒤엉켜 있다니, 그 황당한 광경에 그저 역겹고 메스꺼운 것 이상으로 속이 울렁거렸지. 다급하게 밧줄을 타고 오르기 시작했지만, 그 징그러운 물체가 나를 홀리게 만들더군. 그래서 그걸 좀 더 가까이서 보려고 도중에 멈춰버렸지. 그런데 너무 급하게 그쪽으로 몸을 기울였나 봐. 밧줄이 흔들리기 시작하더니, 두개골에서 빠져나온 그 징그러운 뿔 모양의 가지들이 바로 코앞까지 가까워졌어.

뭔가가 부서졌어. 가지에 달렸던 꼬투리 같은 거였나 봐. 갑자기 아주 가볍고 냄새가 없는 회색의 미세 가루가 뿌옇게 나를 뒤덮더군. 가루가 머리에 내려앉았고, 코로 눈으로 파고들어 앞은 안 보이고 숨까지 막힐 뻔했어. 최대한 가루를 털어냈지. 그러고는 계속 올라가 입구 위로 나왔어……."

팔머는 조리 있게 말하려니 무척 힘들었는지, 갑자기 엉뚱한 소리를 중얼거리기 시작했다. 무슨 병에 걸렸는지는 몰라도 그 병증이 재발했고, 횡설수설 종잡을 수 없는 말과 고통스러운 신음이 뒤섞였다. 그러다가도 순간순간 일관적인 얘기를 하기도 했다.

"내 머리! 머리!"그가 중얼거렸다. "내 머릿속에 뭔가가 있어. 뭔가가 자라서 퍼지고 있단 말이야. 분명히 말하는데, 그게 내 머릿속에서 느껴져. 그 무덤에 들어갔다 온 후로 감각이 엉망이 됐어……. 그때부터 정신도 이상해졌고……. 그건 고대에 있었던 마귀 식물의 포자가 분명해……. 뿌리를 내린 포자가…… 내 두개골을 째고 뇌 속으로 들어온 거야. 사람의 두개골에서 자란 식물…… 두개골을 화분 삼아서!"

다시 섬뜩한 경련이 시작되자, 팔머는 친구의 품에 안겨 마구 몸부림치며 비명을 질렀다. 친구의 고통에 놀라고 애처로워진 손은 제압하는 걸 포기하고 주사기를 집어 들었다. 간신히 기준치의 세 배에 해당하는 약물을 주사하자, 팔머는 조금씩 잠잠해지더니 흐릿한 눈을 뜬 채로 코를 골기 시작했다. 손은 그때 처음으로 팔머의 눈동자가 눈구멍에서 금방이라도 빠져버릴 듯이 기묘하게 튀어나와 있는 걸 발견했다. 눈이 감기지 않을 정도로 돌출한 눈, 그래서 팔머의 표정은 더더욱 광적인 공포를 띠고 있었다. 마치 뭔가가 머리뼈 안에서 팔머의 눈알을 밀어내고 있는 것 같았다.

손은 갑작스러운 욕지기와 공포 속에서 악몽의 괴이한 거미줄에 걸려든 기분을 느꼈다. 팔머한테서 들은 얘기도 그것이 암시하는 그 어떤 것도 믿을 수 없었다. 그럴 엄두가 나지 않았다. 이 모든 것이 이상한 열병의 잠복기를 거치면서 몸이 안 좋은 팔머의 상상에서 비롯된 것이라 스스로를 안심시키던 손, 그런데 그가 팔머의 머리를 살펴보는 과정에서 뿔처럼 생긴 혹이 어느새 두피를 뚫고 나온 것을 발견하고 말았다.

헛것을 봤다고 생각한 손은 손가락으로 벌려놓은 팔머의 텁수룩한 머리칼 사이에서 모습을 드러낸 그 혹을 뚫어지게 쳐다보았다. 그것은 금방이라도 벌어질 것 같은 연한 녹색과 진한 빨간색으로 겹겹이 쌓인 식물의 봉오리가 분명했다. 그것이 튀어나온 위치는 정수리였다.

손은 속이 메슥거려서, 축 늘어진 팔머의 머리와 거기서 자란 악의 싹으로부터 시선을 돌려버렸다. 손의 몸에 다시 열이 올랐고, 팔다리에서 비참한 무력감이 느껴졌다. 주사한 키니네 성분 때문에 생긴 팔머의 착란과 웅얼거리는 헛소리가 들려왔다. 손의 두 눈은 치명적이고 독기어린 안개로 뿌옇게 흐려졌다.

손은 열병과 무기력에서 벗어나고자 안간힘을 썼다. 이대로 무너질

순 없었다. 팔머와 인디언들을 데리고 가장 가까운, 며칠 거리에 있는 오리노코의 교역소까지 가야 했고, 그래야만 팔머가 도움을 받을 수 있을 터였다.

절박한 결단력 덕분이었는지는 몰라도 손은 시야가 깨끗해지고, 다시금 힘이 솟는 걸 느꼈다. 그러나 안내인들을 찾아 주위를 둘러보던 그는 그들이 사라지고 없는 것을 알고 예기치 못한 충격을 받았다. 주변을 더 찬찬히 살펴보니, 인디언들이 타고 왔던 카누 한 척도 역시 사라지고 없었다. 그와 팔머는 버려진 것이 분명했다. 인디언들은 이미 팔머에게 문제가 생긴 것을 알고 두려워했던 모양이다. 어찌 됐든, 그들은 가버렸고, 상당수의 캠핑 장비와 대부분의 식량까지 가져가버렸다.

손은 분노를 억누르면서, 힘없이 누워 있는 팔머를 다시 바라보았다. 그리고 단호하게 커다란 접칼을 꺼내 들고 괴로움에 시달리는 친구에게 몸을 숙인 뒤, 튀어나온 돌기를 최대한 조심하면서 머리 가죽 가까이까지 잘라냈다. 그것은 이상할 정도로 단단하고 질겼다. 묽고 붉은 액체가 스며 나왔다. 손은 그 내부 구조, 그러니까 신경섬유 같은 것으로 꽉 차 있고 중심은 연골조직으로 보이는 내부를 보고 몸서리쳤다.

그는 도려낸 것을 다급히 모래사장 위로 치워버렸다. 곧바로 팔머를 안아 들고, 남아 있는 카누를 향해 비틀거리며 걸어갔다. 넘어지기를 여러 번, 축 처진 친구를 안은 채 그대로 정신을 잃고 곤두박질칠 뻔하기도 했다. 팔머를 들고 끌고 하면서 간신히 카누에 닿았다. 약해지는 힘을 마지막으로 그러모아 팔머를 선미의 장비 더미에 기대어 눕히는 데 성공했다.

손의 몸에 갑자기 열이 도졌다. 한참을 지체하다가 힘겹게 그것도 반쯤은 열병의 착란 상태에서 강물로 카누를 밀었고, 열병에 완전히 사로잡혀 가물거리는 손에서 노를 놓칠 때까지 저었다.

그가 누런 새벽빛 속에서 깨어났을 때, 머리와 감각은 비교적 명료한 상태였다. 열병으로 인해 엄청난 무력감이 있었으나, 그가 제일 먼저 떠올린 생각은 팔머였다. 그는 자칫 배 밖으로 나가떨어질 만큼 쇠약해진 몸을 비틀어 친구를 마주 보았다.

팔머는 여전히 반은 앉고 반은 누운 채로 담요 더미와 이런저런 짐 꾸러미에 기대어 있었다. 강직성 경련에 빠진 것처럼 두 손으로 무릎을 꽉 끌어안고 있었다. 얼굴은 송장처럼 핼쑥했으며, 표정은 완전히 굳어 있었다. 그러나 손을 황당한 공포로 숨죽이게 만든 건 따로 있었다.

손이 정신을 잃고 선잠에 빠져 있는 동안, 그 기괴한 식물의 싹은 도려낸 것에 오히려 자극을 받은 것처럼 팔머의 머리에서 불가사의한 속도로 다시 자라나 있었다. 연녹색의 징그러운 줄기가 두껍게 솟아서, 17센티미터 정도의 높이부터는 사슴의 뿔처럼 가지를 치기 시작했다.

이보다 더 섬뜩했던 것이 있었으니, 비슷한 식물체가 팔머의 눈에서도 튀어나와 있었던 것이다. 게다가 이마를 지나 수직으로 올라온 줄기가 눈동자를 완전히 밀어내버렸다. 정수리의 싹과 마찬가지로 이것 역시 이미 가지를 뻗고 있었다. 가지의 끝은 전부 연한 주홍색을 띠고 있었다. 가지들은 바람 없는 포근한 공기 속에서 리드미컬하게 까닥거리며 역겨운 생명력으로 흔들거렸다. 입에서도 또 다른 줄기가 튀어나와, 길고 희읍스름한 혀처럼 위로 구불구불 올라왔다. 입 쪽의 줄기는 아직 가지를 치고 있진 않았다.

손은 이 충격적인 광경 앞에서 눈을 감아버렸다. 눈꺼풀 속에서 어지러운 황색 빛이 아른거렸고, 여전히 친구의 송장 같은 얼굴과 죽음의 병색을 띤 녹색의 섬뜩한 히드라처럼 새벽빛을 등지고 흔들거리는 줄기들이 보였다. 줄기들은 손을 향해 살랑살랑 신호를 보내는 것 같았고, 그러는 동안에도 계속 자라서 길어졌다. 그가 눈을 다시 떴을 때, 착각인지 모를 새로운 공포가 충격을 던졌다. 실제로 가지들이 눈 깜짝할 사이에 더 자란 것 같았다.

그때부터 손은 사악한 최면에 걸린 사람처럼 가지들을 우두커니 쳐다보았다. 눈에 보일 정도로 식물이 자라고 더 자유롭게 움직인다는 착각 ─ 이것이 착각이라면 ─ 이 점점 더 강해졌다. 그런데도 팔머는 미동도 하지 않았고, 양피지 같은 얼굴은 오그라들고 홀쭉해져 있었다. 마치 괴식물체의 뿌리가 그의 피를 빨아 먹고, 탐욕스럽고 잔인한 허기를 달래기 위해 그의 살을 뜯어 먹는 것처럼 말이다.

손은 고개를 획 돌려 강가를 보았다. 강은 더 넓어졌고 물살은 점점 더 느려졌다. 위치를 파악하기 위해 강가를 따라 늘어선 단조롭고 칙칙한 녹색의 절벽에서 전에 봐둔 지표를 찾아봤으나 헛수고였다. 길을 잃고 고립되었다는 절망감이 엄습했다. 죽음보다도 더 무서운 괴물체와 더불어, 광기와 악몽의 낯선 물살에 휩쓸려 표류하는 기분이었다.

종잡을 수 없이 떠돌던 잡념들은 언제나 한곳으로, 닫힌 원 같은 공간 속으로, 그래서 팔머를 게걸스레 먹어치우고 있는 그 괴물체로 돌아왔다. 스쳐 가는 과학적 호기심으로 과연 그것이 어떤 종일까 궁금해지기도 했다. 균류도 낭상엽[66] 식물도 아니었고, 지금까지의 탐사 활동에서 보거나 들은 그 어떤 깃도 아니었다. 팔머의 암시처럼 외계에서 온 것이 틀림없었다. 지구에서 성장할 수 있는 그런 생명체가 아니었다.

팔머가 죽었다고, 그렇게 생각하자 편안해졌고 위안이 됐다. 차라리 죽는 게 축복이었다. 그러나 그런 생각을 하는 동안에도 낮게 그르렁거리는 신음이 들려왔다. 손이 화들짝 놀라서 팔머를 힐끔 쳐다봤을 때,

그의 팔다리와 몸에서 경미한 경련이 일고 있었다. 경련이 점점 더 심해지면서 일정한 리듬을 타기 시작했다. 그렇지만 하루 전의 고통스럽고 격렬한 발작과는 달라서, 전기요법을 받고 있는 것처럼 자동적인 경련이었다. 손이 보기엔, 팔머의 경련이 식물체의 늘쩍지근하고 징그러운 움직임과 박자를 맞추고 있었다. 그래서 그것을 지켜보던 손은 부지불식간에 최면 효과와 졸음을 느꼈다. 게다가 한번은 그 혐오스러운 리듬에 맞춰 자기도 모르게 발장단을 맞추기도 했다.

손은 미치지 않으려고 필사적으로 다른 생각에 매달리면서 기운을 차리려고 애썼다. 그러나 병이 도지는 걸 어쩔 수 없었다. 열과 구토 그리고 죽음의 역겨움보다 더 나쁜 혐오감…… 그러나 그는 완전히 무너지기 전에 장전된 권총을 뽑아 들고 팔머의 떨리는 몸에 여섯 방의 총알을 발사했다. 총알이 빗나가지 않았건만, 마지막 발사 후에도 팔머는 여전히 신음하면서 식물의 사악한 흔들림에 맞춰 몸부림쳤다. 손은 미끄러지듯 정신착란 상태에 빠져들었고, 여전히 그의 귓전에는 자동화된 신음이 끝없이 들려왔다.

그가 표류하는 비현실의 혼돈과 끝없는 망각 속에선 시간이 멈춰져 있었다. 다시 정신을 차렸을 때, 몇 시간이 혹은 몇 주가 지났는지 알 길이 없었다. 그러나 카누가 움직이고 있지 않다는 것만은 바로 알아차릴 수 있었다. 그는 현기증 속에서 몸을 일으켰고, 카누가 얕은 물과 진흙 속에 멈춰서, 강 한복판의 작고 우거진 섬에 닿아 있는 걸 발견했다. 주변에서 고인 웅덩이처럼 썩은 내가 진동했다. 그리고 귀에 거슬리는 곤충들의 윙윙거림이 들려왔다.

해가 아직 중천에 떠 있으니, 늦은 아침 혹은 이른 오후였을 것이다. 섬의 나무들에서 뻗어 나온 덩굴식물이 그의 머리 위까지 몸을 펼친 뱀처럼 늘어져 있었고, 뱀의 반점 무늬가 특징인 착생 난초들이 늘어진 나뭇가지에서 그를 향해 기괴하게 다가와 있었다. 커다란 나비들이 알록달록한 날개를 화려하게 파닥이며 지나갔다.

상체를 세우는데, 심한 어지럼증과 함께 머릿속이 하얘지는 느낌이 들었다. 그리고 또다시 그와 동행하고 있는 공포와 마주했다. 그것은 믿기지 않을 정도로 자라 있었다. 뿔처럼 생긴 세 개의 가지가 팔머의 머리 위로 거대하게 솟아 있었고, 가지마다 지탱할 것을 찾는 것인지 아니면 새로운 먹잇감을 찾는 것인지 허공을 향해 끈적끈적한 촉수들을 거북하게 내뻗고 있었다. 가지의 맨 위쪽에 엄청나게 큰 꽃이 피어 있었다. 이것은 원반 형태의 살덩어리 같았는데, 사람의 얼굴만큼 넓고 나환자의 피부처럼 창백했다.

팔머의 얼굴은 피골이 상접할 정도로 오그라들어 있었다. 인간의 살가죽을 뒤집어쓴 죽음의 머리통을 보고 있는 것 같았다. 그리고 웃가지 속의 몸은 해골이나 다름없었다. 의사소통을 하는 듯한 줄기의 떨림만 있을 뿐, 팔머의 몸에선 이제 아무런 움직임도 보이지 않았다. 팔머를 말라비틀어질 때까지 빨아먹은 이 흉악한 식물은 그의 생명과 살까지 모조리 먹어치운 셈이었다.

손은 앞으로 몸을 던져, 그 식물체와 무턱대고 맞붙어 싸우고 싶은 충동을 느꼈다. 하지만 기이한 마비 상태가 그를 움직일 수 없게 만들었다. 그것은 지각을 지닌 생명체처럼 그를 지켜보면서 불순하고 우월한 의지로 그를 제압했다. 그런데 그가 보고 있는 동안, 그 괴물의 커다란 꽃이 희미하면서도 기괴한 사람의 얼굴을 닮아갔다. 팔머의 얼굴을 많이 닮긴 했으나, 표정 속속들이 일그러져 있어서 인간이 아닌 사악한 어떤 것의 얼굴과 뒤섞여 있었다. 손은 움직일 수 없었다. 그 불경한 괴물체로부터 눈을 돌릴 수도 없었다.

기적처럼 열이 떨어졌다. 다시 도지지도 않았다. 열병 대신에, 최면을 거는 식물을 마주 보고 앉아 있던 손에게 찾아온 것은 영원히 지속할 것만 같은 극한의 공포와 광기였다. 이제는 말라 죽은 껍데기에 불과한 팔머의 몸에서 나온 그것은 손 앞에 우뚝 솟구쳐서 투실투실한 줄기와 가지 들을 살랑살랑 흔들었고, 사람의 얼굴을 불경하게 모방한 커다란 꽃은 줄기차게 손을 흘겨보고 있었다. 나지막하고 더없이 감미로운 노랫소리가 들려오는 것 같았으나, 그것이 식물체에서 나오는 것인지 아니면 탈진 상태에서 비롯된 환청인지는 알 길이 없었다.

시간이 더디게 흘러가는 동안, 폭염은 거대한 고문 도구에서 녹인 납이 쏟아져 나오듯 내리쬐고 있었다. 탈진과 악취 가득한 열기로 머리가 빙빙 돌았지만, 몸이 뻣뻣하게 굳어서 쉴 수도 없었다. 까닥거리는 그 괴식물은 희생자의 머리 위로 자랄 수 있는 한계까지 다 자라서인지 더이상의 변화를 보이지 않았다. 그런데 한참이 지나서 손의 눈길이 팔머의 오그라든 손으로 향했을 때, 팔머의 두 손은 여전히 무릎을 끌어안은 자세로 발작적인 경련을 일으키고 있었다. 손가락 끝마다 작고 흰 잔뿌리들이 튀어나와, 새로운 먹이를 찾아 더듬거리듯 허공에서 천천히 꿈틀거렸다. 목과 턱에서도 뿌리들이 뻗어 나왔고, 몸 전체에 걸쳐 옷 속에서 도마뱀들이 기어다는 것처럼 요상하게 옷가지들이 들썩거렸다.

그와 동시에 노랫소리가 점점 더 커졌고 감미로워졌으며 더 긴박해졌다. 거대한 식물의 움직임은 표현하기 힘들 정도로 유혹적인 리듬을 타고 있었다. 마치 요염한 사이렌의 유혹 같았고, 춤추는 코브라처럼 치명적인 몽롱함을 주었다. 손은 거부할 수 없는 충동을 느꼈다. 그에게 소환 마력이 작용했고, 거기에 걸려든 몸과 마음은 그 명령에 따라야 했다. 팔머의 손가락들이 독사처럼 비틀리면서 손을 부르는 것 같았다. 손은 갑자기 카누 바닥에 손과 무릎을 대고 엎드렸다. 머릿속에서 공포와 매혹이 서로 싸우는 가운데 그는 조금씩 기기 시작하여 결국에는 그의 머리와 더듬거리는 뿌리들이 매달려 있는 팔머의 오그라든 손이 닿을 듯 가까워졌다.

마비의 주술 때문에 속수무책이었다. 손은 더듬거리는 손가락처럼 그의 머리칼을 지나 얼굴과 목에 와 닿는 잔뿌리들을 느꼈다. 이윽고 바늘처럼 날카로운 잔뿌리의 끝 부분이 손을 찌르기 시작했다. 손은 움직이기는커녕 눈조차 감을 수 없었다. 얼어붙은 눈으로 쳐다보고 있는 동안, 뿌리들이 그의 동공을 찔렀고, 그 순간 그는 허공에 정지해 있는 나비의 황금색과 카민 색 번뜩임 같은 것을 보았다.

탐욕스러운 뿌리들이 그의 동공을 점점 더 깊숙이 찌르는 동안, 새로운 섬유조직들이 뻗어 나와 마녀의 그물처럼 그를 옭았다. 잠시 동안은 죽은 자와 산 자가 서로 뒤엉켜 몸부림치는 것 같았다. 마침내 손은 점점 커지는 그물 한가운데 축 늘어졌다. 거기서 투실투실하고 거대한 괴식물이 생명을 연장했다. 그리고 적막하고 뜨거운 오후를 지나는 동안 그것의 위쪽 가지에서 두 번째 꽃이 피기 시작했다.

---

66) 낭상엽(囊狀葉): 주로 식충식물에서 벌레를 잡기 위해 깔때기 모양으로 분화한 잎을 말한다.

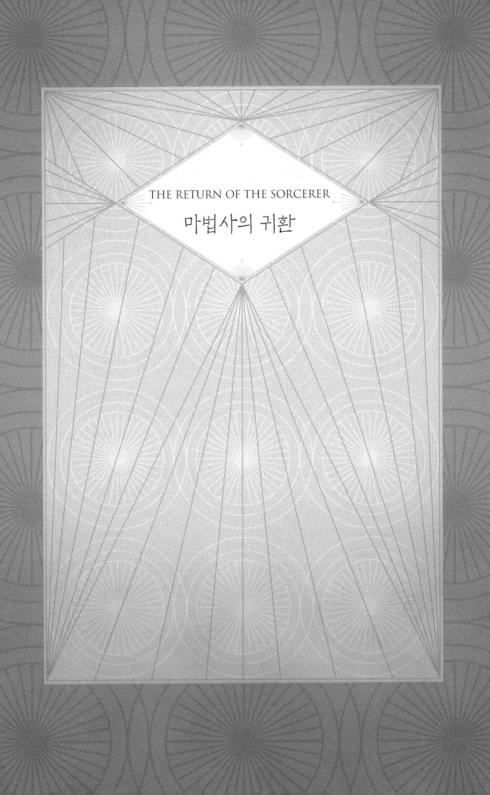

THE RETURN OF THE SORCERER

마법사의 귀환

작품 노트

1930년에 완성, 1931년《스트레인지 테일스》창간호(9월 호)에 실렸다.
스미스는 1930년 러브크래프트에게 보낸 편지에서 "최근에 섬뜩하고도 기괴한 구
상들이 봇물처럼 떠오르는 것 같습니다. 그중에서 일부는 제대로 발전시킨다면 진짜
공포가 될 겁니다. (중략) 또 살인자가 여러 군데 나누어 매장한 토막 시체에 관한 구
상도 있지요. 그런데 살인자는 토막 난 사지의 일부가 주변을 돌아다니는 걸 보게 되
는데, 그 사지들이 자물쇠로 채운 벽장 속에 넣어둔 머리와 재결합하려고 하는 겁니
다!"
그래서 초안으로 작성한 작품의 제목이 「재결합」이었다. 스미스는 "살인자와 희생자
둘 다 흑마법의 신봉자로 하는 게 좋겠다."라는 러브크래프트의 조언을 받아들였고,
그 답례로 작품 내용에 러브크래프트의 『네크로노미콘』을 차용하였다. 이 작품은 다
시 「토막 나다」에 이어 「헬먼 칸비의 귀환」 등 제목이 여러 번 바뀌었다가 출간 시에
는 「마법사의 귀환」으로 결정되었다. 스미스는 이 작품을《고스트 스토리스》에 보냈
다가 거절당했고《위어드 테일스》에서도 역시 고배를 마셨다. 그런데 이때만큼은 "편
집자로부터 받은 가장 유쾌한 거절 편지."라고 말했다. 이유는 수정을 몇 차례 거쳤음
에도 "여전히 너무 무섭습니다. 직원들이 이 작품을 읽고서 보인 반응만 놓고 보자면,
당신은 몹쓸 짓을 한 게 분명합니다."(《고스트 스토리스》), "원고를 수용할 수 없는
이유는 우리 독자들이 틀림없이 진저리를 칠 게 분명하기 때문이죠."(《위어드 테일
스》)라는 답변을 받았기 때문이었다. 결국 이 작품은《스트레인지 테일스》에 실렸다.
「마법사의 귀환」은 스미스가 원했던 두 가지 목표, 요컨대 '완전한 공포의 극단'과 만
족스러울 정도의 '묘연한 결말'을 성취한 작품이다. 이 작품은 스미스의 소설 중에서
가장 유명하며, 「로드 스털링의 나이트 갤러리」라는 TV 시리즈물로 만들어졌다. 이
때 받은 저작권료가 스미스가 평생 글을 써 벌어들인 수입보다 많았다고 한다.

몇 달 동안 실직 상태라, 예금 잔고가 바닥을 보이기 직전이었다. 그래서 나를 직접 만나 면접을 보겠다는 존 칸비의 호의적인 답장을 받았을 때 나는 당연히 고무됐다. 칸비는 비서 구인 광고를 내면서, 지원자들은 공히 자신의 능력을 적어 편지로 우선 제출하라고 명시하였다. 나는 그 구인 광고를 보고 편지를 보냈다.

　칸비는 낯선 사람과의 만남을 저어하는, 학구적인 은둔자가 틀림없었다. 그래서 자격이 미달되는 사람을 다수 — 물론 지원자가 적을지도 모르지만 — 미리 솎아내기 위하여 이런 방법을 택했을 터이다. 그가 확실하고 간단명료하게 밝혀놓은 자격 요건에 따르면, 보통의 학력으로는 지원할 수가 없었다. 무엇보다 아랍어가 필수라는 점이 그랬다. 다행히 나는 이 생소한 언어에 꽤 능한 편이었다.

　막연하게만 알고 있던 주소로 직접 찾아가 보니, 오클랜드 교외에 있는 한 언덕 도로의 끄트머리였다. 그곳은 커다란 2층 주택으로, 오래된 떡갈나무들이 그늘을 드리웠고, 오랫동안 방치된 쥐똥나무 울타리와 관목 사이에서 무성하게 자란 덩굴로 뒤덮여 어둠침침하였다. 주택의 한쪽엔 잡초만 무성한 공터가 있었고, 다른 쪽에는 화재로 소실된 어느 저택의 검은 폐허를 덩굴과 나무가 에워싸고 있어서 주택 자체는 이웃과 고립되어 있었다.

오랫동안 방치된 분위기 외에도, 주택 주위에서 어딘지 황량하고 음산한 느낌을 자아냈다. 덩굴로 가려진 주택의 윤곽에, 의뭉스럽고 어두운 창가에, 괴상하게 생긴 떡갈나무와 이상스레 마구 퍼져 있는 관목에 뭔가가 내재되어 있다고 할까, 뭐 그런 것 말이다. 득의양양했던 나는 지저분한 길을 따라서 현관으로 향하는 동안, 조금은 기운이 빠지긴 하였다.

그런데 존 칸비를 직접 마주했을 때는 기운이 더 빠졌다. 내가 그때 왜 싸늘하고 둔중하며 음울한 예감을 가졌는지, 또 기분이 납덩어리처럼 무겁게 가라앉았는지에 대해 합당한 이유를 댈 순 없지만 말이다. 어쩌면 존 칸비라는 사람도 그렇거니와 그가 나를 맞이한 어두운 서재도 한몫했던 것 같다. 서재의 곰팡내 나는 어둠은 햇빛이나 전등으로도 완전히 쫓아낼 수 없었다. 실은 이래서였던 것 같다. 왜냐, 존 칸비가 내가 예상했던 사람과 실제로도 너무나 흡사했기 때문이었다.

박식한 연구에 오랜 인고의 세월을 헌신해 온 고독한 학자, 존 칸비는 이런 사람의 특징을 몽땅 지니고 있었다. 체구는 마르고 꾸부정했으며, 이마가 넓고 머리칼은 반백이었다. 깨끗하게 면도를 한, 야윈 뺨에 서재의 창백함이 물들어 있었다. 그러나 이런 특징 말고도 은둔자의 일반적인 수줍음을 넘어서는, 겁먹은 위축감과 신경이 곤두서 있는 분위기를 풍겼다. 게다가 거뭇거뭇하고 열뜬 눈동자의 흘깃거림과 앙상한 두 손의 움직임에서 언제나 끝없는 불안감이 드러났다. 지나친 과로로 인해 건강에 심각한 문제가 있음이 분명하였다. 그를 불안한 신경쇠약으로 이끈 그 연구란 게 과연 무엇인지 자못 궁금해지지 않을 수 없었다. 그러나 그에게 뭔가 다른 인상 ─ 지금은 굽었으나 한때 떡 벌어졌던 두 어깨와 담찬 독수리 상의 얼굴 윤곽 때문이었을진 모르나 ─ 요컨대 예전의 강한 체력과 활력이 아직까지 완전히 사라지진 않았다는 인상도 있었다.

그의 목소리는 뜻밖에도 낮고 낭랑했다.

"오그덴 씨, 당신은 해낼 수 있을 거요." 그가 이렇게 말한 것은, 몇 가지 형식적인 질문 그러니까 대부분은 언어 구사 능력 특히 아랍어에 능통한가에 관한 질문을 하고 난 뒤였다. "그리 힘든 일은 아닐 거요. 다만 언제든지 나를 도와줄 수 있는 사람이 필요했다오. 그래서 당신은 나와 함께 살아야 해요. 좋은 방을 주겠소. 그리고 내가 만든 음식이 아예 못 먹을 정도는 아닐 거요. 나는 종종 밤에 일을 해요. 그래서 당신이 불규칙한 시간에 일을 해도 괜찮았으면 해요."

나는 이 비서 업무야말로 내게 적격이라고 아주 기뻐할 줄 알았다. 그런데 실상은 존 칸비에게 고맙다는 말과 언제든지 원하는 시간에 이사를 올 수 있다고 말하는 동안, 막연하고 까닭 모를 찜찜함과 불분명하고 기분 나쁜 예감 같은 걸 느꼈다. 그는 몹시 기뻐하는 내색이었다. 그때 잠시나마 특유의 묘한 불안감도 보이지 않았다.

"당장, 가능하다면, 오늘 오후에 오시오. 당신과 함께할 수 있어서 기쁘다오. 빠르면 빠를수록 좋지요. 나는 오랜 시간 혼자 지냈소. 솔직히 말해서 적적한 것도 이젠 질리기 시작한 터라…… 게다가 적절한 도움을 받지 못하다 보니 연구도 포기하고 있었소. 동생이 함께 지내면서 도와줬는데, 지금은 멀리 여행을 떠났다오."

나는 시내의 숙소로 돌아가, 수중에 남아 있는 몇 달러를 전부 숙박

비로 지불한 뒤 짐을 싸고 한 시간이 채 지나지 않아서 새 고용주의 집으로 돌아왔다. 존 칸비가 마련해 준 2층 방은, 환기를 시키지 않아 공기가 탁했으나, 자금 사정 때문에 지금까지 꽤 오랜 기간을 복도 끝 칸막이 방에서 살아온 것에 비하면 사치에 가까웠다. 곧바로 그는 역시 2층에서 복도 끝에 있는 자신의 전용 서재로 나를 데려갔다. 여기서 그는 내가 하게 될 일을 대략적으로 설명해 주었다.

이 서재의 내부를 구경하던 나는 놀라움의 탄성을 참지 못했다. 늙은 마법사의 밀실을 상상해 봤다면, 아마 이 서재와 많이 흡사할 것이다. 여러 개의 탁자에 쓰임새가 의심스러운 구식 도구들과 점성도, 두개골과 증류기와 수정 구슬, 가톨릭교회에서 사용하는 향로, 가죽 장정에 좀이 슬고 걸쇠에 푸른 녹이 슨 책들이 흩어져 있었다. 한쪽 구석에는 커다란 원숭이의 해골, 다른 구석에는 인간의 해골이 세워져 있는가 하면, 천장에는 박제한 악어가 매달려 있었다.

책장에는 책이 꽉꽉 들어차 있었는데, 한번 쭉 훑어만 봐도 악마학과 흑마술에 관한 고금의 저작들을 광범위하게 망라해 놓았음을 알 수 있었다. 벽마다 비슷한 주제를 다룬, 기묘한 회화와 판화 들이 걸려 있었다. 이렇다 보니 서재는 전체적으로 잊혀가는 온갖 미신들의 잡동사니 창고 같은 분위기를 자아냈다. 평소라면 이런 물건들을 접하고 씩 웃었을 터이다. 그러나 그 고즈넉하고 음산한 집에서, 악몽에 시달리는 신경과민의 칸비까지 곁에 있다 보니, 진짜 몸서리가 쳐지는 걸 어쩔 수 없었다.

탁자 한 곳에, 중세주의와 악마주의의 혼합이라는 전반적인 분위기와 대조적으로, 흩어진 원고 뭉치와 함께 타자기 한 대가 놓여 있었다. 서재 한쪽 끝에는 커튼을 치고 침대를 넣은, 아담한 골방이 있어서 여기서 칸비가 잠을 잤다. 이 골방 맞은편 벽에서, 그러니까 인간 해골과 유인원 해골의 중간에서 자물쇠로 잠긴 벽장 하나가 눈에 들어왔다.

칸비는 내가 놀라는 것을 눈치채고는, 예리하고 분석적인 그러나 뜻 모를 표정으로 나를 지켜보고 있었다. 그가 설명하는 투로 말했다.

"나는 평생 동안 악마주의와 마법을 연구해 왔네. 매력적인 동시에 지나치게 홀대받는 분야지. 모든 시대와 사람들을 망라하여 마법과 악마 숭배의 상관관계를 밝히는 논문 한 편을 준비 중이네. 자네는 당분간 방대한 분량의 참고 문헌을 정리하고 타이핑하면서 다른 참고 자료와 서신들을 찾아내는 걸 도와주게. 자네의 아랍어 지식이 내겐 아주 유용할 걸세. 내가 아랍어에 능통하지 못한 데다, 중요한 자료의 일부를 아랍어로 된 『네크로노미콘』 원문에 의지하고 있으니 말이지. 내가 생각하기에 올라우스 워미우스의 라틴어 판본에는 상당한 누락과 번역 오류 들이 있거든."

나는 진기하고도 엄청난 가치를 지녔다는 전설의 『네크로노미콘』에 대해 들어는 봤으나 직접 본 적은 없었다. 이 책은 악의 절대 비밀과 금기의 지식 들을 포함하고 있는 것으로 알려져 있었다. 더구나 미친 아랍인, 압둘 알하즈레드가 쓴 아랍어 원본은 구할 수조차 없다는 게 통설이었다. 어떻게 이 원본이 칸비의 수중에 들어왔을까 하고 자못 의심스러웠다.

"저녁 식사를 하고 나서 그 책을 보여주겠네." 칸비가 계속해서 말했다. "그 책에서 오랫동안 나를 괴롭혀온 한두 개의 문장이 있는데, 자네가 그걸 명쾌하게 풀어줄 거라 믿네."

고용주가 손수 만들고 차려낸 저녁 식사는 싸구려 식당 음식에 익숙했던 나로서는 고마운 변화였다. 칸비의 신경과민도 많이 누그러진 것

같았다. 말수가 제법 많아졌고, 달콤한 백포도주 한 병을 나눠 마신 뒤
에는 박학다식하고 쾌활한 모습까지 보여주기 시작했다. 그런데도 나는
뚜렷한 이유 없이 근원 모를 암시와 불길한 예감을 떨쳐버리지 못했다.

우리는 서재로 돌아왔고, 칸비는 자물쇠로 잠긴 서랍에서 아까 말했
던 책을 꺼냈다. 그것은 굉장히 오래된 책으로, 새카만 표지엔 은제 아
라베스크 무늬와 어둡게 빛나는 석류석이 장식되어 있었다. 누렇게 변
색해 가는 책장을 넘기던 나는 몰칵 풍기는 악취에 그만 나도 모르게
움찔 물러섰다. 악취는 비단 물리적으로 변색되고 삭았다는 것 외에도
그 책이 잊힌 무덤의 시체들 사이에 있다가 그 부패의 냄새까지 베어버
렸다는 암시를 주었다.

칸비는 이글거리는 눈빛으로 내게서 그 오랜 필사본을 도로 가져가
더니 중간 부분을 펼쳤다. 그가 앙상한 손가락으로 한 문장을 가리켰다.

"이 부분을 해석해 주게." 그가 잔뜩 긴장하고 흥분한 속삭임으로 말
했다.

나는 천천히 다소 어렵사리 그 문단을 번역했고, 칸비가 준 메모지
에 영어로 대략적인 내용을 옮겨 적었다. 그리고 그의 요구대로 크게
읽었다.

"극소수에게 알려져 있으나 입증되지 않은 사실이 있으니, 그것은
곧, 죽은 마법사가 자신의 시체에 영향력을 행사하여 무덤에서 일어나
게 함으로써 생에 이루지 못한 일을 무엇이든 행할 수 있음이라. 이러
한 부활은 반드시 악행을 저지르기 위함이며 타인에게 위해를 가하기
위함이다. 시신의 사지가 온전하게 남은 상태라면 이 시신을 되살리는
것은 지극히 쉬운 일이다. 흔한 경우는 아니나, 부활한 마법사가 탁월
한 의지력을 지닌 자라면, 여러 개로 토막 난 시체까지 살려내어 절단

된 상태에서 또는 일시적으로 결합한 상태에서 자신의 목적에 맞게 부릴 수 있다. 다만 어떠한 경우에든, 소기의 목적이 이루어진 뒤에, 사용된 시신은 원래의 상태로 돌아간다."

물론 이것은 상궤에서 벗어난 궤변에 불과하였다. 그런데도 이 말에 완전히 집중한 칸비의 병적인 표정은 『네크로노미콘』의 그 섬뜩한 문단보다도 더욱 기이하여 나를 불안하게 만들었고, 문단을 거의 다 읽었을 즈음에는 바깥 복도에서 들려온, 뭔가 미끄러지는 소리에 그만 화들짝 놀라고 말았다. 게다가 옮겨 적은 번역문을 다 읽고 고개를 들어 칸비를 봤을 때, 그의 얼굴에 드러난 진짜 공포의 표정, 그러니까 흉악한 유령에 쫓기는 사람의 표정을 보고서 더욱더 놀라고 말았다. 아무래도 그가 압둘 알하즈레드의 글을 번역해서 읽어주는 내 목소리보다는 복도의 이상한 소음에 더 귀를 기울이고 있지 않았나 싶었다.

"이 집엔 쥐새끼 천지야." 그가 궁금해하는 내 눈길을 알아채고는 이렇게 말했다. "별의별 수를 다 써봤지만 저놈들을 없앨 수 없었네."

여전히 계속되고 있던 그 소음은 쥐 한 마리가 뭔가를 천천히 끌고 가는 소리 같았다. 쥐가 서재 문 쪽으로 점점 가까워지더니, 잠시 멈추었다가 다시 움직이면서 멀어져갔다. 칸비에게서 동요의 빛이 역력했다. 그는 겁에 질린 표정으로 그 소리에 귀를 기울였는데, 소리가 가까워질수록 공포가 심해지고, 멀어질수록 안정이 되는 모양이었다.

"내가 너무 신경이 예민해져 있네그려. 늦게까지 과로를 하다 보니, 이 모양일세. 작은 소음에도 신경이 곤두서는군."

그 소리는 집 안 어딘가로 사라져버렸다. 칸비는 한결 괜찮아진 것 같았다.

"번역한 걸 다시 읽어주겠나?" 그가 부탁했다. "한 단어 한 단어 아주 꼼꼼하게 음미하고 싶네."

부탁대로 했다. 그는 다시금 병적인 몰입의 표정을 지었고, 이번에는 우리를 방해하는 복도의 소음 따위는 없었다. 내가 마지막 문장을 읽는 동안, 칸비의 얼굴은 마지막 피 한 방울까지 몽땅 빠져나간 것처럼 파리해졌다. 게다가 휑한 눈동자는 깊은 지하의 인광처럼 빛을 발하고 있었다.

"이건 가장 인상적인 문단일세. 아랍어 실력이 부족하다 보니 그 뜻이 헷갈렸거든. 그러고 보니, 이 문단 역시 올라우스 워미우스의 라틴어 판본에는 통째로 빠져 있었어. 번역해 줘서 고맙네. 자네 덕분에 상당히 명쾌해졌어."

뭔가 비밀스러운 생각과 감정을 억누르고 숨기려는 듯이 그의 목소리는 건조하고 상투적이었다. 이유야 어찌 됐든, 칸비는 그 어느 때보다 더 예민하고 불안해졌다. 더구나 내가 번역한 『네크로노미콘』이 어떤 식으로든 그의 불안을 지속시키는 것 같았다. 달갑지 않은 금기의 주제에 골몰해 있는 것처럼 표정이 오싹하리만큼 음침하였다.

그런데 평정심을 되찾았는지는 몰라도 내게 다른 문장을 번역해 달라고 부탁하는 것이었다. 이번에는 망자의 특정한 구마 주문이었고, 여기엔 진기한 아라비아의 향료를 사용하면서 구울과 악마의 이름을 최소 백 개 이상 읊조려야 하는 제식 행위도 포함되어 있었다. 나는 학구적인 열정 이상으로 오랜 시간을 매진해 온 칸비를 위하여 그 문장을 전부 번역문으로 옮겨주었다.

"이 부분도 올라우스 워미우스의 번역본에는 빠져 있군그래." 그는 번역문을 재차 살펴보고는 그 메모지를 조심스레 접어서 좀 전에 『네크로노미콘』을 꺼냈던 서랍에 집어넣었다.

그날 밤은 내 생애에서 가장 기이했던 시간 중에 하나였다. 그 불경한 책에서 번역한 문장을 놓고 토론을 벌이는 동안 한 시간이 지나고 두 시간이 지났다. 나는 칸비가 뭔가를 극도로 두려워하고 있음을 더욱더 분명하게 간파하였다. 그뿐만 아니라, 그가 혼자 있는 걸 두려워하고, 다른 이유보다는 이 두려움 때문에 계속해서 나와 함께 있으려고 한다는 점도 알게 되었다. 그는 언제나 고통스럽고 괴로운 기대감 속에서 뭔가를 기다리며 귀 기울이고 있는 것 같았다. 그리고 우리가 나누는 대화 대부분은 건성으로 응하고 있었다. 서재의 기묘한 장비들과 더불어, 드러나지 않은 악과 정체 모를 공포의 분위기 속에 있자니, 내 이성의 일부가 다시금 고개를 드는 어둡고 오랜 공포에 굴복하기 시작했다. 평상시라면 코웃음을 칠 일이었다. 그런데 지금은 미신적인 상상에서 비롯된 가장 불길한 것까지 얼마든지 믿을 수 있었다. 정신적인 감화로 인해 나도 칸비가 시달리고 있는 비밀의 공포에 사로잡힌 셈이었다.

그러나 칸비는 얼굴에 뻔히 드러나 있는 진짜 감정에 대해서는 일언반구 하지 않은 채 그저 신경쇠약이라는 말만 되풀이하였다. 얘기를 나누는 동안, 초자연적이고 악마와 관련된 분야는 순전히 지적인 관심일 뿐 그도 나와 마찬가지로 그런 것을 믿지 않는다고 암시한 것도 한두 번이 아니었다. 그럼에도 나는 그의 암시가 거짓임을 분명히 알고 있었다. 그뿐만 아니라, 그가 과학적이고 객관적인 접근인 양하는 그 모든 것을 실제로 믿고 있으며 바로 그 믿음의 강박에 시달리고 있다는 것도 알고 있었다. 그는 자신의 신비학 연구에서 비롯된 상상의 공포에 희생양이 된 것이 분명하였다.

내 고용주를 심란하게 만드는 소음은 더 없었다. 우리는 미친 아랍인의 책을 앞에 펼쳐놓고 자정이 넘을 때까지 앉아 있었다. 마침내 칸비도 시간이 늦었음을 알아챈 모양이었다.

"자네를 너무 오래 붙잡아뒀군그래." 그가 미안해하면서 말했다. "가서 쉬게나. 내가 이기적이어서 다른 사람들은 나와는 다르게 늦게까지 깨어 있지 않다는 걸 깜박했네그려."

정중하게 자신을 책망하는 그에게 나는 괜찮다는 형식적인 말과 함께 작별 인사를 건네고는 큰 안도감 속에서 내 방을 찾아갔다. 그동안 속박당해 있던 음산한 공포와 억압을 몽땅 칸비의 서재에 남겨두고 나와서 홀가분하다고 할까 그랬다.

긴 복도에는 촛불 하나만 밝혀져 있었다. 그나마도 칸비의 서재 가까이에 있었다. 그래서 복도 끝, 계단과 가까이 있는 내 방은 짙은 어둠에 잠겨 있었다. 방문 손잡이를 더듬거리는데, 뒤에서 소리가 났다. 뒤돌아보니, 작고 불분명한 형체 하나가 복도 쪽에서 계단으로 휙 움직였다가 이내 사라졌다. 가슴이 철렁 내려앉았다. 불분명하게 쏜살처럼 사라지긴 했어도 그것이 쥐라고 하기엔 너무 창백한 데다 그 생김새가 어떤 동물과도 일치하지 않았기 때문이다. 그것이 무엇이었는지는 확신할 수 없으나, 그 윤곽만큼은 형언할 수 없을 정도로 해괴하게 보였다. 내가 오들오들 떨면서 서 있는 동안, 뭔가 부딪치는 소리 그러니까 물체가 계단을 굴러서 떨어지는 소리가 들려왔다. 그 소리는 일정한 간격을 두고 되풀이되다가 결국 그쳤다.

영혼과 육신의 안전에 문제가 생길 것 같아서 나는 계단의 불을 켜지 못했고, 그 이상한 소리가 무엇이었는지 확인하기 위해 계단 머리까지 가지도 못했다. 다른 사람들도 마찬가지였을 터이다. 완전히 굳어 있던 나는 방 안으로 들어가 문을 잠그고 풀리지 않은 의문과 모호한 공포의 혼란 속에서 침대에 누웠다. 촛불은 켜둔 채 놔두었다. 혹시나 그 기분 나쁜 소리가 다시 들려오지 않을까 숨을 죽이고 몇 시간 동안 누워 있었다. 그러나 집은 시체 보관소처럼 조용하여 아무 소리도 들려오지 않았다. 결국은 계속 깨어 있으려는 의지와는 반대로 잠이 들어서 꿈도 꾸지 않고 오랜 시간을 곯아떨어졌다.

손목시계를 보니 10시 정각이었다. 내 고용주가 배려하는 차원에서 나를 깨우지 않았는지 아니면 그 자신이 아직 일어나지 않은 것인지 궁금했다. 옷을 갈아입고 아래층으로 내려갔더니, 칸비는 아침 식탁에서 기다리고 있었다. 잠을 설친 것일까, 그는 더없이 창백했고 불안해 보였다.

"쥐 떼가 성가시게 하지나 않았는지 모르겠네." 그가 아침 인사를 하고는 이렇게 덧붙였다. "정말이지 무슨 수를 써서라도 쥐를 없애야겠어."

"저는 아무렇지 않았는걸요." 내가 대답했다.

아무래도 간밤에 방문 앞에서 보고 들은 그 기묘하고 모호한 물체에 대해 말을 꺼내기는 아예 불가능했다. 내가 착각했을 공산이 컸다. 쥐 한 마리가 뭔가를 끌고 계단을 내려갔을 터이다. 나는 섬뜩하게 되풀이되던 소리와 어둠 속에서 순간적으로 스쳐 간 상상 초월의 형체를 잊으려고 애썼다.

칸비는 내 마음속을 들여다보려는 것처럼 불쾌하리만큼 예리한 눈빛으로 나를 살폈다. 아침 식사는 음울했고, 그 이후의 시간도 마찬가지였다. 칸비는 오후 나절까지 혼자 있었고, 나는 구식이긴 하나 설비가 괜찮은 1층 서재에서 개인적인 시간을 보냈다. 칸비가 자기 방에서 혼자 무엇을 하고 있는지는 알 길이 없었다. 다만, 심각한 목소리의 단조로운 낭송 소리가 몇 번인가 어렴풋이 들려왔다. 머릿속에서 무서운 암시와 불길한 예감이 떠올랐다. 집 안의 분위기는 점점 더 유해하고 악의 어린 수수께끼로 나를 휘감고 숨통을 졸랐다. 집 안 어디에나 보이지 않는, 사악한 인큐비로 가득한 느낌이 들었다.

칸비가 자신의 서재로 나를 불렀을 때는 다행이다 싶을 정도였다. 서재로 들어서는데, 교회 향로에 동양산 수지와 향료를 태운 것인지, 공기 중에 쌉싸래하고 독한 냄새가 가득했고 파란 증기가 채 가시지 않은 상태였다. 원래 벽 가까이에 있던 이스파한[67) 양탄자가 한복판으로 옮겨져 있었으나, 마법의 원을 그린 듯한 바닥의 보라색 자국을 전부 가리기엔 역부족이었다. 틀림없이 칸비는 마법 같은 것을 행하고 있었다. 나는 어제 그의 부탁으로 번역했던, 섬뜩한 주문을 떠올렸다.

그러나 칸비는 무엇을 하고 있었는지 설명하지 않았다. 그의 태도가 눈에 띄게 변하여, 그 어느 때보다도 절제되고 대담했다. 그는 거의 사무적인 태도로 내 앞에 타이핑이 필요한 원고 뭉치를 꺼내놓았다. 타자기의 익숙한 찰칵 소리가 막연한 불안감을 쫓아내는 데 도움을 준 덕분에 칸비의 공들인 원고에 담긴 오싹한 정보, 요컨대 불법적인 힘을 얻기 위한 주문을 보면서도 미소를 머금을 수 있었다. 그러나 별일 아니라는 나의 다짐에도 불구하고 여전히 모호하게 서성이는 불안감이 있었다.

저녁이 왔다. 저녁 식사 후에 우리는 다시 서재로 돌아왔다. 이때쯤, 칸비의 태도에서 비밀 시험의 결과를 초조히 기다리는 사람처럼 팽팽한 긴장감이 감지되었다. 나는 타이핑을 계속해 나갔다. 그러나 칸비의 감정이 저절로 내게 전해져서 번번이 나도 모르게 잔뜩 귀를 기울이곤 하였다.

드디어, 타자기의 찰칵 소리보다 더 크게 복도에서 미끄러지는 소리가 들려왔다. 칸비도 그 소리를 들었다. 그의 대담했던 표정은 송두리째 사라져버렸고, 그 대신에 가여울 정도로 겁에 질려 있었다.

소리가 점점 가까워졌다. 둔중하게 뭔가를 끄는 소리에 이어, 정확하진 않지만 미끄러지고 종종걸음 치는 소리가 들려왔다. 복도에 그 소리가 가득하여, 한 무더기의 쥐 떼가 썩은 노획물을 바닥에 끌고 가는 것 같았다. 그러나 그 어떤 설치류도 그 수가 아무리 많다고 해도 그런 소리를 낼 순 없는 데다 그렇게 묵직한 것을 끌고 갈 수도 없는 노릇이었다. 그 소리에 있는 뭔가 다른, 딱히 집어서 말할 수 없는 특징이 서서히 등골을 오싹하게 만들었다.

"어이쿠! 저게 대체 무슨 소리죠?" 내가 소리쳤다.

"쥐! 쥐라고 말하지 않았나!" 칸비의 목소리는 높고 히스테릭했다.

잠시 후, 서재 문 그러니까 문지방 가까운 곳에서 분명한 노크 소리가 났다. 그와 동시에, 서재 맞은편의 잠긴 벽장 속에서 쿵 하는 둔탁한 소리가 들려왔다. 서 있던 칸비가 어느새 힘없이 의자에 주저앉아 있었다. 얼굴은 잿빛으로 변했고, 겁에 질려 거의 실성한 사람 같았다.

악몽 같은 의혹과 긴장감이 견딜 수 없을 정도로 심해지자, 나는 칸비의 거센 만류에도 불구하고, 달려가 문을 확 열어젖혔다. 그리고 문지방을 넘어 어둠침침한 복도로 나가면서 과연 무엇을 보게 될지 짐작조차 하지 못했다. 내가 시선을 밑으로 향하고 하마터면 밟을 뻔한 물체를 봤을 때, 경악과 메스꺼움이 몰려왔다. 그것은 손목 부위에서 잘려 나간 사람의 손이었다. 손가락과 긴 손톱 밑에 곰팡이가 핀, 일주일가량 지난 시체의 일부 같은 앙상하고 푸르스름한 손. 그 오싹한 손이 움직였던 것이다! 그것은 나를 피해 뒤로 물러가더니, 게와 흡사한 동작으로 복도를 따라 기어가기 시작했다. 그것의 뒤를 쫓아가던 내 시선은 그 너머에서 다른 물체 다시 말해 사람의 발과 팔뚝 같은 신체 부위들을 보았다. 나는 나머지 신체 부위들을 보고 있을 엄두가 나지 않았다. 그것들이 전부 장례 행렬처럼 천천히 또 섬뜩하게 움직이고 있었다. 나는 그 움직임을 도저히 묘사할 수가 없다. 그 각각의 생명력이 견딜 수 없는 공포를 주었다. 생명력 그 이상이었으나, 공기 중엔 썩은 냄새가 진동했다. 나는 시선을 외면하곤 서재 안으로 뒷걸음질 쳐 들어와서 떨리는 손으로 문을 닫았다. 열쇠를 들고 내 옆에 서 있던 칸비가 중풍 걸린 노인처럼 흔들리는 손가락으로 서재 문을 잠갔다.

"봤나?" 그가 메마르고 떨리는 목소리를 낮추고 물었다.

"저, 저게 대체 뭡니까?" 내가 소리쳤다.

칸비는 조금 비틀거리면서 도로 의자에 앉았다. 그의 얼굴은 마음속 공포에 갇히어 고통스러워 보였고, 학질에 걸린 환자처럼 온몸을 오들오들 떨었다. 내가 그의 옆에 놓인 의자에 앉자, 그는 논리에 맞지 않은 장광설로 더듬거리기도 하고 멈추기도 하면서 태반은 횡설수설, 믿기 어려운 고백을 하기 시작했다.

"그 녀석은 나보다 강하네. 죽어서도 심지어 외과의사의 칼과 내가 사용하던 톱으로 사지가 토막 난 상태에서도 말일세. 나는 그렇게 하면 녀석이 다시는 돌아올 수 없을 거라 생각했네. 그러니까 토막 난 시신을 야생 포도 밑에 또 관목 밑에 또 지하실 등등 여러 곳에 나누어 묻고 난 후엔 말일세. 그러나 『네크로노미콘』이 옳았어. ……헬먼 칸비는 그걸 알고 있었던 거야. 죽음을 앞둔 헬먼이 자신은 부활할 수 있다고 내게 경고했네. 그런 조건에서도 돌아오겠다고.

하지만 나는 그 말을 믿지 않았네. 나는 헬먼을 증오했고, 헬먼 또한 나를 증오했지. 헬먼은 나보다 더 높은 능력과 지식에 도달했기에 어둠의 세력들로부터 총애를 받았네. 그래서 내가 그를 죽인 걸세. 사탄과 그 이전의 존재들을 모셔온 내 쌍둥이 형제이자 동생을 내 손으로 죽였지. 우리는 오랫동안 함께 연구를 했네. 우린 함께 검은 미사를 거행했고, 같은 수하들의 시중을 받았지. 그러나 헬먼 칸비는 내가 따라잡을 수 없는 더 심오한 마법 속으로, 그 금기 속으로 점점 깊숙이 파고들었네. 나는 동생을 두려워했고, 그 녀석이 나보다 우월하다는 것을 견딜 수 없었네.

내가 그 일을 저지른 지 일주일 이상, 정확히 열흘이 지났네. 그런데 헬먼 ─ 또는 녀석의 일부분 ─ 이 매일 밤마다 나타나선…… 큰일이야! 그 녀석의 저주받은 손들이 마루를 기어 다니잖나! 발, 팔, 다리의 일부가 끔찍한 방식으로 계단을 올라와 나를 괴롭힌단 말일세! 빌어먹을! 게다가 피범벅이 된 녀석의 상반신이 언제든지 나타날 준비를 하고 있지. 맹세컨대, 녀석의 손들은 날마다 낮에도 이 방문을 두드리고 더듬거리고 있어. 나는 어둠 속에서 녀석의 팔에 걸려 넘어진단 말이야.

아! 나는 무서워서 미쳐버리고 말 걸세. 녀석은 내가 실성해 버리길 바라고, 내 머리가 돌아버릴 때까지 날 고문하려는 걸세. 그래서 녀석의 신체 일부분이 하나씩 나타나 나를 괴롭히는 걸세. 녀석은 자신의 악마적인 능력으로 언제든 나를 끝장낼 수 있지. 토막 난 자신의 사지와 몸을 다시 꿰맬 수도 있고, 내가 녀석한테 그랬듯이 나를 무참히 죽일 수도 있네.

내가 시신의 토막을 신중하게 묻기까지 얼마나 많은 생각과 계획을 수없이 곱씹은 줄 아나! 그런데 그게 다 헛고생이었다니! 톱과 칼 또한 녀석의 사악하고 탐욕스러운 손이 가급적 닿지 않게, 정원 끝에 묻었어. 하지만 머리는 묻지 않네. 그걸 이 방에 있는 저 벽장 속에 보관했지. 가끔씩, 자네도 방금 전에 들은 것처럼, 녀석의 머리가 벽장 속에서 움직이는 소리가 들려온다네. 하지만 녀석에겐 머리가 필요 없어. 녀석의 의지는 어디에나 뻗쳐 있고, 사지만으로도 교묘하게 일을 꾸밀 수 있으니까.

물론 녀석이 돌아온다는 걸 알게 된 후론 밤마다 문과 창문을 모조리 잠그지. 하지만 그런다고 달라지는 건 없더군. 그리고 녀석을 쫓아내기 위해 적당한 주문도 사용해 봤네. 내가 아는 주문을 다…… 오늘은 자네가『네크로노미콘』에서 번역해 준 최고의 주문을 시도해 봤지. 자네를 고용한 건 그걸 번역하기 위해서였어. 또한, 더는 혼자 지탱할 수가 없다는 이유 때문이기도 했네. 혹시 이 집에 누군가와 함께 있다면 도움이 될까 해서 말일세. 그 주문은 마지막 희망이었네. 그것으로 녀석을 막을 수 있다고 생각했어. 가장 오래되고 가장 무시무시한 주문이니까. 하지만 자네도 봤듯이, 그마저 소용없다니……."

칸비의 목소리는 목멘 웅얼거림으로 끝이 났고, 그는 초점을 잃은 성난 눈으로 물끄러미 앞을 응시하고 앉아 있었다. 나는 그의 눈에서 타오르기 시작하는 광기를 보았다. 아무 말도 할 수 없었다. 그의 고백은 입에 올릴 수조차 없을 정도로 흉악한 것이었다. 윤리적인 충격과 섬뜩한 초자연적 공포에 나는 그만 얼어붙었다. 금방이라도 정신을 잃을 것 같았다. 내가 정신을 차리기 시작한 것은 곁에 있는 남자에 대한 혐오감이 쇄도해 오는 것을 느끼면서부터였다.

나는 일어섰다. 포위 공격을 하던 섬뜩한 납골당의 군대가 여러 곳의 무덤으로 각자 돌아가버렸는지, 집 안은 아주 고요했다. 칸비는 방문 열쇠를 자물쇠에 꽂아둔 상태였다. 그래서 나는 문으로 가서 열쇠를 재빨리 돌렸다.

"떠날 텐가? 가지 말게." 칸비가 불안하게 떨리는 목소리로 애원하는 동안, 나는 문 손잡이를 잡고 서 있었다.

"네. 떠나겠습니다." 나는 냉정하게 말했다. "당장 일을 그만두겠습니다. 짐을 싸서 한시라도 빨리 이 집을 떠날 생각입니다."

나는 떠듬거리는 목소리로 들려오는 그의 반박과 애원과 항변을 듣고 싶지 않아서 그대로 문을 열고 나왔다. 당장은 존 칸비와 함께 있느니 차라리 어둠 속에 도사리고 있을 역겹고 무시무시한 것을 마주하는 편이 더 나았다.

복도는 텅 비어 있었다. 하지만 내 방으로 다급히 가는 동안, 좀 전에 본 것이 떠올라 간담이 서늘해졌다. 나는 어둠 속에서 기어드는 목소리일망정 힘껏 비명을 질렀던 것 같다.

다급하고 절박한 심정으로 짐을 싸기 시작했다. 가증스럽고 위협적인 분위기로 가득한 그 비밀의 집에서 아무리 빨리 도망친대도 더디게만 느껴졌을 터이다. 서두르다 보니 실수 연발이었다. 의자에 걸려 버둥거렸고, 얼어붙는 공포로 머리와 손가락에서 감각이 무뎌져갔다.

짐을 거의 다 챙겼을 때, 계단을 올라오는 느리고 신중한 발소리가 들려왔다. 내가 서재를 나오자마자 칸비는 문을 잠갔기 때문에 발소리의 주인공은 그가 아니었다. 무슨 일이 있어도 칸비가 서재 밖으로 나오지 않을 거란 확신이 들었다. 아무튼, 내가 모르는 사이에 그가 아래층으로 내려갔을 리 만무했다.

계단을 다 올라온 발소리는 기계의 움직임처럼 섬뜩하리만큼 단조롭고 규칙적인 반복으로 내 방문을 지나 복도를 따라 이동했다. 그것은 분명 존 칸비의 낮고 신경질적인 발소리가 아니었다.

그렇다면 누구란 말인가? 나는 여전히 피가 얼어붙는 기분이었다. 머릿속에 떠오르는 추측을 멈출 수 없었다.

발걸음이 멈추었다. 나는 그곳이 칸비의 서재 문 앞이라는 것을 알고 있었다. 숨이 막혀왔다. 곧이어 치고 부수는, 오싹한 소리가 들려왔고, 그 소리보다 더 크게, 극한 공포에 사로잡힌 한 남자의 비명이 솟구쳤다.

보이지 않는 쇳덩어리 손이 나를 제지하고 있는 것처럼 움직일 힘이 없었다. 내가 얼마나 오랫동안 그렇게 멈춰 서서 귀를 기울이고 있었는지는 모르겠다. 비명은 이내 찾아온 침묵 속에서 사라졌다. 이제 들려오는 소리라고는 낮고 독특한, 내 머리가 무엇인지 생각하기를 거부하는 반복음이 전부였다.

나를 잡아끌어서 복도를 따라 칸비의 서재로 가게 만든 것은 나 자신의 의지가 아니라, 그보다는 더 강한 의지였다. 그 의지가 강렬하고도 초인적인 존재처럼, 악마의 힘과 사악한 최면술처럼 실재한다는 것이 느껴졌다.

서재의 문은 안쪽으로 부서진 채, 돌쩌귀 하나에 매달려 있었다. 문은 사람의 힘보다 더 강한 뭔가에 의해 박살이 나 있었다. 촛불은 아직도 안에서 타고 있었고, 지금까지 들려왔던 정체불명의 소리는 내가 문지방에 다가가자 뚝 그쳤다. 그리고 찾아온 것은 사악하고 완전한 정적이었다.

나는 또 멈춰 섰고, 더는 안으로 들어갈 수 없었다. 그러나 이번에 나의 사지를 굳게 만들어 문지방 앞에 멈춰 서게 한 것은 집 안에 가득한 마성(魔性)의 힘이 아닌 다른 힘이었다. 보이지 않는 램프의 불빛이 비치는 문간의 좁은 공간에서 서재 안을 살피니, 동양식 양탄자 한쪽 끝자락과 그 너머 바닥에 드리워진, 움직임 없는 기괴한 그림자의 윤곽이 보였다. 거대하고 길게 늘어진 기형의 그림자는 외과용 톱을 손에 들고 몸을 앞으로 숙이고 있는 벌거숭이 남자의 팔과 상반신처럼 보였다. 그것의 기괴했던 이유는 이랬다. 그림자의 어깨와 가슴, 복부와 팔은 또렷한 반면에 느닷없이 목이 잘린 것처럼 머리가 없었던 것이다. 그림자의 자세를 감안한다면, 원근법에 의해 내 시야에서 그것의 머리가 가려지기는 불가능하였다.

나는 안으로 들어가지도 못하고 밖으로 물러서지도 못한 채 마냥 서 있었다. 차갑고 거센 물결처럼 피가 거꾸로 솟았고, 생각은 머릿속에서 얼어붙었다. 한없는 공포의 막간에 이어서, 보이지 않는 칸비의 방 끝에서, 잠긴 벽장 쪽에서 무시무시하고 격한 굉음이 들려왔다. 나무가 박살 나고 돌쩌귀가 끼익 소리를 낸 데 이어서 뭔가가 불길하고도 음산하게 쿵 하고 바닥을 쳤다.

또다시 침묵, 그것은 악의 기운이 일을 다 끝내고서 명명할 수 없는 자신의 승리에 대해 골똘히 생각하고 있는, 그런 침묵이었다. 그림자는 움직이지 않았다. 그림자는 섬뜩하고 깊은 사색에 잠긴 자세를 취했고, 손은 방금 일을 마무리하고 난 것처럼 아직은 톱을 들고 있었다.

또 한 번의 막간, 그리고 나는 느닷없이 그림자의 오싹하고도 설명할 수 없는 해체를 목격하였다. 그림자는 사라지기에 앞서 조용하고 순조롭게 여러 개의 그림자로 분열되는 것 같았다. 이 독특한 와해, 이 복잡한 분열이 어떻게 또 어느 부위에서 일어났는지 묘사하기란 녹록지 않다. 아무튼 이 과정과 동시에, 페르시아 양탄자 위에 금속 물체가 떨어지는 소리 그리고 하나가 아닌 무수한 신체들이 떨어지는 소리가 들려왔다.

또다시 침묵, 그것은 도굴범과 구울 들이 극악무도한 작업을 끝내고 시신이 홀로 남겨진 어느 야간 묘지의 침묵과도 같았다.

보이지 않는 악마에게 홀린 몽유병자처럼 사악한 최면에 이끌려 서재 안으로 들어갔을 때, 나는 이미 문지방 너머에서 무엇을 보게 될지 불길한 예감으로 알고 있었다. 그것은 사람의 토막 난 부위들이 쌓여 있는 두 개의 무더기였다. 일부는 살과 피였고 또 다른 일부는 벌써 부패의 징후를 보이고 있었다. 이 신체의 무더기가 양탄자에 징그럽게 뒤죽박죽 뒤섞여 있었다.

피 묻은 칼과 톱이 무더기에서 튀어나와 있었다. 그리고 한쪽으로 조금 떨어진, 문이 박살 난 채로 열린 벽장과 양탄자 사이에, 사람의 머리 하나가 직립한 자세의 다른 신체 부위들을 정면으로 마주 보고 놓여 있었다. 머리는 그것이 속해 있던 신체 부위들과 마찬가지로 부패의 초기 단계를 보이고 있었다. 그러나 단언하건대, 내가 서재로 들어갔을 때, 그 머리에서 악의에 찬 환희의 표정이 엷어지고 있음을 똑똑히 보았다. 부패가 진행되고 있음에도 불구하고, 그 생김새는 존 칸비와의 닮은꼴임을 여실히 보여주어서 그들이 쌍둥이 형제임이 분명해졌다.

검고 끈적끈적한 신체의 파편들과 더불어 내 머리를 질식시키는, 무시무시한 추측이 일었으나, 그것이 무엇이었는지는 여기에 밝힐 수 없다. 내가 목격한 공포 그리고 내가 추측한 더 큰 공포는 아마도 지옥의 얼어붙은 구덩이에서도 가장 극악무도한 범죄에 해당할 것이다. 그래도 한 가지 정상참작과 자유재량의 여지는 있었다. 나는 원해서가 아니라 강제적으로 그 용납할 수 없는 광경을 잠시 뚫어지게 쳐다봐야만 했다. 그런데 그때였다. 방에서 뭔가가 물러가는 느낌이 들었다. 사악한 주술이 풀렸고, 나를 옴짝달싹 못하게 속박했던 강렬한 의지력이 사라졌다. 헬먼 칸비의 토막 난 시신을 놓아준 것처럼 그 힘은 이제 나를 놓아주었다. 자유롭게 움직일 수 있었다. 나는 그 소름 끼치는 서재에서 도망쳐 나와, 불 꺼진 집 안을 허둥지둥 달려서 바깥의 어둠 속으로, 밤의 어둠 속으로 뛰어들었다.

---

67) 이스파한(Ispahan): 이란의 도시로 페르시안 양탄자의 주요 생산지다.

옮긴이 | 정진영

홍익대 영문학과를 졸업했다. 현대 호러의 모태가 되는 고딕(Gothic) 소설과 장르 문학에 특히 관심이
많다. 국내에 잘 알려지지 않은 걸작들을 소개하려고 노력하고 있다. 주요 역서로는 『세계 호러 걸작
선』 시리즈, 스티븐 킹의 『그것』, 『아울크리크 다리에서 생긴 일』 외에 필명(정탄)으로 『피의 책』, 『세
익스피어는 없다』, 『해변에서』 등이 있다.

클라크 애슈턴 스미스 걸작선
러브크래프트 전집 특별판

1판 1쇄 펴냄 2015년 1월 30일
1판 9쇄 펴냄 2022년 3월 3일

지은이 | 클라크 애슈턴 스미스
옮긴이 | 정진영
발행인 | 박근섭
편집인 | 김준혁
펴낸곳 | 황금가지

출판등록 | 2009. 10. 8 (제2009-000273호)
주소 | 06027 서울 강남구 도산대로 1길 62 강남출판문화센터 5층
전화 | 영업부 515-2000 **편집부** 3446-8774 **팩시밀리** 515-2007
홈페이지 | www.goldenbough.co.kr

도서 파본 등의 이유로 반송이 필요할 경우에는 구매처에서 교환하시고
출판사 교환이 필요할 경우에는 아래 주소로 반송 사유를 적어 도서와 함께 보내주세요.
06027 서울 강남구 도산대로 1길 62 강남출판문화센터 6층 민음인 마케팅부

한국어판 ⓒ ㈜민음인, 2015. Printed in Seoul, Korea
ISBN 978-89-6017-163-3 04840
ISBN 978-89-6017-164-0 (set)

㈜민음인은 민음사 출판 그룹의 자회사입니다.
황금가지는 ㈜민음인의 픽션 전문 출간 브랜드입니다.